LISTE DES APPLICATIONS

Administration et économie

D1372169

Calcul différentiel

Tableau p. 5

$- \left(b^{1/q}\right)^{p} = \sqrt[q]{b^{p}}$

$a^{0} = 1$

$a^{1/N} = \sqrt[N]{a}$

$a^{M/N} = \sqrt[N]{a^{M}}$

$x^{7}/x^{4} = x^{7-4} = x^{3}$

$|a+b| \leq |a| + |b|$

$16^{1/4} \cdot 8^{-1/3} \Rightarrow \dfrac{\sqrt[4]{16}}{\sqrt[3]{8}} = \dfrac{2}{2} = 1$

$(a+b)^{3} = a^{3} + 3a^{2}b + 3ab^{2} + b^{3}$

$(a-b)^{3} = a^{3} - 3a^{2}b - 3ab^{2} - b^{3}$

Factorisation p. 14 (tableau)

distance
$d = \sqrt{(x^{2}-x^{1})^{2} + (y^{2}-y^{1})^{2}}$

cercle = centre = -1, 3 r-y ou 2
$(x-h)^{2} + (y-h)^{2} = r^{2}$

équation de droite pente m et point (x', y')
$y - y' = m(x - x')$

Droites parallèles = même pente
Droites perpendiculaires = $m_{i} = -\dfrac{1}{m^{2}}$ $2 = \dfrac{-1}{2}$

$a^{2/4} = a^{1/2} = \sqrt{a}$
$2^{1/2} = 1$ $\sqrt[1]{2^{2}} = 1$

II | I
III | IV

$y = m_{x} + b \leftarrow$ ordonnée à l'origine
Aire cercle = $y = \pi r^{2}$
Volume = largeur × longeur × hauteur

p. 50 #9

Calcul différentiel

Soo Tan
Stonehill College

Adaptation

Colette Messier
Cégep du Vieux-Montréal

LES
ÉDITIONS
**REYNALD
GOULET**
INC.

Calcul différentiel
Soo Tan

Traduction et adaptation: Colette Messier, Cégep du Vieux-Montréal
Couverture: Martineau design graphique
Infographie: Productions André Ayotte inc.

Traduction partielle de *Calculus for the Managerial*, *Life*, *and Social Sciences*,
6ᵉ édition © 2003 Wadsworth, une division de Thomson Learning, Inc.

Nous reconnaissons l'aide financière du gouvernement du Canada par l'entremise
du Programme d'aide au développement de l'édition (PADIÉ) pour nos activités
d'édition.

Gouvernement du Québec – Programme de crédit d'impôt pour l'édition de livres
– Gestion SODEC

Bibliothèque nationale du Québec
Bibliothèque nationale du Canada

Imprimé au Canada
08 07 06 05   5 4 3 2 1

ISBN 2-89377-319-2

TABLE DES MATIÈRES

PRÉFACE

Les mathématiques forment une partie intégrante de notre quotidien, dont le déroulement se révèle sans cesse plus complexe. Dans le présent ouvrage, *Calcul différentiel,* nous avons cherché à illustrer ce point de vue en adoptant une approche résolument axée sur les applications des mathématiques. La rédaction du manuel visait deux objectifs : 1) favoriser la motivation des étudiants en mettant l'accent sur les applications du calcul différentiel et 2) fournir aux enseignants un outil d'enseignement efficace.

À l'enseignant

« J'avais déjà accumulé de nombreuses années d'enseignement quand j'ai décidé d'écrire le premier d'une série de livres de mathématiques pour les étudiants des sciences de la gestion, des sciences humaines et des sciences de la santé. L'expérience m'a démontré que bon nombre d'étudiants abordent leur cours de calcul avec une certaine appréhension. Ils s'interrogent aussi sur la pertinence d'apprendre les mathématiques dans leur domaine. Et suivre un cours qui se résume à une succession de formules n'est rien pour les rassurer, encore moins les motiver. Ce constat m'a fait voir la nécessité d'aborder l'étude du calcul par une approche intuitive.

Vous constaterez donc que dans ce livre, je présente chaque nouvelle notion au moyen d'un exemple de la vie réelle. Après avoir exposé l'idée générale, je prends soin de donner la définition exacte du concept, afin de ne rien perdre de la rigueur mathématique dans ce cheminement intuitif. J'ai également remarqué que les étudiants manifestent beaucoup plus d'intérêt pour les mathématiques quand les applications portent sur leur champ d'intérêt et que les exemples sont tirés du monde réel plutôt que fictifs. Voilà pourquoi tant d'exemples et d'exercices prennent leur source dans les organisations officielles connues et dans les médias écrits ou électroniques. Avec le résultat que les étudiants sont plus motivés. »

Soo Tan

Encore un livre de calcul différentiel ?

« Lorsque j'ai pris connaissance de ce livre, j'ai remarqué que, bien qu'on y retrouvait les thèmes habituellement abordés dans un premier cours de calcul différentiel, le volume se démarquait par un souci réel de faire comprendre les concepts aux étudiants, aussi bien par la clarté des explications que par la pertinence des applications. J'appréciais particulièrement les exemples tirés de la vie réelle. C'est pourquoi il a été convenu dès le début du projet d'adaptation de travailler dans le même esprit que l'auteur en insérant de nombreux exemples ou exercices construits à partir de contextes réels québécois ou canadiens.

Une autre particularité de l'ouvrage réside dans son recours fréquent à la calculatrice graphique. Comme professeure, j'apprécie grandement cet outil qui constitue un support intuitif majeur à la compréhension tout en se révélant plus convivial que l'ordinateur.

Toutefois, son utilisation n'est pas indispensable ici, puisque les sections concernant la calculatrice sont présentées séparément du corps du texte.

Finalement, j'ai tenté, à l'image de l'auteur, de garder à l'esprit que je m'adressais directement à l'étudiant tout au long de l'ouvrage. »

Colette Messier

Caractéristiques

Voici quelques-uns des points forts de l'ouvrage:

- **Couverture des sujets**   Le présent ouvrage contient tous les sujets qui doivent être abordés dans un cours de calcul différentiel appliqué. Les sections facultatives sont marquées d'un astérisque dans la table des matières, afin d'offrir à l'enseignante ou à l'enseignant un choix de thèmes appropriés.

- **Approche**   Tout au long du volume, nous avons mis l'accent sur la résolution de problèmes. Nous présentons un grand nombre d'exemples ou de problèmes résolus afin de faciliter la compréhension par l'étudiant de chaque nouveau concept et de chaque nouveau résultat. Chaque fois que c'est possible, une figure vient illustrer les concepts.

- **Point de vue**   Nous avons opté pour une approche intuitive et une présentation informelle des résultats, sans sacrifier pour autant la rigueur et la précision du contenu mathématique. Ainsi, nous avons inclus un certain nombre de preuves de résultats, qui peuvent cependant être omises.

- **Approche intuitive**   Nous abordons les nouveaux concepts en faisant appel à une situation de la vie réelle. À titre d'illustration, voici quelques-uns des sujets ainsi présentés:

  - **Modélisation**   Poids démographique du Québec dans le Canada

  - **Croissance et décroissance d'une fonction**   Consommation d'essence d'une automobile

  - **Concavité**   Croissance de la population mondiale et de la population canadienne

  - **Points d'inflexion**   Le point de rendements décroissants

  - **Tracé de courbes**   Fluctuations de l'indice Dow-Jones au cours du Lundi noir

  - **Extremums relatifs**   Déficit budgétaire d'un pays

  - **Extremums absolus**   Évolution du taux de natalité au Québec

  - **Fonctions exponentielles**   Pourcentage d'alcool dans le sang d'une personne

  - **Différentielles**   Calcul de versements hypothécaires

  et, plus globalement,

  - **Limites**   Le concept est présenté au moyen de l'exemple du déplacement d'un Maglev; le même exemple est repris pour illustrer la notion de *dérivée*, le *théorème des valeurs intermédiaires* et les *primitives*, ce qui fait ressortir le lien entre ces différents concepts.

- **Applications**   Le texte est axé sur les applications pratiques. Nous avons notamment tiré des domaines de l'administration, de l'économie, des sciences sociales, de la psychologie et des sciences de la nature de nombreuses applications intéressantes, pertinentes et d'actualité. Quelques-unes prennent leur source dans les journaux, les périodiques et autres magazines. Les applications se retrouvent aussi bien en tant qu'exemples dans le texte que dans les séries d'exercices proposés. Un des objectifs poursuivis consistait à inclure, chaque fois que c'était possible, au moins une situation réelle par section.

- **Sources**   Nous avons fourni les sources des applications basées sur des situations réelles. Il est notamment question du coût d'utilisation d'une automobile, du déclin de la population au Saguenay-Lac-Saint-Jean, des dépenses des commissions scolaires canadiennes, de la prévalence de la maladie d'Alzheimer, des courriels non sollicités, des revenus de Google, de la croissance mondiale des cultures d'OGM et de l'évolution de la publicité en ligne.

---

2. Déclin de la population Du Saguenay-Lac-Saint-Jean   Selon des hypothèses fondées sur des tendances récentes, la population du Saguenay-Lac-Saint-Jean devrait diminuer sensiblement au cours des 25 prochaines années. La projection de la population $P(t)$ entre 2001 et 2026 est modélisée par la fonction

$$P(t) = -2{,}13t^3 + 85{,}09t^2 - 2119{,}13t + 283\,510$$
$$\text{(pour } 0 \leq t \leq 25)$$

où t est mesuré en années, la valeur $t = 0$ correspondant au début de 2001.

a. Montrez que la population du Saguenay-Lac-Saint-Jean devrait diminuer constamment au cours de cette période.

Suggestion: Montrez que $P'(t) < 0$ pour tout t dans l'intervalle $]0, 25[$.

b. Trouvez à quel moment la population de la région Saguenay-Lac-Saint-Jean devrait diminuer le plus lentement.

Suggestion: Trouvez le point d'inflexion P dans l'intervalle $]0, 25[$.

Source: Institut de la statistique du Québec, Perspectives démographiques

■ **Travail en équipe**   La rubrique *Travail en équipe* porte sur des questions facultatives apparaissant dans le corps du texte, qui peuvent faire l'objet d'une discussion en classe ou d'un devoir. Les questions qui y sont abordées demandent généralement une réflexion plus poussée et plus d'effort que les autres exercices. Ils peuvent aussi servir à ajouter un volet «écriture» au travail des étudiants. Les solutions de ces exercices sont fournies dans le *Solutionnaire*.

TRAVAIL EN ÉQUIPE

Le profit P du fabricant d'un logiciel dépend du nombre d'unités vendues. Le fabricant estime pouvoir vendre x unités de son logiciel par semaine. Supposez que $P = g(x)$ et que $x = f(t)$, où g et f sont des fonctions dérivables.

1. Trouvez une expression du taux de variation du profit par rapport au nombre d'unités vendues.

■ **Situations réelles**   Une partie importante des applications repose sur des modèles mathématiques (des fonctions) construits à partir de données recueillies auprès de diverses sources, comme les journaux, les magazines ou l'Internet, dont les références sont fournies à la fin de chaque exercice. Dans la section 2.3, Fonctions et modélisation, on demande aux étudiants de tracer le graphique de fonctions décrivant des situations réelles (le poids démographique du Québec dans le Canada et les dépenses en soins médicaux) et d'utiliser ceux-ci pour effectuer des projections dans l'avenir. Sous la rubrique *Technologie en application* qui suit, les étudiants apprennent comment utiliser une calculatrice graphique pour construire une fonction décrivant une situation réelle (la scolarité des Québécoises). Cette présentation est suivie d'exercices de modélisation à partir de situations réelles.

EXEMPLE 3

Scolarité des femmes   Les données suivantes indiquent le nombre (en milliers) de Québécoises âgées de 15 ans et plus qui détenaient un certificat, un diplôme ou un grade universitaire entre 1981 ($t = 0$) et 2001 ($t = 20$).

Année	0	5	10	15	20
Diplômées (en milliers)	186,780	252,535	331,195	425,160	512,525

a. À l'aide d'une calculatrice graphique, trouvez une fonction polynomiale f de degré 4 qui modélise les données.

b. Tracez le graphique de la fonction f dans la fenêtre d'affichage $[0, 20] \times [0, 550]$.

c. Trouvez les valeurs $f(0), f(5), \ldots, f(20)$ en utilisant l'option d'évaluation de la calculatrice graphique et comparez ces valeurs avec les données empiriques.

Source: Statistique Canada, Recensements du Canada

■ **Séries d'exercices**   Les chapitres du volume comportent trois types d'exercices:

■ **Exercices d'autoévaluation**   Chaque section comporte des exercices d'autoévaluation, de même que leurs solutions, afin que les étudiants puissent mesurer leur progression.

▣ EXERCICES D'AUTOÉVALUATION **3.3**

Les solutions des exercices d'autoévaluation 3.3 se trouvent à la page 178.

1. Calculez la dérivée de la fonction

$$f(x) = -\frac{1}{\sqrt{2x^2 - 1}}$$

2. Supposons que l'espérance de vie (en années) d'une femme dans un certain pays soit modélisée par la fonction

$$g(t) = 50{,}02(1 + 1{,}09t)^{0,1} \qquad \text{(pour } 0 \le t \le 150)$$

▣ SOLUTIONS DES EXERCICES D'AUTOÉVALUATION **3.3**

1. On récrit la fonction sous la forme

$$f(x) = -(2x^2 - 1)^{-1/2}$$

Selon la formule (3),

$$f'(x) = -\frac{d}{dx}(2x^2 - 1)^{-1/2}$$

soit environ 78 ans. De même, l'espérance de vie d'une femme née au début de l'an 2000 est

$$g(100) = 50{,}02[1 + 1{,}09(100)]^{0,1} \approx 80{,}04$$

soit environ 80 ans.

b. Le taux de variation de l'espérance de vie d'une femme née à l'instant t est $g'(t)$. Selon la formule (3),

$$g'(t) = 50{,}02\frac{d}{dt}(1 + 1{,}09t)^{0,1}$$

■ **Exercices**   Chaque section de l'ouvrage est suivie d'une série d'exercices dont la première partie met l'accent sur la pratique des techniques nouvellement acquises et la seconde partie, sur des applications à une variété de situations.

▣ **3.3** EXERCICES

1–38 Calculez la dérivée des fonctions indiquées.

1. $f(x) = (2x - 1)^4$

2. $f(x) = (1 - x)^3$

3. $f(x) = (x^2 + 2)^5$

4. $f(x) = (2x - x^2)^3$

16. $f(t) = (5t^3 + 2t^2 - t + 4)^{-3}$

17. $f(x) = (x^2 + 1)^3 - (x^3 + 1)^2$

18. $f(t) = (2t - 1)^4 + (2t + 1)^4$

■ **Exercices récapitulatifs**   On retrouve, à la fin de chaque chapitre, des exercices sur l'ensemble des techniques vues dans le chapitre, suivis de problèmes d'applications.

Technologie

Technologie et intuition

Les questions facultatives apparaissant dans cette section visent à favoriser chez les étudiants une meilleure compréhension des concepts. Les solutions complètes de ces exercices sont fournies dans le *Solutionnaire*.

TECHNOLOGIE ET INTUITION

Dans le premier paragraphe de la section 5.1, nous avons souligné que la valeur acquise d'un placement à capitalisation continue dépasse grandement la valeur acquise d'un placement à intérêt simple au même taux d'intérêt nominal. L'exemple suivant en est une illustration.

Technologie en application

Les rubriques *Technologie en application*, dont l'étude est facultative, apparaissent à la fin des sections et proposent divers moyens d'utiliser les calculatrices graphiques pour appliquer les notions de calcul différentiel présentées. Les explications sont illustrées par de nombreuses représentations d'écrans de calculatrices graphiques, que viennent compléter des exemples et des exercices dont les réponses sont fournies à la fin du volume. Ces rubriques peuvent être étudiées en classe ou laissées à l'étudiant en tant qu'enrichissement. De nombreuses applications pertinentes et d'actualité fournissent à l'étudiant l'occasion d'interpréter les résultats obtenus dans des situations réelles.

 Technologie en application

EXEMPLE I

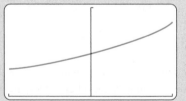

Au début de la section 5.4, nous avons illustré le résultat

$$\lim_{h \to 0} \frac{e^h - 1}{h} = 1$$

en construisant un tableau des valeurs de $(e^h - 1)/h$ pour des valeurs de h voisines de 0.

Nous pouvons arriver au même résultat en représentant graphiquement la fonction

$$f(x) = \frac{e^x - 1}{x}$$

EXERCICES AVEC LA CALCULATRICE GRAPHIQUE

1–6 Utilisez l'option de dérivation numérique pour trouver le taux de variation de $f(x)$ pour la valeur de x donnée. Conservez quatre décimales de précision.

1. $f(x) = x^3 e^{-1/x}$; $x = -1$

2. $f(x) = (\sqrt{x} + 1)^{3/2} e^{-x}$; $x = 0{,}5$

8. Taux d'alcool dans le sang Le pourcentage d'alcool présent dans le sang d'une personne t h après qu'elle ait absorbé 250 ml de whisky est modélisé par

$$A(t) = 0{,}23te^{-0{,}4t} \qquad \text{(pour } 0 \le t \le 12\text{)}$$

a. Tracez le graphique de $A(t)$ dans la fenêtre [0, 12]

 Compléments

■ Un *Solutionnaire* présente les solutions de tous les exercices. Ce solutionnaire est disponible sur cédérom à l'intention de l'enseignant ayant adopté l'ouvrage pour ses étudiants. Le cédérom contient également un *diaporama PowerPoint*.

Ⅰ Préliminaires

Quelles recettes peut-on prévoir pour l'an prochain? À l'exercice 50, page 38, vous verrez comment le propriétaire d'un magasin d'articles de sport utilise les données des années précédentes pour estimer les résultats des années à venir.

Dana White/PhotoEdit/PictureQuest

SOLDE

Les deux premières sections du présent chapitre contiennent une brève révision des notions d'algèbre. La section suivante traite de la représentation des points du plan cartésien par des paires ordonnées de nombres réels et du calcul algébrique de la distance entre deux points du plan. Le chapitre se termine par l'étude des propriétés de la droite, notamment la pente qui joue un rôle prépondérant en calcul différentiel.

1.1 Rappels d'algèbre – Première partie

Une bonne maîtrise des concepts et techniques algébriques de base est essentielle à quiconque désire aborder l'étude du calcul différentiel et intégral. Les notions exposées dans les deux premières sections vous fourniront le langage de base dont vous avez besoin pour réussir les exercices et problèmes du livre. Vous pouvez parcourir ces deux sections dès maintenant et travailler les notions pour lesquelles vous vous sentez «rouillé», ou vous pouvez sauter ces sections et revenir sur certaines notions lorsque vous le jugerez opportun. Nous abordons d'abord l'étude des nombres réels.

Droite numérique

Le système des nombres réels est constitué de l'ensemble des nombres réels muni des opérations usuelles d'addition, de soustraction, de multiplication et de division.

Les nombres réels peuvent être représentés géométriquement par des points sur une droite. Cette droite, appelée **droite numérique** ou **droite réelle**, est ainsi construite : il suffit de fixer arbitrairement un point 0, nommé **origine**, sur une droite, de déterminer arbitrairement un sens positif à la droite, puis de choisir un point situé à une distance convenable de 0 dans le sens positif, qui représentera le nombre 1. Ces deux points déterminent l'échelle de la droite numérique. Chaque nombre réel positif est ensuite représenté par un point situé à une distance appropriée dans le sens positif et chaque nombre réel négatif, par un point situé à une distance appropriée dans le sens négatif (figure 1.1).

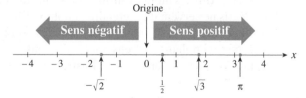

FIGURE 1.1
Droite numérique

On peut ainsi établir une *correspondance biunivoque* entre l'ensemble des nombres réels et la droite numérique, de sorte qu'à chaque point de la droite correspond un et un seul nombre réel et inversement, à chaque nombre réel correspond un et un seul point. Le nombre réel correspondant à un point situé sur la droite numérique est appelé la **coordonnée** du point.

Intervalles

Dans le présent ouvrage, nous allons régulièrement restreindre notre étude à des sous-ensembles de nombres réels. Supposons que nous désignions par x le nombre d'automobiles produites chaque jour par une usine; alors x ne pourra prendre de valeurs négatives, de sorte que nous aurons $x \geq 0$. De plus, si la production journalière ne peut dépasser 200 automobiles, alors x devra satisfaire à la double inégalité $0 \leq x \leq 200$.

D'un point de vue général, on rencontrera divers types de sous-ensembles de nombres réels, à savoir les intervalles ouverts, les intervalles fermés et les intervalles semi-ouverts. Ainsi, on désigne par **intervalle ouvert** $]a, b[$ l'ensemble des nombres réels *strictement* compris entre les nombres réels a et b. C'est l'ensemble des nombres réels qui satisfont à la double inégalité $a < x < b$ et il est dit *ouvert* parce qu'il ne contient aucune de ses extrémités. Un **intervalle fermé** contient ses deux extrémités, de sorte que l'ensemble des nombres réels x tels que $a \leq x \leq b$ est l'intervalle fermé $[a, b]$. Un **intervalle semi-ouvert** ne contient qu'une de ses extrémités: l'intervalle $[a, b[$ désigne l'ensemble des nombres réels x tels que $a \leq x < b$ et $]a, b]$, l'ensemble des nombres réels x tels que $a < x \leq b$. Des exemples d'**intervalles bornés** sont illustrés au tableau 1.1.

TABLEAU 1.1

Intervalles bornés

Intervalle	Graphique	Exemple
Ouvert $]a, b[$		$]-2, 1[$
Fermé $[a, b]$		$[-1, 2]$
Semi-ouvert $]a, b]$		$\left]\frac{1}{2}, 3\right]$
Semi-ouvert $[a, b[$		$\left[-\frac{1}{2}, 3\right[$

Il existe également des **intervalles non bornés**, c'est-à-dire les demi-droites $]a, \infty[$, $[a, \infty[$, $]-\infty, a[$ et $]-\infty, a]$, qui correspondent respectivement aux ensembles de nombres réels tels que $x > a$, $x \geq a$, $x < a$ et $x \leq a$. Les symboles $-\infty$ et ∞ (lire: «moins l'infini» et «l'infini») ne représentent pas des nombres réels. Ils ne servent qu'à étendre la notion d'intervalle aux intervalles non bornés. L'intervalle $]-\infty, \infty[$, soit l'ensemble des nombres réels x tels que $-\infty < x < \infty$, est tout simplement l'ensemble de tous les nombres réels. Des exemples d'intervalles non bornés sont illustrés au tableau 1.2.

TABLEAU 1.2

Intervalles non bornés

Intervalle	Graphique	Exemple
$]a, \infty[$		$]2, \infty[$
$[a, \infty[$		$[-1, \infty[$
$]-\infty, a[$		$]-\infty, 1[$
$]-\infty, a]$		$\left]-\infty, -\frac{1}{2}\right]$

Propriétés des inégalités

En pratique, on utilise souvent les intervalles pour exprimer la solution d'une ou de plusieurs inégalités contenant une variable. Les quelques propriétés que voici se révèlent alors très utiles.

Propriétés des inégalités

Si a, b et c sont des nombres réels, alors

		Exemple
Propriété 1	Si $a < b$ et $b < c$, alors $a < c$.	$2 < 3$ et $3 < 8$, donc $2 < 8$.
Propriété 2	Si $a < b$, alors $a + c < b + c$.	$-5 < -3$, donc $-5 + 2 < -3 + 2$, c'est-à-dire $-3 < -1$.
Propriété 3	Si $a < b$ et $c > 0$, alors $ac < bc$.	$-5 < -3$ et $2 > 0$, de sorte que $(-5)(2) < (-3)(2)$, c'est-à-dire $-10 < -6$.
Propriété 4	Si $a < b$ et $c < 0$, alors $ac > bc$.	$-2 < 4$ et $-3 < 0$, de sorte que $(-2)(-3) > (4)(-3)$, c'est-à-dire $6 > -12$.

On retrouve des propriétés du même type lorsqu'on remplace le symbole d'inégalité, $<$, dans $a < b$ (et dans $b < c$ dans le cas de la propriété 1) respectivement par $\geq$, $>$ et $\leq$.

Un nombre réel est appelé *solution d'une inégalité* si l'énoncé obtenu en remplaçant la variable par ce nombre réel est vrai. L'ensemble des nombres réels qui satisfont à une inégalité est appelé *ensemble solution* de l'inégalité.

EXEMPLE 1   Trouvez l'ensemble solution de l'inégalité $-1 \leq 2x - 5 < 7$.

Solution   En additionnant 5 à chaque membre de la double inégalité, on obtient

$$4 \leq 2x < 12$$

Il ne reste plus qu'à multiplier chaque membre par $\dfrac{1}{2}$, pour obtenir

$$2 \leq x < 6$$

L'ensemble solution de l'inégalité est l'intervalle $[2, 6[$.

Valeur absolue

Valeur absolue

La **valeur absolue** d'un nombre réel a, notée $|a|$, est définie par

$$|a| = \begin{cases} a & \text{si } a \geq 0 \\ -a & \text{si } a < 0 \end{cases}$$

Notons que $-a$ est positif lorsque a est négatif, de sorte que la valeur absolue d'un nombre est toujours positive ou nulle. Par exemple, $|5| = 5$ et $|-5| = -(-5) = 5$.

FIGURE 1.2
Représentation de la valeur absolue
d'un nombre

D'un point de vue géométrique, $|a|$ est la distance du point a à l'origine sur la droite numérique (figure 1.2).

Propriétés des valeurs absolues
Si a et b sont des nombres réels, alors

		Exemple
Propriété 5	$|-a| = |a|$	$|-3| = -(-3) = 3 = |3|$
Propriété 6	$|ab| = |a|\,|b|$	$|(2)(-3)| = |-6| = 6 = (2)(3)$
		$= |2|\,|-3|$
Propriété 7	$\left|\dfrac{a}{b}\right| = \dfrac{|a|}{|b|} \quad (b \neq 0)$	$\left|\dfrac{(-3)}{(-4)}\right| = \dfrac{|3|}{|4|} = \dfrac{3}{4} = \dfrac{|-3|}{|-4|}$
Propriété 8	$|a + b| \leq |a| + |b|$	$|8 + (-5)| = |3| = 3$
		$\leq |8| + |-5|$
		$= 13$

La propriété 8 est désignée sous le nom d'**inégalité du triangle**.

EXEMPLE 2   Trouvez le nombre correspondant aux expressions suivantes :

a. $|\pi - 5| + 3$ **b.** $|\sqrt{3} - 2| + |2 - \sqrt{3}|$

Solution

a. Comme $\pi - 5 < 0$, il s'ensuit que $|\pi - 5| = -(\pi - 5)$. Par conséquent,

$$|\pi - 5| + 3 = -(\pi - 5) + 3 = 8 - \pi$$

b. Comme $\sqrt{3} - 2 < 0$, il s'ensuit que $|\sqrt{3} - 2| = -(\sqrt{3} - 2)$.
De plus, $2 - \sqrt{3} > 0$, de sorte que $|2 - \sqrt{3}| = 2 - \sqrt{3}$. Par conséquent,

$$|\sqrt{3} - 2| + |2 - \sqrt{3}| = -(\sqrt{3} - 2) + (2 - \sqrt{3})$$
$$= 4 - 2\sqrt{3} = 2(2 - \sqrt{3})$$

Exposants et radicaux

Rappelons que si b est un nombre réel et n est un entier positif, alors b^n est définie par

$$b^n = \underbrace{b \cdot b \cdot b \cdot \cdots \cdot b}_{n \text{ facteurs}}$$

L'expression b^n se lit « b puissance n » ou encore « b exposant n », b est appelée la **base** de l'expression et n, la **puissance** ou l'**exposant** de l'expression.

Par exemple,

$$2^5 = 2 \cdot 2 \cdot 2 \cdot 2 \cdot 2 = 32 \qquad \text{et} \qquad \left(\frac{2}{3}\right)^3 = \left(\frac{2}{3}\right)\left(\frac{2}{3}\right)\left(\frac{2}{3}\right) = \frac{8}{27}$$

Si $b \neq 0$, on définit

$$b^0 = 1$$

Par exemple, $2^0 = 1$ et $(-3)^0 = 1$, mais l'expression 0^0 n'est pas définie.

Si n est un entier positif, alors $b^{1/n}$ désigne le nombre qui, élevé à la puissance n, donne b. Ainsi,

$$(b^{1/n})^n = b$$

Ce nombre, lorsqu'il existe, est appelé la **racine n-ième de b**, et s'écrit également $\sqrt[n]{b}$.

 Notons que la racine n-ième d'un nombre négatif n'est pas définie lorsque n est pair. Ainsi, la racine carrée de -2 n'est pas définie, puisqu'il n'existe pas de nombre réel b tel que $b^2 = -2$. Par ailleurs, il peut arriver qu'un nombre b admette plus d'une racine n-ième. Par exemple, $(3)^2$ et $(-3)^2 = 9$, de sorte que 3 et -3 sont tous les deux une racine carrée de 9. Pour éviter toute ambiguïté, $b^{1/n}$ est définie comme la racine n-ième positive de b lorsque celle-ci existe. Ainsi, $\sqrt{9} = 9^{1/2} = 3$.

Rappelons aussi que si p/q (où p et q sont des entiers positifs et $q \neq 0$) est un nombre rationnel réduit à sa plus simple expression, alors $b^{p/q}$ désigne le nombre $(b^{1/q})^p$, c'est-à-dire $\sqrt[q]{b^p}$, si celui-ci est défini. Les puissances négatives sont pour leur part définies par

$$b^{-p/q} = \frac{1}{b^{p/q}}$$

Ainsi,

$$2^{3/2} = (2^{1/2})^3 \approx (1{,}4142)^3 \approx 2{,}8283$$

et

$$4^{-5/2} = \frac{1}{4^{5/2}} = \frac{1}{(4^{1/2})^5} = \frac{1}{2^5} = \frac{1}{32}$$

Voici, rassemblées dans le tableau 1.3, les règles qui régissent la définition de a^n, pour $a > 0$ et n rationnel.

Les trois premières définitions du tableau 1.3 sont aussi valables pour les valeurs négatives de a. Cependant, la quatrième définition ne s'applique à des valeurs négatives a que lorsque l'exposant n est impair.

TABLEAU 1.3

Définition de a^n

Définition de a^n ($a > 0$)	Exemple	Définition de a^n ($a > 0$)	Exemple

Exposant entier : Si n est un entier positif, alors
 	
$a^n = a \cdot a \cdot a \cdot \ldots \cdot a$
    (n facteurs de a)
	$2^5 = 2 \cdot 2 \cdot 2 \cdot 2 \cdot 2$
	(5 facteurs)
	$= 32$
		Exposant fractionnaire :
		
		a. Si n est un entier positif, alors on désigne par
		
		    $a^{1/n}$ ou $\sqrt[n]{a}$
		
		la racine n-ième de a.
			$16^{1/2} = \sqrt{16}$
			$= 4$

Exposant nul : Si n est le nombre zéro, alors
 	
    $a^0 = 1$
    (0^0 n'est pas définie.)
	$7^0 = 1$	**b.** Si m et n sont des entiers positifs, alors
		
		$a^{m/n} = \sqrt[n]{a^m} = (\sqrt[n]{a})^m$
			$8^{2/3} = (\sqrt[3]{8})^2$
			$= 4$

Exposant négatif : Si n est un entier positif, alors $a^{-n} = \dfrac{1}{a^n}$ ($a \neq 0$)	$6^{-2} = \dfrac{1}{6^2}$ $= \dfrac{1}{36}$	**c.** Si m et n sont des entiers positifs, alors $a^{-m/n} = \dfrac{1}{a^{m/n}}$ ($a \neq 0$)	$9^{-3/2} = \dfrac{1}{9^{3/2}}$ $= \dfrac{1}{27}$

Ainsi,

$$(-8)^{1/3} = \sqrt[3]{-8} = -2 \quad \text{\textit{n} est impair.}$$

mais

$$(-8)^{1/2} \text{ n'est pas un nombre réel} \quad \text{\textit{n} est pair.}$$

Remarquons que la définition de a^n peut s'appliquer à *tous* les nombres réels n. Ainsi, en utilisant la touche $\boxed{y^x}$ d'une calculatrice scientifique, on obtient $2^{\sqrt{2}} \approx 2{,}665144$.

Les lois des exposants, de même qu'une illustration de chacune d'elles, sont représentées au tableau 1.4.

TABLEAU 1.4

Lois des exposants

Loi	Exemple
1. $a^m \cdot a^n = a^{m+n}$	$x^2 \cdot x^3 = x^{2+3} = x^5$
2. $\dfrac{a^m}{a^n} = a^{m-n}$ (où $a \neq 0$)	$\dfrac{x^7}{x^4} = x^{7-4} = x^3$
3. $(a^m)^n = a^{m \cdot n}$	$(x^4)^3 = x^{4 \cdot 3} = x^{12}$
4. $(ab)^n = a^n \cdot b^n$	$(2x)^4 = 2^4 \cdot x^4 = 16x^4$
5. $\left(\dfrac{a}{b}\right)^n = \dfrac{a^n}{b^n}$ (où $b \neq 0$)	$\left(\dfrac{x}{2}\right)^3 = \dfrac{x^3}{2^3} = \dfrac{x^3}{8}$

Les lois qui précèdent sont valables quels que soient a, b, m et n, pour autant que les diverses expressions soient définies.

 Attention ! $(x^2)^3 \neq x^5$. On obtient plutôt $(x^2)^3 = x^{2 \cdot 3} = x^6$.

Voici quelques illustrations des propriétés des exposants.

EXEMPLE 3   Simplifiez les expressions suivantes :

a. $(3x^2)(4x^3)$ **b.** $\dfrac{16^{5/4}}{16^{1/2}}$ **c.** $(6^{2/3})^3$ **d.** $(x^3 y^{-2})^{-2}$ **e.** $\left(\dfrac{y^{3/2}}{x^{1/4}}\right)^{-2}$

Solution

a. $(3x^2)(4x^3) = 12x^{2+3} = 12x^5$ \hfill Loi 1

b. $\dfrac{16^{5/4}}{16^{1/2}} = 16^{5/4 - 1/2} = 16^{3/4} = (\sqrt[4]{16})^3 = 2^3 = 8$ \hfill Loi 2

c. $(6^{2/3})^3 = 6^{(2/3)(3)} = 6^{6/3} = 6^2 = 36$ \hfill Loi 3

d. $(x^3 y^{-2})^{-2} = (x^3)^{-2}(y^{-2})^{-2} = x^{(3)(-2)} y^{(-2)(-2)} = x^{-6} y^4 = \dfrac{y^4}{x^6}$ \hfill Loi 4

e. $\left(\dfrac{y^{3/2}}{x^{1/4}}\right)^{-2} = \dfrac{y^{(3/2)(-2)}}{x^{(1/4)(-2)}} = \dfrac{y^{-3}}{x^{-1/2}} = \dfrac{x^{1/2}}{y^3}$ \hfill Loi 5

L'exemple suivant montre comment les lois des exposants peuvent être utilisées pour simplifier des expressions comportant des radicaux.

EXEMPLE 4 Simplifiez les expressions suivantes, où x, y et n sont positifs :

a. $\sqrt[4]{16x^4y^8}$ **b.** $\sqrt{12m^3n} \cdot \sqrt{3m^5n}$ **c.** $\dfrac{\sqrt[3]{-27x^6}}{\sqrt[3]{8y^3}}$

Solution

a. $\sqrt[4]{16x^4y^8} = (16x^4y^8)^{1/4} = 16^{1/4} \cdot x^{4/4}y^{8/4} = 2xy^2$

b. $\sqrt{12m^3n} \cdot \sqrt{3m^5n} = \sqrt{36m^8n^2} = (36m^8n^2)^{1/2} = 36^{1/2} \cdot m^{8/2}n^{2/2} = 6m^4n$

c. $\dfrac{\sqrt[3]{-27x^6}}{\sqrt[3]{8y^3}} = \dfrac{(27x^6)^{1/3}}{(8y^3)^{1/3}} = \dfrac{(-27)^{1/3}\,x^{6/3}}{8^{1/3}\,y^{3/3}} = -\dfrac{3x^2}{2y}$

Lorsqu'une expression comporte un radical au numérateur ou au dénominateur, il peut s'avérer utile de simplifier l'expression en « rationalisant » ce numérateur ou ce dénominateur, c'est-à-dire en y éliminant le radical. Les deux exemples qui suivent illustrent ce procédé.

EXEMPLE 5 Rationalisez le dénominateur de l'expression $\dfrac{3x}{2\sqrt{x}}$.

Solution

$$\frac{3x}{2\sqrt{x}} = \frac{3x}{2\sqrt{x}} \cdot \frac{\sqrt{x}}{\sqrt{x}} = \frac{3x\sqrt{x}}{2\sqrt{x^2}} = \frac{3x\sqrt{x}}{2x} = \frac{3}{2}\sqrt{x}$$

EXEMPLE 6 Rationalisez le numérateur de l'expression $\dfrac{3\sqrt{x}}{2x}$.

Solution

$$\frac{3\sqrt{x}}{2x} = \frac{3\sqrt{x}}{2x} \cdot \frac{\sqrt{x}}{\sqrt{x}} = \frac{3\sqrt{x^2}}{2x\sqrt{x}} = \frac{3x}{2x\sqrt{x}} = \frac{3}{2\sqrt{x}}$$

◾ **I.I** EXERCICES

1–4 Répondez par vrai ou faux.

1. $-3 < -20$ **2.** $-5 \le -5$ **3.** $\dfrac{2}{3} > \dfrac{5}{6}$

4. $-\dfrac{5}{6} < -\dfrac{11}{12}$

5–10 Tracez l'intervalle sur la droite numérique.

5. $]3, 6[$ **6.** $]-2, 5]$ **7.** $[-1, 4[$

8. $\left[-\dfrac{6}{5}, -\dfrac{1}{2}\right]$ **9.** $]0, \infty[$ **10.** $]-\infty, 5]$

11–20 Trouvez l'ensemble solution de l'inégalité ou des inégalités.

11. $2x + 4 < 8$ **12.** $-6 > 4 + 5x$

13. $-4x \ge 20$ **14.** $-12 \le -3x$

15. $-6 < x - 2 < 4$ **16.** $0 \le x + 1 \le 4$

17. $x + 1 > 4$ ou $x + 2 < -1$

18. $x + 1 > 2$ ou $x - 1 < -2$

19. $x + 3 > 1$ et $x - 2 < 1$

20. $x - 4 \le 1$ et $x + 3 > 2$

21–28 Trouvez le nombre correspondant à l'expression.

21. $|-6 + 2|$ **22.** $4 + |-4|$

23. $\dfrac{|-12 + 4|}{|16 - 12|}$ **24.** $\left|\dfrac{0,2 - 1,4}{1,6 - 2,4}\right|$

25. $\sqrt{3}\,|-2| + 3\,|-\sqrt{3}|$ **26.** $|-1| + \sqrt{2}\,|-2|$

27. $|\sqrt{2} - 1| + |3 - \sqrt{2}|$ **28.** $|2\sqrt{3} - 3| - |\sqrt{3} - 4|$

29–34 Si a et b sont des nombres réels non nuls et si $a > b$, dites si l'inégalité est vraie ou fausse.

29. $b - a > 0$

30. $\dfrac{a}{b} > 1$

31. $a^2 > b^2$

32. $\dfrac{1}{a} > \dfrac{1}{b}$

33. $a^3 > b^3$

34. $-a < -b$

35–40 Dites si l'inégalité est vraie quels que soient a et b réels.

35. $|-a| = a$

36. $|b^2| = b^2$

37. $|a - 4| = |4 - a|$

38. $|a + 1| = |a| + 1$

39. $|a + b| = |a| + |b|$

40. $|a - b| = |a| - |b|$

41–52 Sans utiliser votre calculatrice, trouvez le nombre correspondant à l'expression. Vérifiez votre réponse à l'aide de votre calculatrice.

41. $27^{2/3}$

42. $8^{-4/3}$

43. $\left(\dfrac{1}{\sqrt{3}}\right)^0$

44. $(7^{1/2})^4$

45. $\left[\left(\dfrac{1}{8}\right)^{1/3}\right]^{-2}$

46. $\left[\left(-\dfrac{1}{3}\right)^2\right]^{-3}$

47. $\left(\dfrac{7^{-5} \cdot 7^2}{7^{-2}}\right)^{-1}$

48. $\left(\dfrac{9^{-3} \cdot 9^5}{9^{-2}}\right)^{-1/2}$

49. $\dfrac{\sqrt{32}}{\sqrt{8}}$

50. $\sqrt[3]{\dfrac{-8}{27}}$

51. $16^{1/4} \cdot (8)^{-1/3}$

52. $\dfrac{6^{2,5} \cdot 6^{-1,9}}{6^{-1,4}}$

53–62 Répondez par vrai ou faux. Justifiez votre réponse.

53. $x^4 + 2x^4 = 3x^4$

54. $3^2 \cdot 2^2 = 6^2$

55. $x^3 \cdot 2x^2 = 2x^6$

56. $3^3 + 3 = 3^4$

57. $\dfrac{2^{4x}}{1^{3x}} = 2^{4x-3x}$

58. $(2^2 \cdot 3^2)^2 = 6^4$

59. $\dfrac{1}{4^{-3}} = \dfrac{1}{64}$

60. $\dfrac{4^{3/2}}{2^4} = \dfrac{1}{2}$

61. $(1{,}2^{1/2})^{-1/2} = 1$

62. $5^{2/3} \cdot (25)^{2/3} = 25$

63–68 Récrivez l'expression avec des exposants positifs.

63. $(xy)^{-2}$

64. $3s^{1/3} \cdot s^{-7/3}$

65. $\dfrac{x^{-1/3}}{x^{1/2}}$

66. $\sqrt{x^{-1}} \cdot \sqrt{9x^{-3}}$

67. $12^0(s + t)^{-3}$

68. $(x - y)(x^{-1} + y^{-1})$

69–80 Simplifiez l'expression, sachant que x, y, r, s et t sont positifs.

69. $\dfrac{x^{7/3}}{x^{-2}}$

70. $(49x^{-2})^{-1/2}$

71. $(x^2y^{-3})(x^{-5}y^3)$

72. $\dfrac{5x^6y^3}{2x^2y^7}$

73. $\left(\dfrac{x^3}{-27y^{-6}}\right)^{-2/3}$

74. $\left(\dfrac{x^3y^2}{z^2}\right)^2$

75. $\left(\dfrac{x^{-3}}{y^{-2}}\right)^2\left(\dfrac{y}{x}\right)^4$

76. $\dfrac{(r^n)^4}{r^{5-2n}}$

77. $\sqrt[3]{x^{-2}} \cdot \sqrt{4x^5}$

78. $\sqrt{81x^6y^{-4}}$

79. $-\sqrt[4]{16x^4y^8}$

80. $\sqrt[3]{x^{3a+b}}$

81–84 Rationalisez le dénominateur de l'expression.

81. $\dfrac{3}{2\sqrt{x}}$

82. $\dfrac{5x^2}{\sqrt{3x}}$

83. $\dfrac{1}{\sqrt[3]{x}}$

84. $\sqrt{\dfrac{2x}{y}}$

85–88 Rationalisez le numérateur de l'expression.

85. $\dfrac{2\sqrt{x}}{3}$

86. $\dfrac{\sqrt[3]{x}}{24}$

87. $\sqrt{\dfrac{2y}{x}}$

88. $\sqrt[3]{\dfrac{2x}{3y}}$

89. OBJECTIF DE VENTES Un vendeur reçoit mensuellement en commission 15 % du montant de ses ventes dépassant 12 000 \$. S'il désire obtenir au moins 3 000 \$ en commission chaque mois, quel doit être le montant minimal de ses ventes ?

90. PRIX DE VENTE D'UNE VOITURE Un marchand de voitures d'occasion vend ses voitures au moins 30 % plus cher qu'il ne les paie. S'il a vendu le dernier modèle 5 600 \$, quel prix maximal avait-il déboursé ?

91. DEGRÉS CELSIUS ET DEGRÉS FAHRENHEIT La correspondance entre les températures en degrés Celsius (°C) et en degrés Fahrenheit (°F) est exprimée par l'équation

$$C = \dfrac{5}{9}(F - 32)$$

a. Si les températures à Montréal au mois de janvier se situent dans l'intervalle $]-15°\text{C}, -5°\text{C}[$, quel est l'intervalle correspondant en degrés Fahrenheit ?

b. Si les températures à New York au mois de juin se situent dans l'intervalle $]63°\text{F}, 80°\text{F}[$, quel est l'intervalle correspondant en degrés Celsius ?

92–95 Dites si l'énoncé est vrai ou faux. S'il est vrai, dites pourquoi. S'il est faux, trouvez un contre-exemple, c'est-à-dire un exemple prouvant qu'il est faux.

92. Si $a < b$, alors $a - c > b - c$.

93. $|a - b| = |b - a|$

94. $|a - b| \le |b| + |a|$

95. $\sqrt{a^2 - b^2} = |a| - |b|$

1.2 Rappels d'algèbre – Deuxième partie

⬜ Opérations sur les expressions algébriques

En calcul, on rencontre souvent des expressions comme

$$2x^{4/3} - x^{1/3} + 1, \qquad 2x^2 - x - \frac{2}{\sqrt{x}}, \qquad \frac{3xy + 2}{x + 1} \qquad \text{et} \qquad 2x^3 + 2x + 1$$

qui sont des expressions algébriques.

On appelle **monôme** une expression algébrique de la forme ax^n, où a est un nombre réel et n est un entier positif ou nul. Par exemple, $7x^2$ est un monôme. Un **polynôme** est, ou bien un monôme, ou bien une somme finie de monômes. Ainsi,

$$x^2 + 4x + 4, \qquad x^3 + 5, \qquad x^4 + 3x^2 + 3, \qquad x^2y + xy + y$$

sont des polynômes.

Les termes semblables de deux polynômes, c'est-à-dire les termes constants ou encore ceux qui contiennent les mêmes variables affectées des mêmes exposants, peuvent être combinés par l'addition ou la soustraction de leurs coefficients numériques. Par exemple,

$$3x + 7x = 10x \qquad \text{et} \qquad \frac{1}{2}xy + 3xy = \frac{7}{2}xy$$

Dans les deux cas précédents, la validité de l'opération est assurée par la distributivité, dans les nombres réels, du produit sur la somme

$$ab + ac = a(b + c)$$

L'addition et la soustraction de polynômes s'effectue en enlevant les parenthèses, le cas échéant, et en regroupant les termes semblables. Le résultat obtenu s'écrit ensuite par ordre décroissant de la somme des puissances des termes.

EXEMPLE 1

a. $(2x^4 + 3x^3 + 4x + 6) - (3x^4 + 9x^3 + 3x^2)$
$= 2x^4 + 3x^3 + 4x + 6 - 3x^4 - 9x^3 - 3x^2$ On enlève les parenthèses.
$= 2x^4 - 3x^4 + 3x^3 - 9x^3 - 3x^2 + 4x + 6$
$= -x^4 - 6x^3 - 3x^2 + 4x + 6$ On regroupe les termes semblables.

b. $2t^3 - \{t^2 - [t - (2t - 1)] + 4\}$
$= 2t^3 - \{t^2 - [t - 2t + 1] + 4\}$
$= 2t^3 - \{t^2 - [-t + 1] + 4\}$ On enlève les parenthèses et on regroupe les termes semblables dans les crochets.
$= 2t^3 - \{t^2 + t - 1 + 4\}$ On enlève les crochets.
$= 2t^3 - \{t^2 + t + 3\}$ On regroupe les termes semblables dans les accolades.
$= 2t^3 - t^2 - t - 3$ On enlève les accolades.

Une expression algébrique qui ne comporte pas de termes semblables est dite **simplifiée**. Notez que pour simplifier l'expression algébrique de l'exemple 1b, il a fallu procéder de l'intérieur vers l'extérieur: on a d'abord retranché les parenthèses, puis les crochets et finalement les accolades.

La multiplication d'expressions algébriques s'effectue en multipliant chaque terme de l'une par chaque terme de l'autre, puis en simplifiant le résultat.

EXEMPLE 2

Effectuez les opérations indiquées :

a. $(x^2 + 1)(3x^2 + 10x + 3)$ **b.** $(3^t + 3^{-t})3^t - 3^t(3^t - 3^{-t})$

Solution

a. $(x^2 + 1)(3x^2 + 10x + 3) = x^2(3x^2 + 10x + 3) + 1(3x^2 + 10x + 3)$
$$= 3x^4 + 10x^3 + 3x^2 + 3x^2 + 10x + 3$$
$$= 3x^4 + 10x^3 + 6x^2 + 10x + 3$$

b. $(3^t + 3^{-t})3^t - 3^t(3^t - 3^{-t}) = 3^{2t} + 3^0 - 3^{2t} + 3^0$
$$= 3^{2t} - 3^{2t} + 3^0 + 3^0$$
$$= 1 + 1 \qquad\qquad 3^0 = 1$$
$$= 2$$

Le tableau 1.5 regroupe quelques produits fréquemment utilisés lors de calculs algébriques.

TABLEAU 1.5

Produits fréquemment utilisés lors de calculs algébriques

Formule	Exemple
$(a + b)^2 = a^2 + 2ab + b^2$	$(2x + 3y)^2 = (2x)^2 + 2(2x)(3y) + (3y)^2$ $= 4x^2 + 12xy + 9y^2$
$(a - b)^2 = a^2 - 2ab + b^2$	$(4x - 2y)^2 = (4x)^2 - 2(4x)(2y) + (2y)^2$ $= 16x^2 - 16xy + 4y^2$
$(a + b)(a - b) = a^2 - b^2$	$(2x + y)(2x - y) = (2x)^2 - (y)^2$ $= 4x^2 - y^2$
$(a + b)^3 = a^3 + 3a^2b + 3ab^2 + b^3$	$(x + 4y)^3 = (x)^3 + 3(x)^2(4y) + 3(x)(4y)^2 + (4y)^3$ $= x^3 + 12x^2y + 48xy^2 + 64y^3$
$(a - b)^3 = a^3 - 3a^2b + 3ab^2 - b^3$	$(x^4 - 2y)^3 = (x^4)^3 - 3(x^4)^2(2y) + 3(x^4)(2y)^2 - (2y)^3$ $= x^{12} - 6x^8y + 12x^4y^2 - 8y^3$

Factorisation

La **factorisation** ou **mise en facteurs** est l'opération par laquelle on exprime une expression algébrique comme un produit d'autres expressions algébriques. Par exemple, en vertu de la distributivité du produit sur la différence,

$$3x^2 - x = x(3x - 1)$$

La première étape de la factorisation consiste à rechercher des termes (ou facteurs) communs à chacun des termes de l'expression algébrique. Le plus grand de ces facteurs communs est alors mis en évidence. Par exemple, nous pouvons mettre $2a$ en évidence dans l'expression $2a^2x + 4ax + 6a$ puisque

$$2a^2x + 4ax + 6a = \mathbf{2a} \cdot ax + \mathbf{2a} \cdot 2x + \mathbf{2a} \cdot 3 = \mathbf{2a}(ax + 2x + 3)$$

EXEMPLE 3

Dans les expressions suivantes, mettez en évidence le plus grand facteur commun :

a. $-0{,}3t^2 + 3t$ **b.** $2x^{3/2} - 3x^{1/2}$ **c.** $2y4^{xy^2} + 2xy^3 4^{xy^2}$

d. $4x(x + 1)^{1/2} - 2x^2\left(\dfrac{1}{2}\right)(x + 1)^{-1/2}$

Solution

a. $-0{,}3t^2 + 3t = -0{,}3t(t - 10)$

b. $2x^{3/2} - 3x^{1/2} = x^{1/2}(2x - 3)$

c. $2y4^{xy^2} + 2xy^3 4^{xy^2} = 2y4^{xy^2}(1 + xy^2)$

d. $4x(x + 1)^{1/2} - 2x^2\left(\dfrac{1}{2}\right)(x + 1)^{-1/2} = 4x(x + 1)^{1/2} - x^2(x + 1)^{-1/2}$

$$= x(x + 1)^{-1/2}[4(x + 1)^{1/2}(x + 1)^{1/2} - x]$$
$$= x(x + 1)^{-1/2}[4(x + 1) - x]$$
$$= x(x + 1)^{-1/2}(4x + 4 - x) = x(x + 1)^{-1/2}(3x + 4)$$

Dans ce dernier cas, nous avons choisi $(x + 1)^{-1/2}$ comme facteur commun parce qu'il était «contenu» dans chacun des termes. Par exemple, on remarque que

$$(x + 1)^{-1/2}(x + 1)^{1/2}(x + 1)^{1/2} = (x + 1)^{1/2}$$

Il arrive que pour factoriser une expression, on doive d'abord regrouper certains de ses termes entre eux, puis effectuer une mise en évidence. On voit à l'exemple 4 deux illustrations de cette technique.

EXEMPLE 4

Factorisez chacune des expressions suivantes :

a. $2ax + 2ay + bx + by$ **b.** $3x\sqrt{y} - 4 - 2\sqrt{y} + 6x$

Solution

a. Nous pouvons mettre en évidence $2a$ dans les deux premiers termes et b dans les deux derniers. Nous obtenons

$$2ax + 2ay + bx + by = 2a(x + y) + b(x + y)$$

Comme l'expression $(x + y)$ est commune à chacun des deux termes du polynôme, nous pouvons la mettre en évidence, de sorte que

$$2a(x + y) + b(x + y) = (2a + b)(x + y)$$

b. $3x\sqrt{y} - 4 - 2\sqrt{y} + 6x = 3x\sqrt{y} - 2\sqrt{y} + 6x - 4$

$$= \sqrt{y}(3x - 2) + 2(3x - 2)$$
$$= (3x - 2)(\sqrt{y} + 2)$$

Après avoir franchi la première étape de la factorisation d'un polynôme qui consiste à trouver ses facteurs communs, il faut ensuite chercher à exprimer le polynôme comme le produit d'une constante et/ou de polynômes indécomposables.

Nous avons regroupé dans le tableau 1.6 quelques identités utilisées pour la factorisation de binômes et de trinômes.

Le polynôme du second degré à coefficients entiers

$$px^2 + qx + r$$

se factorise en $(ax + b)(cx + d)$, où $ac = p$, $ad + bc = q$ et $bd = r$. Comme le nombre de valeurs possibles pour a, b, c et d est souvent limité, la méthode par tâtonnement donne généralement d'excellents résultats.

TABLEAU 1.6

Identités utilisées pour la factorisation

Formule	Exemple
Différence de carrés $x^2 - y^2 = (x + y)(x - y)$	$x^2 - 36 = (x + 6)(x - 6)$ $8x^2 - 2y^2 = 2(4x^2 - y^2)$ $\qquad\qquad = 2(2x + y)(2x - y)$ $9 - a^6 = (3 + a^3)(3 - a^3)$
Trinômes carrés parfaits $x^2 + 2xy + y^2 = (x + y)^2$ $x^2 - 2xy + y^2 = (x - y)^2$	$x^2 + 8x + 16 = (x + 4)^2$ $4x^2 - 4xy + y^2 = (2x - y)^2$
Somme de cubes $x^3 + y^3 = (x + y)(x^2 - xy + y^2)$	$z^3 + 27 = z^3 + (3)^3$ $\qquad\qquad = (z + 3)(z^2 - 3z + 9)$
Différence de cubes $x^3 - y^3 = (x - y)(x^2 + xy + y^2)$	$8x^3 - y^6 = (2x)^3 - (y^2)^3$ $\qquad\qquad = (2x - y^2)(4x^2 + 2xy^2 + y^4)$

 La somme de carrés $x^2 + y^2$ ne se factorise pas dans les nombres réels.

Supposons, par exemple, que nous voulions factoriser $x^2 - 2x - 3$. D'abord, les termes de premier degré auront pour coefficient 1 et nous aurons

$$(x \qquad)(x \qquad) \qquad \text{Puisque le coefficient de } x^2 \text{ est 1}$$

Ensuite, il faudra que le produit des termes constants soit -3. Deux produits de facteurs sont alors possibles :

$$(x - 1)(x + 3)$$
$$(x + 1)(x - 3)$$

Finalement, le coefficient de x dans le polynôme $x^2 - 2x - 3$ est -2. Il suffit donc de vérifier si une des deux factorisations proposées donne effectivement $-2x$. Dans le premier cas,

Produit des coefficients moyens
Produit des coefficients extrêmes
$$(-1)(1) + (1)(3) = 2$$

Facteurs Extrêmes
$$(x - 1)(x + 3)$$
Moyens

Produit des coefficients moyens
Produit des coefficients extrêmes
$$(1)(1) + (1)(-3) = -2$$

Extrêmes
$$(x + 1)(x - 3)$$
Moyens

Il résulte que la factorisation recherchée est

$$x^2 - 2x - 3 = (x + 1)(x - 3)$$

Avec un peu de pratique, vous parviendrez à effectuer la plupart des étapes par calcul mental, de sorte que vous n'aurez plus besoin d'en écrire tous les détails.

Méthode produit-somme

Une méthode plus systématique de factorisation du polynôme $px^2 + qx + r$, appelée «méthode produit-somme», peut se révéler utile lorsque l'intuition nous fait défaut. Voici en quoi elle consiste.

Par exemple, à l'exemple 5a, il s'agit de chercher deux nombres réels tels que leur produit soit le produit pr, ou $(3)(-4) = -12$ et leur somme soit q, c'est-à-dire 4. Les nombres 6 et -2 sont les nombres recherchés. On écrit ensuite le polynôme sous la forme

$$3x^2 + \mathbf{4x} - 4 = 3x^2 + \mathbf{6x} - \mathbf{2x} - 4$$

puis on effectue une mise en évidence par groupes de deux termes :

$$3x^2 + 4x - 4 = 3x(x+2) - 2(x+2)$$

puis une deuxième mise en évidence :

$$3x^2 + 4x - 4 = (3x-2)(x+2)$$

qui est, bien entendu, conforme au résultat obtenu par tâtonnement.

Factorisez chacune des expressions suivantes :

a. $3x^2 + 4x - 4$ **b.** $3x^2 - 6x - 24$

Solution

a. La factorisation recherchée, obtenue par tâtonnement, est

$$3x^2 + 4x - 4 = (3x - 2)(x + 2)$$

b. Le facteur 3 est commun aux trois termes, d'où

$$3x^2 - 6x - 24 = 3(x^2 - 2x - 8)$$

De plus, nous obtenons par tâtonnement

$$x^2 - 2x - 8 = (x - 4)(x + 2)$$

de sorte que

$$3x^2 - 6x - 24 = 3(x - 4)(x + 2)$$

Racines d'équations polynomiales

On appelle **équation polynomiale de degré n en x** une équation de forme

$$a_n x^n + a_{n-1} x^{n-1} + \cdots + a_0 = 0$$

où n est un entier positif ou nul et $a_0, a_1, \ldots, a_n$ sont des nombres réels, avec $a_n \neq 0$. Par exemple, l'équation

$$-2x^5 + 8x^3 - 6x^2 + 3x + 1 = 0$$

est une équation polynomiale de degré 5 en x.

Les **racines (ou zéros) d'une équation polynomiale** sont les valeurs de x pour lesquelles l'équation polynomiale est satisfaite.* Pour trouver ces racines, on tentera d'abord de factoriser le polynôme, puis de résoudre l'équation résultante. Par exemple, l'équation polynomiale

$$x^3 - 3x^2 + 2x = 0$$

peut s'écrire sous la forme

$$x(x^2 - 3x + 2) = 0 \qquad \text{ou} \qquad x(x - 1)(x - 2) = 0$$

Or, le produit de facteurs ne s'annule que lorsque l'un ou l'autre des facteurs prend la valeur zéro. Ainsi,

$$x = 0, \qquad x - 1 = 0 \qquad \text{ou} \qquad x - 2 = 0$$

d'où les racines recherchées sont $x = 0$, 1 et 2.

La formule quadratique

Il n'est pas toujours facile de trouver les racines d'une équation polynomiale. Cependant, les racines d'une équation du second degré, ou quadratique, s'obtiennent sans difficulté, soit par factorisation, soit par l'utilisation de la formule quadratique.

---

*Notre étude, dans le présent ouvrage, ne porte que sur les racines *réelles* d'une équation.

> **Formule quadratique**
> Les racines de l'équation $ax^2 + bx + c = 0$ (où $a \neq 0$) sont
>
> $$x = \frac{-b \pm \sqrt{b^2 - 4ac}}{2a}$$

EXEMPLE 6 Résolvez les équations quadratiques suivantes :

a. $2x^2 + 5x - 12 = 0$ **b.** $x^2 = -3x + 8$

Solution

a. Nous avons $a = 2$, $b = 5$ et $c = -12$. Appliquons la formule quadratique :

$$x = \frac{-b \pm \sqrt{b^2 - 4ac}}{2a} = \frac{-5 \pm \sqrt{5^2 - 4(2)(-12)}}{2(2)}$$

$$= \frac{-5 \pm \sqrt{121}}{4} = \frac{-5 \pm 11}{4}$$

$$= -4 \text{ ou } \frac{3}{2}$$

La factorisation nous aurait aussi donné d'excellents résultats. Ainsi,

$$2x^2 + 5x - 12 = (2x - 3)(x + 4) = 0$$

et nous obtenons les racines $x = \dfrac{3}{2}$ et $x = -4$, comme précédemment.

b. Nous devons d'abord récrire l'équation sous la forme $x^2 + 3x - 8 = 0$, d'où l'on tire $a = 1$, $b = 3$ et $c = -8$. Appliquons la formule quadratique :

$$x = \frac{-b \pm \sqrt{b^2 - 4ac}}{2a} = \frac{-3 \pm \sqrt{3^2 - 4(1)(-8)}}{2(1)}$$

$$= \frac{-3 \pm \sqrt{41}}{2}$$

Nous obtenons les deux racines suivantes :

$$\frac{-3 + \sqrt{41}}{2} \approx 1{,}7 \quad \text{et} \quad \frac{-3 - \sqrt{41}}{2} \approx -4{,}7$$

Cette fois-ci, la formule quadratique nous a été d'un grand secours !

Fractions rationnelles

On appelle **fractions rationnelles** les quotients de polynômes. Ainsi,

$$\frac{6x - 1}{2x + 3}, \qquad \frac{3x^2y^3 - 2xy}{4x} \qquad \text{et} \qquad \frac{2}{5ab}$$

sont des fractions rationnelles.

Comme les fractions rationnelles sont des quotients composés de variables représentant des nombres réels, on peut y étendre les propriétés des nombres réels, de sorte que l'on effectuera sur les fractions rationnelles les mêmes opérations que sur les fractions arithmétiques. Par exemple, nous savons que si a, b et c sont des nombres réels et que b et c sont non nuls, alors

$$\frac{ac}{bc} = \frac{a}{b} \cdot \frac{c}{c} = \frac{a}{b} \cdot 1 = \frac{a}{b}$$

En vertu des mêmes propriétés des nombres réels, nous écrirons

$$\frac{(x+2)(x-3)}{(x-2)(x-3)} = \frac{x+2}{x-2} \qquad \text{(pour } x \neq 3)$$

après simplification des facteurs communs.

 Prenez garde à l'erreur de simplification suivante, puisque

$$\frac{\cancel{3} + 4x}{\cancel{3}} \neq 1 + 4x$$

La seule simplification possible est plutôt

$$\frac{3+4x}{3} = \frac{3}{3} + \frac{4x}{3} = 1 + \frac{4x}{3}$$

Une fraction rationnelle qui ne contient pas d'exposant négatif et dont le numérateur et le dénominateur n'ont aucun facteur commun autre que 1 et -1 est dite simplifiée ou réduite.

EXEMPLE 7 Simplifiez les expressions suivantes :

a. $\dfrac{x^2 + 2x - 3}{x^2 + 4x + 3}$ **b.** $\dfrac{[(t^2 + 4)(2t - 4) - (t^2 - 4t + 4)(2t)]}{(t^2 + 4)^2}$

Solution

a. $\dfrac{x^2 + 2x - 3}{x^2 + 4x + 3} = \dfrac{(x+3)(x-1)}{(x+3)(x+1)} = \dfrac{x-1}{x+1}$ (pour $x \neq -3$)

b. $\dfrac{[(t^2 + 4)(2t - 4) - (t^2 - 4t + 4)(2t)]}{(t^2 + 4)^2}$

$= \dfrac{2t^3 - 4t^2 + 8t - 16 - 2t^3 + 8t^2 - 8t}{(t^2 + 4)^2}$ On effectue les multiplications.

$= \dfrac{4t^2 - 16}{(t^2 + 4)^2}$ On regroupe les termes semblables.

$= \dfrac{4(t^2 - 4)}{(t^2 + 4)^2}$ On factorise.

On effectue sur les fractions algébriques les mêmes opérations de multiplication et de division que sur les fractions arithmétiques (tableau 1.7).

TABLEAU 1.7

Règles de multiplication et de division des fractions algébriques

Opération	Exemple
Soit P, Q, R et S des polynômes, alors	
Multiplication	
$\dfrac{P}{Q} \cdot \dfrac{R}{S} = \dfrac{PR}{QS}$ (où $Q, S \neq 0$)	$\dfrac{2x}{y} \cdot \dfrac{(x+1)}{(y-1)} = \dfrac{2x(x+1)}{y(y-1)} = \dfrac{2x^2 + 2x}{y^2 - y}$
Division	
$\dfrac{P}{Q} \div \dfrac{R}{S} = \dfrac{P}{Q} \cdot \dfrac{S}{R} = \dfrac{PS}{QR}$ (où $Q, R, S \neq 0$)	$\dfrac{x^2 + 3}{y} \div \dfrac{y^2 + 1}{x} = \dfrac{x^2 + 3}{y} \cdot \dfrac{x}{y^2 + 1} = \dfrac{x^3 + 3x}{y^3 + y}$

Le résultat de la multiplication ou de la division de fractions rationnelles doit toujours être présenté sous une forme simplifiée.

EXEMPLE 8   Effectuez l'opération indiquée, puis simplifiez le résultat :

$$\frac{2x-8}{x+2} \cdot \frac{x^2 + 4x + 4}{x^2 - 16}$$

Solution

$$\frac{2x-8}{x+2} \cdot \frac{x^2 + 4x + 4}{x^2 - 16} = \frac{2(x-4)}{x+2} \cdot \frac{(x+2)^2}{(x+4)(x-4)}$$

$$= \frac{2(x-4)(x+2)(x+2)}{(x+2)(x+4)(x-4)}$$

$$= \frac{2(x+2)}{x+4} \qquad \text{On simplifie les facteurs communs } (x+2) \text{ et } (x-4).$$

Pour additionner ou soustraire des fractions rationnelles, il faut d'abord trouver un dénominateur commun, de préférence le plus petit, puis additionner ou soustraire les fractions obtenues.

Le plus petit dénominateur commun s'obtient ainsi :

1. *On calcule les facteurs premiers de chaque dénominateur.*

2. *On multiplie ces différents facteurs premiers, en prenant soin d'élever chacun d'entre eux à la puissance la plus élevée apparaissant dans les dénominateurs.*

 Prenez garde à l'erreur suivante, puisque

$$\frac{x}{2+y} \neq \frac{x}{2} + \frac{x}{y}$$

EXEMPLE 9   Effectuez les opérations indiquées et simplifiez les résultats :

a. $\dfrac{1}{x^2-4} + \dfrac{1}{x+2}$ **b.** $\dfrac{1}{x+h} - \dfrac{1}{x}$

Solution

a. $\dfrac{1}{x^2-4} + \dfrac{1}{x+2} = \dfrac{1}{(x+2)(x-2)} + \dfrac{1}{x+2}$

$= \dfrac{1+x-2}{(x+2)(x-2)}$ Le plus petit commun dénominateur est $(x+2)(x-2)$.

$= \dfrac{x-1}{x^2-4}$

b. $\dfrac{1}{x+h} - \dfrac{1}{x} = \dfrac{x-(x+h)}{x(x+h)}$ Le plus petit commun dénominateur est $x(x+h)$.

$= \dfrac{x-x-h}{x(x+h)}$

$= \dfrac{-h}{x(x+h)}$

☐ Autres fractions algébriques

Les techniques de simplification des fractions rationnelles peuvent aussi s'utiliser pour simplifier des fractions algébriques dont le numérateur et le dénominateur ne sont pas des polynômes, comme à l'exemple 10.

EXEMPLE 10   Simplifiez les expressions suivantes :   **a.** $\dfrac{1 + \dfrac{1}{x+1}}{x - \dfrac{4}{x}}$ **b.** $\dfrac{x^{-1}+y^{-1}}{x^{-2}-y^{-2}}$

Solution

a. $\dfrac{1 + \dfrac{1}{x+1}}{x - \dfrac{4}{x}} = \dfrac{\dfrac{x+1+1}{x+1}}{\dfrac{x^2-4}{x}}$

$= \dfrac{x+2}{x+1} \cdot \dfrac{x}{x^2-4} = \dfrac{x+2}{x+1} \cdot \dfrac{x}{(x+2)(x-2)}$

$= \dfrac{x}{(x+1)(x-2)}$

b. $\dfrac{x^{-1}+y^{-1}}{x^{-2}-y^{-2}} = \dfrac{\dfrac{1}{x}+\dfrac{1}{y}}{\dfrac{1}{x^2}-\dfrac{1}{y^2}} = \dfrac{\dfrac{y+x}{xy}}{\dfrac{y^2-x^2}{x^2y^2}}$ $x^{-n} = \dfrac{1}{x^n}$

$= \dfrac{y+x}{xy} \cdot \dfrac{x^2y^2}{y^2-x^2} = \dfrac{y+x}{xy} \cdot \dfrac{(xy)^2}{(y+x)(y-x)}$

$= \dfrac{xy}{y-x}$

EXEMPLE 11

Effectuez les opérations indiquées et simplifiez les résultats :

a. $\dfrac{x^2(2x^2 + 1)^{1/2}}{x - 1} \cdot \dfrac{4x^3 - 6x^2 + x - 2}{x(x-1)(2x^2 + 1)}$ **b.** $\dfrac{12x^2}{\sqrt{2x^2 + 3}} + 6\sqrt{2x^2 + 3}$

Solution

a. $\dfrac{x^2(2x^2 + 1)^{1/2}}{x - 1} \cdot \dfrac{4x^3 - 6x^2 + x - 2}{x(x-1)(2x^2 + 1)} = \dfrac{x(4x^3 - 6x^2 + x - 2)}{(x - 1)^2(2x^2 + 1)^{1 - 1/2}}$

$$= \dfrac{x(4x^3 - 6x^2 + x - 2)}{(x - 1)^2(2x^2 + 1)^{1/2}}$$

b. $\dfrac{12x^2}{\sqrt{2x^2 + 3}} + 6\sqrt{2x^2 + 3} = \dfrac{12x^2}{(2x^2 + 3)^{1/2}} + 6(2x^2 + 3)^{1/2}$

$$= \dfrac{12x^2 + 6(2x^2 + 3)^{1/2}(2x^2 + 3)^{1/2}}{(2x^2 + 3)^{1/2}}$$

$$= \dfrac{12x^2 + 6(2x^2 + 3)}{(2x^2 + 3)^{1/2}}$$

$$= \dfrac{24x^2 + 18}{(2x^2 + 3)^{1/2}} = \dfrac{6(4x^2 + 3)}{\sqrt{2x^2 + 3}}$$

Rationalisation des fractions algébriques

Lorsque le dénominateur d'une fraction algébrique est constitué de sommes ou de différences d'expressions comportant des racines carrées, il s'avère souvent utile de **rationaliser le dénominateur** de la fraction. La technique utilisée repose sur le résultat suivant :

$$(\sqrt{a} + \sqrt{b})(\sqrt{a} - \sqrt{b}) = (\sqrt{a})^2 - (\sqrt{b})^2$$
$$= a - b$$

L'exemple 12 illustre la démarche à utiliser.

EXEMPLE 12

Rationalisez le dénominateur de l'expression : $\dfrac{1}{1 + \sqrt{x}}$.

Solution   Multiplions le numérateur et le dénominateur par le *conjugué* de l'expression $(1 + \sqrt{x})$, soit $(1 - \sqrt{x})$. Nous obtenons alors

$$\dfrac{1}{1 + \sqrt{x}} = \dfrac{1}{1 + \sqrt{x}} \cdot \dfrac{1 - \sqrt{x}}{1 - \sqrt{x}}$$

$$= \dfrac{1 - \sqrt{x}}{1 - (\sqrt{x})^2}$$

$$= \dfrac{1 - \sqrt{x}}{1 - x}$$

D'autres fois, c'est le numérateur d'une fraction algébrique qu'il faut rationaliser. Voici, par exemple, un type de problème rencontré dans un cours de calcul différentiel.

EXEMPLE 13   Rationalisez le numérateur de l'expression : $\dfrac{\sqrt{1+h}-1}{h}$.

Solution

$$\frac{\sqrt{1+h}-1}{h} = \frac{\sqrt{1+h}-1}{h} \cdot \frac{\sqrt{1+h}+1}{\sqrt{1+h}+1}$$

$$= \frac{(\sqrt{1+h})^2-(1)^2}{h(\sqrt{1+h}+1)}$$

$$= \frac{1+h-1}{h(\sqrt{1+h}+1)} \qquad \begin{aligned}(\sqrt{1+h})^2 &= \sqrt{1+h} \cdot \sqrt{1+h} \\ &= 1+h\end{aligned}$$

$$= \frac{h}{h(\sqrt{1+h}+1)}$$

$$= \frac{1}{\sqrt{1+h}+1}$$

■ 1.2 EXERCICES

1–18 Effectuez les opérations indiquées et simplifiez les résultats.

1. $(7x^2-2x+5)+(2x^2+5x-4)$

2. $(3x^2+5xy+2y)+(4-3xy-2x^2)$

3. $(5y^2-2y+1)-(y^2-3y-7)$

4. $3(2a-b)-4(b-2a)$

5. $x-\{2x-[-x-(1-x)]\}$

6. $3x^2-\{x^2+1-x[x-(2x-1)]\}+2$

7. $3\sqrt{8}+8-2\sqrt{y}+\dfrac{1}{2}\sqrt{x}-\dfrac{3}{4}\sqrt{y}$

8. $\dfrac{8}{9}x^2+\dfrac{2}{3}x+\dfrac{16}{3}x^2-\dfrac{16}{3}x-2x+2$

9. $(x+8)(x-2)$

10. $(5x+2)(3x-4)$

11. $(a+5)^2$

12. $(3a-4b)^2$

13. $(2x+y)(2x-y)$

14. $(3x+2)(2-3x)$

15. $(x^2-1)(2x)-x^2(2x)$

16. $(x^{1/2}+1)\left(\dfrac{1}{2}x^{-1/2}\right)-(x^{1/2}-1)\left(\dfrac{1}{2}x^{-1/2}\right)$

17. $2(t+\sqrt{t})^2-2t^2$

18. $2x^2+(-x+1)^2$

19–24 Mettez en évidence le plus grand facteur commun de chacune des expressions.

19. $4x^5-12x^4-6x^3$

20. $4x^2y^2z-2x^5y^2+6x^3y^2z^2$

21. $7a^4-42a^2b^2+49a^3b$

22. $3x^{2/3}-2x^{1/3}$

23. $2x^{-5/2}-\dfrac{3}{2}x^{-3/2}$

24. $\dfrac{1}{2}\left(\dfrac{2}{3}u^{3/2}-2u^{1/2}\right)$

25–38 Factorisez les expressions données.

25. $6ac+3bc-4ad-2bd$

26. $3x^3-x^2+3x-1$

27. $4a^2-b^2$

28. $12x^2-3y^2$

29. $10-14x-12x^2$

30. $x^2-2x-15$

31. $3x^2-6x-24$

32. $3x^2-4x-4$

33. $12x^2-2x-30$

34. $(x+y)^2-1$

35. $9x^2-16y^2$

36. $8a^2-2ab-6b^2$

37. x^6+125

38. x^3-27

39–44 Effectuez les opérations indiquées et simplifiez les résultats.

39. $(x^2+y^2)x-xy(2y)$

40. $2kr(R-r)-kr^2$

41. $2(x-1)(2x+2)^3[4(x-1)+(2x+2)]$

42. $5x^2(3x^2+1)^4(6x)+(3x^2+1)^5(2x)$

43. $4(x-1)^2(2x+2)^3(2)+(2x+2)^4(2)(x-1)$

44. $(x^2+1)(4x^3-3x^2+2x)-(x^4-x^3+x^2)(2x)$

45–50 Résolvez les équations suivantes par factorisation.

45. $x^2 + x - 12 = 0$

46. $3x^2 - x - 4 = 0$

47. $4t^2 + 2t - 2 = 0$

48. $-6x^2 + x + 12 = 0$

49. $\dfrac{1}{4}x^2 - x + 1 = 0$

50. $\dfrac{1}{2}a^2 + a - 12 = 0$

51–54 Résolvez les équations suivantes à l'aide de la formule quadratique.

51. $4x^2 + 5x - 6 = 0$

52. $3x^2 - 4x + 1 = 0$

53. $8x^2 - 8x - 3 = 0$

54. $x^2 - 6x + 6 = 0$

55–60 Simplifiez les expressions suivantes.

55. $\dfrac{x^2 + x - 2}{x^2 - 4}$

56. $\dfrac{2a^2 - 3ab - 9b^2}{2ab^2 + 3b^3}$

57. $\dfrac{12t^2 + 12t + 3}{4t^2 - 1}$

58. $\dfrac{x^3 + 2x^2 - 3x}{-2x^2 - x + 3}$

59. $\dfrac{(4x - 1)(3) - (3x + 1)(4)}{(4x - 1)^2}$

60. $\dfrac{(1 + x^2)^2(2) - 2x(2)(1 + x^2)(2x)}{(1 + x^2)^4}$

61–76 Effectuez les opérations indiquées et simplifiez les résultats.

61. $\dfrac{2a^2 - 2b^2}{b - a} \cdot \dfrac{4a + 4b}{a^2 + 2ab + b^2}$

62. $\dfrac{x^2 - 6x + 9}{x^2 - x - 6} \cdot \dfrac{3x + 6}{2x^2 - 7x + 3}$

63. $\dfrac{3x^2 + 2x - 1}{2x + 6} \div \dfrac{x^2 - 1}{x^2 + 2x - 3}$

64. $\dfrac{3x^2 - 4xy - 4y^2}{x^2 y} \div \dfrac{(2y - x)^2}{x^3 y}$

65. $\dfrac{58}{3(3t + 2)} + \dfrac{1}{3}$

66. $\dfrac{a + 1}{3a} + \dfrac{b - 2}{5b}$

67. $\dfrac{2x}{2x - 1} - \dfrac{3x}{2x + 5}$

68. $\dfrac{-xy^2}{x + 1} + y^2$

69. $\dfrac{4}{x^2 - 9} - \dfrac{5}{x^2 - 6x + 9}$

70. $\dfrac{x}{1 - x} + \dfrac{2x + 3}{x^2 - 1}$

71. $\dfrac{1 + \dfrac{1}{x}}{1 - \dfrac{1}{x}}$

72. $\dfrac{\dfrac{1}{x} + \dfrac{1}{y}}{1 - \dfrac{1}{xy}}$

73. $\dfrac{4x^2}{2\sqrt{2x^2 + 7}} + \sqrt{2x^2 + 7}$

74. $\dfrac{2x(x + 1)^{-1/2} - (x + 1)^{1/2}}{x^2}$

75. $\dfrac{(2x + 1)^{1/2} - (x + 2)(2x + 1)^{-1/2}}{2x + 1}$

76. $\dfrac{2(2x - 3)^{1/3} - (x - 1)(2x - 3)^{-2/3}}{(2x - 3)^{2/3}}$

77–82 Rationalisez le dénominateur des expressions données.

77. $\dfrac{1}{\sqrt{3} - 1}$

78. $\dfrac{1}{\sqrt{x} + 5}$

79. $\dfrac{1}{\sqrt{x} - \sqrt{y}}$

80. $\dfrac{a}{1 - \sqrt{a}}$

81. $\dfrac{\sqrt{a} + \sqrt{b}}{\sqrt{a} - \sqrt{b}}$

82. $\dfrac{2\sqrt{a} + \sqrt{b}}{2\sqrt{a} - \sqrt{b}}$

83–88 Rationalisez le numérateur des expressions données.

83. $\dfrac{\sqrt{x}}{3}$

84. $\dfrac{\sqrt[3]{y}}{x}$

85. $\dfrac{1 - \sqrt{3}}{3}$

86. $\dfrac{\sqrt{x} - 1}{x}$

87. $\dfrac{1 + \sqrt{x + 2}}{\sqrt{x + 2}}$

88. $\dfrac{\sqrt{x + 3} - \sqrt{x}}{3}$

89–92 Dites si l'énoncé est vrai ou faux. S'il est vrai, dites pourquoi. S'il est faux, trouvez un contre-exemple.

89. Si $b^2 - 4ac > 0$, alors $ax^2 + bx + c = 0$ (où $a \neq 0$) admet deux racines réelles.

90. Si $b^2 - 4ac < 0$, alors $ax^2 + bx + c = 0$ (où $a \neq 0$) n'admet pas de racines réelles.

91. $\dfrac{a}{b + c} = \left(\dfrac{a}{b} + \dfrac{a}{c}\right)$

92. $\sqrt{(a + b)(b - a)} = \sqrt{b^2 - a^2}$ pour tous nombres réels a et b.

1.3 Le plan cartésien

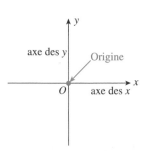

FIGURE 1.3
Le plan cartésien

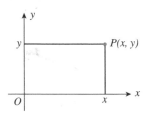

FIGURE 1.4
Un couple (x, y)

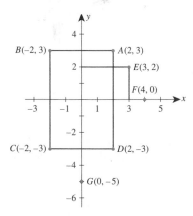

FIGURE 1.5
Points du plan cartésien

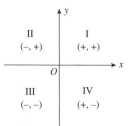

FIGURE 1.6
Quadrants dans le plan cartésien

Le plan cartésien

Nous avons vu à la section 1.1 que la correspondance biunivoque entre l'ensemble des nombres réels et les points de la droite numérique permet la création d'un système de coordonnées pour représenter les points d'une droite.

Une représentation analogue peut être constituée pour les points d'un plan. On construit le **plan cartésien** en traçant deux droites perpendiculaires, dont l'une est habituellement horizontale. Les droites se coupent à l'origine O de chaque droite (figure 1.3). On désigne la droite horizontale sous le nom d'**axe des x** et la droite verticale sous le nom d'**axe des y**. On fixe une échelle sur l'axe des x et on convient de déterminer le sens positif vers la droite. De même, on fixe une échelle sur l'axe des y et on détermine le sens positif vers le haut.

Il n'est pas nécessaire que les échelles soient les mêmes sur les deux axes. En effet, il arrive fréquemment dans des applications concrètes que x et y représentent des quantités différentes. Par exemple, x pourra représenter le nombre de téléphones cellulaires vendus par une entreprise et y, le revenu correspondant. En pareil cas, il est généralement souhaitable de fixer des échelles différentes sur les deux axes. Toutefois, le zéro de chacune des échelles coïncide toujours avec l'origine du système d'axes.

Chaque point P du plan cartésien est représenté de façon unique par un **couple**, ou **paire ordonnée** (x, y) de nombres réels, comme suit. On abaisse depuis P des perpendiculaires à l'axe des x et à l'axe des y (figure 1.4). Le nombre réel x correspond à l'intersection de l'une des perpendiculaires avec l'axe des x et le nombre y, à l'intersection de l'autre perpendiculaire avec l'axe des y.

Réciproquement, on peut faire correspondre à tout couple (x, y) un point unique P du plan de la manière suivante. On localise sur l'axe des x le point correspondant au premier nombre x du couple et on trace par ce point une parallèle à l'axe des y. On répète l'opération pour le point y, traçant cette fois une parallèle à l'axe des x. Le point P, que l'on note également $P(x, y)$, est localisé à l'intersection des deux parallèles (figure 1.4).

Ainsi, le point $P(x, y)$ est représenté par deux **coordonnées** : l'**abscisse** x et l'**ordonnée** y. Il est fréquent d'identifier un point par ses coordonnées ; on écrit ainsi $P = (x, y)$.

La figure 1.5 montre comment sont représentés les points $A = (2, 3)$, $B = (-2, 3)$, $C = (-2, -3)$, $D = (2, -3)$, $E = (3, 2)$, $F = (4, 0)$ et $G = (0, -5)$ dans le plan cartésien. La localisation des points A et E montre bien qu'en général, $(x, y) \neq (y, x)$.

Les axes de coordonnées subdivisent le plan en quatre quadrants, étiquetés I, II, III et IV, et caractérisés par le signe des coordonnées des points qui y figurent (figure 1.6).

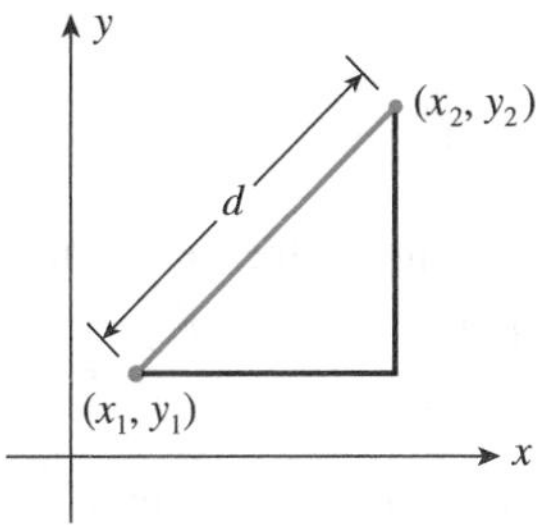

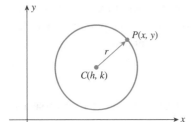

FIGURE 1.7
Distance *d* entre les points
(x_1, y_1) et (x_2, y_2)

Formule de la distance

L'utilisation du plan cartésien fournit un moyen simple d'exprimer la distance entre deux points du plan. Si, par exemple, on connaît les coordonnées (x_1, y_1) et (x_2, y_2) de deux points du plan (figure 1.7), alors la distance qui sépare les deux points peut se calculer par la formule que voici.

Formule de la distance

La distance *d* entre deux points $P_1(x_1, y_1)$ et $P_2(x_2, y_2)$ du plan est

$$d = \sqrt{(x_2 - x_1)^2 + (y_2 - y_1)^2} \qquad (1)$$

La preuve de ce résultat repose sur le théorème de Pythagore (exercice 30, page 28).

Les exemples qui suivent présentent quelques applications de la formule de la distance.

EXEMPLE 1

Calculez la distance entre les points $(-4, 3)$ et $(2, 6)$.

Solution Désignons les points par $P_1(-4, 3)$ et $P_2(2, 6)$. Alors

$$x_1 = -4, \qquad y_1 = 3, \qquad x_2 = 2, \qquad y_2 = 6$$

et, selon la formule (1),

$$d = \sqrt{[2 - (-4)]^2 + (6 - 3)^2}$$
$$= \sqrt{6^2 + 3^2}$$
$$= \sqrt{45} = 3\sqrt{5}$$

EXEMPLE 2

Soit $P(x, y)$ un point de la circonférence du cercle de centre $C(h, k)$ et de rayon r (figure 1.8). Trouvez la relation entre x et y.

Solution Selon la définition d'un cercle, la distance entre le centre $C(h, k)$ et le point $P(x, y)$ de la circonférence est r. En vertu de la formule (1),

$$\sqrt{(x - h)^2 + (y - k)^2} = r$$

En élevant chaque membre de l'équation au carré, nous obtenons la relation

$$(x - h)^2 + (y - k)^2 = r^2$$

entre les variables x et y.

En résumé,

FIGURE 1.8
Cercle de centre $C(h, k)$ et
de rayon r.

Équation d'un cercle

L'équation d'un cercle de centre $C(h, k)$ et de rayon r est

$$(x - h)^2 + (y - k)^2 = r^2 \qquad (2)$$

EXEMPLE 3   Trouvez l'équation des cercles suivants.

a. Cercle de centre $(-1, 3)$ et de rayon 2.
b. Cercle centré à l'origine et de rayon 3.

Solution

a. Selon la formule (2), où $r = 2$, $h = -1$ et $k = 3$,

$$[x - (-1)]^2 + (y - 3)^2 = 2^2 \quad \text{c'est-à-dire} \quad (x + 1)^2 + (y - 3)^2 = 4$$

(figure 1.9a).

b. Selon la formule (2), où $r = 3$ et $h = k = 0$,

$$x^2 + y^2 = 3^2 \quad \text{c'est-à-dire} \quad x^2 + y^2 = 9$$

(figure 1.9b).

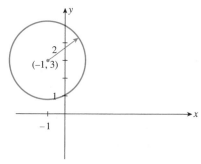 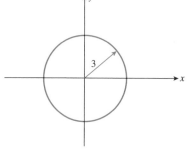

FIGURE 1.9   **a)** Cercle de centre $(-1, 3)$ et de rayon 2   **b)** Cercle de centre $(0, 0)$ et de rayon 3

APPLICATION

EXEMPLE 4   **Coût d'installation d'un câble**   On veut alimenter en électricité un centre de recherche en biologie marine (R) situé sur une île à partir d'une centrale électrique (E) construite sur le bord d'une autoroute longeant le littoral rectiligne (figure 1.10). Le câble d'alimentation reliant la centrale électrique au centre de recherche doit suivre le trajet de E à Q sur la terre ferme, puis de Q à R sous l'eau. Si le coût d'installation du câble s'élève à 5 \$ par mètre sur la terre ferme et à 9 \$ par mètre sous l'eau, établissez la relation entre le coût d'installation total du câble et la variable x, puis calculez le coût total lorsque $x = 2000$ m.

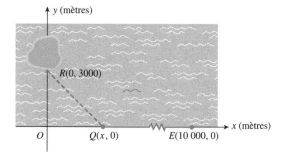

FIGURE 1.10
Câble reliant la centrale électrique E
au centre de recherche R

Solution

Le trajet de E à Q nécessite $(10\,000 - x)$ mètres de câble. La longueur de câble qui passera sous l'eau est la distance de Q à R, soit

$$\sqrt{(0 - x)^2 + (3000 - 0)^2} = \sqrt{x^2 + 3000^2}$$

Le coût total d'installation est donc

$$5(10\,000 - x) + 9\sqrt{x^2 + 3000^2}$$

En particulier, lorsque $x = 2000$ m, le coût total est

$$5(10\,000 - 2000) + 9\sqrt{2000^2 + 3000^2} \approx 72\,449{,}96$$

soit approximativement 72 450 $.

▣ EXERCICES D'AUTOÉVALUATION 1.3

1. **a.** Sur un plan cartésien, situez les points $A(4, -2)$, $B(2, 3)$ et $C(-3, 1)$.

   b. Calculez la distance entre les points A et B; entre B et C; entre A et C.

   c. À l'aide du théorème de Pythagore, montrez que le triangle ABC est un triangle rectangle.

2. La figure ci-dessous représente la position de trois villes A, B et C. La pilote d'un avion léger doit se rendre de la ville A à la ville C, en faisant une escale obligatoire à la ville B. Si l'avion a un rayon d'action de 650 km seulement, la pilote devra-t-elle faire ravitailler l'avion à la ville B?

Les solutions des exercices d'autoévaluation 1.3 se trouvent à la page 28.

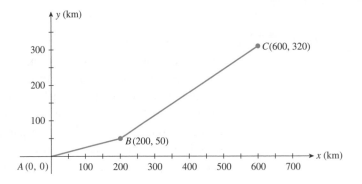

■ **1.3** EXERCICES

1–6 En vous reportant à la figure ci-contre, trouvez les coordonnées des points A à F et indiquez dans quel quadrant les points sont situés.

1. *A*   **2.** *B*   **3.** *C*

4. *D*   **5.** *E*   **6.** *F*

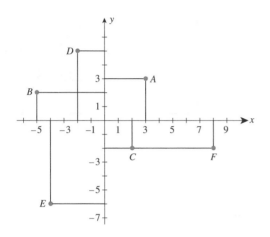

7–12 Soit la figure donnée ci-dessous.

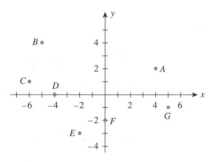

7. Lequel des points a pour coordonnées (4, 2)?

8. Quelles sont les coordonnées du point *B*?

9. Quels points ont une ordonnée négative?

10. Quel point a une abscisse et une ordonnée négatives?

11. Quel point a une abscisse nulle?

12. Quel point a une ordonnée nulle?

13–14 Calculez la distance entre les points donnés.

13. (1, 3) et (4, 7)

14. (−2, 1) et (10, 6)

15. Trouvez les coordonnées des points situés à 10 unités de l'origine et dont l'ordonnée est égale à −6.

16. Trouvez les coordonnées des points situés à 5 unités de l'origine est dont l'abscisse est égale à 3.

17. Montrez que les points (3, 4), (−3, 7), (−6, 1) et (0, −2) sont les sommets d'un carré.

18. Montrez que le triangle de sommets (−5, 2), (−2, 5) et (5, −2) est un triangle rectangle.

19–22 Trouvez l'équation des cercles suivants.

19. Le cercle de centre (2, −3) et de rayon 5

20. Le cercle centré à l'origine et de rayon 5

21. Le cercle de centre (2, −3) et dont le point (5, 2) est sur la circonférence

22. Le cercle de centre (−*a*, *a*) et de rayon 2*a*

23. **FRAIS DE LIVRAISON**   Un magasin de meubles offre un service de livraison gratuite dans un rayon de 25 km de son centre de distribution. Si vous habitez à 20 km à l'est et 14 km au sud du centre de distribution, aurez-vous à débourser des frais de livraison? Justifiez votre réponse.

24. **DURÉE D'UN TRAJET**   La localisation des villes *A*, *B*, *C* et *D* est indiquée sur la figure ci-dessous. La ville *A* et la ville *D* sont reliées par deux autoroutes: la route 1 passe par la ville *B* et la route 2 passe par la ville *C*. Si un vendeur doit se rendre de la ville *A* à la ville *D* et qu'il s'attend à conserver la même vitesse moyenne sur l'une ou l'autre des deux autoroutes, quel trajet devrait-il choisir, s'il veut parvenir à destination le plus rapidement possible?

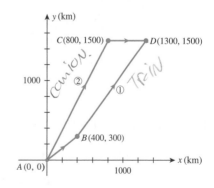

25. **RÉDUCTION DES FRAIS DE TRANSPORT**   (Reportez-vous à la figure de l'exercice 24). On veut transporter 100 automobiles d'une usine de montage située dans la ville *A* à un concessionnaire établi dans la ville *D*. Les autos peuvent être envoyées par train le long de la route 1 ou par

camion via l'autoroute 2. Le transport ferroviaire coûte 0,22 $ du km par automobile et le transport par camion, 0,21 $ du km par automobile. Quel moyen de transport est le plus économique ? À combien se chiffre l'économie réalisée ?

26–30 Dites si l'énoncé est vrai ou faux. S'il est vrai, dites pourquoi. S'il est faux, trouvez un contre-exemple.

26. Les points (a, b) et $(-a, b)$ sont symétriques par rapport à l'axe des y.

27. Les points (a, b) et $(-a, -b)$ sont symétriques par rapport à l'origine.

28. Si la distance entre deux points $P_1(a, b)$ et $P_2(c, d)$ est D, alors la distance entre les points $P_1(a, b)$ et $P_3(kc, kd)$, où $k \neq 0$, est $|k|D$.

29. Si $k > 1$, alors le cercle d'équation $kx^2 + ky^2 = a^2$ est situé à l'intérieur du cercle d'équation $x^2 + y^2 = a^2$.

30. Soit (x_1, y_1) et (x_2, y_2) deux points du plan cartésien. Montrez que la distance séparant les deux points est

$$d = \sqrt{(x_2 - x_1)^2 + (y_2 - y_1)^2}$$

Suggestion : Reportez-vous à la figure ci-dessous et utilisez le théorème de Pythagore.

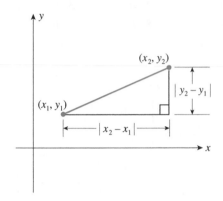

▨ SOLUTIONS DES EXERCICES D'AUTOÉVALUATION **1.3**

1. a. Les points sont dessinés sur la figure suivante :

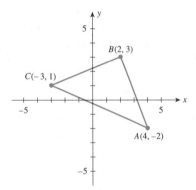

b. La distance entre A et B est

$$d(A,B) = \sqrt{(2-4)^2 + [3-(-2)]^2}$$
$$= \sqrt{(-2)^2 + 5^2} = \sqrt{4 + 25} = \sqrt{29}$$

La distance entre B et C est

$$d(B,C) = \sqrt{(-3-2)^2 + (1-3)^2}$$
$$= \sqrt{(-5)^2 + (-2)^2} = \sqrt{25 + 4} = \sqrt{29}$$

La distance entre A et C est

$$d(A,C) = \sqrt{(-3-4)^2 + [1-(-2)]^2}$$
$$= \sqrt{(-7)^2 + 3^2} = \sqrt{49 + 9} = \sqrt{58}$$

c. Nous devons montrer que

$$[d(A, C)]^2 = [d(A, B)]^2 + [d(B, C)]^2$$

Or, selon la partie **b**, $[d(A, B)]^2 = 29$, $[d(B, C)]^2 = 29$ et $[d(A, C)]^2 = 58$ et il est bien vrai que $29 + 29 = 58$.

2. La distance séparant les villes A et B est

$$d(A, B) = \sqrt{200^2 + 50^2} \approx 206 \text{ km}$$

La distance entre les villes B et C est

$$d(B,C) = \sqrt{[600 - 200]^2 + [320 - 50]^2}$$
$$= \sqrt{400^2 + 270^2} \approx 483 \text{ km}$$

La distance totale à parcourir est 689 km, de sorte qu'il faudra ravitailler l'avion à la ville B.

1.4 La droite

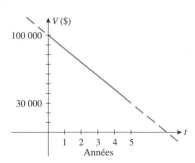

FIGURE 1.11
Amortissement linéaire d'un actif

Pour le calcul de leurs impôts, les entreprises sont légalement autorisées à amortir une partie de leur actif comme les bâtiments, la machinerie, le mobilier, les véhicules, etc. Pour ce faire, elles utilisent souvent la méthode d'amortissement linéaire. Par exemple, la droite illustrée à la figure 1.11 représente la valeur comptable V au temps t d'un ordinateur dont la valeur initiale est de 100 000 \$ et la valeur résiduelle au bout de 5 ans est de 30 000 \$. Dans le présent contexte, seul le trait continu est pertinent.

La valeur comptable de l'ordinateur à la fin de l'année t, pour t compris entre 0 et 5, peut se lire directement sur le graphique. Cependant, cette façon de procéder présente un sérieux désavantage puisque le résultat obtenu dépend de la précision avec laquelle le graphique a été tracé et du soin que l'on met à le lire. Une méthode plus précise et plus fiable consiste à traduire la droite d'amortissement sous forme *algébrique*.

Pente d'une droite

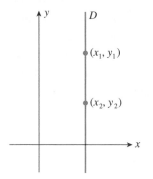

FIGURE 1.12
La pente m n'est pas définie.

Avant de présenter la description algébrique d'une droite du plan cartésien, il convient de rappeler certaines propriétés des droites. Désignons par D la droite unique passant par deux points distincts (x_1, y_1) et (x_2, y_2). Si $x_1 = x_2$, alors D est une droite verticale et sa pente n'est pas définie (figure 1.12).

Si, par ailleurs, $x_1 \neq x_2$, on définit la pente de D ainsi :

Pente d'une droite D (autre qu'une droite verticale)
Si (x_1, y_1) et (x_2, y_2) sont deux points distincts d'une droite et si $x_1 \neq x_2$, alors la pente m de D est

$$m = \frac{\Delta y}{\Delta x} = \frac{y_2 - y_1}{x_2 - x_1} \tag{3}$$

Voir la figure 1.13.

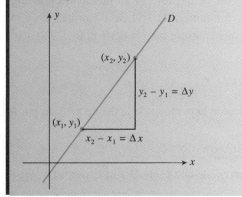

FIGURE 1.13

Lorsque la pente d'une droite est définie, sa valeur est constante. La figure 1.13 illustre bien que le nombre $\Delta y = y_2 - y_1$ (Δy se lit : « delta y ») est la variation (verticale) de y correspondant à une variation (horizontale) $\Delta x = x_2 - x_1$ de x. Ainsi, la pente m d'une droite D mesure le *taux de variation de y par rapport à x*.

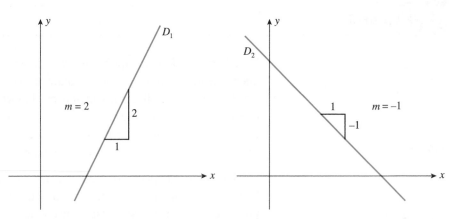

FIGURE 1.14

a) La droite D_1 monte ($m > 0$).　　　　**b)** La droite D_2 descend ($m < 0$).

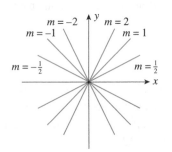

FIGURE 1.15
Famille de droites

La figure 1.14a représente une droite D_1 de pente 2. On remarque que si, à partir d'un point de la droite, on augmente x d'une unité, alors y augmente de 2 unités. En effet, si nous remplaçons Δx par 1 dans la formule (3), nous obtenons $m = \Delta y$ et comme $m = 2$, nous avons également $\Delta y = 2$. De même, la figure 1.14b représente une droite D_2 de pente -1. Nous pourrions donc définir la pente d'une droite comme « la variation de y qui résulte d'une variation de x de 1 unité vers la droite ». On remarque qu'une droite de pente positive est orientée vers le haut (y croît lorsque x croît) et qu'une droite de pente négative est orientée vers le bas (y décroît lorsque x croît). Enfin, la figure 1.15 représente une famille de droites de pentes diverses qui passent par l'origine.

EXEMPLE 1

Tracez la droite qui passe par le point $(-2, 5)$ et dont la pente est $-\frac{4}{3}$.

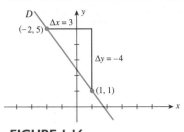

FIGURE 1.16
La droite D a une pente de $-\frac{4}{3}$ et passe par le point $(-2, 5)$.

Solution

Il faut d'abord situer le point $(-2, 5)$ (figure 1.16). Puisque la pente est $-\frac{4}{3}$, il s'ensuit qu'une augmentation de x de 1 unité engendre une *diminution* de $\frac{4}{3}$ d'unités de y ou, ce qui revient au même, qu'une augmentation de x de 3 unités engendre une diminution de $3\left(\frac{4}{3}\right)$, soit 4 unités, de y. Nous obtenons ainsi le point $(1, 1)$ et traçons la droite par les deux points.

EXEMPLE 2

Calculez la pente m de la droite passant par les points $(-1, 1)$ et $(5, 3)$.

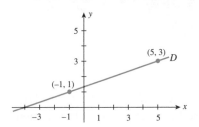

FIGURE 1.17
La droite D passe par les points $(5, 3)$ et $(-1, 1)$.

Solution

Convenons que $(-1, 1)$ soit le point (x_1, y_1) et $(5, 3)$, le point (x_2, y_2). Alors,

$$m = \frac{y_2 - y_1}{x_2 - x_1} = \frac{3 - 1}{5 - (-1)} = \frac{1}{3} \qquad \text{Formule (3)}$$

(figure 1.17). Vérifiez que l'on obtient le même résultat si le point $(-1, 1)$ joue le rôle de (x_2, y_2) et le point $(5, 3)$, celui de (x_1, y_1).

Calculez la pente de la droite qui passe par les points $(-2, 5)$ et $(3, 5)$.

Solution

La pente de la droite recherchée est

$$m = \frac{5 - 5}{3 - (-2)} = \frac{0}{5} = 0$$

(figure 1.18).

REMARQUE   Toute droite horizontale a pour pente zéro.

La notion de pente de droite peut s'utiliser pour déterminer si deux droites sont parallèles.

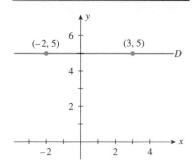

FIGURE 1.18
La pente de la droite horizontale D est 0.

> **Droites parallèles**
> Deux droites distinctes sont **parallèles** si et seulement si elles ont la même pente ou si leur pente n'est pas définie.

Soit D_1 la droite qui passe par les points $(-2, 9)$ et $(1, 3)$ et soit D_2 la droite qui passe par les points $(-4, 10)$ et $(3, -4)$. Déterminez si les droites sont parallèles.

Solution

La pente m_1 de D_1 est

$$m_1 = \frac{3 - 9}{1 - (-2)} = -2$$

et la pente m_2 de D_2 est

$$m_2 = \frac{-4 - 10}{3 - (-4)} = -2$$

Puisque $m_1 = m_2$, il s'ensuit que D_1 et D_2 sont parallèles (figure 1.19).

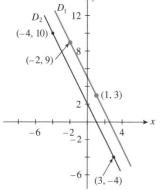

FIGURE 1.19
Les droites D_1 et D_2 ont la même pente; elles sont donc parallèles.

⬚ Équations de droites

Toute droite du plan cartésien peut être représentée au moyen d'une équation où interviennent les variables x et y, de sorte que les situations modélisées par des droites peuvent être résolues par des méthodes algébriques.

Soit D une droite verticale, c'est-à-dire parallèle à l'axe des y (figure 1.20). La droite D traverse l'axe des x en un point $(a, 0)$, où a est un nombre réel, et tous les autres points de D ont la forme $(a, \bar{y})$, où $\bar{y}$ est un nombre approprié. Ainsi, l'équation

$$x = a$$

caractérise entièrement la droite D; autrement dit, c'est l'équation de D.

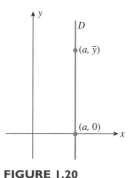

FIGURE 1.20
La droite verticale $x = a$

Par exemple, l'équation $x = -2$ représente une droite verticale située à 2 unités à gauche de l'axe des y et l'équation $x = 3$, une droite verticale située à 3 unités à droite de l'axe des y (figure 1.21).

Prenons maintenant le cas d'une droite D qui n'est pas verticale, de sorte que sa pente m est bien définie. Désignons par (x_1, y_1) un point donné de la droite D et par (x, y) un point variable de D, différent de (x_1, y_1) (figure 1.22).

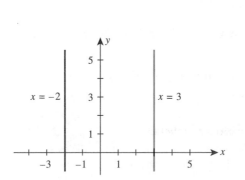

FIGURE 1.21
Les droites verticales $x = -2$ et $x = 3$

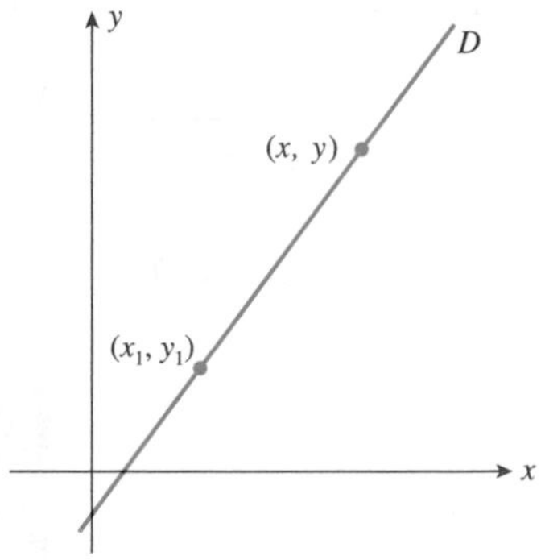

FIGURE 1.22
La droite D, de pente m, passe par (x_1, y_1).

Selon la formule (3), où le point $(x_2, y_2) = (x, y)$, on obtient l'écriture suivante de la pente de D

$$m = \frac{y - y_1}{x - x_1}$$

puis, en multipliant chaque membre de l'égalité par $x - x_1$, la formule (4) ci-après.

Forme point-pente de l'équation d'une droite
Une équation de la droite de pente m qui passe par le point (x_1, y_1) est

$$y - y_1 = m(x - x_1) \tag{4}$$

L'équation (4), qui s'obtient directement à partir d'un point donné (x_1, y_1) et de la pente m de la droite, s'appelle la **forme point-pente de l'équation d'une droite**.

EXEMPLE 5

Trouvez une équation de la droite de pente 2 qui passe par le point $(1, 3)$.

Solution

En utilisant la forme point-pente de l'équation d'une droite, on obtient

$$y - 3 = 2(x - 1) \qquad (y - y_1) = m(x - x_1)$$

qui, après simplification, s'écrit aussi

$$2x - y + 1 = 0$$

(figure 1.23).

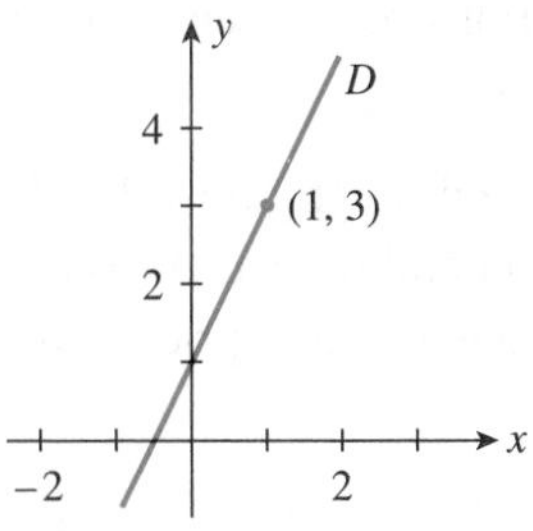

FIGURE 1.23
La droite D, de pente 2, passe par le point $(1, 3)$.

EXEMPLE 6

Trouvez une équation de la droite qui passe par les points $(-3, 2)$ et $(4, -1)$.

Solution

La pente de la droite est

$$m = \frac{-1 - 2}{4 - (-3)} = -\frac{3}{7}$$

En appliquant la forme point-pente de l'équation d'une droite au point $(4, -1)$ et à la pente $-\frac{3}{7}$, on obtient

$$y + 1 = -\frac{3}{7}(x - 4) \qquad (y - y_1) = m(x - x_1)$$

$$7y + 7 = -3x + 12$$

$$3x + 7y - 5 = 0$$

(figure 1.24).

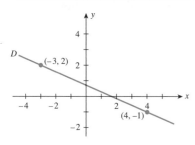

FIGURE 1.24
La droite D passe par les points $(-3, 2)$ et $(4, -1)$.

La notion de pente de droite peut s'utiliser pour déterminer si deux droites sont perpendiculaires.

Droites perpendiculaires

Si D_1 et D_2 sont deux droites distinctes et non verticales de pentes respectives m_1 et m_2, alors D_1 est **perpendiculaire** à D_2 (on écrit aussi $D_1 \perp D_2$) si et seulement si

$$m_1 = -\frac{1}{m_2}$$

La démonstration de ce résultat fait l'objet de l'exercice 56, page 38. Par ailleurs, si la droite D_1 est verticale (c'est-à-dire si sa pente n'est pas définie), alors D_1 est perpendiculaire à une autre droite D_2 si et seulement si D_2 est horizontale (de sorte que sa pente est nulle).

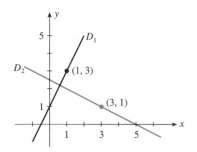

FIGURE 1.25
La droite D_2 est perpendiculaire à la droite D_1 et passe par le point $(3, 1)$.

EXEMPLE 7

Trouvez une équation de la droite qui passe par le point $(3, 1)$ et qui est perpendiculaire à la droite de l'exemple 5.

Solution

Comme la droite de l'exemple 5 a une pente de 2, la pente de la droite recherchée est $m = -\frac{1}{2}$, soit l'opposé de l'inverse de 2. En utilisant la forme point-pente de l'équation d'une droite, on obtient

$$y - 1 = -\frac{1}{2}(x - 3) \qquad (y - y_1) = m(x - x_1)$$

$$2y - 2 = -x + 3$$

$$x + 2y - 5 = 0$$

(figure 1.25).

Une droite D qui n'est pas horizontale ou verticale coupe à la fois l'axe des x et l'axe des y. Si on désigne les points d'intersection respectifs par $(a, 0)$ et $(0, b)$, alors les nombres a et b s'appellent respectivement **abscisse à l'origine** et **ordonnée à l'origine** de D (figure 1.26).

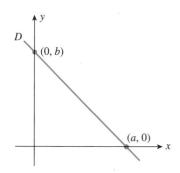

FIGURE 1.26
Abscisse à l'origine a et ordonnée à l'origine b de la droite D

Donc, si D est une droite de pente m et d'ordonnée à l'origine b, alors l'application de la forme point-pente de l'équation d'une droite au point $(0, b)$ fournit l'équation

$$y - b = m(x - 0)$$
$$y = mx + b$$

Forme pente-ordonnée à l'origine de l'équation d'une droite
Une équation de la droite de pente m et d'ordonnée à l'origine b est

$$y = mx + b \qquad \qquad \textbf{(5)}$$

EXEMPLE 8

Trouvez une équation de la droite de pente 3 et d'ordonnée à l'origine -4.

Solution   Il suffit d'appliquer la formule (5) avec $m = 3$ et $b = -4$.

$$y = 3x - 4$$

EXEMPLE 9

Trouvez la pente et l'ordonnée à l'origine de la droite d'équation $3x - 4y = 8$.

Solution

On récrit l'équation sous la forme pente-ordonnée à l'origine en isolant y dans l'équation initiale.

$$3x - 4y = 8$$
$$-4y = 8 - 3x$$
$$y = \frac{3}{4}x - 2$$

Il découle de la formule (5) que $m = \frac{3}{4}$ et $b = -2$, d'où la pente de la droite est $\frac{3}{4}$ et son ordonnée à l'origine, -2.

▢ Équation générale d'une droite

Nous avons vu dans les pages qui précèdent différentes formes de l'équation d'une droite dans le plan. Toutes ces formes sont équivalentes et sont en fait des variantes de l'équation suivante.

Forme générale d'une équation linéaire
On appelle **forme générale d'une équation linéaire en x et y** l'équation

$$Ax + By + C = 0 \qquad \qquad \textbf{(6)}$$

où A, B et C sont des constantes, et A et B ne sont pas tous les deux nuls.

Voici maintenant, sans preuve, un important résultat touchant la représentation algébrique des droites du plan cartésien.

THÉORÈME 1

Toute équation de droite est une équation linéaire ; inversement, toute équation linéaire se représente graphiquement par une droite.

Le théorème précédent explique pourquoi l'équation (6) est dite *linéaire*.

EXEMPLE 10

Tracez la droite représentée par l'équation

$$3x - 4y - 12 = 0$$

Solution

Comme deux points distincts suffisent à déterminer une droite, on peut par exemple calculer l'abscisse et l'ordonnée à l'origine de la droite et faire passer la droite par ces deux points. Si $y = 0$, l'équation fournit $x = 4$, de sorte que l'abscisse à l'origine est 4. Si $x = 0$, on obtient $y = -3$, d'où l'ordonnée à l'origine est -3. La droite est représentée à la figure 1.27.

Voici un résumé des formes usuelles d'équations de droites abordées dans la section 1.4.

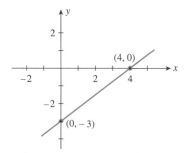

FIGURE 1.27
Représentation graphique de l'équation $3x - 4y - 12 = 0$ par le calcul de l'abscisse et de l'ordonnée à l'origine

Équations de droites

Droite verticale :	$x = a$
Droite horizontale :	$y = b$
Forme point-pente :	$y - y_1 = m(x - x_1)$
Forme pente-ordonnée à l'origine :	$y = mx + b$
Forme générale :	$Ax + By + C = 0$

■ EXERCICES D'AUTOÉVALUATION **1.4**

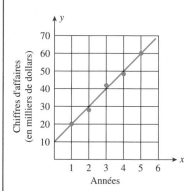

FIGURE 1.28
Chiffre d'affaires d'un magasin d'articles de sport

1. Déterminez la valeur de a de sorte que la droite passant par les points $(a, 2)$ et $(3, 6)$ soit parallèle à une droite de pente 4.

2. Trouvez une équation de la droite qui passe par le point $(3, -1)$ et qui est perpendiculaire à une droite de pente $-\frac{1}{2}$.

3. Le point $(3, -3)$ est-il situé sur la droite d'équation $2x - 3y - 12 = 0$? Tracez le graphique de la droite.

4. Après avoir porté sur un graphique le montant de son chiffre d'affaires pour les 5 dernières années, le propriétaire d'un magasin d'articles de sport a constaté que les points étaient presque parfaitement alignés (figure 1.28). Utilisez les résultats de la première et de la cinquième années pour trouver l'équation de la droite de tendance. *Si la tendance se maintient*, quel devrait être le chiffre d'affaires du magasin à la sixième année ?

Les solutions des exercices d'autoévaluation 1.4 se trouvent à la page 39.

■ **I.4** EXERCICES

I–6 Parmi les graphiques a) à f), choisissez celui qui correspond à l'énoncé donné.

1. La pente de la droite est zéro.

2. La pente de la droite n'est pas définie.

3. La pente et l'ordonnée à l'origine de la droite sont positives.

4. La pente de la droite est positive et son ordonnée à l'origine est négative.

5. La pente et l'abscisse à l'origine de la droite sont négatives.

6. La pente de la droite est négative et son abscisse à l'origine est positive.

a)

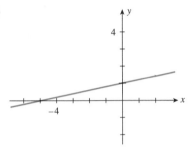

b)

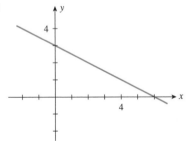

c)

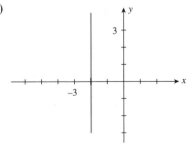

d)

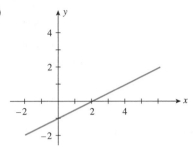

e)

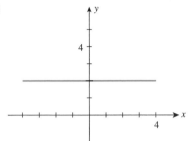

f)

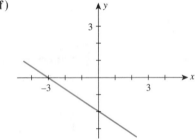

7–10 Calculez la pente des droites représentées.

7.

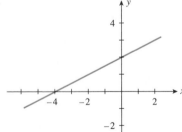

8.

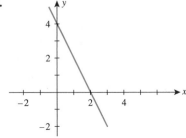

9.

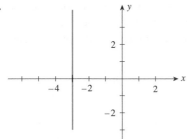

10.

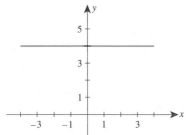

11–14 Calculez la pente de la droite passant par les points donnés.

11. $(-2, 3)$ et $(4, 8)$

12. $(-2, -2)$ et $(4, -4)$

13. (a, b) et (c, d)

14. $(-a + 1, b - 1)$ et $(a + 1, -b)$

15. Soit la droite d'équation $y = 4x - 3$.
  a. Si x s'accroît de 1 unité, quelle est la variation correspondante de y?
  b. Si x décroît de 2 unités, quelle est la variation correspondante de y?

16. Soit la droite d'équation $2x + 3y = 4$.
  a. La pente de la droite est-elle positive ou négative?
  b. Lorsque x s'accroît, y s'accroît-elle ou décroît-elle?
  c. Si x décroît de 2 unités, quelle est la variation correspondante de y?

17-18 Déterminez si les droites passant par chaque paire de points sont parallèles.

17. $A(1, -2)$, $B(-3, -10)$ et $C(1, 5)$, $D(-1, 1)$

18. $A(2, 3)$, $B(2, -2)$ et $C(-2, 4)$, $D(-2, 5)$

19-20 Déterminez si les droites passant par chacune des paires de points sont perpendiculaires.

19. $A(-2, 5)$, $B(4, 2)$ et $C(-1, -2)$, $D(3, 6)$

20. $A(2, 0)$, $B(1, -2)$ et $C(4, 2)$, $D(-8, 4)$

21. Calculez la valeur de a pour laquelle la droite passant par les points $(1, a)$ et $(4, -2)$ est parallèle à la droite passant par les points $(2, 8)$ et $(-7, a + 4)$.

22. Calculez la valeur de a pour laquelle la droite passant par les points $(a, 1)$ et $(5, 8)$ est parallèle à la droite passant par les points $(4, 9)$ et $(a + 2, 1)$.

23. Trouvez l'équation de la droite horizontale passant par $(-4, -3)$.

24. Trouvez l'équation de la droite verticale passant par $(0, 5)$.

25-30 Trouvez une équation de la droite qui vérifie les conditions données.

25. La droite, de pente 0, passe par $(-3, 2)$.

26. La droite, de pente $-\dfrac{1}{2}$, passe par $(1, 2)$.

27. La droite passe par $(1, 2)$ et $(-3, -2)$

28. La droite passe par $(2, 1)$ et $(2, 5)$

29. La pente est 0; l'ordonnée à l'origine est 5.

30. La pente est $-\dfrac{1}{2}$; l'ordonnée à l'origine est $\dfrac{3}{4}$.

31–34 Transformez l'équation donnée sous la forme $y = mx + b$, puis trouvez la pente et l'ordonnée à l'origine de la droite correspondante.

31. $x - 2y = 0$ **32.** $y - 2 = 0$

33. $2x + 4y = 14$ **34.** $5x + 8y - 24 = 0$

35. Trouvez une équation de la droite qui passe par le point $(-2, 2)$ et qui est parallèle à la droite d'équation $2x - 4y - 8 = 0$.

36. Trouvez une équation de la droite qui passe par le point $(2, 4)$ et qui est perpendiculaire à la droite d'équation $3x + 4y - 22 = 0$.

37–40 Trouvez une équation de la droite qui vérifie les conditions données.

37. La droite est parallèle à l'axe des x et située 6 unités dessous.

38. La droite passe par l'origine et est parallèle à la droite joignant les points (2, 4) et (4, 7).

39. La droite a une pente nulle et passe par le point (a, b).

40. La droite passe par le point (a, b) et sa pente n'est pas définie.

41. Sachant que la droite d'équation $kx + 3y + 9 = 0$ passe par le point $P(-3, 5)$, déterminez k.

42. Sachant que la droite d'équation $-2x + ky + 10 = 0$ passe par le point $P(2, -3)$, déterminez k.

43–46 Représentez graphiquement l'équation linéaire donnée au moyen de l'abscisse et de l'ordonnée à l'origine.

Suggestion: Reportez-vous à l'exemple 10, page 35.

43. $3x - 2y + 6 = 0$ **44.** $2x - 5y + 10 = 0$

45. $y + 5 = 0$ **46.** $-2x - 8y + 24 = 0$

47–48 Déterminez si les points donnés sont alignés.

47. $A(-1, 7)$, $B(2, -2)$ et $C(5, -9)$

48. $A(-2, 1)$, $B(1, 7)$ et $C(4, 13)$

49. CONVERSION DE TEMPÉRATURES La correspondance entre les températures en degrés Fahrenheit (°F) et en degrés Celsius (°C) est exprimée par l'équation

$$F = \frac{9}{5}C + 32$$

a. Tracez la droite représentée par cette équation.

b. Quelle est la pente de la droite et que représente-t-elle?

c. À quel endroit la droite coupe-t-elle l'axe OF et quelle est la signification de ce nombre?

50. AUGMENTATION DU CHIFFRE D'AFFAIRES Le chiffre d'affaires annuel d'un magasin d'articles de sport (en millions de dollars) au cours des cinq dernières années est indiqué dans le tableau suivant.

Chiffre d'affaires annuel y	5,8	6,2	7,2	8,4	9,0
Année x	1	2	3	4	5

a. Situez les points (x, y) dans un plan cartésien.

b. Tracez une droite D par les points correspondant aux résultats de la première et de la cinquième année.

c. Établissez une équation de la droite D.

d. À l'aide de l'équation trouvée en **c**, estimez le chiffre d'affaires de l'an prochain.

51. COÛT D'UN PRODUIT Un manufacturier a recueilli les données suivantes reliant le coût de production y (en dollars) d'un produit au nombre x d'unités produites par son entreprise:

Unités produites x	0	20	40	60	80	100
Coût de production y	200	208	222	230	242	250

a. Situez les points (x, y) dans un plan cartésien.

b. Tracez une droite D par les points (0, 200) et (100, 250).

c. Établissez une équation de la droite D.

d. Si on utilise l'équation trouvée en **c** en tant qu'approximation du lien entre le coût de production et les quantités produites, estimez combien il en coûte pour produire 54 unités.

52–54 Dites si l'énoncé est vrai ou faux. S'il est vrai, dites pourquoi. S'il est faux, trouvez un contre-exemple.

52. Supposons que D est une droite de pente $-\frac{1}{2}$ et que P et Q sont deux points de D. Si le point Q est situé à 4 unités à gauche de P, alors il est à 2 unités au-dessus de P.

53. Si la pente d'une droite D_1 est positive et que la droite D_2 est perpendiculaire à D_1, alors la pente de D_2 peut être aussi bien positive que négative.

54. Si la droite D a pour équation $Ax + By + C = 0$, où $A \neq 0$, alors D coupe l'axe des x au point $(-C/A, 0)$.

55. Les énoncés «La pente de la droite D est nulle» et «La pente de la droite D n'existe pas (n'est pas définie)» ont-ils la même signification? Justifiez votre réponse.

56. Démontrez que si une droite D_1 de pente m_1 est perpendiculaire à une droite D_2 de pente m_2, où m_1 et m_2 sont des nombres réels non nuls, alors $m_1m_2 = -1$.

Suggestion: En vous basant sur la figure ci-après, montrez que $m_1 = b$ et que $m_2 = c$. Appliquez ensuite le théorème de Pythagore aux triangles OAC, OCB et OBA, d'où vous déduirez que $1 = -bc$.

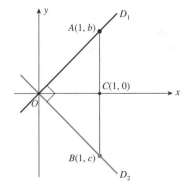

⊠ SOLUTIONS DES EXERCICES D'AUTOÉVALUATION 1.4

1. La pente de la droite qui passe par les points $(a, 2)$ et $(3, 6)$ est

$$m = \frac{6 - 2}{3 - a}$$
$$= \frac{4}{3 - a}$$

Comme cette droite est parallèle à une droite de pente 4, on a $m = 4$, de sorte que

$$\frac{4}{3 - a} = 4$$

En multipliant les deux membres de l'égalité par $3 - a$, on obtient

$$4 = 4(3 - a)$$
$$4 = 12 - 4a$$
$$4a = 8$$
$$a = 2$$

2. Comme la droite D recherchée est perpendiculaire à une droite de pente $-1/2$, la pente de D est

$$\frac{-1}{-\frac{1}{2}} = 2$$

Selon la forme point-pente de l'équation d'une droite

$$y - (-1) = 2(x - 3)$$
$$y + 1 = 2x - 6$$
$$y = 2x - 7$$

3. Si on remplace x par 3 et y par -3 dans le membre de gauche de l'équation, on obtient

$$2(3) - 3(-3) - 12 = 3$$

qui n'est pas égal à zéro (le membre de droite). Par conséquent, le point $(3, -3)$ n'est pas situé sur la droite d'équation $2x - 3y - 12 = 0$ (voir la figure ci-après).

Pour $x = 0$, l'équation fournit $y = -4$, de sorte que l'ordonnée à l'origine est -4. Pour $y = 0$, on obtient $x = 6$ et l'abscisse à l'origine est 6. Il ne reste plus qu'à tracer la droite qui passe par $(0, -4)$ et $(6, 0)$.

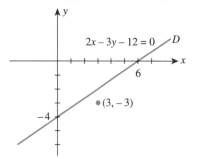

4. On applique la formule (3) aux points $(1, 20)$ et $(5, 60)$ pour calculer la pente de la droite D

$$m = \frac{60 - 20}{5 - 1} = 10$$

En utilisant la forme point-pente de l'équation d'une droite avec le point $(1, 20)$ et $m = 10$, on obtient

$$y - 20 = 10(x - 1) \qquad (y - y_1) = m(x - x_1)$$
$$y = 10x + 10$$

qui est l'équation recherchée.

Le chiffre d'affaires de la sixième année s'obtient en posant $x = 6$ dans l'équation, d'où

$$y = 70$$

c'est-à-dire 70 000 $.

⊠ CHAPITRE 1 Résumé des principales formules

FORMULES

1. Formule quadratique $x = \dfrac{-b \pm \sqrt{b^2 - 4ac}}{2a}$

2. Distance entre deux points $d = \sqrt{(x_2 - x_1)^2 + (y_2 - y_1)^2}$

3. Pente d'une droite $m = \dfrac{y_2 - y_1}{x_2 - x_1}$

4. Équation d'une droite verticale $x = a$

5. Équation d'une droite horizontale $y = b$

6. Forme point-pente de l'équation d'une droite $y - y_1 = m(x - x_1)$

7. Forme pente-ordonnée à l'origine de l'équation d'une droite $y = mx + b$

8. Équation générale d'une droite $Ax + By + C = 0$

CHAPITRE I EXERCICES RÉCAPITULATIFS

1–4 Trouvez l'ensemble solution de l'inégalité ou des inégalités.

1. $-x + 3 \leq 2x + 9$ 2. $-2 \leq 3x + 1 \leq 7$

3. $x - 3 > 2$ ou $x + 3 < -1$

4. $2x^2 > 50$

5–8 Trouvez le nombre correspondant à l'expression.

5. $|-5 + 7| + |-2|$ 6. $\left| \dfrac{5 - 12}{-4 - 3} \right|$

7. $|2\pi - 6| - \pi$

8. $|\sqrt{3} - 4| + |4 - 2\sqrt{3}|$

9–14 Trouvez le nombre correspondant à l'expression.

9. $\left(\dfrac{9}{4} \right)^{3/2}$ 10. $\dfrac{5^6}{5^4}$

11. $(3 \cdot 4)^{-2}$ 12. $(-8)^{5/3}$

13. $\dfrac{(3 \cdot 2^{-3})(4 \cdot 3^5)}{2 \cdot 9^3}$ 14. $\dfrac{3\sqrt[3]{54}}{\sqrt[3]{18}}$

15–20 Simplifiez l'expression.

15. $\dfrac{4(x^2 + y)^3}{x^2 + y}$ 16. $\dfrac{a^6 b^{-5}}{(a^3 b^{-2})^{-3}}$

17. $\dfrac{\sqrt[4]{16 x^5 yz}}{\sqrt[4]{81 xy^5 z}}$ (où x, y et z sont positifs)

18. $(2x^3)(-3x^{-2})\left(\dfrac{1}{6} x^{-1/2} \right)$

19. $\left(\dfrac{3xy^2}{4x^3y} \right)^{-2} \left(\dfrac{3xy^3}{2x^2} \right)^3$ 20. $\sqrt[3]{81x^5y^{10}} \sqrt[3]{9xy^2}$

21–24 Factorisez les expressions données.

21. $-2\pi^2 r^3 + 100\pi r^2$ 22. $2v^3 w + 2vw^3 + 2u^2 vw$

23. $16 - x^2$ 24. $12t^3 - 6t^2 - 18t$

25–28 Résolvez les équations suivantes par factorisation.

25. $8x^2 + 2x - 3 = 0$

26. $-6x^2 - 10x + 4 = 0$

27. $-x^3 - 2x^2 + 3x = 0$

28. $2x^4 + x^2 = 1$

29–30 Résolvez les équations suivantes à l'aide de la formule quadratique.

29. $x^2 - 2x - 5 = 0$ 30. $2x^2 + 8x + 7 = 0$

31–34 Effectuez les opérations indiquées et simplifiez les résultats.

31. $\dfrac{(t + 6)(60) - (60t + 180)}{(t + 6)^2}$

32. $\dfrac{6x}{2(3x^2 + 2)} + \dfrac{1}{4(x + 2)}$

33. $\dfrac{2}{3} \left(\dfrac{4x}{2x^2 - 1} \right) + 3 \left(\dfrac{3}{3x - 1} \right)$

34. $\dfrac{-2x}{\sqrt{x + 1}} + 4\sqrt{x + 1}$

35. Rationalisez le numérateur de l'expression : $\dfrac{\sqrt{x} - 1}{x - 1}$.

36. Rationalisez le dénominateur de l'expression : $\dfrac{\sqrt{x} - 1}{2\sqrt{x}}$.

37–38 Calculez la distance entre les points donnés.

37. $(-2, -3)$ et $(1, -7)$ 38. $\left(\dfrac{1}{2}, \sqrt{3} \right)$ et $\left(-\dfrac{1}{2}, 2\sqrt{3} \right)$

39–44 Trouvez une équation de la droite D qui passe par le point $(-2, 4)$ et vérifie la condition donnée.

39. D est une droite verticale.

40. D est une droite horizontale.

41. D passe par le point $\left(3, \dfrac{7}{2} \right)$.

42. L'abscisse à l'origine de D est 3.

43. D est parallèle à la droite d'équation $5x - 2y = 6$.

44. D est perpendiculaire à la droite d'équation $4x + 3y = 6$.

45. Trouvez une équation de la droite qui passe par le point $(-3, -2)$ et qui est parallèle à la droite joignant les points $(-2, -4)$ et $(1, 5)$.

46. Trouvez une équation de la droite qui passe par le point $(-2, -4)$ et qui est perpendiculaire à la droite d'équation $2x - 3y - 24 = 0$.

47. Représentez graphiquement l'équation linéaire $3x - 4y = 24$.

48. Tracez la droite qui passe par le point $(3, 2)$ et dont la pente est $-2/3$.

2 Fonctions, limites et dérivée

Horace Brown/Getty Images/Hulton Archive

Comment la variation de la demande d'un produit influe-t-elle sur son prix? La direction du fabricant de pneus Rouleau a établi une fonction reliant le prix unitaire de ses pneus Hercule à la quantité demandée. À l'exemple 7, page 129, vous verrez que cette fonction permet de calculer le taux de variation du prix unitaire des pneus Hercule par rapport à la quantité demandée.

41

Dans le présent chapitre, nous traitons d'abord des *fonctions*, qui sont des liens de correspondance particuliers entre deux variables. Vous verrez qu'on fait appel au concept de fonction pour décrire une grande variété de relations entre variables qui existent dans la vie réelle. Nous commencerons aussi notre étude du calcul différentiel. À l'origine, le calcul différentiel a été développé dans le but de calculer des pentes de tangentes à des courbes données. Toutefois, les mathématiciens se sont vite rendu compte qu'ils pouvaient appliquer le calcul d'une pente de tangente à différentes situations nécessitant le calcul d'un taux de variation d'une quantité par rapport à une autre. L'outil de base du calcul différentiel est la *dérivée* d'une fonction qui, à son tour, est basée sur une notion fondamentale – celle de *limite* d'une fonction.

2.1 Fonctions et graphiques

Fonctions

Voici quelques situations tirées de la vie réelle : un fabricant cherche à connaître le lien entre les profits réalisés par son entreprise et le niveau de production ; un biologiste désire mesurer la variation de population dans une culture de bactéries au cours d'une période donnée ; un psychologue effectue une recherche sur les liens entre le temps requis pour mémoriser une liste de mots et la longueur de la liste ; un chimiste veut établir la relation entre la vitesse initiale d'une réaction chimique et la quantité de réactant employée. Toutes ces situations peuvent se ramener à une seule question : De quelle façon une quantité dépend-elle d'une autre ? En mathématiques, la relation entre deux quantités se définit à l'aide du concept de fonction.

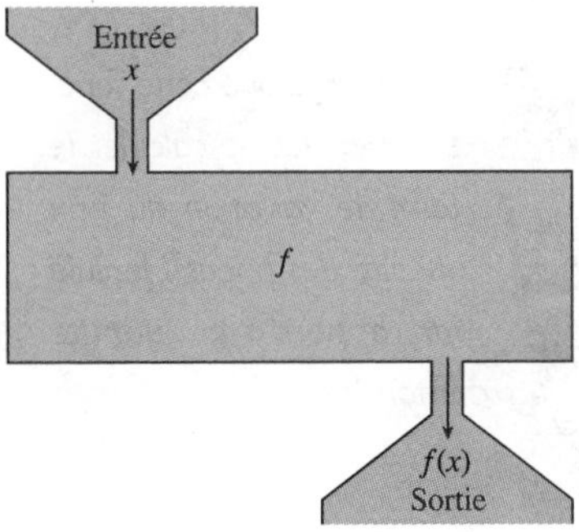

> **Fonction**
> Une **fonction** f est une règle qui assigne à chaque élément d'un ensemble A exactement un élément d'un ensemble B.

L'ensemble A s'appelle le **domaine** de la fonction. On symbolise habituellement les fonctions par des lettres de l'alphabet, telles que f. Si x est un élément du domaine d'une fonction f, alors l'élément de B qui lui est associé par la fonction s'écrit $f(x)$ (qui se lit : «f de x»). On dit que $f(x)$ est la valeur de f en x, ou encore que $f(x)$ est l'image de x par f. L'ensemble de toutes les valeurs de $f(x)$ obtenues lorsque x parcourt toutes les valeurs du domaine s'appelle l'**image** de la fonction f.

On peut envisager une fonction f comme une machine. Le domaine correspond alors à l'ensemble des valeurs x acceptées à l'entrée de la machine, la règle f décrit la transformation opérée et les valeurs $f(x)$ de la fonction correspondent à la sortie (figure 2.1).

On peut également représenter une fonction f au moyen d'un diagramme sagittal, où chaque élément x du domaine de f est relié par une flèche à un élément unique $f(x)$ de B (figure 2.2).

FIGURE 2.1
Une fonction f vue comme une machine

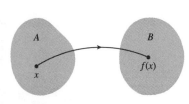

FIGURE 2.2
Diagramme sagittal d'une fonction f

REMARQUE

1. La sortie $f(x)$ associée à une entrée x est unique. Si l'on veut apprécier l'importance de cette propriété d'unicité, il suffit d'imaginer une règle qui associe à chaque article x d'un magasin son prix de vente y. À chaque x doit alors correspondre *un et un seul y*. Ce qui n'empêche pas, toutefois, que différentes valeurs de x puissent être associées au même y. Ainsi, dans le présent contexte, il est bien entendu que différents articles peuvent coûter le même prix.

2. Bien que les ensembles A et B dont il est question dans la définition d'une fonction puissent être tout à fait arbitraires, dans le cadre du présent manuel nous nous restreindrons à l'ensemble des nombres réels.

La relation bien connue entre l'aire d'un cercle et son rayon fournit un exemple intéressant d'une fonction. Si x désigne le rayon et y, l'aire du cercle, alors nos connaissances de la géométrie élémentaire nous permettent d'affirmer que

$$y = \pi x^2 \tag{1}$$

L'équation (1) définit y comme une fonction de x. En effet, pour chaque valeur de x admissible dans le contexte (c'est-à-dire pour chaque nombre positif ou nul représentant le rayon d'un cercle donné), il existe exactement un nombre $y = \pi x^2$ correspondant à l'aire du cercle. La règle qui définit cette «fonction aire» peut s'écrire sous la forme

$$f(x) = \pi x^2 \tag{2}$$

Par exemple, l'aire d'un cercle de 5 cm de rayon s'obtient en remplaçant x dans l'équation (2) par le nombre 5, de sorte que l'aire du cercle est

$$f(5) = \pi 5^2 = 25\pi$$

ou 25π centimètres carrés.

Ainsi, lorsqu'on veut évaluer une fonction pour une valeur de x donnée, il suffit de remplacer x par cette valeur, comme le montrent les exemples 1 et 2.

EXEMPLE 1   Soit f la fonction définie par $f(x) = 2x^2 - x + 1$. Calculez :

a. $f(1)$ **b.** $f(-2)$ **c.** $f(a)$ **d.** $f(a + h)$

Solution

a. $f(1) = 2(1)^2 - (1) + 1 = 2 - 1 + 1 = 2$

b. $f(-2) = 2(-2)^2 - (-2) + 1 = 8 + 2 + 1 = 11$

c. $f(a) = 2(a)^2 - (a) + 1 = 2a^2 - a + 1$

d. $f(a + h) = 2(a + h)^2 - (a + h) + 1 = 2a^2 + 4ah + 2h^2 - a - h + 1$

EXEMPLE 2

Fonction profit   L'entreprise ThermoMaître fabrique des thermomètres de modèle TM3 à son usine de Puebla, au Mexique. La direction a estimé que le profit (en dollars) provenant de la fabrication et de la vente de x thermomètres de ce modèle par semaine est exprimé par la fonction

$$P(x) = -0{,}001x^2 + 8x - 5000$$

Calculez le profit hebdomadaire de l'entreprise lorsque l'usine fabrique a) 1000 thermomètres par semaine ; b) 2000 thermomètres par semaine.

Solution

a. Pour obtenir le profit hebdomadaire provenant de la fabrication de 1000 unités par semaine, il suffit d'évaluer la fonction profit P en $x = 1000$. Ainsi,

$$P(1000) = -0{,}001(1000)^2 + 8(1000) - 5000 = 2000$$

c'est-à-dire 2000 $.

b. Pour une production de 2000 unités par semaine, le profit hebdomadaire est

$$P(2000) = -0{,}001(2000)^2 + 8(2000) - 5000 = 7000$$

ou 7000 $.

Recherche du domaine d'une fonction

Soit la fonction $y = f(x)$.* On appelle x la **variable indépendante** et y la **variable dépendante** (puisque sa valeur *dépend* de x).

Lorsqu'on recherche le domaine d'une fonction, il faut trouver, le cas échéant, quelles restrictions doivent être imposées à la variable x. Dans les applications pratiques, le domaine d'une fonction est souvent dicté par le contexte du problème, comme le montre l'exemple 3.

EXEMPLE 3

Fabrication de boîtes   On veut fabriquer une boîte sans couvercle à l'aide d'un morceau de carton de forme rectangulaire de 40 cm sur 25 cm en découpant un même carré (de x cm de côté) à chaque coin et en repliant les bords (figure 2.3). Exprimez le volume V de la boîte comme une fonction de x. Quel est le domaine de la fonction ?

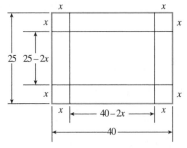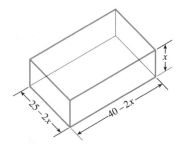

a) Pour fabriquer la boîte, on découpe un carré de x cm de côté à chaque coin.

b) La boîte obtenue mesure $(25 - 2x)$ cm sur $(40 - 2x)$ cm sur x cm.

FIGURE 2.3

*Il est d'usage courant de désigner une fonction f par son image $f(x)$ ou par sa règle de correspondance $y = f(x)$.

Solution   La boîte mesure $(40 - 2x)$ cm de longueur, $(25 - 2x)$ cm de largeur et x cm de hauteur, de sorte que son volume (en cm^3) est

$$V = f(x) = (40 - 2x)(25 - 2x)x \qquad \text{Longueur · largeur · hauteur}$$
$$= (1000 - 130x + 4x^2)x$$
$$= 4x^3 - 130x^2 + 1000x$$

Comme la mesure de chaque bord de la boîte doit être supérieure ou égale à zéro, on a

$$40 - 2x \geq 0, \qquad 25 - 2x \geq 0 \quad \text{et} \quad x \geq 0,$$

ces trois inégalités devant être vérifiées simultanément; c'est-à-dire

$$x \leq 20, \qquad x \leq 12{,}5, \qquad x \geq 0$$

Or, les trois inégalités sont vérifiées simultanément lorsque $0 \leq x \leq 12{,}5$. Par conséquent, le domaine de la fonction f est l'intervalle $[0; 12{,}5]$.

Lorsqu'une fonction est définie au moyen d'une règle de correspondance entre x et $f(x)$ et que le domaine n'est pas précisé, il est d'usage de prendre pour domaine de la fonction l'ensemble de toutes les valeurs de x pour lesquelles $f(x)$ est un nombre réel. En particulier, (1) on ne doit jamais diviser par zéro, ni (2) extraire la racine carrée (ou quatrième, ou n'importe quelle racine d'ordre pair) d'un nombre négatif.

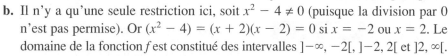

EXEMPLE 4   Trouvez le domaine des fonctions définies par les équations suivantes:

a. $f(x) = \sqrt{x - 1}$ **b.** $f(x) = \dfrac{1}{x^2 - 4}$ **c.** $f(x) = x^2 + 3$

Solution

a. Puisque la racine carrée d'un nombre négatif n'est pas définie, on doit avoir $x - 1 \geq 0$, c'est-à-dire $x \geq 1$. Le domaine de f est donc l'intervalle $[1, \infty[$.

b. Il n'y a qu'une seule restriction ici, soit $x^2 - 4 \neq 0$ (puisque la division par 0 n'est pas permise). Or $(x^2 - 4) = (x + 2)(x - 2) = 0$ si $x = -2$ ou $x = 2$. Le domaine de la fonction f est constitué des intervalles $]-\infty, -2[$, $]-2, 2[$ et $]2, \infty[$.

c. Ici, $f(x)$ est définie quelle que soit la valeur attribuée à x, de sorte que le domaine de f est l'ensemble de tous les nombres réels.

▢ Graphiques de fonctions

Si f est une fonction dont le domaine est A, alors à chaque nombre réel x de A correspond un et un seul nombre réel $f(x)$. Grâce à cette propriété, il devient possible de définir une fonction comme un ensemble de **couples** ou **paires ordonnées** $(x, f(x))$. Ainsi, à chaque nombre x de A correspond un et un seul couple $(x, f(x))$. Le commentaire précédent nous amène à une nouvelle définition d'une fonction f:

> Une fonction f de domaine A est l'ensemble de tous les couples $(x, f(x))$ tels que x appartient à A.

On remarque qu'en vertu de ce qui a été dit précédemment, *il n'existe pas de couples ayant la même première composante et des deuxièmes composantes différentes.*

Comme on peut faire correspondre un point unique du plan à tout couple de nombres réels, il devient facile de représenter une fonction graphiquement.

> **Représentation graphique d'une fonction à une variable**
> Le **graphique d'une fonction** f est l'ensemble de tous les points (x, y) du plan cartésien tels que x appartient au domaine de f et $y = f(x)$.

La figure 2.4 est la représentation graphique d'une fonction f. On remarque que la distance du point (x, y) à l'axe des x est $f(x)$ ou $-f(x)$, selon que le point est au-dessus ou au-dessous de l'axe des x. On remarque également que le domaine de f est un ensemble de nombres réels situés sur l'axe des x et que l'image de f est située sur l'axe des y.

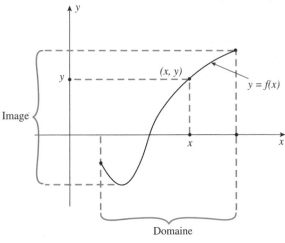

FIGURE 2.4
Graphique d'une fonction f

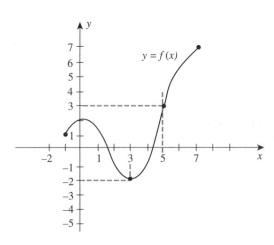

FIGURE 2.5

EXEMPLE 5   La figure 2.5 est la représentation graphique d'une fonction f.

a. Que vaut $f(3)$? Que vaut $f(5)$?
b. Trouvez la distance du point $(3, f(3))$ à l'axe des x. Trouvez la distance du point $(5, f(5))$ à l'axe des x.
c. Trouver le domaine et l'image de la fonction f.

Solution

a. Sur le graphique de la fonction, on voit que $y = -2$ lorsque $x = 3$, de sorte que $f(3) = -2$. De même, $f(5) = 3$.
b. Comme le point $(3, -2)$ est situé sous l'axe des x, la distance du point $(3, f(3))$ à l'axe des x est $-f(3) = -(-2) = 2$ unités. Par ailleurs, le point $(5, f(5))$ est situé au-dessus de l'axe des x, à une distance de $f(5)$, ou 3 unités, de l'axe.
c. On remarque que x peut prendre toutes les valeurs comprises entre $x = -1$ et $x = 7$, inclusivement, de sorte que le domaine de f est l'intervalle $[-1, 7]$. De plus, toutes les valeurs de y comprises entre -2 et 7, inclusivement, sont l'image $f(x)$ d'un élément du domaine de f. L'image de f est donc l'intervalle $[-2, 7]$.

Une grande partie de l'information nécessaire pour tracer le graphique d'une fonction peut s'obtenir en calculant quelques points et en les situant dans le plan cartésien. Nous verrons plus tard que le calcul différentiel nous fournit un outil raffiné pour tracer des graphiques de façon systématique.

EXEMPLE 6   Tracez le graphique de la fonction définie par $y = x^2 + 1$. Quelle est l'image de f ?

Solution

Le domaine de la fonction est l'ensemble des nombres réels. Voici un tableau de quelques valeurs de x et des valeurs $y = f(x)$ correspondantes.

x	-3	-2	-1	0	1	2	3
y	10	5	2	1	2	5	10

Le graphique de $y = f(x)$ est une parabole (figure 2.6). Pour trouver l'image de f, il suffit d'observer que $x^2 \geq 0$ pour tout x réel et que, par conséquent, $x^2 + 1 \geq 1$. L'image de f est donc l'intervalle $[1, \infty[$, ce que nous avions d'ailleurs observé sur le graphique de f.

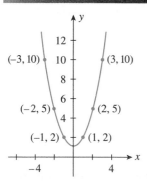

FIGURE 2.6
Le graphique de $y = x^2 + 1$ est une parabole.

TECHNOLOGIE ET INTUITION

Soit $f(x) = x^2$.

1. Tracez les graphiques de $F(x) = x^2 + c$, pour $c = -2, -1, -\frac{1}{2}, 0, \frac{1}{2}, 1, 2$, sur le même système de coordonnées.
2. Tracez les graphiques de $G(x) = (x + c)^2$, pour $c = -2, -1, -\frac{1}{2}, 0, \frac{1}{2}, 1, 2$, sur le même système de coordonnées.
3. Tracez les graphiques de $H(x) = cx^2$, pour $c = -2, -1, -\frac{1}{2}, -\frac{1}{4}, 0, \frac{1}{4}, \frac{1}{2}, 1, 2$, sur le même système de coordonnées.
4. Observez la famille de graphiques obtenue aux numéros 1 à 3 et établissez la relation entre le graphique d'une fonction f et les graphiques des fonctions définies par a) $y = f(x) + c$; b) $y = f(x + c)$; c) $y = cf(x)$, où c est une constante.

Certaines fonctions sont définies par morceaux, comme dans l'exemple 7 ci-après.

EXEMPLE 7   **Placements** Le groupe financier Planexpert de Trois-Rivières envisage l'établissement de deux nouvelles succursales d'ici deux ans : l'une dans un complexe industriel et l'autre dans un centre commercial. Par suite de cette expansion, la croissance des placements réalisés par Planexpert au cours des cinq prochaines années devrait obéir à la règle suivante :

$$f(x) = \begin{cases} \sqrt{2x} + 20 & \text{si } 0 \leq x \leq 2 \\ \dfrac{1}{2}x^2 + 20 & \text{si } 2 < x \leq 5 \end{cases}$$

où $y = f(x)$ représente le montant total (en millions de dollars) des placements réalisés par Planexpert au cours de l'année x ($x = 0$ correspondant à l'année actuelle). Tracez le graphique de la fonction f.

Solution

La fonction f est définie par morceaux dans l'intervalle $[0, 5]$. Dans la partie $[0, 2]$ du domaine, la règle de définition de f est $f(x) = \sqrt{2x} + 20$ et on peut établir le tableau partiel suivant :

x	0	1	2
$f(x)$	20	21,4	22

Dans la partie $]2, 5]$, la règle de définition de f devient $f(x) = \frac{1}{2}x^2 + 20$, d'où le tableau partiel suivant :

x	3	4	5
$f(x)$	24,5	28	32,5

En traçant la courbe passant par les points figurant dans les deux tableaux partiels, nous obtenons le graphique de f (figure 2.7).

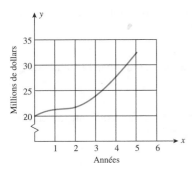

FIGURE 2.7
Le graphique de la fonction $y = f(x)$ s'obtient en traçant $y = \sqrt{2x} + 20$ sur l'intervalle $[0, 2]$ et $y = \frac{1}{2}x^2 + 20$ sur l'intervalle $]2, 5]$.

▢ Test de la droite verticale

S'il est vrai que toute fonction f d'une variable x peut être représentée par une courbe du plan cartésien, il faut remarquer qu'à l'inverse, les courbes du plan cartésien ne représentent pas toutes des fonctions. Considérons, par exemple, la courbe dessinée à la figure 2.8. Cette courbe est le graphe de l'équation $y^2 = x$, où on s'entend pour définir le **graphe d'une équation** comme l'ensemble des couples (x, y) qui vérifient l'équation. On remarque que les points $(9, -3)$ et $(9, 3)$ sont tous deux situés sur la courbe, de sorte qu'au nombre $x = 9$ du domaine sont associés *deux* nombres : $y = -3$ et $y = 3$. La propriété d'unicité d'une fonction n'est donc pas vérifiée ici, de sorte que la courbe de la figure 2.8 ne représente pas une fonction.

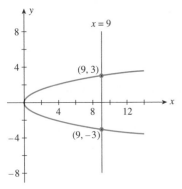

FIGURE 2.8
Puisqu'il existe au moins une droite verticale qui coupe la courbe à plus d'un endroit, la courbe *n'est pas* le graphique d'une fonction.

L'exemple précédent nous amène à formuler le test que voici.

Test de la droite verticale
Une courbe du plan cartésien est la représentation graphique d'une fonction $y = f(x)$ si et seulement si aucune droite verticale ne la coupe à plus d'un endroit.

EXEMPLE 8

Déterminez lesquelles des courbes illustrées à la figure 2.9 sont la représentation graphique de fonctions de x.

Solution

Les courbes des figures 2.9a, 2.9c et 2.9d représentent des fonctions puisque, dans chacun des cas, aucune droite verticale ne coupe la courbe à plus d'un endroit. On remarque que la droite verticale illustrée à la figure 2.9c ne coupe *pas* la courbe puisque son intersection avec l'axe des x ne fait pas partie du domaine de la fonction. Finalement, la courbe de la figure 2.9b *ne* représente *pas* une fonction puisque la droite verticale représentée coupe la courbe à trois endroits.

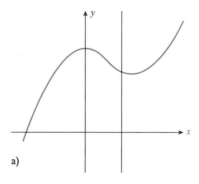

a)

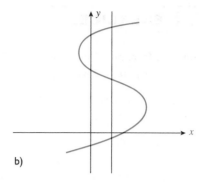

b)

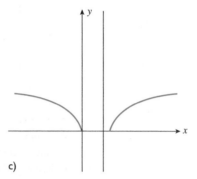

c)

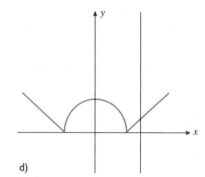

d)

FIGURE 2.9
Utilisation du test de la droite
verticale pour déterminer lesquelles
des courbes données représentent
des fonctions.

◼ EXERCICES D'AUTOÉVALUATION 2.1

1. Soit f la fonction définie par

$$f(x) = \frac{\sqrt{x+1}}{x}$$

  a. Trouvez le domaine de f.
  b. Calculez $f(3)$.
  c. Calculez $f(a+h)$.

2. Selon des études statistiques récentes, de plus en plus d'automobilistes utilisent les libres-services. La fonction suivante représente le pourcentage représenté par les ventes en libre-service sur le total des ventes d'essence aux États-Unis :

$$f(t) = \begin{cases} 6t + 17 & \text{si } 0 \le t \le 6 \\ 15{,}98(t-6)^{1/4} + 53 & \text{si } 6 < t \le 20 \end{cases}$$

où t est mesuré en années et $t = 0$ correspond au début de l'année 1974.

  a. Tracez le graphique de la fonction f.
  b. Au début de 1978, quel pourcentage du total des ventes d'essence provenaient de ventes en libre-service ? Quel était le pourcentage au début de 1994 ?
    Source : Amoco Corporation

Les solutions des exercices d'autoévaluation 2.1 se trouvent à la page 53.

3. Le point $(4, 6)$ est-il situé sur le graphique de $f(x) = \sqrt{2x+1} + 2$? Justifiez votre réponse.

2.1 EXERCICES

1. Soit f la fonction définie par $f(x) = 5x + 6$. Calculez $f(3), f(-3), f(a), f(-a)$ et $f(a + 3)$.

2. Soit f la fonction définie par $f(x) = 4x - 3$. Calculez $f(4), f(\frac{1}{4}), f(0), f(a)$ et $f(a + 1)$.

3. Soit g la fonction définie par $g(x) = 3x^2 - 6x - 3$. Calculez $g(0)$, $g(-1)$, $g(a)$, $g(-a)$, $g(x + 1)$, $g(a + h)$, $g(a^2)$, $g(\sqrt{a})$, $g(a - 2h)$ et $g(2a - h)$.

4. Soit h la fonction définie par $h(x) = x^3 - x^2 + x + 1$. Calculez $h(-5)$, $h(0)$, $h(a)$, $h(-a)$, $h(a + 2)$, $h(\sqrt{a})$, $a + h(a)$ et $\frac{1}{h(a)}$.

5. Soit s la fonction définie par $s(t) = \dfrac{2t}{t^2 - 1}$. Calculez $s(4)$, $s(0), s(a), s(2 + a)$ et $s(t + 1)$.

6. Soit g la fonction définie par $g(u) = (3u - 2)^{3/2}$. Calculez $g(1)$, $g(6)$, $g\left(\frac{11}{3}\right)$ et $g(u + 1)$.

7. Soit f la fonction définie par

$$f(x) = \begin{cases} x^2 + 1 & \text{si } x \le 0 \\ \sqrt{x} & \text{si } x > 0 \end{cases}$$

Calculez $f(-2), f(0)$ et $f(1)$.

8. Soit f la fonction définie par

$$f(x) = \begin{cases} 2 + \sqrt{1 - x} & \text{si } x \le 1 \\ \dfrac{1}{1 - x} & \text{si } x > 1 \end{cases}$$

Calculez $f(0), f(1)$ et $f(2)$.

9. Reportez-vous au graphique de la fonction f ci-après.

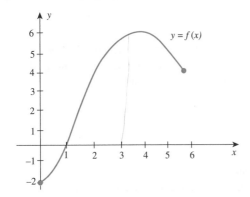

a. Trouvez $f(0)$.
b. Trouvez la valeur de x telle que (i) $f(x) = 3$; (ii) $f(x) = 0$.
c. Trouvez le domaine de f.
d. Trouvez l'image de f.

10. Reportez-vous au graphique de la fonction f ci-après.

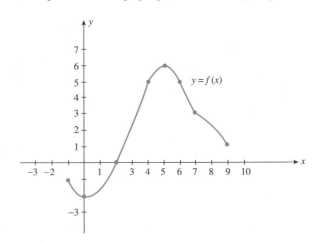

a. Trouvez $f(7)$.
b. Trouvez les valeurs de x telles que le point $(x, f(x))$ est situé à 5 unités au-dessus de l'axe des x.
c. Trouvez l'abscisse à l'origine de f. Quelle est la valeur de $f(x)$ en ce point?
d. Trouvez le domaine et l'image de f.

11–12 Dites si le point donné est situé sur le graphique de la fonction. Justifiez votre réponse.

11. $(-2, -3); f(t) = \dfrac{|t - 1|}{t + 1}$

12. $(3, 3); f(x) = \dfrac{x+1}{\sqrt{x^2 + 7}} + 2$

13–22 Trouvez le domaine de la fonction.

13. $f(x) = x^2 + 3$

14. $f(x) = 7 - x^2$

15. $f(x) = \dfrac{3x + 1}{x^2}$

16. $g(x) = \dfrac{2x + 1}{x - 1}$

17. $f(x) = \sqrt{x^2 + 1}$

18. $f(x) = \sqrt{x - 5}$

19. $f(x) = (x + 3)^{3/2}$

20. $g(x) = 2(x - 1)^{5/2}$

21. $f(x) = \dfrac{\sqrt{1 - x}}{x^2 - 4}$

22. $f(x) = \dfrac{\sqrt{x - 1}}{x^2 - x - 6}$

23. Soit f la fonction définie par la règle $f(x) = x^2 - x - 6$.

a. Trouvez le domaine de f.
b. Calculez $f(x)$ pour $x = -3, -2, -1, 0, \frac{1}{2}, 1, 2$ et 3.
c. En vous basant sur **a** et **b**, tracez le graphique de f.

24. Soit f la fonction définie par la règle $f(x) = 2x^2 + x - 3$.

   a. Trouvez le domaine de f.

   b. Calculez $f(x)$ pour $x = -3, -2, -1, -\frac{1}{2}, 0, 1, 2$ et 3.

   c. En vous basant sur **a** et **b**, tracez le graphique de f.

25–34 Trouvez le domaine des fonctions données et tracez leur graphique. Trouvez l'image des fonctions.

25. $f(x) = 2x^2 + 1$ **26.** $f(x) = 9 - x^2$

27. $f(x) = 2 + \sqrt{x}$ **28.** $g(x) = 4 - \sqrt{x}$

29. $f(x) = \sqrt{1 - x}$ **30.** $f(x) = \sqrt{x - 1}$

31. $f(x) = |x| - 1$ **32.** $f(x) = |x| + 1$

33. $f(x) = \begin{cases} -x + 1 & \text{si } x \le 1 \\ x^2 - 1 & \text{si } x > 1 \end{cases}$

34. $f(x) = \begin{cases} -x - 1 & \text{si } x < -1 \\ 0 & \text{si } -1 \le x \le 1 \\ x + 1 & \text{si } x > 1 \end{cases}$

35–40 Utilisez le test de la droite verticale pour déterminer lesquelles des courbes suivantes représentent des fonctions.

35.
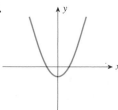

36.
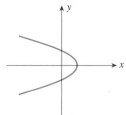

37.
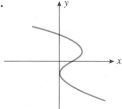

38.
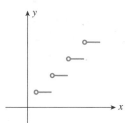

39.
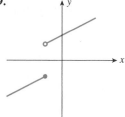

40.
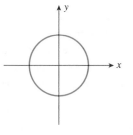

41. La circonférence d'un cercle de rayon r se calcule au moyen de la formule $C(r) = 2\pi r$. Calculez la circonférence d'un cercle de 5 cm de rayon.

42. Le volume d'une sphère de rayon r est $V(r) = \frac{4}{3}\pi r^3$. Calculez $V(2,1)$ et $V(2)$. Que représente $V(2,1) - V(2)$?

43. **Croissance d'une tumeur cancéreuse** Le volume d'une tumeur cancéreuse de forme sphérique est donné par

$$V(r) = \frac{4}{3}\pi r^3$$

où r est le rayon de la tumeur (mesuré en cm). Par quel facteur le volume de la tumeur s'accroît-il lorsque le rayon double?

44. **Traitement d'une tumeur cancéreuse** L'aire de la surface d'une tumeur cancéreuse de forme sphérique est donnée par

$$A(r) = 4\pi r^2$$

où r est le rayon de la tumeur (mesuré en cm). Par suite d'un traitement de chimiothérapie de trois mois, l'aire de la surface de la tumeur est réduite de 75 %. Par quel facteur le rayon de la tumeur a-t-il été réduit?

45. **Ventes de musique enregistrée** Les courbes ci-après représentent l'évolution du volume des ventes y (en milliards de dollars) de cassettes et de disques compacts entre 1985 et 1994 ($t = 0$ correspond à l'année 1985).

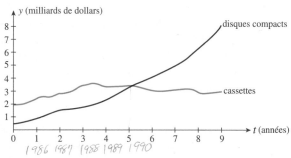

   a. Quelles sont les années au cours desquelles les ventes de cassettes ont été supérieures aux ventes de disques compacts?

   b. Quelles sont les années au cours desquelles les ventes de disques compacts ont été supérieures aux ventes de cassettes?

   c. En quelle année les ventes de disques compacts ont-elles atteint le même niveau que les ventes de cassettes? À combien estimeriez-vous le montant des ventes de chaque support d'enregistrement cette année-là?
Source: Recording Industry Association of America

46. ACCÈS À L'ÉGALITÉ Le graphique ci-après montre l'évolution du ratio du salaire des femmes à celui des hommes entre 1960 et l'an 2000 aux États-Unis.

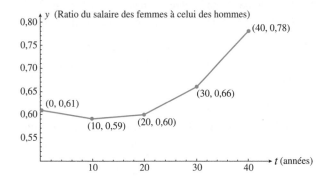

a. Cherchez une règle pour la fonction f exprimant le ratio du salaire des femmes à celui des hommes pour l'année t, où $t = 0$ correspond à 1960.

   Suggestion : La fonction f est définie par morceaux et chaque morceau est un segment de droite.

b. Pendant quelle période le fossé entre le salaire des femmes et celui des hommes allait-il en augmentant ? En diminuant ?

c. Trouvez à quel taux (variation du ratio/année) le fossé entre le salaire des femmes et celui des hommes a augmenté ou diminué au cours de chacune des quatre décennies.

Source: Bureau américain des statistiques sur le travail.

47. TAXE DE VENTE Au Québec, l'effet combiné T de l'application de la TPS (taxe sur les produits et services) et de la TVQ (taxe de vente du Québec) sur le montant d'un produit taxable s'élève à 15,025 % du prix x du produit, où T et x sont mesurés en dollars.

a. Exprimez T comme une fonction de x.

b. Calculez $T(200)$ et $T(5,65)$.

48. AJUSTEMENT AU COÛT DE LA VIE Les bénéficiaires d'allocations de bien-être social reçoivent chaque année un ajustement automatique au coût de la vie. Leur prestation mensuelle augmente en fonction de la hausse de l'indice des prix à la consommation (IPC) au cours de l'année précédente. Supposons que l'IPC a augmenté de 5,3 % au cours de l'an dernier.

a. Exprimez la prestation mensuelle ajustée d'un(e) bénéficiaire de bien-être social comme une fonction de sa prestation mensuelle avant l'ajustement.

b. Si Monsieur Chiasson reçoit présentement une allocation de 925 $ par mois, combien recevra-t-il après ajustement ?

49. RENDEMENT AU TRAVAIL Une étude menée par le fabricant d'équipement électronique Poltronique a démontré que le nombre d'émetteurs-récepteurs du modèle BD assemblés par un travailleur moyen t heures après son arrivée au travail à 8 h est

$$N(t) = -t^3 + 6t^2 + 15t \qquad \text{(pour } 0 \leq t \leq 4)$$

Combien d'émetteurs-récepteurs un travailleur moyen devrait-il normalement assembler entre 8 h et 9 h ? Entre 9 h et 10 h ?

50. CROISSANCE DE POPULATION Une étude préparée pour la Chambre de commerce d'une ville de la Montérégie prévoit qu'au cours des trois prochaines années, la population de la ville devrait s'accroître selon la règle

$$P(x) = 50\,000 + 30x^{3/2} + 20x$$

où $P(x)$ représente la population dans x mois à compter de maintenant. Quel sera l'accroissement de la population de la ville au cours des neuf prochains mois ? Au cours des 16 prochains mois ?

51. PRÉVALENCE DE LA MALADIE D'ALZHEIMER Selon les statistiques fournies par la Société Alzheimer des États-Unis, le pourcentage de la population américaine souffrant de la maladie d'Alzheimer en fonction de l'âge suit la règle

$$P(x) = 0,0726x^2 + 0,7902x + 4,9623$$
$$\text{(pour } 0 \leq x \leq 25)$$

où x est mesuré en années et $x = 0$ correspond à 65 ans. Quel pourcentage des Américains âgés de 65 ans souffrent de la maladie d'Alzheimer ? Quel pourcentage de ceux de 90 ans ?

Source : Société Alzheimer des États-Unis

52. TARIFS POSTAUX En janvier 2004, l'affranchissement des lettres ordinaires était représenté par le modèle suivant :

$$f(x) = \begin{cases} 49 & \text{si } 0 < x \leq 30 \\ 80 & \text{si } 30 < x \leq 50 \\ 98 & \text{si } 50 < x \leq 100 \\ 160 & \text{si } 100 < x \leq 200 \\ 240 & \text{si } 200 < x \leq 500 \end{cases}$$

où x désigne le poids en grammes et $f(x)$, l'affranchissement en cents.

a. Quel est le domaine de f ?

b. Tracez le graphique de f.

Source: Postes Canada

53–56 Dites si l'énoncé est vrai ou faux. S'il est vrai, dites pourquoi. S'il est faux, trouvez un contre-exemple.

53. Si $a = b$, alors $f(a) = f(b)$.

54. Si $f(a) = f(b)$, alors $a = b$.

55. Si f est une fonction, alors $f(a + b) = f(a) + f(b)$.

56. Toute droite verticale doit couper le graphique d'une fonction $y = f(x)$ à exactement un endroit.

▣ SOLUTIONS DES EXERCICES D'AUTOÉVALUATION 2.1

1. a. L'expression sous le radical ne peut être négative, d'où $x + 1 \geq 0$ ou $x \geq -1$. De plus, $x \neq 0$ puisque la division par zéro n'est pas permise. Par conséquent, le domaine de f est constitué des intervalles $[-1, 0[$ et $]0, \infty[$.

b. $f(3) = \dfrac{\sqrt{3+1}}{3} = \dfrac{\sqrt{4}}{3} = \dfrac{2}{3}$

c. $f(a+h) = \dfrac{\sqrt{(a+h)+1}}{a+h} = \dfrac{\sqrt{a+h+1}}{a+h}$

2. a. Dans la partie $[0, 6]$ du domaine, la règle de définition de f est $f(t) = 6t + 17$. Comme l'équation $y = 6t + 17$ est linéaire, cette portion du graphique de f est le segment de droite joignant les points $(0, 17)$ et $(6, 53)$. Par ailleurs, dans la partie $]6, 20]$ du domaine, la règle de définition de f est $f(t) = 15,98\,(t - 6)^{1/4} + 53$. À l'aide d'une calculatrice, nous avons construit le tableau des valeurs suivant :

t	6	8	10	12	14	16	18	20
$f(t)$	53	72	75,6	78	79,9	81,4	82,7	83,9

Remarquez que nous avons inclus dans le tableau $t = 6$ et son image $f(t) = 53$ (même si le nombre 6 n'appartient pas à la partie $]6, 20]$ du domaine), afin d'obtenir un meilleur tracé de la deuxième portion du graphique de f. Le graphique de f est représenté ci-après.

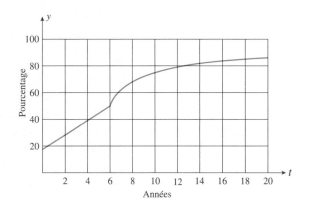

b. Le pourcentage du total des ventes provenant de ventes en libre-service au début de 1978 s'obtient en évaluant la fonction f en $t = 4$. Comme $t = 4$ est situé dans l'intervalle $[0, 6]$, c'est la règle $f(t) = 6t + 17$ qui s'applique, de sorte que

$$f(4) = 6(4) + 17 = 41$$

et que le pourcentage recherché est 41 %. Le pourcentage provenant de ventes en libre-service au début de 1994 s'obtient en évaluant

$$f(20) = 15,98(20 - 6)^{1/4} + 53 = 83,9$$

ce qui donne approximativement 83,9 %.

3. Un point (x, y) est situé sur le graphique d'une fonction f si et seulement si ses coordonnées vérifient l'équation $y = f(x)$. Dans le cas présent,

$$f(4) = \sqrt{2(4) + 1} + 2 = \sqrt{9} + 2 = 5 \neq 6$$

de sorte que le point $(4, 6)$ n'est pas situé sur le graphique de f.

TECHNOLOGIE EN APPLICATION

▣ Tracé du graphique d'une fonction

La grande majorité des fonctions étudiées dans le présent ouvrage peuvent être tracées à l'aide d'une calculatrice graphique (ou d'un logiciel de calcul symbolique). De plus, la calculatrice graphique est également utile pour analyser les propriétés d'une fonction. Cependant, la quantité d'informations obtenue d'un outil technologique ainsi que leur exactitude repose sur l'expérience et les connaissances de l'utilisateur. Tout au long de votre cheminement dans le manuel, vous vous rendrez compte que plus vous acquerrez de connaissances en calcul, plus la calculatrice graphique se révélera un outil efficace pour résoudre des problèmes.

Recherche d'une fenêtre d'affichage appropriée

Lorsqu'on désire tracer le graphique d'une fonction à l'aide d'une calculatrice graphique, la première étape consiste à choisir une fenêtre d'affichage appropriée, c'est-à-dire qui fait ressortir les caractéristiques principales de la fonction. On y arrive ordinairement par essais successifs. On peut, par exemple, faire un premier tracé en choisissant la *fenêtre d'affichage standard* $[-10, 10] \times [-10, 10]$, pour ensuite ajuster la fenêtre, au besoin, en l'agrandissant ou en la réduisant pour obtenir une portion suffisamment complète du graphique ou, à tout le moins, de sa partie la plus intéressante.

EXEMPLE 1 Tracez le graphique de la fonction $f(x) = 2x^2 - 4x - 5$ dans la fenêtre d'affichage standard.

Solution

Le graphique de la fonction f, illustré à la figure T1a, est une parabole, ce qui est conforme à un autre cas de fonction du second degré étudié à la page 47 (exemple 6, section 2.1). La figure affichée est donc une représentation valable du graphique de la fonction.

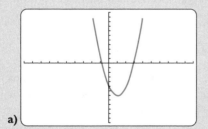

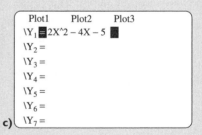

FIGURE T1
a) Graphique de la fonction $f(x) = 2x^2 - 4x - 5$ dans la fenêtre $[-10, 10] \times [-10, 10]$;
b) Paramètres de la fenêtre d'affichage standard sur la calculatrice TI-83; c) Écran d'édition de la TI-83

EXEMPLE 2 Soit la fonction $f(x) = x^3(x - 3)^4$.

a. Tracez le graphique de f dans la fenêtre d'affichage standard.
b. Tracez le graphique de f dans la fenêtre $[-1, 5] \times [-40, 40]$.

Solution

a. Le graphique de f dans la fenêtre d'affichage standard est illustré à la figure T2a. Comme le graphique semble incomplet, il faut ajuster la fenêtre.

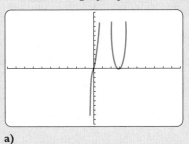

a)

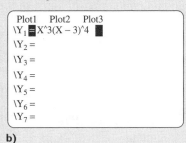

Plot1   Plot2   Plot3
$\backslash Y_1$ ∎$X^3(X-3)^4$ ∎
$\backslash Y_2 =$
$\backslash Y_3 =$
$\backslash Y_4 =$
$\backslash Y_5 =$
$\backslash Y_6 =$
$\backslash Y_7 =$

b)

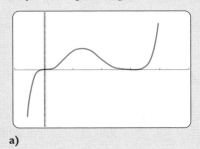

FIGURE T2
a) Tracé incomplet de la fonction $f(x) = x^3(x-3)^4$ dans la fenêtre $[-10, 10] \times [-10, 10]$;
b) Écran d'édition de la TI-83

b. Le graphique de f dans la fenêtre $[-1, 5] \times [-40, 40]$, représenté à la figure T3a, est plus précis que celui de la figure T2a. (Plus loin, nous serons en mesure de justifier que la figure T3a est effectivement une bonne représentation de f.)

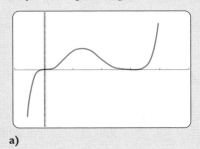

a)

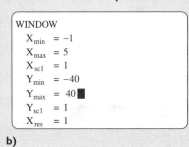

WINDOW
X_{min} $= -1$
X_{max} $= 5$
X_{sc1} $= 1$
Y_{min} $= -40$
Y_{max} $= 40$∎
Y_{sc1} $= 1$
X_{res} $= 1$

b)

FIGURE T3
a) Tracé complet de la fonction $f(x) = x^3(x-3)^4$ dans la fenêtre $[-1, 5] \times [-40, 40]$;
b) Paramètres de la fenêtre d'affichage sur la calculatrice TI-83

Évaluation d'une fonction

Avec une calculatrice graphique, l'évaluation d'une fonction s'effectue sans difficulté.

EXEMPLE 3 Soit la fonction $f(x) = x^3 - 4x^2 + 4x + 2$.

a. Tracez le graphique de f dans la fenêtre d'affichage standard.

b. Trouvez $f(3)$ en utilisant l'option d'évaluation d'une calculatrice graphique, puis vérifiez la réponse par calcul direct.

c. Trouvez $f(4,215)$.

Solution

a. Le graphique de f est représenté à la figure T4a.

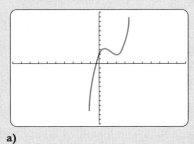

a)

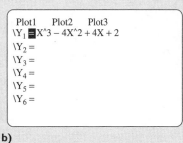

Plot1   Plot2   Plot3
$\backslash Y_1$ ∎$X^3 - 4X^2 + 4X + 2$
$\backslash Y_2 =$
$\backslash Y_3 =$
$\backslash Y_4 =$
$\backslash Y_5 =$
$\backslash Y_6 =$

b)

FIGURE T4
a) Graphique de $f(x) = x^3 - 4x^2 + 4x + 2$ dans la fenêtre d'affichage standard;
b) Écran d'édition de la TI-83

b. L'option d'évaluation de la calculatrice graphique, avec $x = 3$, fournit immédiatement la valeur $y = 5$. Ce résultat se vérifie en calculant

$$f(3) = 3^3 - 4(3^2) + 4(3) + 2 = 27 - 36 + 12 + 2 = 5$$

c. L'option d'évaluation de la calculatrice graphique, avec $x = 4{,}215$, fournit immédiatement la valeur $y = 22{,}679738375$. On a donc $f(4{,}215) = 22{,}679738375$. (L'efficacité de la calculatrice graphique a-t-elle besoin d'être démontrée ici ?)

EXEMPLE 4

Prévalence de la maladie d'Alzheimer   Le nombre d'Américains atteints de la maladie d'Alzheimer est

$$f(t) = -0{,}0277t^4 + 0{,}3346t^3 - 1{,}1261t^2 + 1{,}7575t + 3{,}7745 \quad \text{(pour } 0 \le t \le 6)$$

où $f(t)$ est mesuré en millions et t est mesuré en décennies, la valeur $t = 0$ correspondant au début de 1990.

a. Tracez le graphique de f dans la fenêtre d'affichage $[0, 7] \times [0, 12]$.
b. À combien de cas d'Américains atteints de la maladie d'Alzheimer peut-on s'attendre pour le début de l'an 2010 ($t = 2$) ? Le début de l'an 2030 ($t = 4$) ?
Source : Société Alzheimer des États-Unis

Solution

a. Le graphique de f dans la fenêtre d'affichage $[0, 7] \times [0, 12]$ est représenté à la figure T5a.

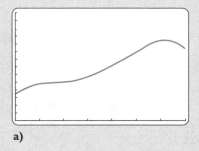

FIGURE T5
a) Graphique de f dans la fenêtre d'affichage $[0, 7] \times [0, 12]$;
b) Écran d'édition de la TI-83

a)

b)

b. L'option d'évaluation de la calculatrice graphique, avec $x = 2$, fournit

$$f(2) = 5{,}0187$$

On peut s'attendre à ce qu'il y ait environ 5 millions d'Américains atteints de la maladie d'Alzheimer au début de l'an 2010. De même, la calculatrice fournit

$$f(4) = 7{,}1101$$

d'où environ 7,1 millions d'Américains seront atteints au début de l'an 2030.

■ EXERCICES AVEC LA CALCULATRICE GRAPHIQUE

1–8 Tracez le graphique de chaque fonction dans la fenêtre d'affichage standard.

1. $f(x) = 2x^2 - 16x + 29$ **2.** $f(x) = -x^2 - 10x - 20$

3. $f(x) = x^3 - 2x^2 + x - 2$

4. $f(x) = -2,01x^3 + 1,21x^2 - 0,78x + 1$

5. $f(x) = 0,2x^4 - 2,1x^2 + 1$ **6.** $f(x) = -0,4x^4 + 1,2x - 1,2$

7. $f(x) = 2x\sqrt{x^2 + 1}$ **8.** $f(x) = \dfrac{\sqrt{x} + 1}{\sqrt{x} - 1}$

9–16 Tracez le graphique de chaque fonction
a) dans la fenêtre d'affichage standard;
b) dans la fenêtre indiquée.

9. $f(x) = 2x^2 - 32x + 125$; $[5, 15] \times [-5, 10]$

10. $f(x) = x^3 - 20x^2 + 8x - 10$; $[-20, 20] \times [-1200, 100]$

11. $f(x) = -2x^3 + 10x^2 - 15x - 5$; $[-10, 10] \times [-100, 100]$

12. $f(x) = x^4 - 2x^3$; $[-1, 3] \times [-2, 2]$

13. $f(x) = x + \dfrac{1}{x}$; $[-1, 3] \times [-5, 5]$

14. $f(x) = \dfrac{4}{x^2 - 8}$; $[-5, 5] \times [-5, 5]$

15. $f(x) = x\sqrt{4 - x^2}$; $[-3, 3] \times [-2, 2]$

16. $f(x) = \dfrac{\sqrt{x} - 1}{x}$; $[0, 50] \times [-0,25; 0,25]$

17–22 Tracez le graphique de chaque fonction dans une fenêtre d'affichage appropriée.
(*N.B.: La réponse n'est pas unique.*)

17. $f(x) = x^2 - 4x + 16$

18. $f(x) = -x^3 + 5x^2 - 14x + 20$

19. $f(x) = 2x^4 - 3x^3 + 5x^2 - 20x + 40$

20. $f(x) = -2x^4 + 5x^2 - 4$

21. $f(x) = \dfrac{x^3}{x^3 + 1}$ **22.** $f(x) = 0,2\sqrt{x} - 0,3x^3$

23–26 Trouvez f(x) pour la valeur de x indiquée en utilisant l'option d'évaluation d'une calculatrice graphique, puis vérifiez la réponse par calcul direct.

23. $f(x) = -3x^3 + 5x^2 - 2x + 8$; $x = -1$

24. $f(x) = 2x^4 - 3x^3 + 2x^2 + x - 5$; $x = 2$

25. $f(x) = \dfrac{x^4 - 3x^2}{x - 2}$; $x = 1$ **26.** $f(x) = \dfrac{\sqrt{x^2 - 1}}{3x + 4}$; $x = 2$

27–30 Trouvez f(x) pour la valeur de x indiquée en utilisant l'option d'évaluation d'une calculatrice graphique. Exprimez votre réponse avec quatre décimales de précision.

27. $f(x) = 3x^3 - 2x^2 + x - 4$; $x = 2,145$

28. $f(x) = 4x^4 - 3x^3 + 1$; $x = -2,42$

29. $f(x) = \dfrac{2x^3 - 3x + 1}{3x - 2}$; $x = 2,41$

30. $f(x) = \sqrt{2x^2 + 1} + \sqrt{3x^2 - 1}$; $x = 0,62$

31. **TAUX DE SYNDICALISATION DANS LE SECTEUR PRIVÉ** Le taux de syndicalisation dans le secteur privé (c'est-à-dire le rapport du nombre de travailleurs syndiqués au nombre total de travailleurs de ce secteur) est

$$f(t) = 0,00017t^4 - 0,00921t^3 + 0,15437t^2 - 1,360723t + 16,8028 \quad \text{(pour } 0 \le t \le 10\text{)}$$

où $f(t)$ est exprimé en pourcentage, t est mesuré en années et $t = 0$ correspond au début de l'année 1983.
a. Tracez le graphique de f dans la fenêtre d'affichage $[0, 11] \times [8, 20]$. Quelles informations en tirez-vous?
b. Quel était le taux de syndicalisation dans le secteur privé au début de 1986? Au début de 1993?

32. **VITESSE DE CONDUITE ET ACCIDENTS** Rouler à une vitesse voisine de la cadence de la circulation réduit les risques d'accident. En effet, selon une étude menée dans une université américaine, le nombre y d'accidents par 100 millions de véhicules-km est relié à la grandeur x de l'écart à la vitesse moyenne de la circulation, mesurée en km/h, par la fonction

$$y = 0,16x^3 - 5,36x^2 + 60,9x - 204,56$$
$$\text{(pour } 10 \le x \le 18\text{)}$$

a. Tracez le graphique de y dans la fenêtre $[10, 18] \times [12, 100]$.
b. Combien d'accidents se produisent par 100 millions de véhicules-km lorsque l'écart à la vitesse moyenne est 10 km/h, 13 km/h, 18 km/h?

Source: École de génie et de sciences appliquées de l'Université de Virginie (Adapté en SI à partir de la version originale de Tan)

2.2 Opérations sur les fonctions

▢ Somme, différence, produit et quotient de fonctions

Supposons que $D(t)$ et $R(t)$ désignent, respectivement, les dépenses et les recettes d'un gouvernement, mesurées en milliards de dollars, au moment t. Les graphiques de ces fonctions entre 1990 et 2000 sont représentés à la figure 2.10.

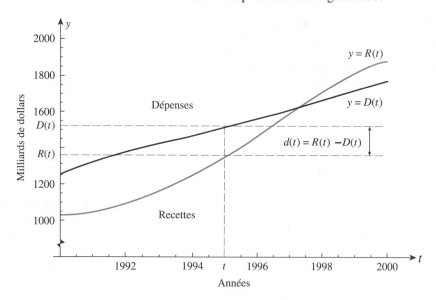

FIGURE 2.10
La fonction $d(t) = R(t) - D(t)$ représente le surplus ou le déficit du budget au moment t, selon que $d(t)$ est positive ou négative.

Lorsqu'elle est positive, la différence $R(t) - D(t)$ donne le surplus en milliards de dollars. Lorsqu'elle est négative, il s'agit d'un déficit. Il peut donc être pertinent de définir une fonction, que nous appellerons d, dont la valeur au moment t est $R(t) - D(t)$. La fonction d, soit la *différence* des deux fonctions R et D, s'écrit $d = R - D$ et pourrait s'appeler la « fonction surplus-déficit », puisqu'elle fournit le surplus ou le déficit à tout moment t. Cette fonction a le même domaine que les fonctions R and D. Le graphique de la fonction d est représenté à la figure 2.11.

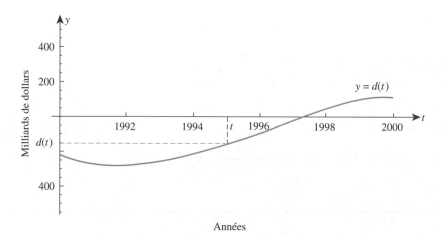

FIGURE 2.11
Graphique de $d(t)$

La plupart des fonctions sont construites à partir d'autres fonctions, qui sont généralement plus simples. Par exemple, la fonction $f(x) = 2x + 4$ peut être considérée comme la somme des deux fonctions $g(x) = 2x$ et $h(x) = 4$, la fonction $g(x) = 2x$ pouvant à son tour être vue comme le produit des fonctions $p(x) = 2$ et $q(x) = x$.

D'un point de vue général, si f et g sont deux fonctions, on définit la somme $f + g$, la différence $f - g$, le produit fg et le quotient f/g de f et g comme suit.

Somme, différence, produit et quotient de fonctions

Soit f et g deux fonctions définies sur A et B respectivement. Alors la **somme** $f + g$, la **différence** $f - g$ et le **produit** fg des fonctions f et g sont des fonctions définies sur $A \cap B$* et telles que

$$(f + g)(x) = f(x) + g(x) \qquad \text{Somme}$$
$$(f - g)(x) = f(x) - g(x) \qquad \text{Différence}$$
$$(fg)(x) = f(x)g(x) \qquad \text{Produit}$$

Le **quotient** f/g de f et de g a pour domaine $A \cap B$ à l'exception des points x tels que $g(x) = 0$, et se définit par

$$\left(\frac{f}{g}\right)(x) = \frac{f(x)}{g(x)} \qquad \text{Quotient}$$

---

*$A \cap B$ se lit « A intersection B » et représente l'ensemble des points communs à A et à B.

EXEMPLE I

Soit $f(x) = \sqrt{x + 1}$ et $g(x) = 2x + 1$. Trouvez la somme s, la différence d, le produit p et le quotient q des fonctions f et g.

Solution   Le domaine de f est $A = [-1, \infty[$ et celui de g est $B = \,]-\infty, \infty[$, de sorte que le domaine de s, d et p est $A \cap B = [-1, \infty[$. De là, nous avons

$$s(x) = (f + g)(x) = f(x) + g(x) = \sqrt{x + 1} + 2x + 1$$
$$d(x) = (f - g)(x) = f(x) - g(x) = \sqrt{x + 1} - (2x + 1) = \sqrt{x + 1} - 2x - 1$$
$$p(x) = (fg)(x) = f(x)g(x) = \sqrt{x + 1}(2x + 1) = (2x + 1)\sqrt{x + 1}$$

La règle de la fonction quotient q est

$$q(x) = \left(\frac{f}{g}\right)(x) = \frac{f(x)}{g(x)} = \frac{\sqrt{x + 1}}{2x + 1}$$

Son domaine est $[-1, \infty[$ à l'exception de $x = -\frac{1}{2}$, c'est-à-dire les intervalles $[-1, -\frac{1}{2}[$ et $]-\frac{1}{2}, \infty[$.

APPLICATIONS

Il arrive souvent que la formulation mathématique d'applications pratiques nécessite la combinaison de fonctions. Considérons, par exemple, les coûts associés à la gestion d'une entreprise. On désigne sous le nom de **coûts fixes** ceux qui, justement, demeurent plus ou moins constants, peu importe le degré d'activité de l'entreprise. Entrent dans cette catégorie les loyers et les salaires de cadres, par exemple.

Par ailleurs, les coûts qui varient selon les quantités produites ou vendues, comme la masse salariale des employés et le coût des matières premières, s'appellent **coûts variables**. Le **coût total** d'opération d'une entreprise s'obtient par la *somme* des coûts variables et des coûts fixes. En voici un exemple.

EXEMPLE 2

Fonction coûts   Supposons que le fabricant de filtres à eau Puritron a des coûts fixes mensuels de 10 000 $ et des coûts variables (en dollars) de

$$-0,0001x^2 + 10x \qquad \text{(pour } 0 \leq x \leq 40\,000)$$

où x désigne le nombre de filtres fabriqués chaque mois. Trouvez une fonction C exprimant le coût mensuel total de fabrication de x filtres.

Solution

Les coûts mensuels fixes de l'entreprise s'élèvent à 10 000 $, peu importe la quantité de filtres produite, et peuvent être représentés par la fonction constante $F(x) = 10\,000$. Par ailleurs, les coûts variables sont décrits par la fonction $V(x) = -0,0001x^2 + 10x$. La fonction C recherchée est la somme des coûts fixes et des coûts variables, d'où

$$\begin{aligned} C(x) &= V(x) + F(x) \\ &= -0,0001x^2 + 10x + 10\,000 \qquad \text{(pour } 0 \leq x \leq 40\,000) \end{aligned}$$

Définissons également le **profit total** P d'une entreprise, soit la *différence* entre les recettes totales et le coût total des opérations, c'est-à-dire

$$P(x) = R(x) - C(x)$$

et poursuivons l'exemple précédent.

EXEMPLE 3

Fonction profit   Dans le contexte de l'exemple 2, supposons que les recettes totales provenant de la vente de x filtres à eau sont exprimées par la fonction

$$R(x) = -0,0005x^2 + 20x \qquad \text{(pour } 0 \leq x \leq 40\,000)$$

a. Trouvez une fonction P exprimant le profit total provenant de la fabrication et de la vente par Puritron de x filtres par mois.

b. Calculez le profit total lorsque l'entreprise fabrique 10 000 filtres par mois.

Solution

a. Le profit total provenant de la fabrication et de la vente de x filtres par mois est la différence entre les recettes totales et le coût total des opérations, soit

$$\begin{aligned} P(x) &= R(x) - C(x) \\ &= (-0,0005x^2 + 20x) - (-0,0001x^2 + 10x + 10\,000) \\ &= -0,0004x^2 + 10x - 10\,000 \end{aligned}$$

b. Le profit total que réalise l'entreprise lorsqu'elle fabrique 10 000 filtres par mois est

$$P(10\,000) = -0,0004(10\,000)^2 + 10(10\,000) - 10\,000 = 50\,000$$

ou 50 000 $ par mois.

Composition de fonctions

Voici une autre façon de mettre ensemble des fonctions pour en construire de nouvelles : la *composition de fonctions*. Soit par exemple la fonction h définie par $h(x) = \sqrt{x^2 - 1}$. Soit f et g des fonctions telles que $f(x) = x^2 - 1$ et $g(x) = \sqrt{x}$. Si on calcule la valeur de la fonction g au point $f(x)$ [il ne faut pas oublier que pour chaque x du domaine de f, $f(x)$ est tout simplement un nombre réel], on a

$$g(f(x)) = \sqrt{f(x)} = \sqrt{x^2 - 1}$$

qui n'est rien d'autre que la règle de définition de h !

D'un point de vue général, on définit la *composée* d'une fonction g avec une fonction f comme suit.

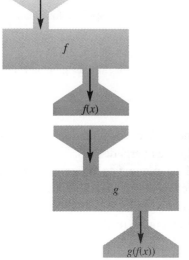

FIGURE 2.12
La fonction composée $h = g \circ f$ vue comme une machine

Composition de deux fonctions

Soit deux fonctions f et g. Alors la composée $g \circ f$ de g et f est la fonction définie par
$$(g \circ f)(x) = g(f(x))$$

Le domaine de $g \circ f$ est l'ensemble de tous les x du domaine de f tels que $f(x)$ est dans le domaine de g.

La fonction $g \circ f$ (qui se lit « g rond f ») est désignée sous le nom de **fonction composée**. L'interprétation de la fonction $h = g \circ f$ comme une machine et sa représentation par un diagramme sagittal sont illustrées aux figures 2.12 et 2.13.

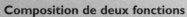
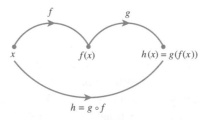

FIGURE 2.13
Diagramme sagittal de la fonction $h = g \circ f$

EXEMPLE 4

Soit $f(x) = x^2 - 1$ et $g(x) = \sqrt{x} + 1$. Trouvez :

a. La règle de définition de la fonction $g \circ f$.
b. La règle de définition de la fonction $f \circ g$.

Solution

a. Pour trouver la règle de définition de la fonction $g \circ f$, on calcule la valeur de g au point $f(x)$. On a

$$(g \circ f)(x) = g(f(x)) = g(x^2 - 1) = \sqrt{x^2 - 1} + 1$$

b. Pour trouver la règle de définition de la fonction $f \circ g$, on calcule la valeur de f au point $g(x)$. Ainsi,

$$(f \circ g)(x) = f(g(x)) = f(\sqrt{x} + 1) = (\sqrt{x} + 1)^2 - 1$$
$$= x + 2\sqrt{x} + 1 - 1 = x + 2\sqrt{x}$$

L'exemple 4 montre clairement que $g \circ f$ *n'est pas toujours égal à* $f \circ g$, de sorte qu'il faut être attentif à l'ordre dans lequel s'effectue la composition de fonctions : la première fonction appliquée est celle qui apparaît à *droite* dans la notation.

 **TRAVAIL EN ÉQUIPE**

Soit $f(x) = \sqrt{x} + 1$ pour $x \geq 0$ et soit $g(x) = (x - 1)^2$ pour $x \geq 1$.

1. Démontrez que $(g \circ f)(x) = x$ et $(f \circ g)(x) = x$. (*Remarque*: On appelle la fonction g la fonction *réciproque*[1] de la fonction f et vice versa.)

2. Sur un même système de coordonnées, tracez les graphiques des fonctions f et g, de même que la droite $y = x$. Décrivez la relation qui existe entre les graphiques de f et de g.

 EXEMPLE 5

Pollution par les automobiles Une étude des facteurs de pollution menée par une municipalité de 250 000 habitants indique que, en vertu des nouvelles normes de protection de l'environnement, la quantité de monoxyde de carbone (CO) présent dans l'air et provenant des gaz d'échappement des automobiles est de $0,01x^{2/3}$ parties par million (où x désigne le nombre d'automobiles, mesuré en milliers). Une étude indépendante menée par le ministère de l'Environnement estime que d'ici t années, le nombre d'automobiles dans cette municipalité aura atteint $0,2t^2 + 4t + 64$ milliers.

a. Trouvez une formule pour exprimer la concentration de CO dans l'air provenant des gaz d'échappement des automobiles dans t années.

b. Quelle sera la concentration dans 5 ans ?

Solution

a. La concentration de CO dans l'air provenant des gaz d'échappement des automobiles est exprimée par la fonction $g(x) = 0,01x^{2/3}$, où x est le nombre d'automobiles (en milliers). Par ailleurs, le nombre x d'automobiles (en milliers) d'ici t années est estimé au moyen de la règle $f(t) = 0,2t^2 + 4t + 64$. Par conséquent, la concentration de CO dans l'air provenant des gaz d'échappement des automobiles dans t années est

$$C(t) = (g \circ f)(t) = g(f(t)) = 0,01(0,2t^2 + 4t + 64)^{2/3}$$

parties par million.

b. Dans 5 ans, la concentration aura atteint

$$C(5) = 0,01[0,2(5)^2 + 4(5) + 64]^{2/3}$$
$$= (0,01)89^{2/3} \approx 0,20$$

parties par million.

---

[1] *N.D.L.T.* On emploie parfois « fonction inverse » comme synonyme de «fonction réciproque», par exemple pour les fonctions trigonométriques inverses.

☑ EXERCICES D'AUTOÉVALUATION 2.2

1. Soit f et g deux fonctions définies respectivement par

$$f(x) = \sqrt{x} + 1 \qquad \text{et} \qquad g(x) = \frac{x}{1 + x}$$

   a. Trouvez la somme s, la différence d, le produit p et le quotient q de f et g.
   b. Trouvez les fonctions composées $f \circ g$ et $g \circ f$.

2. Les dépenses du secteur privé pour les soins de santé comprennent les contributions versées par les individus et les entreprises, de même que par leurs compagnies d'assurances. Ces dépenses (mesurées en dollars/personne) se chiffrent approximativement à

$$f(t) = 2{,}48t^2 + 18{,}47t + 509 \qquad \text{(pour } 0 \le t \le 6)$$

   où t est mesuré en années, $t = 0$ correspondant au début de 1994. Par ailleurs, les dépenses du secteur public — incluant les divers régimes d'assurance-maladie, médicaments, etc. — sont définies par

$$g(t) = -1{,}12t^2 + 29{,}09t + 429 \qquad \text{(pour } 0 \le t \le 6)$$

   la valeur $t = 0$ correspondant encore une fois au début de 1994.

   a. Trouvez une formule représentant la différence entre les dépenses des secteurs privé et public pour les soins de santé au moment t.
   b. Calculez quelle a été la différence entre les dépenses des secteurs privé et public pour les soins de santé au début de 1995. Au début de l'an 2000.

Les solutions des exercices d'autoévaluation 2.2 se trouvent à la page 65.

☑ 2.2 EXERCICES

1–8 Soit $f(x) = x^3 + 5$, $g(x) = x^2 - 2$ et $h(x) = 2x + 4$. Trouvez l'expression qui définit chaque fonction.

1. $f + g$ **2.** $f - g$ **3.** fg **4.** gf

5. $\dfrac{f}{g}$ **6.** $\dfrac{f - g}{h}$ **7.** $\dfrac{fg}{h}$ **8.** fgh

9–18 Soit $f(x) = x - 1$, $g(x) = \sqrt{x + 1}$ et $h(x) = 2x^3 - 1$. Trouvez l'expression qui définit chaque fonction.

9. $f + g$ **10.** $g - f$ **11.** fg **12.** gf

13. $\dfrac{g}{h}$ **14.** $\dfrac{h}{g}$ **15.** $\dfrac{fg}{h}$ **16.** $\dfrac{fh}{g}$

17. $\dfrac{f - h}{g}$ **18.** $\dfrac{gh}{g - f}$

19–22 Trouvez les fonctions $f + g$, $f - g$, fg et f/g.

19. $f(x) = x^2 + 5$; $g(x) = \sqrt{x} - 2$

20. $f(x) = \sqrt{x + 3}$; $g(x) = \dfrac{1}{x - 1}$

21. $f(x) = \dfrac{x + 1}{x - 1}$; $g(x) = \dfrac{x + 2}{x - 2}$

22. $f(x) = \dfrac{1}{x^2 + 1}$; $g(x) = \dfrac{1}{x^2 - 1}$

23–26 Trouvez l'expression qui définit les fonctions $f \circ g$ et $g \circ f$.

23. $f(x) = x^2 + x + 1$; $g(x) = x^2$

24. $f(x) = 3x^2 + 2x + 1$; $g(x) = x + 3$

25. $f(x) = \sqrt{x} + 1$; $g(x) = x^2 - 1$

26. $f(x) = \dfrac{x}{x^2 + 1}$; $g(x) = \dfrac{1}{x}$

27–30　Étant donné $h = g \circ f$, calculez $h(2)$.

27. $f(x) = x^2 + x + 1$; $g(x) = x^2$

28. $f(x) = \sqrt[3]{x^2 - 1}$; $g(x) = 3x^3 + 1$

29. $f(x) = \dfrac{1}{2x + 1}$; $g(x) = \sqrt{x}$

30. $f(x) = \dfrac{1}{x - 1}$; $g(x) = x^2 + 1$

31–36　Trouvez deux fonctions f et g telles que $h = g \circ f$. (N.B.: La réponse n'est pas unique.)

31. $h(x) = (2x^3 + x^2 + 1)^5$　**32.** $h(x) = \sqrt{x^2 - 1}$

33. $h(x) = (2x - 3)^{3/2}$　　**34.** $h(x) = \dfrac{1}{x^2 - 1}$

35. $h(x) = \dfrac{1}{(3x^2 + 2)^{3/2}}$

36. $h(x) = \dfrac{1}{\sqrt{2x + 1}} + \sqrt{2x + 1}$

37–40　Pour chaque fonction, calculez l'expression $f(a+h) - f(a)$. Simplifiez votre réponse.

37. $f(x) = 3x + 4$　　　**38.** $f(x) = -\dfrac{1}{2}x + 3$

39. $f(x) = 4 - x^2$　　　**40.** $f(x) = x^2 - 2x + 1$

41–46　Pour chaque fonction, calculez et simplifiez l'expression

$$\frac{f(a + h) - f(a)}{h} \qquad \text{(où } h \neq 0\text{)}$$

41. $f(x) = x^2 + 1$　　　**42.** $f(x) = 2x^2 - x + 1$

43. $f(x) = x^3 - x$　　　**44.** $f(x) = 2x^3 - x^2 + 1$

45. $f(x) = \dfrac{1}{x}$　　　**46.** $f(x) = \sqrt{x}$

47. Valeur d'un investissement Émilie détient $f(t)$ actions de la société IBM, où t désigne le nombre de trimestres écoulés depuis mars 2000. Le prix unitaire des actions d'IBM au moment t est $g(t)$ dollars. Que représente la fonction $f(t)g(t)$ dans ce contexte?

48. Coûts de production Le coût de production total d'un bien au moment t est $f(t)$ dollars et le nombre d'unités produites est $g(t)$. Que représente la fonction $f(t)/g(t)$ dans ce contexte?

49. Fabrication de calculatrices L'usine d'un fabricant de calculatrices bien connu située à Pointe-Claire est spécialisée dans la production du modèle S300.

Les coûts hebdomadaires de l'usine s'élèvent à 20 000 $ et les coûts variables à

$$V(x) = 0{,}000001x^3 - 0{,}01x^2 + 50x$$

dollars, où x désigne le nombre de calculatrices fabriquées chaque semaine. Le revenu provenant de la vente de x calculatrices par semaine est

$$R(x) = -0{,}02x^2 + 150x \quad (\text{pour } 0 \leq x \leq 7500)$$

dollars.

a. Trouvez une fonction exprimant le coût total hebdomadaire de production de x calculatrices par semaine.

b. Trouvez une fonction exprimant le profit hebdomadaire résultant de la production de x calculatrices par semaine.

c. Quel est le profit hebdomadaire réalisé par la compagnie lorsque 2000 calculatrices sont produites et vendues chaque semaine?

50. Courriers électroniques non sollicités Selon les données actuellement disponibles, on a modélisé le nombre total (en milliards) de courriers électroniques envoyés chaque jour entre 2003 et 2007 par la fonction

$$f(t) = 1{,}54t^2 + 7{,}1t + 31{,}4 \qquad (\text{pour } 0 \leq t \leq 4)$$

où t est mesuré en années, la valeur $t = 0$ correspondant à l'an 2003. Au cours de la même période, le nombre total (en milliards) de courriers électroniques non sollicités, ou pourriels, est modélisé par la fonction

$$g(t) = 1{,}21t^2 + 6t + 14{,}5 \qquad (\text{pour } 0 \leq t \leq 4)$$

a. Trouvez l'expression de la fonction $d = f - g$. Calculez $d(4)$ et expliquez sa signification dans le contexte.

b. Trouvez l'expression de la fonction $p = f/g$. Calculez $p(4)$ et expliquez sa signification dans le contexte.

Source: Technology Review

51. Taux d'occupation d'un hôtel Le taux d'occupation d'un gros hôtel de la région de Charlevoix est défini par la fonction

$$r(t) = \frac{10}{81}t^3 - \frac{10}{3}t^2 + \frac{200}{9}t + 55 \quad (\text{pour } 0 \leq t \leq 11)$$

où t est mesuré en mois, $t = 0$ correspondant au début du mois de janvier. La direction estime que le revenu mensuel (en milliers de dollars) de l'hôtel suit approximativement la fonction

$$R(r) = -\frac{3}{5000}r^3 + \frac{9}{50}r^2 \quad (\text{pour } 0 \leq r \leq 100)$$

où r désigne le taux d'occupation, mesuré en pour cent.

a. Quel est le taux d'occupation de l'hôtel au début du mois de janvier? Au début du mois de juin?

b. Quel est le revenu de l'hôtel au début du mois de janvier? Au début du mois de juin?

52. **INFLUENCE DES TAUX D'INTÉRÊT SUR LES MISES EN CHANTIER**   Une étude commandée par la SCHL estime que le nombre de mises en chantier de maisons unifamiliales sur l'île de Montréal d'ici 5 ans est défini par la fonction

$$N(r) = \frac{7}{1 + 0,02r^2}$$

milliers d'unités, où r (mesuré en pour cent) est le taux d'intérêt hypothécaire. L'on prévoit que le taux d'intérêt hypothécaire au cours des r prochains mois sera

$$f(t) = \frac{10t + 150}{t + 10} \qquad \text{(pour } 0 \le t \le 24\text{)}$$

pour cent/an.

a. Trouvez une formule exprimant le nombre de mises en chantiers de maisons unifamiliales par an en fonction de t, d'ici les t prochains mois.

b. En vous basant sur **a**, calculez le nombre de mises en chantiers par an à l'heure actuelle. Quel sera ce nombre dans 12 mois, dans 18 mois?

53. **MISES EN CHANTIER ET EMPLOIS DANS LE SECTEUR DE LA CONSTRUCTION**   Le président d'une importante firme de construction résidentielle affirme que le nombre d'emplois (en milliers) créés par x mises en chantier est

$$N(x) = 1,42x$$

Supposons que le nombre de mises en chantiers prévues à Sherbrooke pour les t prochains mois est défini par la fonction

$$x(t) = \frac{7(t + 10)^2}{(t + 10)^2 + 2(t + 15)^2}$$

où x est mesuré en milliers d'unités/mois. Trouvez une formule exprimant le nombre d'emplois/mois créés au cours des t prochains mois. Combien d'emplois seront créés dans 6 mois? Dans 12 mois?

54–57 Dites si l'énoncé est vrai ou faux. S'il est vrai, dites pourquoi. S'il est faux, trouvez un contre-exemple.

54. Soit f et g deux fonctions de domaine D, alors $f + g = g + f$.

55. Si la fonction $g \circ f$ est définie en $x = a$, alors la fonction $f \circ g$ doit aussi être définie en $x = a$.

56. Soit f et g deux fonctions, alors $f \circ g = g \circ f$.

57. Soit f une fonction, alors $f \circ f = f^2$.

▣ SOLUTIONS DES EXERCICES D'AUTOÉVALUATION **2.2**

1. a. $s(x) = f(x) + g(x) = \sqrt{x} + 1 + \dfrac{x}{1 + x}$

$d(x) = f(x) - g(x) = \sqrt{x} + 1 - \dfrac{x}{1 + x}$

$p(x) = f(x)g(x) = (\sqrt{x} + 1) \cdot \dfrac{x}{1 + x} = \dfrac{x(\sqrt{x} + 1)}{1 + x}$

$q(x) = \dfrac{f(x)}{g(x)} = \dfrac{\sqrt{x} + 1}{\dfrac{x}{1 + x}} = \dfrac{(\sqrt{x} + 1)(1 + x)}{x}$

b. $(f \circ g)(x) = f(g(x)) = \sqrt{\dfrac{x}{1+x} + 1}$

$(g \circ f)(x) = g(f(x)) = \dfrac{\sqrt{x} + 1}{1 + (\sqrt{x} + 1)} = \dfrac{\sqrt{x} + 1}{\sqrt{x} + 2}$

2. a. La différence entre les dépenses des secteurs privé et public, par personne, pour les soins de santé au moment t est exprimée par la fonction d où

$$d(t) = f(t) - g(t) = (2,48t^2 + 18,47t + 509)$$
$$- (-1,12t^2 + 29,09t + 429)$$
$$= 3,6t^2 - 10,62t + 80$$

b. La différence entre les dépenses des secteurs public et privé au début de 1995 est

$$d(1) = 3,6(1)^2 - 10,62(1) + 80$$

ou 72,98 $ par personne.

La différence entre les dépenses des secteurs public et privé au début de l'an 2000 est

$$d(6) = 3,6(6)^2 - 10,62(6) + 80$$

c'est-à-dire 145,88 $ par personne.

2.3 Fonctions et modélisation

◻ Modèles mathématiques

Une de nos intentions en rédigeant le présent ouvrage était de vous montrer comment utiliser les mathématiques — et en particulier le calcul différentiel — pour résoudre des problèmes issus de la vie réelle tels que ceux que l'on retrouve dans divers domaines des sciences humaines comme l'administration, l'économie, la sociologie, la psychologie et bien d'autres encore. Nous vous avons déjà présenté un certain nombre de ces problèmes dans les pages précédentes. Voici d'autres exemples de situations réelles dont il sera question dans les chapitres à venir.

- L'évolution du poids démographique du Québec dans le Canada (p. 67)
- L'endettement moyen à la consommation des Américains (p. 76)
- Le déclin de la population au Saguenay-Lac-Saint-Jean (p. 82)
- Les dépenses en soins médicaux des Canadiens (p. 68)
- L'évolution du taux de natalité au Québec entre 1900 et 2000 (p. 275)
- La transmission du VIH de la mère à son enfant (p. 155)
- Le nombre de jeunes travailleurs autonomes au Québec (p. 284)

Dans tous les cas, une description mathématique d'une situation réelle s'appelle un **modèle mathématique.** Le processus de modélisation comporte quatre étapes, illustrées à la figure 2.14.

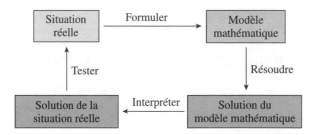

FIGURE 2.14

1. Formuler Face à une situation réelle, la première tâche consiste à formuler le problème en langage mathématique. Il existe plus d'une façon de construire des modèles mathématiques : on peut, par exemple, écrire des équations à partir de nos connaissances théoriques, ou encore examiner des données récoltées à propos de la situation. Ainsi, il existe un modèle mathématique théorique pour calculer la valeur à tout moment d'un capital placé à un taux d'intérêt connu (voir la section 5.3). D'autre part, bon nombre des modèles mathématiques dont il est question dans ces pages ont été construits en prenant pour point de départ des données statistiques reliées à la situation (voir la section *Technologie en application* des pages 80 à 82). L'objet du calcul différentiel concerne principalement l'analyse de la relation entre une variable dépendante et une ou plusieurs variables indépendantes. C'est pourquoi la plupart des modèles mathématiques étudiés ici se présentent sous forme de fonctions d'une ou de plusieurs variables ou encore d'équations au moyen desquelles ces fonctions sont définies implicitement.

2. **Résoudre** Une fois que le modèle mathématique a été établi, la deuxième étape est de mettre en oeuvre les techniques mathématiques appropriées, comme celles développées tout au long de ce livre, pour résoudre le problème.

3. **Interpréter** Comme la solution obtenue à l'étape 2 est la solution du modèle mathématique, il faut ensuite interpréter les résultats dans le contexte de la situation réelle.

4. **Tester** On arrive parfois à modéliser des situations réelles très précisément. C'est le cas par exemple du modèle à partir duquel on calcule la valeur à tout moment d'un capital placé à un taux d'intérêt connu. Mais dans d'autres cas, le modèle obtenu ne parvient à donner qu'une image approchée de la situation réelle. Il faut alors tester l'exactitude du modèle en vérifiant dans quelle mesure son application permet de retrouver les données initiales et de prédire l'avenir. Si les résultats ne sont pas satisfaisants, il convient alors de raffiner le modèle en revoyant au besoin un certain nombre d'hypothèses ou, dans le pire des cas, de recommencer depuis le début.

Avant d'aller plus loin, nous vous présentons deux modèles mathématiques. Le premier montre l'évolution du poids démographique du Québec dans le Canada entre 1971 et 2001, et le second présente les dépenses en soins médicaux des Canadiens. Ces deux modèles sont obtenus de données statistiques en y appliquant la méthode des moindres carrés. Dans la section *Technologie en application* des pages 80 à 82 vous trouverez d'autres exemples de construction de modèles mathématiques à partir de données empiriques.

EXEMPLE 1

Poids démographique du Québec Selon les recensements effectués au Canada depuis 1971, la proportion de la population québécoise à la population canadienne (exprimée en pourcentage) est représentée dans le tableau suivant :

Année	1971	1976	1981	1986	1991	1996	2001
Proportion Québec/Canada	27,95	27,28	26,38	25,70	25,20	24,47	23,84

L'évolution de la proportion de la population québécoise à la population canadienne entre 1971 et 2001 est représentée par le modèle mathématique

$$P(t) = -0,14t + 27,88$$

où t est mesuré en années et $t = 0$ correspond à 1971.

a. Sur un même système de coordonnées, tracez le graphique de la fonction P et situez les données du tableau.

b. Si la tendance se maintient, quel sera le poids démographique du Québec dans le Canada en 2006 ?

c. Selon le modèle, quel est le taux de variation du poids démographique du Québec dans le Canada ? (Précisez les unités.)

Source: Statistique Canada, Recensements du Canada et estimations de la population

Solution

a. Le graphique de P est représenté à la figure 2.15.

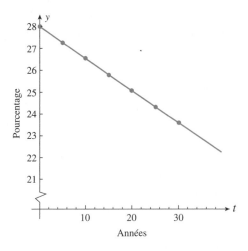

FIGURE 2.15
Poids démographique du Québec
entre 1971 et 2001

b. Le poids démographique projeté pour 2006 est approximativement

$$P(35) = -0{,}14(35) + 27{,}88$$
$$= 22{,}98$$

c'est-à-dire 22,98 % de la population canadienne.

c. La fonction P est linéaire, de sorte que le taux de variation de la proportion de la population québécoise par rapport à la population canadienne est la pente de la droite illustrée, soit $-0{,}14$. Le poids démographique du Québec diminue donc d'environ 0,14 % par an.

EXEMPLE 2

Dépenses en soins médicaux Le total des dépenses personnelles en soins médicaux et en services de santé (en millions de dollars) des Canadiens entre 1995 et 2003 est représenté dans le tableau suivant :

Année	1995	1997	1999	2001	2003
Dépenses	21 190	23 453	26 913	31 048	36 074

Le montant $D(t)$ (en millions de dollars) des dépenses personnelles des Canadiens en soins médicaux est représenté par le modèle mathématique

$$D(t) = 1{,}92t^4 - 33{,}94t^3 + 299{,}44t^2 + 653t + 21\ 190 \qquad \text{(pour } 0 \le t \le 8)$$

où t est mesuré en années, $t = 0$ correspondant à 1995.

a. Tracez le graphique de la fonction D et placez-y les points du tableau. Diriez-vous que le modèle s'ajuste bien aux données fournies ?

b. Si la tendance se maintient, quel sera le montant des dépenses personnelles des Canadiens en soins médicaux en 2007 ?

Source: Statistique Canada

Solution

a. Le graphique de la fonction D est représenté à la figure 2.16. Une vérification par calculatrice graphique des ordonnées correspondant respectivement à des abscisses $t = 0, 2, 4, 6$ et 8 permet de constater que le modèle est effectivement très juste puisqu'il produit des valeurs voisines des données fournies.

b. Le montant des dépenses personnelles des Canadiens en soins médicaux en 2007 sera voisin de

$$D(12) = 1{,}92(12)^4 - 33{,}94(12)^3 + 299{,}44(12)^2 + 653(12) + 21\ 190$$
$$= 53\ 310$$

soit approximativement 53 310 millions de dollars.

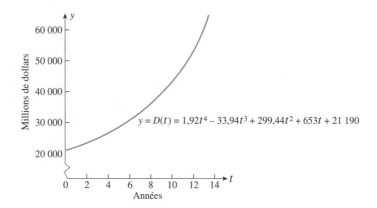

FIGURE 2.16
La fonction $y = D(t)$ modélise le montant des dépenses personnelles des Canadiens en soins de santé entre 1995 et 2003.

▢ Fonctions polynomiales

Nous vous présentons quelques catégories de fonctions, en commençant par les fonctions polynomiales.

> **Fonction polynomiale**
> Une **fonction polynomiale** de degré n a la forme
> $$f(x) = a_0 x^n + a_1 x^{n-1} + \cdots + a_{n-1} x + a_n \qquad (\text{où } a_0 \neq 0)$$
> où $a_0, a_1, \ldots, a_n$ sont des constantes réelles et n est un entier positif ou nul.

Par exemple, les fonctions

$$f(x) = 4x^5 - 3x^4 + x^2 - x + 8$$
$$g(x) = 0{,}001x^3 - 2x^2 + 20x + 400$$

sont respectivement des fonctions polynomiales de degré 5 et de degré 3. On note qu'une fonction polynomiale est définie pour tout nombre réel, de sorte que son domaine est $]-\infty, \infty[$.

Une fonction polynomiale de degré 1

$$f(x) = a_0 x + a_1 \qquad (\text{où } a_0 \neq 0)$$

est la forme pente-ordonnée à l'origine de l'équation d'une droite avec $m = a_0$ et $b = a_1$ (voir la section 1.4). C'est pourquoi on l'appelle aussi **fonction linéaire**.

Une fonction polynomiale de degré 2 est appelée **fonction quadratique** et une fonction polynomiale de degré 3, **fonction cubique**. Le modèle proposé à l'exemple 1 est une fonction linéaire et celui de l'exemple 2, une fonction de degré 4.

Fonctions rationnelles et fonctions puissances

Les fonctions rationnelles constituent une autre classe importante de fonctions. Une **fonction rationnelle** est le quotient de deux fonctions polynomiales. En voici deux exemples.

$$F(x) = \frac{3x^3 + x^2 - x + 1}{x - 2}$$
$$G(x) = \frac{x^2 + 1}{x^2 - 1}$$

D'un point de vue général, une fonction rationnelle a donc la forme

$$R(x) = \frac{f(x)}{g(x)}$$

où $f(x)$ et $g(x)$ sont des fonctions polynomiales. Comme on ne peut diviser par zéro, le domaine d'une fonction rationnelle est l'ensemble de tous les nombres réels à l'exception des zéros de la fonction g — c'est-à-dire les racines de l'équation $g(x) = 0$. Ainsi, le domaine de la fonction F ci-dessus est l'ensemble de tous les nombres réels sauf $x = 2$, alors que le domaine de G est l'ensemble de tous les nombres réels à l'exception de ceux qui vérifient l'équation $x^2 - 1 = 0$, soit $x = \pm 1$.

Les fonctions du type

$$f(x) = x^r$$

où r est un nombre réel, sont des **fonctions puissances**. Nous avons déjà rencontré des exemples de ces fonctions. Ainsi, les fonctions

$$f(x) = \sqrt{x} = x^{1/2} \qquad \text{et} \qquad g(x) = \frac{1}{x^2} = x^{-2}$$

sont des fonctions puissances.

Bon nombre des fonctions étudiées dans cet ouvrage sont des combinaisons de fonctions polynomiales, rationnelles ou puissances, comme par exemple

$$f(x) = \sqrt{\frac{1 - x^2}{1 + x^2}}$$

$$g(x) = \sqrt{x^2 - 3x + 4}$$

$$h(x) = (1 + 2x)^{1/2} + \frac{1}{(x^2 + 2)^{3/2}}$$

Le calcul différentiel, que nous allons développer dans les chapitres qui suivent, se révèle un outil puissant pour analyser les propriétés des fonctions de ce type, de même que des fonctions polynomiales de degré 3 ou supérieur.

EXEMPLE 3

Coût d'utilisation d'une automobile Une étude réalisée au Canada par le CAA a évalué le coût moyen (versements sur l'auto, dépréciation, assurances, permis de conduire, immatriculation, essence, entretien préventif, réparations) d'une

Dodge Caravan 2004 munie d'un moteur 6 cylindres de 3,3 litres. Ce coût, mesuré en cents par kilomètre, est défini approximativement par la fonction

$$C(x) = \frac{1210}{x^{1,3}} + 27,5$$

où x (en milliers) désigne le nombre de kilomètres parcourus par année. Selon ce modèle, estimez le coût moyen d'utilisation d'une Dodge Caravan pour des conducteurs parcourant respectivement 16 000 km et 32 000 km par an.

Source: Association canadienne des automobilistes

Solution   Le coût moyen d'utilisation pour un parcours de 16 000 km/an est

$$C(16) = \frac{1210}{10^{1,3}} + 27,5$$
$$\approx 60,4$$

soit environ 60,4 ¢/km. Le coût moyen d'utilisation pour un parcours de 32 000 km/an est

$$C(32) = \frac{1210}{20^{1,3}} + 27,5$$
$$\approx 40,9$$

ou environ 40,9 ¢/km. Le graphique de $C(x)$ est représenté à la figure 2.17.

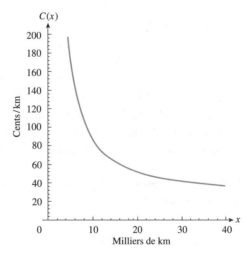

FIGURE 2.17
Graphique de $C(x)$

Modèles économiques

L'économie est un domaine qui se prête bien à la modélisation. En voici quelques exemples.

Dans une économie de libre marché, la demande pour un produit ou un service dépend du prix unitaire de ce produit ou de ce service. L'**équation de demande** exprime la relation entre le prix unitaire d'un produit ou d'un service et la quantité demandée. Le graphique de l'équation de la demande s'appelle la **courbe de la demande**.

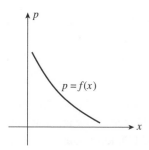

FIGURE 2.18
Une courbe de la demande

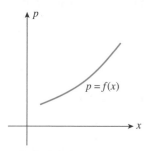

FIGURE 2.19
Une courbe de l'offre

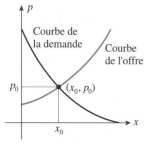

FIGURE 2.20
L'équilibre de marché correspond au point d'intersection (x_0, p_0) des courbes de l'offre et de la demande.

De façon générale, la demande des consommateurs pour un produit ou un service diminue lorsque le prix unitaire augmente, et vice versa. Par conséquent, une **fonction de demande** définie par $p = f(x)$, où p désigne le prix unitaire et x, le nombre d'unités, est généralement une fonction décroissante de x, c'est-à-dire que $p = f(x)$ diminue lorsque x augmente. Comme x et p ne peuvent être que positifs ou nuls, la courbe de demande est située dans le premier quadrant (figure 2.18).

Dans un marché de libre concurrence, il existe également une relation entre le prix d'un bien ou d'un service et sa disponibilité sur le marché. En général, l'augmentation du prix d'un bien incitera le fabricant de ce bien à en produire une plus grande quantité, et inversement. L'équation qui exprime la relation entre le prix unitaire d'un bien ou d'un service et la quantité produite s'appelle **équation de l'offre** et son graphique, la **courbe de l'offre.** Une **fonction de l'offre** définie par $p = f(x)$ est généralement une fonction croissante de x, c'est-à-dire que $p = f(x)$ augmente lorsque x augmente. Comme x et p ne peuvent être que positifs ou nuls, la courbe de l'offre est située dans le premier quadrant (figure 2.19).

Dans un marché de concurrence, le prix d'un bien a tendance à se stabiliser sous l'effet de l'équilibre entre l'offre d'un bien et la demande pour ce bien. Si le prix est trop élevé, le consommateur refusera de l'acheter; si le prix est trop bas, le fabricant refusera de le produire. On se trouve dans une situation d'**équilibre de marché** lorsque la quantité produite est égale à la quantité demandée. La quantité produite est alors désignée sous le nom de **quantité à l'équilibre**, et le prix correspondant est le **prix à l'équilibre**.

L'équilibre de marché se situe à l'intersection des courbes de l'offre et de la demande. À la figure 2.20, x_0 et p_0 représentent respectivement la quantité à l'équilibre et le prix à l'équilibre. Le point (x_0, p_0) est situé sur la courbe de l'offre et vérifie donc l'équation de l'offre. Mais il est aussi situé sur la courbe de la demande et vérifie donc l'équation de la demande. Ainsi, pour trouver le point (x_0, p_0), c'est-à-dire la quantité et le prix à l'équilibre, il suffit de résoudre le système formé des équations de l'offre et de la demande. La solution n'a de sens que si x et p sont tous deux positifs.

EXEMPLE 4

Offre et demande La demande pour un certain modèle de cassette vidéo est définie par la fonction

$$p = d(x) = -0{,}01x^2 - 0{,}2x + 8$$

L'offre correspondante est exprimée par la fonction

$$p = o(x) = 0{,}01x^2 + 0{,}1x + 3$$

où p est exprimé en dollars et x est mesuré en milliers d'unités. Calculez la quantité et le prix à l'équilibre.

Solution Il faut résoudre le système d'équations

$$p = -0{,}01x^2 - 0{,}2x + 8$$
$$p = 0{,}01x^2 + 0{,}1x + 3$$

En comparant les deux équations, on obtient

$$-0{,}01x^2 - 0{,}2x + 8 = 0{,}01x^2 + 0{,}1x + 3$$

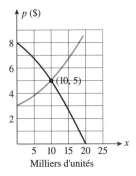

FIGURE 2.21
Les courbes de l'offre et de la demande se coupent au point (10, 5).

d'où l'on tire

$$0{,}02x^2 + 0{,}3x - 5 = 0$$
$$2x^2 + 30x - 500 = 0$$
$$x^2 + 15x - 250 = 0$$
$$(x + 25)(x - 10) = 0$$

Les solutions sont $x = -25$ et $x = 10$. Comme x ne peut prendre de valeurs négatives, il faut rejeter $x = -25$. Par conséquent, la quantité à l'équilibre recherchée est 10 000 cassettes vidéo. Le prix à l'équilibre est

$$p = 0{,}01(10)^2 + 0{,}1(10) + 3 = 5$$

ou 5 \$ par cassette vidéo (figure 2.21).

TECHNOLOGIE ET INTUITION

1. a. À l'aide d'une calculatrice graphique, tracez les droites D_1 et D_2 d'équations respectives $y = 2x - 1$ et $y = 2{,}1x + 3$ sur le même système de coordonnées et dans la fenêtre d'affichage standard. Les droites semblent-elles se couper?

b. Retracez D_1 et D_2, utilisant cette fois la fenêtre $[-100, 100] \times [-100, 100]$. Les droites semblent-elles se couper? Pouvez-vous trouver le point d'intersection à l'aide des menus **TRACE** et **ZOOM**? À l'aide de la fonction **intersect** du menu **CALCULATE**?

c. Calculez algébriquement le point d'intersection de D_1 et D_2.

d. De **b** et de **c**, laquelle des méthodes vous semble la plus efficace?

2. a. À l'aide d'une calculatrice graphique, tracez les droites D_1 et D_2 d'équations respectives $y = 3x - 2$ et $y = -2x + 3$ sur le même système de coordonnées et dans la fenêtre d'affichage standard. Utilisez les menus **TRACE** et **ZOOM** pour trouver le point d'intersection de D_1 et D_2. Refaites la même démarche, en utilisant cette fois la fonction **intersect** du menu **CALCULATE**.

b. Calculez algébriquement le point d'intersection de D_1 et D_2.

c. Comparez l'efficacité des méthodes employées.

Construction de modèles mathématiques

Pour terminer la section, voici des exemples de construction de modèles mathématiques à l'aide de propriétés géométriques ou algébriques élémentaires.

EXEMPLE 5

Construction d'un enclos   Un éleveur de bétail dispose de 3 000 mètres de clôture pour former un pâturage rectangulaire le long de la rivière Yamaska. La portion — en ligne droite — adjacente à la rivière n'a pas besoin d'être clôturée. Si x désigne la largeur de l'enclos, exprimez au moyen d'une fonction $f(x)$ l'aire du pâturage, étant entendu que toute la longueur de clôture sera utilisée (figure 2.22).

Solution

L'aire de l'enclos rectangulaire est $A = xy$. Par ailleurs, la portion clôturée est $2x + y$ et doit faire 3000 m, de sorte que

$$2x + y = 3000$$

Il s'ensuit que $y = 3000 - 2x$. En substituant y par $3000 - 2x$ dans A, on obtient

$$A = xy = x(3000 - 2x) = 3000x - 2x^2$$

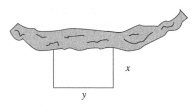

FIGURE 2.22
Pâturage rectangulaire de largeur x et de longueur y

Finalement, on observe que x et y ne peuvent prendre de valeurs négatives puisqu'elles représentent des longueurs. Par conséquent, $x \geq 0$ et $y \geq 0$. Or cette dernière inégalité est équivalente à $3000 - 2x \geq 0$, ou $x \leq 1500$. On a donc pour fonction $f(x) = 3000x - 2x^2$, où $0 \leq x \leq 1500$.

REMARQUE Si on considère la fonction $f(x) = 3000x - 2x^2$ d'un point de vue strictement mathématique, alors son domaine est l'ensemble des nombres réels. Cependant, le contexte du problème restreint le domaine à l'intervalle [0, 1500].

EXEMPLE 6

Revenus d'une société de charters Si 200 passagers exactement voyagent sur le vol QC21 entre Montréal et Toronto, le prix des places est 300 $ par personne. S'il y a plus de 200 passagers, alors le prix de chaque place est réduit de 1 $ par personne additionnelle. Soit x le nombre de passagers dépassant 200, exprimez au moyen d'une fonction le revenu réalisé par la société.

Solution

S'il y a x passagers de plus que 200, alors le nombre total de passagers est $200 + x$. Le prix de chaque place sera alors $(300 - x)$ dollars par passager. Par conséquent, le revenu de la société sera

$$R = (200 + x)(300 - x) \qquad \text{Nombre de passagers} \times \text{prix de chaque place}$$
$$= -x^2 + 100x + 60\,000$$

Bien entendu, $x \geq 0$ et $300 - x \geq 0$, c'est-à-dire $x \leq 300$. La fonction recherchée est donc $f(x) = -x^2 + 100x + 60\,000$ et son domaine est l'intervalle [0, 300].

EXERCICES D'AUTOÉVALUATION **2.3**

1. Les dosages de médicaments destinés aux enfants sont souvent calculés à partir du dosage adulte, en fonction de l'âge ou du poids de l'enfant. Voici une de ces règles. Si a désigne la dose d'un adulte (en milligrammes) et t, l'âge d'un enfant (en années), alors le dosage de l'enfant est

$$D(t) = \frac{at}{t + 12} \qquad \text{(pour } 1 \leq t \leq 12\text{)}$$

Si un adulte doit prendre 500 mg de Prozatine, quelle sera la dose d'un enfant de 4 ans?

2. La demande pour les biscuits La mère Michel est exprimée par la fonction

$$d(x) = -\frac{2}{15}x + 4$$

où $d(x)$ est le prix de gros en dollars/kilogramme et x est la quantité demandée chaque semaine, mesurée en milliers de kilogrammes. L'offre est exprimée par la fonction

$$s(x) = \frac{1}{75}x^2 + \frac{1}{10}x + \frac{3}{2}$$

où $o(x)$ est le prix de gros en dollars/kilogramme et x est la quantité, en milliers de kilogrammes, fabriquée chaque semaine.
a. Tracez les graphiques des fonctions d et o.
b. Calculez le prix et la quantité à l'équilibre.

Les solutions des exercices d'autoévaluation 2.3 se trouvent à la page 79.

2.3 EXERCICES

1–6 Dites si l'équation définit y comme une fonction linéaire de x. Si oui, écrivez la fonction sous la forme y = mx + b.

1. $2x + 3y = 6$ **2.** $-2x + 4y = 7$

3. $x = 2y - 4$ **4.** $3x - 6y + 7 = 0$

5. $2x^2 - 8y + 4 = 0$ **6.** $3\sqrt{x} + 4y = 0$

7–12 Dites si la fonction est polynomiale, rationnelle ou ni l'une, ni l'autre. S'il s'agit d'une fonction polynomiale, déterminez son degré.

7. $f(x) = 3x^6 - 2x^2 + 1$ **8.** $f(x) = \dfrac{x^2 - 9}{x - 3}$

9. $G(x) = 2(x^2 - 3)^3$ **10.** $H(x) = 2x^{-3} + 5x^{-2} + 6$

11. $f(x) = 2t^2 + 3\sqrt{t}$ **12.** $f(r) = \dfrac{6r}{(r^3 - 8)}$

13. Trouvez les constantes m et b de la fonction linéaire $f(x) = mx + b$, sachant que $f(0) = 2$ et $f(3) = -1$.

14. Trouvez les constantes m et b de la fonction linéaire $f(x) = mx + b$, sachant que $f(2) = 4$ et que la pente de la droite qui représente f est -1.

15. Les coûts fixes mensuels d'une entreprise manufacturière sont 40 000 $ et les coûts de production, 8 $ par unité produite. Le produit se vend 12 $ l'unité.

  a. Représentez les coûts mensuels au moyen d'une fonction.

  b. Représentez les revenus au moyen d'une fonction.

  c. Quelle fonction représente les profits?

  d. Calculez le profit (ou la perte) de l'entreprise pour des productions mensuelles de 8000 unités et 12 000 unités.

16. **PUBLICITÉ ET AUGMENTATION DES VENTES** Le profit trimestriel de la Société immobilière de la Montérégie est relié à la somme x consacrée à la publicité chaque trimestre par la fonction

$$P(x) = -\frac{1}{8}x^2 + 7x + 30 \qquad (\text{pour } 0 \le x \le 50)$$

où $P(x)$ et x sont mesurés en milliers de dollars.

  a. Tracez le graphique de la fonction P.

  b. À combien s'élève le profit de la Société lorsqu'elle consacre un budget de 28 000 $ par trimestre à la publicité?

17. **REVENU DISPONIBLE** Selon les économistes, le *revenu annuel disponible* d'un contribuable est défini par l'équation $D = (1 - r)T$, où T est le revenu total de la personne et r est le taux d'imposition net appliqué au revenu total de la personne. Quel est le revenu disponible d'un contribuable dont le revenu total, imposé à 28 %, est de 40 000 $?

18. **UTILISATION DU COURRIER ÉLECTRONIQUE** Le nombre de courriels envoyés des États-Unis à d'autres pays chaque jour (en millions) est représenté approximativement par la fonction

$$f(t) = 38{,}57t^2 - 24{,}29t + 79{,}14 \quad (\text{pour } 0 \le t \le 4)$$

où t est mesuré en années, la valeur $t = 0$ correspondant au début de 1998.

  a. Tracez le graphique de la fonction f.

  b. Combien y avait-il de courriels envoyés des États-Unis à d'autres pays chaque jour au début de 2002?

Source: Pioneer Consulting

19. **RÉACTION D'UNE GRENOUILLE À UN STIMULANT** Des expériences menées par A. J. Clark tendent à démontrer que la réaction $R(x)$ du muscle cardiaque d'une grenouille à l'injection de x unités d'acétylcholine (mesurée en pourcentage de l'effet maximal possible sur la grenouille) est représentée approximativement par la fonction rationnelle

$$R(x) = \frac{100x}{b + x} \qquad (\text{pour } x \ge 0)$$

où b est une constante positive spécifique à chaque grenouille.

  a. Si une concentration de 40 unités d'acétylcholine engendre une réaction à 50 % pour une certaine grenouille, trouvez la fonction $R(x)$ spécifique à cette grenouille.

  b. À l'aide du modèle trouvé en **a**, déterminez la réaction du muscle cardiaque de cette grenouille lorsqu'on lui injecte 60 unités d'acétylcholine.

20. **COMPARAISON DE CHIFFRES D'AFFAIRES** Le chiffre d'affaires annuel projeté de la Pharmacie Superprix d'ici t ans est

$$S(t) = 2{,}3 + 0{,}4t$$

millions de dollars, alors que celui de la Pharmacie L'apothicaire d'ici t ans est

$$S(t) = 1{,}2 + 0{,}6t$$

millions de dollars. Dans combien d'années le chiffre d'affaires de la Pharmacie L'apothicaire dépassera-t-il pour la première fois celui de la Pharmacie Superprix?

21. AMORTISSEMENT LINÉAIRE Pour le calcul de leurs impôts, les entreprises sont légalement autorisées à amortir dans le temps une partie de leur actif comme les bâtiments, la machinerie, le mobilier, les véhicules, etc. Pour ce faire, elles utilisent souvent la méthode d'amortissement linéaire. Ainsi, supposons qu'un actif a une valeur initiale de C \$ et qu'il sera amorti linéairement sur n années, avec une valeur résiduelle de R \$. Démontrez que la valeur comptable $V(t)$ de l'actif au moment t (pour $0 \leq t \leq n$) est

$$V(t) = C - \frac{(C - R)}{n}t$$

Suggestion : Trouvez une équation de la droite qui passe par les points $(0, C)$ et (n, R), puis récrivez-la sous la forme pente-ordonnée à l'origine.

22. AMORTISSEMENT LINÉAIRE À l'aide du modèle d'amortissement linéaire construit à l'exercice 21, calculez la valeur comptable d'un photocopieur à la fin de la deuxième année si sa valeur initiale est 100 000 \$ et s'il est amorti linéairement sur 5 ans, sa valeur résiduelle étant 30 000 \$.

23. ENDETTEMENT PAR CARTES DE CRÉDIT Depuis l'apparition en 1950 de la première carte de crédit aux États-Unis, le nombre de cartes de crédit n'a cessé de se multiplier. Les Américains ont maintenant accès à 720 cartes différentes. L'endettement moyen des ménages américains (en milliers de dollars) en ce qui concerne les cartes de crédit est modélisé approximativement par la fonction

$$D(t) = \begin{cases} 4{,}77(1 + t)^{0,2676} & \text{si } 0 \leq t \leq 2 \\ 5{,}6423t^{0,1818} & \text{si } 2 < t \leq 6 \end{cases}$$

où t est mesuré en années et $t = 0$ correspond au début de 1994. Quel était l'endettement moyen des ménages américains par cartes de crédit au début de 1994 ? Au début de 1996 ? Au début de 1999 ?

Source : David Evans et Richard Schmalensee, *Paying with Plastic : The Digital Revolution in Buying and Borrowing*

24-27 L'équation fournie représente la relation entre la demande x en milliers d'unités d'un produit et le prix unitaire p en dollars. a) Tracez la courbe de la demande et b) calculez la quantité demandée lorsque le prix unitaire est p \$.

24. $p = -x^2 + 36$; $p = 11$　　**25.** $p = -x^2 + 16$; $p = 7$

26. $p = \sqrt{9 - x^2}$; $p = 2$　　**27.** $p = \sqrt{18 - x^2}$; $p = 3$

28-31 L'équation fournie représente la relation entre l'offre x en milliers d'unités d'un produit et le prix unitaire p en dollars. a) Tracez la courbe de l'offre et b) calculez le prix auquel le fabricant acceptera de produire 2000 unités de ce bien.

28. $p = 2x^2 + 18$　　**29.** $p = x^2 + 16x + 40$

30. $p = x^3 + x + 10$　　**31.** $p = x^3 + 2x + 3$

32. DEMANDE DE BALADEURS Dans la figure ci-dessous, D_1 représente la courbe de la demande du modèle A d'un baladeur fabriqué par Futura Électronique et D_2, celle du modèle B. Quelle droite a la plus grande pente ? Interprétez votre réponse dans le contexte.

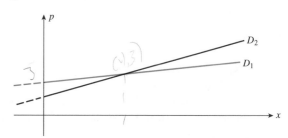

33. OFFRE DE BALADEURS Dans la figure ci-dessous, D_1 représente la courbe de l'offre du modèle A d'un baladeur fabriqué par Futura Électronique et D_2, celle du modèle B. Quelle droite a la plus grande pente ? Interprétez votre réponse dans le contexte.

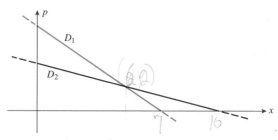

34. DEMANDE DE DÉTECTEURS DE FUMÉE La demande du détecteur de fumée de modèle Sentinelle est représentée par la fonction

$$p = \frac{30}{0{,}02x^2 + 1} \qquad \text{(pour } 0 \leq x \leq 10\text{)}$$

où x (mesurée en milliers d'unités) désigne la demande hebdomadaire et p, le prix unitaire en dollars. Tracez le graphique de la demande. Quel prix unitaire correspond à une demande de 10 000 unités ?

35. DEMANDE D'ALBUMS-SOUVENIRS La demande d'un album-souvenir du Festival de jazz de Montréal est représentée par une fonction de la forme

$$p = \sqrt{-ax^2 + b} \qquad \text{(pour } a \geq 0 \text{ et } b \geq 0\text{)}$$

où x est la quantité demandée, mesurée en milliers d'unités, et p est le prix unitaire en dollars. Supposez que la demande soit 6000 unités lorsque les albums se vendent 8,00 $ chacun et qu'elle monte à 8000 unités lorsqu'ils se vendent 6,00 $. Trouvez les paramètres a et b de la fonction de la demande. À combien d'unités se chiffre la demande lorsqu'on fixe le prix d'un album à 7,50 $?

36. Offre de lampes L'offre de la lampe de bureau Luminar est représentée par la fonction

$$p = 0{,}1x^2 + 0{,}5x + 15$$

où x désigne la quantité offerte (en milliers d'unités) et p est le prix unitaire en dollars. Tracez le graphique de l'offre. À quel prix unitaire le fabricant acceptera-t-il de faire 5 000 unités de la lampe ?

37. Offre de t-shirts imprimés Une entreprise manufacturière accepte de produire 10 000 t-shirts imprimés au prix unitaire de 20 $ et 62 500 à 35 $ chacun. Trouvez les paramètres de la fonction de l'offre, si cette dernière prend la forme

$$p = a\sqrt{x} + b \qquad \text{(pour } a \geq 0 \text{ et } b \geq 0)$$

où x désigne la quantité offerte et p, le prix unitaire en dollars. Tracez le graphique de l'offre. À quel prix unitaire le fabricant acceptera-t-il de produire 40 000 t-shirts ?

38. Soit $p = ax + b$ et $p = cx + d$, respectivement, les équations de la demande et de l'offre d'un certain produit, où $a < 0$, $c > 0$ et $b > d > 0$ (reportez-vous à la figure ci-après).

a. Exprimez la quantité et le prix à l'équilibre en fonction des paramètres a, b, c et d.

b. En vous basant sur **a**, expliquez l'influence sur l'équilibre de marché d'une augmentation du paramètre c (en supposant que a, b et d ne varient pas). Interprétez votre réponse en termes économiques.

c. En vous basant sur **a**, expliquez l'influence sur l'équilibre de marché d'une diminution de b (en supposant que a, c et d ne varient pas). Interprétez votre réponse en termes économiques.

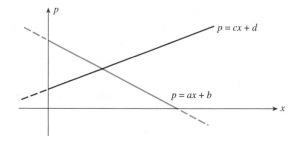

39–40 Pour les équations de la demande et de l'offre fournies, où x représente les quantités en milliers d'unités et p, le prix d'une unité en dollars, trouvez la quantité et le prix à l'équilibre.

39. $p = -2x^2 + 80$ et $p = 15x + 30$

40. $p = 60 - 2x^2$ et $p = x^2 + 9x + 30$

41. Marcher ou courir La consommation d'oxygène (en millilitre/kilogramme/minute) d'une personne qui marche à x km/h suit approximativement le modèle

$$f(x) = \frac{5}{4}x^2 + 2x + 20 \qquad \text{(pour } 0 \leq x \leq 15)$$

alors que la consommation d'oxygène d'une personne courant à x km/h est approximativement

$$g(x) = 14x + 20 \qquad \text{(pour } 6 \leq x \leq 15)$$

a. Tracez, sur un même système de coordonnées, le graphique de f et de g.

b. À quelle vitesse la consommation d'oxygène est-elle la même pour un marcheur et un coureur ? Quelle est la consommation d'oxygène à cette vitesse ?

c. Comment se comparent les consommations d'oxygène respectives du marcheur et du coureur à des vitesses supérieures à celle que vous avez trouvée en **b** ?

Source: William McArdley, Frank Katch et Victor Katch, *Exercise Physiology*

42. Entourer une surface Clémence désire faire un jardin potager de forme rectangulaire derrière sa maison et dispose de 30 m de clôture. Si on désigne par x la largeur du jardin, exprimez l'aire de celui-ci au moyen d'une fonction f de la variable x. Quel est le domaine de f ?

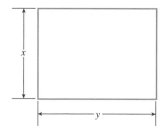

43. Entourer une surface La voisine de Clémence, Louise, désire elle aussi avoir un jardin rectangulaire dans sa cour, mais elle veut que son jardin ait une superficie de 25 m². Si on désigne par x la largeur du jardin, exprimez, au moyen d'une fonction f de la variable x, la longueur de clôture nécessaire pour entourer le jardin. Quel est le domaine de f ?

Suggestion: Reportez-vous à la figure de l'exercice 42. La longueur de clôture nécessaire est égale au périmètre du rectangle, soit la somme du double de la longueur et du double de la largeur.

44. PROFITS D'UN VIGNOBLE Sandra, la propriétaire d'un petit vignoble à Saint-Armand, estime que si elle produisait 1000 bouteilles de vin cette saison, elle réaliserait un profit de 5 $ par bouteille. Toutefois, si elle produisait plus de 1000 bouteilles, alors le profit par bouteille diminuerait de 0,15¢ pour chaque bouteille additionnelle vendue. Supposons qu'il y ait au moins 1000 bouteilles produites et vendues et désignons par x le nombre de bouteilles dépassant 1000 qui seront produites et vendues.

a. Exprimez le profit P en fonction de x.

b. Quel sera le profit de Sandra si elle produit et vend 1600 bouteilles de son vignoble ?

45. COÛTS DE CONSTRUCTION On veut fabriquer une boîte de base carrée avec couvercle de 1 m³ de volume. Le matériau de la base coûte 3 $ le m², celui des côtés, 1 $ le m², et celui du couvercle, 2 $ le m². Si x désigne la longueur des arêtes de la base, exprimez le coût C de construction de la boîte en fonction de x.

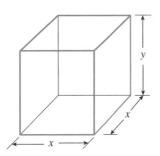

46. AIRE D'UNE FENÊTRE ROMANE Une fenêtre romane a la forme d'un rectangle surmonté d'un demi-cercle. Sachant que le périmètre de la fenêtre mesure 9 m, exprimez l'aire de la fenêtre en fonction de la variable x représentée sur la figure.

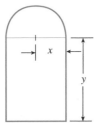

47. RENDEMENT D'UN VERGER Un verger produit en moyenne 36 boisseaux de pommes par arbre pour une densité de 22 pommiers par acre. Chaque augmentation de 1 pommier par acre fait diminuer le rendement des pommiers de 2 boisseaux. Si x désigne le nombre de pommiers dépassant 22 par acre, trouvez le rendement par acre du verger en fonction de x.

48. FORMAT D'UN LIVRE Les pages d'un livre de recettes à paraître auront des marges de 3 cm en haut et en bas et des marges de 1,5 cm sur les côtés. De plus, l'aire de chaque page devra mesurer 500 cm². Exprimez l'aire de la surface imprimée en fonction de la variable x illustrée sur la figure. Quel est le domaine de la fonction ?

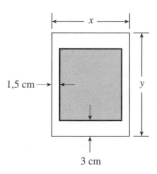

49. REVENUS D'UN CHARTER Le propriétaire d'un yacht de croisière qui navigue dans les 4 000 îles grecques demande à chaque passager 600 $ par jour lorsque la croisière compte exactement 20 passagers. Lorsqu'il y a plus de 20 passagers (la capacité maximale étant de 90), le coût du billet de tous les passagers est réduit de 4 $ par passager supplémentaire. Supposons que la croisière compte au moins 20 passagers et que l'on désigne par x le nombre de passagers dépassant 20.

a. Exprimez au moyen d'une fonction le revenu quotidien R réalisé par le propriétaire du yacht.

b. Quel est le revenu quotidien lorsqu'il y a 60 passagers ?

c. Quel est le revenu quotidien lorsqu'il y a 80 passagers ?

50. ACCIDENTS PÉTROLIERS Les hydrocarbures qui se répandent à la surface de la mer par suite du naufrage d'un pétrolier forment une marée noire qui s'étend dans tous les sens. Supposons que la surface polluée forme un cercle de rayon r qui s'accroît au taux de 1 m/s.

a. Exprimez au moyen d'une fonction f de r l'aire de la région polluée.

b. Exprimez au moyen d'une fonction g de t le rayon de la région polluée.

c. Exprimez au moyen d'une fonction h de t l'aire de la région polluée.

d. Quelle est l'aire de la région polluée 30 s après le moment de l'accident ?

51. GONFLEMENT D'UN BALLON On gonfle un ballon sphérique au taux de $\frac{1}{6}\pi$ m³/min.

a. Exprimez le rayon r du ballon au moyen d'une fonction f du volume V.

Suggestion: $V = \frac{4}{3}\pi r^3$.

b. Exprimez le volume du ballon au moyen d'une fonction g du temps t.

c. Exprimez le rayon du ballon au moyen d'une fonction h du temps t.

d. Combien mesure le rayon du ballon au bout de 8 minutes?

52–55 Dites si l'énoncé est vrai ou faux. S'il est vrai, dites pourquoi. S'il est faux, trouvez un contre-exemple.

52. Une fonction polynomiale est la somme de multiples constants de fonctions puissances.

53. Une fonction polynomiale est une fonction rationnelle, mais une fonction rationnelle n'est pas nécessairement une fonction polynomiale.

54. Si $r > 0$, alors la fonction puissance $f(x) = x^r$ est définie pour tout x positif ou nul.

55. La fonction $f(x) = 2^x$ est une fonction puissance.

◼ SOLUTIONS DES EXERCICES D'AUTOÉVALUATION 2.3

1. Comme la dose d'un adulte est 500 mg, $a = 500$, de sorte qu'ici, la règle devient

$$D(t) = \frac{500t}{t + 12}$$

Un enfant de 4 ans recevra donc

$$D(4) = \frac{500(4)}{4 + 12}$$

c'est-à-dire 125 mg de Prozatine.

2. a. Les graphiques des fonctions d et o sont représentés ci-après.

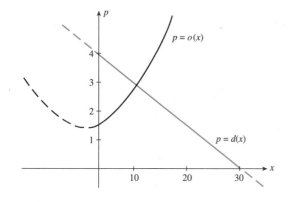

b. Il faut résoudre le système d'équations

$$p = -\frac{2}{15}x + 4$$

$$p = \frac{1}{75}x^2 + \frac{1}{10}x + \frac{3}{2}$$

En comparant les deux équations, on a

$$\frac{1}{75}x^2 + \frac{1}{10}x + \frac{3}{2} = -\frac{2}{15}x + 4$$

$$\frac{1}{75}x^2 + \left(\frac{1}{10} + \frac{2}{15}\right)x - \frac{5}{2} = 0$$

$$\frac{1}{75}x^2 + \frac{7}{30}x - \frac{5}{2} = 0$$

En multipliant les deux membres de l'équation par 150, on obtient

$$2x^2 + 35x - 375 = 0$$
$$(2x - 15)(x + 25) = 0$$

d'où $x = -25$ ou $x = 15/2 = 7,5$. Comme x ne peut prendre de valeurs négatives, la solution recherchée est $x = 7,5$ et la quantité à l'équilibre est 7500 kg. Le prix à l'équilibre est

$$p = -\frac{2}{15}\left(\frac{15}{2}\right) + 4$$

ou 3 \$/kg.

TECHNOLOGIE EN APPLICATION

Recherche des points d'intersection de deux graphiques et modélisation

Il est facile de trouver le ou les points d'intersection des graphiques de deux fonctions à l'aide d'une calculatrice graphique. Voici comment.

EXEMPLE 1

Trouvez les points d'intersection des graphiques des fonctions

$$f(x) = 0,3x^2 - 1,4x - 3 \quad \text{et} \quad g(x) = -0,4x^2 + 0,8x + 6,4$$

Solution

FIGURE T1
a) Graphiques de f et g dans la fenêtre d'affichage standard;
b) et c) Affichage des points d'intersection sur la TI-83.

Les graphiques des deux fonctions dans la fenêtre d'affichage standard sont représentés à la figure T1a. On trouve les points d'intersection en utilisant les menus TRACE et ZOOM, ou encore la fonction **intersect** du menu CALCULATE. Les points d'intersection, avec quatre décimales de précision, sont $(-2,4158 ; 2,1329)$ (figure T1b) et $(5,5587 ; -1,5125)$ (figure T1c).

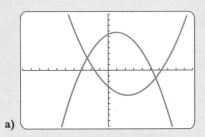
a)

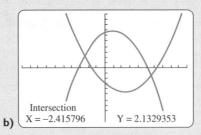
b) Intersection X = −2.415796 Y = 2.1329353

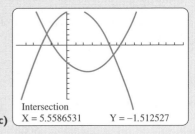
c) Intersection X = 5.5586531 Y = −1.512527

EXEMPLE 2

Soit les fonctions de la demande et de l'offre suivantes :

$$p = d(x) = -0,01x^2 - 0,2x + 8 \quad \text{et} \quad p = o(x) = 0,01x^2 + 0,1x + 3$$

étudiées à l'exemple 4 de la section 2.3.

a. Tracez les graphiques des deux fonctions dans la fenêtre $[0, 15] \times [0, 10]$.
b. Vérifiez que le point d'équilibre est bien $(10, 5)$, comme nous l'avions obtenu précédemment.

Solution

a. Les graphiques de d et o sont représentés à la figure T2a.

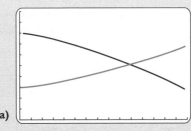
a)

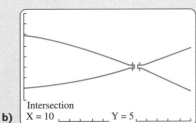
b) Intersection X = 10 Y = 5

FIGURE T2
a) Les graphiques de d et o dans la fenêtre $[0, 15] \times [0, 10]$;
b) Affichage du point d'intersection sur la TI-83.

b. On trouve les points d'intersection en utilisant les menus TRACE et ZOOM, ou encore la fonction **intersect** du menu CALCULATE. La calculatrice donne $x = 10$ et $y = 5$ (figure T2b), de sorte que le point d'équilibre est (10,5) comme nous l'avions calculé à l'exemple 4.

Construction de modèles mathématiques à partir de données empiriques

Certains modèles mathématiques peuvent être construits à l'aide d'une calculatrice graphique, en utilisant seulement des données empiriques (provenant d'un recensement, par exemple). Par exemple, si les données semblent être disposées le long d'une droite, alors on peut utiliser une des options LINREG (régression linéaire) du menu STAT CALC (calculs statistiques) de la calculatrice graphique pour obtenir une fonction (ou modèle) qui s'ajustera aux données. Si les données dessinent plutôt une forme parabolique (soit le graphique d'une fonction quadratique), on utilisera alors QUADREG (régression quadratique), et ainsi de suite.

EXEMPLE 3

Scolarité des femmes Les données suivantes indiquent le nombre (en milliers) de Québécoises âgées de 15 ans et plus qui détenaient un certificat, un diplôme ou un grade universitaire entre 1981 ($t = 0$) et 2001 ($t = 20$).

Année	0	5	10	15	20
Diplômées (en milliers)	186,780	252,535	331,195	425,160	512,525

a. À l'aide d'une calculatrice graphique, trouvez une fonction polynomiale f de degré 4 qui modélise les données.

b. Tracez le graphique de la fonction f dans la fenêtre d'affichage [0, 20] × [0, 550].

c. Trouvez les valeurs $f(0), f(5), \ldots, f(20)$ en utilisant l'option d'évaluation de la calculatrice graphique et comparez ces valeurs avec les données empiriques.

Source: Statistique Canada, Recensements du Canada

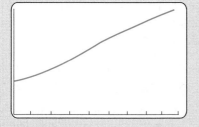

FIGURE T3
Graphique de f dans la fenêtre [0, 20] × [0, 550]

Solution

a. L'option QUARTREG (régression polynomiale du quatrième degré) du menu STAT CALC d'une calculatrice graphique fournit la fonction

$$f(t) = -0,00162t^4 + 0,05181t^3 - 0,23549t^2 + 13,23575t + 186,78$$

b. Le graphique de f est représenté à la figure T3.

c. La fonction f donne les valeurs suivantes, qui sont très voisines des données :

t	0	5	10	15	20
$f(t)$	186,78	252,535	331,199	425,177	512,579

EXERCICES AVEC LA CALCULATRICE GRAPHIQUE

1–4 Trouvez les points d'intersection des graphiques des fonctions. Exprimez votre réponse avec quatre décimales de précision.

1. $f(x) = 1,2x + 3,8$; $g(x) = -0,4x^2 + 1,2x + 7,5$

2. $f(x) = 0,3x^2 - 1,7x - 3,2$; $g(x) = -0,4x^2 + 0,9x + 6,7$

3. $f(x) = 0,3x^3 - 1,8x^2 + 2,1x - 2$; $g(x) = 2,1x - 4,2$

4. $f(x) = -0,2x^3 + 1,2x^2 - 1,2x + 2$; $g(x) = -0,2x^2 + 0,8x + 2,1$

5. La demande et l'offre mensuelles pour un modèle d'horloge murale sont exprimées respectivement par les fonctions

$$p = -0,2x^2 - 1,2x + 50$$
$$p = 0,1x^2 + 3,2x + 25$$

où p est mesuré en dollars et x est mesuré en centaines d'unités.

a. Tracez le graphique des deux fonctions dans une fenêtre d'affichage appropriée.

b. Trouvez la quantité et le prix à l'équilibre.

6–10 Faites appel au menu STAT CALC pour construire un modèle mathématique s'ajustant aux données fournies.

6. **LIBÉRATION CONDITIONNELLE** Le nombre de Canadiens adultes admis à une libération conditionnelle entre 1998 ($t = 0$) et 2001 est fourni dans le tableau suivant :

Année	1998	1999	2000	2001
Nombre	11 817	11 002	10 119	9 633

a. Trouvez une fonction linéaire f qui modélise les données.

b. Tracez le graphique de la fonction f dans la fenêtre d'affichage $[0, 3] \times [0, 12]$.

c. Calculez $f(0)$, $f(1)$, $f(2)$ et $f(3)$ et comparez ces valeurs avec les données fournies.
Source: Statistique Canada, Le Canada en statistiques

7. **DÉPENSES DES COMMISSIONS SCOLAIRES** Les dépenses annuelles des commissions scolaires canadiennes (en milliards de dollars courants) entre 1996 ($t = 0$) et l'an 2000 sont fournies dans le tableau suivant :

Année	1996	1997	1998	1999	2000
Dépenses	31,017	31,141	31,601	32,253	33,387

a. Trouvez une fonction quadratique f qui modélise les données.

b. Tracez le graphique de la fonction f dans la fenêtre d'affichage $[0, 4] \times [31, 35]$.

c. Calculez $f(0)$, $f(1)$, $f(2)$, $f(3)$ et $f(4)$ et comparez ces valeurs avec les données fournies.
Source: Statistique Canada

8. **DÉCLIN DE LA POPULATION AU SAGUENAY-LAC-SAINT-JEAN** Selon des hypothèses fondées sur les tendances récentes, la population du Saguenay-Lac-Saint-Jean devrait diminuer sensiblement au cours des 25 prochaines années. Voici, à partir de la population de l'an 2001 ($t = 0$), les projections de la population jusqu'en 2026 :

Année	2001	2006	2011	2016	2021	2026
Population	283 693	274 187	269 226	263 797	257 733	250 561

a. Trouvez une fonction du troisième degré f qui modélise les données.

b. Tracez le graphique de la fonction f dans la fenêtre d'affichage $[0, 25] \times [250, 300]$.

c. Calculez f en $t = 0, 5, 10, 15, 20$ et 25, et comparez ces valeurs avec les données fournies.
Source: Institut de la statistique du Québec, Perspectives démographiques

9. **DETTE FÉDÉRALE AMÉRICAINE** Le Congrès américain a rendues disponibles quelques données sur la dette fédérale américaine (en milliards de dollars) entre 1990 et 2010 (cette dernière statistique étant bien entendu une projection) :

Année	1990	1997	2000	2010
Dette	2550	3840	3410	830

a. Trouvez une fonction du troisième degré f qui modélise les données, la valeur $t = 0$ correspondant au début de l'année 1990.

b. Tracez le graphique de la fonction f dans une fenêtre appropriée.

c. Calculez f en $t = 0, 7, 10$ et 20, et comparez ces valeurs avec les données fournies.
Source: Congressional Budget Office

10. **ACHATS EN LIGNE** Le tableau suivant montre l'évolution du montant des achats en ligne à travers le monde (en milliards de dollars) entre 1997 et 2002.

Année	1997	1998	1999	2000	2001	2002
Achats	5,0	10,5	20,5	37,5	60	95

a. Ajustez les données à l'aide d'une fonction polynomiale du quatrième degré f. (Posez $t = 0$ pour l'année 1997.)

b. Tracez le graphique de la fonction f dans la fenêtre $[0, 5] \times [0, 100]$.
Source: International Data Corporation

2.4 Limites

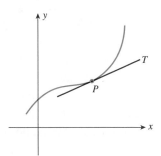

a) Recherche de la pente de la tangente *T* au point *P*.

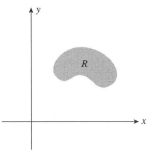

b) Recherche de l'aire de la région *R*.
FIGURE 2.23

Introduction au calcul différentiel

À l'origine, le développement du calcul différentiel et intégral est issu de la recherche d'une solution pour les problèmes suivants:

1. Trouver la tangente à une courbe en un point donné (figure 2.23a)
2. Trouver l'aire d'une région du plan borné par une courbe (figure 2.23b)

Le problème de la tangente peut sembler éloigné de toute application, mais comme vous le verrez sous peu, rechercher le *taux de variation* d'une quantité par rapport à une autre est équivalent, d'un point de vue mathématique, au problème géométrique consistant à trouver la pente de la tangente à une courbe à un point donné de la courbe. Cette découverte du lien entre ces deux problèmes apparemment éloignés a stimulé le développement au dix-septième siècle du calcul par deux hommes de génie, Isaac Newton et Gottfried Wilhelm Leibniz, et en a fait un outil indispensable pour résoudre des problèmes pratiques. En voici quelques exemples:

- Trouver la vitesse d'un objet
- Trouver le taux de variation d'une population de bactéries par rapport au temps
- Trouver le taux de variation de rentabilité d'une entreprise par rapport au temps
- Trouver le taux de variation du chiffre d'affaires d'une agence de voyages par rapport aux sommes déboursées en publicité

De l'étude du problème de tangente a surgi le *calcul différentiel*, qui repose sur le concept de *dérivée* d'une fonction. Pour sa part, le problème de l'aire a donné naissance au *calcul intégral*, qui est basé sur le concept de *primitive*, ou *intégrale*, d'une fonction. (En fait, la dérivée et l'intégrale sont étroitement reliées, comme vous serez à même de le découvrir à la section 6.4.) Par ailleurs, la dérivée et l'intégrale reposent toutes deux sur un même concept, celui de la limite d'une fonction, que nous abordons dès maintenant.

Un exemple tiré d'une situation réelle

Selon une batterie de tests menés par des ingénieurs sur un prototype de Maglev (train à lévitation magnétique) se déplaçant en ligne droite le long d'un monorail, la position (en mètres) du train par rapport à l'origine à l'instant *t* est

$$s = f(t) = 1{,}2t^2 \qquad \text{(pour } 0 \le t \le 30) \qquad \textbf{(3)}$$

où *f* est la **fonction position** du Maglev. La position du Maglev par rapport à l'origine à l'instant $t = 0, 1, 2, 3, \ldots, 10$ est

$$f(0) = 0, \quad f(1) = 1{,}2, \quad f(2) = 4{,}8, \quad f(3) = 10{,}8, \ldots, \quad f(10) = 120$$

mètres (figure 2.24).

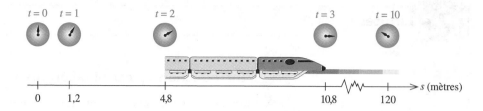

FIGURE 2.24
Déplacement d'un Maglev le long
d'un monorail surélevé

Supposons que nous voulons calculer la vitesse du Maglev à $t = 2$, soit le nombre que nous pouvons lire sur l'indicateur de vitesse à cet instant précis. À première vue, calculer la vitesse à l'aide de l'équation (3) seulement peut sembler une « mission impossible »; pourtant, commençons par chercher quelles sont les quantités que nous pouvons calculer à l'aide de cette équation. Évidemment, nous pouvons calculer la position du Maglev à n'importe quel instant t. À l'aide de ces valeurs, nous pouvons aussi calculer la *vitesse moyenne* du Maglev sur un intervalle de temps. Par exemple, la vitesse moyenne du train sur l'intervalle [2, 4] est

$$\frac{\text{Distance parcourue}}{\text{Temps écoulé}} = \frac{f(4) - f(2)}{4 - 2}$$

$$= \frac{1,2(4^2) - 1,2(2^2)}{2}$$

$$= \frac{19,2 - 4,8}{2} = 7,2$$

soit 7,2 m/s.

Bien entendu, cette valeur n'est pas exactement la vitesse du Maglev en $t = 2$, mais elle fournit tout de même une certaine approximation de la vitesse en $t = 2$.

Est-il possible d'améliorer cette approximation? Intuitivement, on peut comprendre que plus l'intervalle de temps choisi sera petit (en convenant de toujours choisir $t = 2$ comme extrémité gauche), meilleure sera l'approximation de la vitesse du train en $t = 2$.*

Décrivons notre démarche en termes plus généraux. Soit t un nombre tel que $t > 2$. Alors la vitesse moyenne du Maglev sur l'intervalle de temps [2, t] est

$$\frac{f(t) - f(2)}{t - 2} = \frac{1,2t^2 - 1,2(2^2)}{t - 2} = \frac{1,2(t^2 - 4)}{t - 2} \tag{4}$$

En choisissant des valeurs de t de plus en plus voisines de 2, nous obtenons une suite de nombres représentant les vitesses moyennes du Maglev sur des intervalles de temps de plus en plus courts. Comme nous l'avons indiqué plus haut, cette suite de nombres devrait s'approcher de la *vitesse instantanée* du train en $t = 2$.

Illustrons notre propos à l'aide de quelques cas particuliers. Choisissons la suite de nombres $t = 2,5$; 2,1; 2,01; 2,001 et 2,0001, qui s'approchent de plus en plus de 2, et substituons-les à t dans l'équation (4).

---

*En réalité, tout intervalle contenant $t = 2$ ferait l'affaire.

La vitesse moyenne sur l'intervalle [2; 2,5] est $\dfrac{1,2(2,5^2 - 4)}{2,5 - 2} = 5,4$, soit 5,4 m/s.

La vitesse moyenne sur l'intervalle [2; 2,1] est $\dfrac{1,2(2,1^2 - 4)}{2,1 - 2} = 4,92$, soit 4,92 m/s

et ainsi de suite. L'ensemble des résultats est présenté au tableau 2.1.

TABLEAU 2.1

	t s'approche de 2 par la droite.				
t	2,5	2,1	2,01	2,001	2,0001
Vitesse moyenne sur l'intervalle [2, t]	5,4	4,92	4,812	4,8012	4,80012

La vitesse moyenne s'approche de 4,8.

Selon le tableau 2.1, la vitesse moyenne du Maglev s'approche de 4,8 m/s lorsqu'elle est calculée sur des intervalles de temps de plus en plus courts. Les résultats des calculs donnent à penser que la vitesse instantanée du train à l'instant $t = 2$ est 4,8 m/s.

REMARQUE On ne peut obtenir la vitesse instantanée du Maglev à l'instant $t = 2$ en substituant simplement t par 2 dans l'équation (4), puisque $t = 2$ ne fait pas partie du domaine de la fonction «vitesse moyenne» définie par cette équation.

Définition intuitive du concept de limite

Soit la fonction g définie par

$$g(t) = \frac{1,2(t^2 - 4)}{t - 2}$$

représentant la vitesse moyenne du Maglev dans un intervalle de temps autour de $t = 2$ [voir l'équation (4)]. Supposons que nous voulions établir vers quelle valeur s'approche $g(t)$ lorsque t s'approche de 2. Si nous considérons une suite de valeurs de t qui s'approchent de 2 par la droite, comme nous l'avons fait précédemment, nous constatons que $g(t)$ s'approche du nombre 4,8. De même, si nous prenons une suite de valeurs de t qui tendent vers 2 par la gauche, comme $t = 1,5$; 1,9; 1,99; 1,999 et 1,9999, nous obtenons les résultats présentés dans le tableau 2.2.

TABLEAU 2.2

	t s'approche de 2 par la gauche.				
t	1,5	1,9	1,99	1,999	1,9999
$g(t)$	4,2	4,68	4,788	4,7988	4,79988

$g(t)$ s'approche de 4,8.

Cette fois encore, $g(t)$ s'approche de 4,8 lorsque t s'approche de 2. Autrement dit, lorsque t s'approche de 2, peu importe par quel côté, $g(t)$ s'approche de 4,8. On dit alors que la limite de $g(t)$, quand t tend vers 2, est égale à 4,8, et on écrit

$$\lim_{t \to 2} g(t) = \lim_{t \to 2} \frac{1,2(t^2 - 4)}{t - 2} = 4,8$$

Le graphique de la fonction g, représenté à la figure 2.25, confirme cette observation.

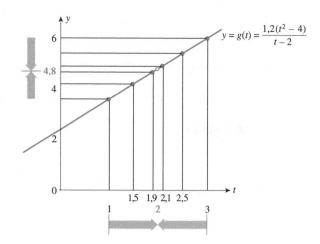

FIGURE 2.25
Lorsque t s'approche de $t = 2$ par la gauche comme par la droite, $g(t)$ s'approche de $y = 4{,}8$.

On note que $t = 2$ ne fait pas partie du domaine de la fonction g [c'est pourquoi le point $(2; 4{,}8)$ n'apparaît pas sur le graphique de g]. De toute façon, cela n'a aucune importance puisque le calcul de la limite ne fait pas intervenir la valeur de $g(t)$ en $t = 2$.

Voici comment nous pouvons définir informellement le concept de limite.

> **Limite d'une fonction**
>
> Nous disons que la **limite** de la fonction f quand x tend vers a est égale à L et nous écrivons
>
> $$\lim_{x \to a} f(x) = L$$
>
> si nous pouvons rendre les valeurs de $f(x)$ arbitrairement proches de L en prenant x suffisamment proche de a (mais différent de a).

TECHNOLOGIE ET INTUITION

1. À l'aide d'une calculatrice graphique, tracez la fonction

$$g(x) = \frac{1{,}2(x^2 - 4)}{x - 2}$$

dans la fenêtre $[0, 3] \times [0, 20]$.

2. Utilisez les menus ZOOM et TRACE pour décrire le comportement de $f(x)$ lorsque x tend vers 2, d'abord par la droite et ensuite par la gauche.

3. Qu'obtenez-vous comme valeur de y lorsque vous tentez d'évaluer $g(x)$ en $x = 2$? Expliquez pourquoi.

4. Comparez vos résultats avec ceux de l'exemple précédent.

Calcul de la limite d'une fonction

Voici quelques exemples de calculs de limites.

EXEMPLE 1

Sachant que $f(x) = x^3$, calculez $\lim_{x \to 2} f(x)$.

Solution

Le graphique de f est représenté à la figure 2.26. On constate qu'on peut rendre les valeurs de $f(x)$ arbitrairement proches de 8 en prenant x suffisamment proche de 2. Par conséquent,

$$\lim_{x \to 2} x^3 = 8$$

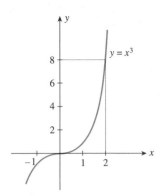

FIGURE 2.26
$f(x)$ est proche de 8 lorsque x est proche de 2.

EXEMPLE 2

Soit

$$g(x) = \begin{cases} x + 2 & \text{si } x \neq 1 \\ 1 & \text{si } x = 1 \end{cases}$$

Calculez $\lim_{x \to 1} g(x)$.

Solution

Le domaine de g est l'ensemble des nombres réels. Le graphique de la fonction g (figure 2.27) montre bien que l'on peut rendre $g(x)$ arbitrairement proche de 3 en prenant x suffisamment proche de 1. Par conséquent,

$$\lim_{x \to 1} g(x) = 3$$

Remarquez que $g(1) = 1$, soit une valeur différente de la limite de la fonction g quand x tend vers 1. [Nous l'avons déjà souligné: la valeur de $g(x)$ en $x = 1$ n'a *aucune influence* sur l'existence ou la valeur de la limite de g lorsque x tend vers 1.]

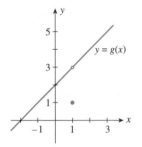

FIGURE 2.27
$\lim_{x \to 1} g(x) = 3$

EXEMPLE 3   Calculez la limite des fonctions données au point donné.

a. $f(x) = \begin{cases} -1 & \text{si } x < 0 \\ 1 & \text{si } x \geq 0 \end{cases}$; en $x = 0$ **b.** $g(x) = \dfrac{1}{x^2}$; en $x = 0$

Solution   Les graphiques des fonctions f et g sont représentés à la figure 2.28.

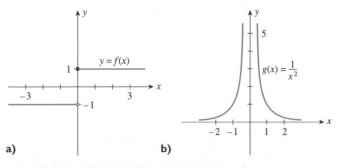

FIGURE 2.28

a) $\lim_{x \to 0} f(x)$ n'existe pas.

b) $\lim_{x \to 0} g(x)$ n'existe pas.

a. La figure 2.28a montre bien que lorsque x s'approche de 0, $f(x)$ prend tantôt la valeur 1 ou la valeur -1, selon que la valeur de x est positive ou négative. Ainsi, il n'existe pas de nombre réel *unique* L auquel s'approche $f(x)$ lorsque x tend vers 0. Par conséquent, la limite de $f(x)$ lorsque x tend vers 0 n'existe pas.

b. On voit sur la figure 2.28b que lorsque x tend vers 0 (par la gauche ou par la droite), $g(x)$ augmente indéfiniment, sans jamais s'approcher d'un nombre réel particulier. Il faut donc conclure cette fois encore que la limite de $g(x)$ quand x tend vers 0 n'existe pas.

TRAVAIL EN ÉQUIPE

Examinez le graphique de la fonction h représenté ci-dessous.

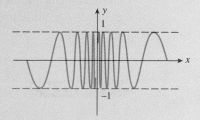

On remarque que lorsque x tend vers 0, par la droite comme par la gauche, la courbe oscille avec une fréquence de plus en plus grande entre les droites d'équations $y = -1$ et $y = 1$.

1. Expliquez pourquoi $\lim\limits_{x \to 0} h(x)$ n'existe pas.

2. Comparez la fonction $h(x)$ aux fonctions de l'exemple 3. Plus exactement, analysez les différentes situations pour lesquelles une fonction n'admet pas de limite au point $x = 0$.

Jusqu'à présent, nous avons calculé la limite d'une fonction $f(x)$ quand x tend vers un certain point a en nous basant sur les valeurs de la fonction ou sur son graphique dans le voisinage de $x = a$. Voici une liste de propriétés des limites à l'aide desquelles nous pourrons évaluer des limites algébriquement. La preuve de ces propriétés fait appel à la définition formelle de limite qui dépasse le cadre du présent ouvrage.

THÉORÈME 1

Propriétés des limites

Soit

$$\lim_{x \to a} f(x) = L \qquad \text{et} \qquad \lim_{x \to a} g(x) = M$$

Alors,

1. $\lim\limits_{x \to a} [f(x)]^r = \left[\lim\limits_{x \to a} f(x) \right]^r = L^r$ **où r est une constante réelle**

2. $\lim\limits_{x \to a} cf(x) = c \lim\limits_{x \to a} f(x) = cL$ **où c est une constante réelle**

3. $\lim\limits_{x \to a} [f(x) \pm g(x)] = \lim\limits_{x \to a} f(x) \pm \lim\limits_{x \to a} g(x) = L \pm M$

4. $\lim\limits_{x \to a} [f(x)g(x)] = \left[\lim\limits_{x \to a} f(x) \right]\left[\lim\limits_{x \to a} g(x) \right] = LM$

5. $\lim\limits_{x \to a} \dfrac{f(x)}{g(x)} = \dfrac{\lim\limits_{x \to a} f(x)}{\lim\limits_{x \to a} g(x)} = \dfrac{L}{M}$ **si $M \neq 0$**

EXEMPLE 4 Calculez les limites suivantes en justifiant chaque étape à l'aide d'une propriété des limites.

a. $\lim_{x \to 2} x^3$ **b.** $\lim_{x \to 4} 5x^{3/2}$ **c.** $\lim_{x \to 1} (5x^4 - 2)$

d. $\lim_{x \to 3} 2x^3 \sqrt{x^2 + 7}$ **e.** $\lim_{x \to 2} \dfrac{2x^2 + 1}{x + 1}$

Solution

a. $\lim_{x \to 2} x^3 = \left[\lim_{x \to 2} x \right]^3$ propriété 1

         $= 2^3 = 8$ $\lim_{x \to 2} x = 2$

b. $\lim_{x \to 4} 5x^{3/2} = 5 \left[\lim_{x \to 4} x^{3/2} \right]$ propriété 2

           $= 5(4)^{3/2} = 40$

c. $\lim_{x \to 1} (5x^4 - 2) = \lim_{x \to 1} 5x^4 - \lim_{x \to 1} 2$ propriété 3

Pour calculer $\lim_{x \to 1} 2$, il suffit d'observer que la fonction constante $g(x) = 2$ prend la valeur 2 pour tout x. Par conséquent, $g(x)$ est certainement proche de 2 lorsque x s'approche de 1 (ou de tout autre point, bien entendu!), de sorte que

$$\lim_{x \to 1} (5x^4 - 2) = 5(1)^4 - 2 = 3$$

d. $\lim_{x \to 3} 2x^3 \sqrt{x^2 + 7} = 2 \lim_{x \to 3} x^3 \sqrt{x^2 + 7}$ propriété 2

         $= 2 \lim_{x \to 3} x^3 \lim_{x \to 3} \sqrt{x^2 + 7}$ propriété 4

         $= 2(3)^3 \sqrt{3^2 + 7}$ propriété 1

         $= 2(27) \sqrt{16} = 216$

e. $\lim_{x \to 2} \dfrac{2x^2 + 1}{x + 1} = \dfrac{\lim_{x \to 2} (2x^2 + 1)}{\lim_{x \to 2} (x + 1)}$ propriété 5

         $= \dfrac{2(2)^2 + 1}{2 + 1} = \dfrac{9}{3} = 3$

Formes indéterminées

La propriété 5 du théorème 1 mérite qu'on s'y attarde un peu. Il a été précisé que la propriété n'est valable que si la limite du dénominateur est non nulle au point $x = a$.

Si, par exemple, la limite du numérateur est non nulle et que la limite du dénominateur s'annule en $x = a$, alors la limite du quotient n'existe pas au point $x = a$. C'est le cas de la fonction $g(x) = 1/x^2$ étudiée à l'exemple 3b: quand x tend vers 0, le numérateur est proche de 1 mais le dénominateur s'approche de 0, de sorte que le quotient prend des valeurs de plus en plus grandes et qu'il n'admet pas de limite.

Par ailleurs, considérons le cas de la limite

$$\lim_{x \to 2} \frac{1{,}2(x^2 - 4)}{x - 2}$$

que nous avons calculée précédemment en étudiant les valeurs de la fonction près de $x = 2$. Si nous tentons de calculer la limite en appliquant la propriété 5 des limites, nous constatons que le numérateur et le dénominateur de la fonction

$$\frac{1{,}2(x^2 - 4)}{x - 2}$$

tendent tous deux vers 0 lorsque x tend vers 2, c'est-à-dire que nous obtenons une expression de forme 0/0. En pareil cas, la limite du quotient $f(x)/g(x)$ quand x tend vers 2 a la **forme indéterminée 0/0.**

Ce type de situation survient régulièrement, en particulier lorsqu'il faut calculer la dérivée d'une fonction, qui est l'élément-clé du calcul différentiel. Comme son nom l'indique, la forme indéterminée 0/0 ne nous fournit pas de solution au problème. Voici une stratégie qui permet de résoudre ce type de problème, c'est-à-dire de «lever l'indétermination».

> **Stratégie pour lever les indéterminations de forme 0/0**
>
> **1.** Remplacer la fonction donnée par une autre fonction qui prend les mêmes valeurs partout, sauf peut-être en $x = a$.
>
> **2.** Calculer la limite de cette nouvelle fonction quand x tend vers a.

Des applications de cette stratégie sont présentées aux exemples 5 et 6.

EXEMPLE 5

Calculez

$$\lim_{x \to 2} \frac{1{,}2(x^2 - 4)}{x - 2}$$

Solution   Comme le numérateur et le dénominateur tendent tous deux vers 0 quand x tend vers 2, la limite prend la forme indéterminée 0/0. Mais

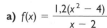

$$\frac{1{,}2(x^2 - 4)}{x - 2} = \frac{1{,}2(x - 2)(x + 2)}{(x - 2)}$$

qui, après simplification, est équivalent à $1{,}2(x + 2)$ lorsque $x \neq 2$. Il suffit ensuite de remplacer $1{,}2(x^2 - 4)/(x - 2)$ par $1{,}2(x + 2)$, puis de calculer

$$\lim_{x \to 2} \frac{1{,}2(x^2 - 4)}{x - 2} = \lim_{x \to 2} 1{,}2(x + 2) = 4{,}8$$

Expliquons graphiquement la justesse de notre raisonnement. Les graphiques des fonctions

$$f(x) = \frac{1{,}2(x^2 - 4)}{x - 2} \qquad \text{et} \qquad g(x) = 1{,}2(x + 2)$$

sont représentés à la figure 2.29.

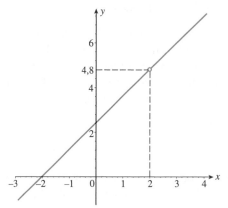
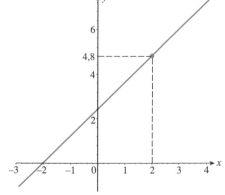

FIGURE 2.29
Les graphiques de $f(x)$ et de $g(x)$ sont identiques, sauf au point (2; 4,8).

a) $f(x) = \dfrac{1{,}2(x^2 - 4)}{x - 2}$

b) $g(x) = 1{,}2(x + 2)$

On note que les graphiques sont identiques sauf pour $x = 2$. En effet, la fonction g est définie pour tout nombre réel x; en particulier, sa valeur en $x = 2$ est $g(2) = 1,2(2 + 2) = 4,8$. Le point $(2; 4,8)$ est donc sur le graphe de g, alors que la fonction f n'est pas définie en $x = 2$. Comme $f(x) = g(x)$ pour tout x sauf $x = 2$, le graphique de f doit être identique à celui de g, à l'exception du point $(2; 4,8)$, qui n'est pas sur le graphique de f. Puisque nous ne nous intéressons au comportement de f que dans le voisinage de $x = 2$ (mais pas en $x = 2$ lui-même), nous pouvons calculer la limite de f en calculant la limite de la fonction «équivalente» g.

REMARQUE   La limite de l'exemple 5 est la même que celle qui nous a fourni la vitesse instantanée d'un Maglev à un instant donné.

TECHNOLOGIE ET INTUITION

1. À l'aide d'une calculatrice graphique, tracez la fonction

$$f(x) = \frac{1,2(x^2 - 4)}{x - 2}$$

dans la fenêtre d'affichage $[0, 3] \times [0, 20]$. Utilisez les menus **ZOOM** et **TRACE** pour trouver

$$\lim_{x \to 2} \frac{1,2(x^2 - 4)}{x - 2}$$

2. À l'aide d'une calculatrice graphique, tracez le graphique de la fonction $g(x) = 1,2(x + 2)$ dans la fenêtre d'affichage $[0, 3] \times [0, 20]$. Utilisez les menus **ZOOM** et **TRACE** pour trouver $\lim_{x \to 2} 1,2(x + 2)$. Qu'obtenez-vous comme valeur de y lorsque vous tentez d'évaluer $f(x)$ et $g(x)$ en $x = 2$? Expliquez pourquoi.

3. La différence entre les graphiques de f et de g est-elle visible sur l'écran de la calculatrice?

4. Comparez vos résultats avec ceux de l'exemple 5.

EXEMPLE 6   Calculez la limite suivante:

$$\lim_{h \to 0} \frac{\sqrt{1 + h} - 1}{h}$$

Solution

Lorsque h tend vers 0, la limite prend la forme indéterminée 0/0. Pour lever l'indétermination, il suffit de rationaliser le numérateur du quotient (voir la p. 21) en multipliant le numérateur et le dénominateur par le conjugué de $(\sqrt{1 + h} - 1)$, soit $(\sqrt{1 + h} + 1)$, obtenant ainsi

$$\frac{\sqrt{1 + h} - 1}{h} = \frac{(\sqrt{1 + h} - 1)(\sqrt{1 + h} + 1)}{h(\sqrt{1 + h} + 1)}$$

$$= \frac{1 + h - 1}{h(\sqrt{1 + h} + 1)} \qquad (\sqrt{a} - \sqrt{b})(\sqrt{a} + \sqrt{b}) = a - b$$

$$= \frac{h}{h(\sqrt{1 + h} + 1)}$$

$$= \frac{1}{\sqrt{1 + h} + 1}$$

Par conséquent,

$$\lim_{h \to 0} \frac{\sqrt{1 + h} - 1}{h} = \lim_{h \to 0} \frac{1}{\sqrt{1 + h} + 1}$$

$$= \frac{1}{\sqrt{1} + 1} = \frac{1}{2}$$

TECHNOLOGIE ET INTUITION

1. À l'aide d'une calculatrice graphique, tracez la fonction

$$g(x) = \frac{\sqrt{1 + x} - 1}{x} \quad \text{dans la fenêtre d'affichage}$$

$[-1, 2] \times [0, 1]$. Utilisez les menus **zoom** et **trace** pour trouver $\lim\limits_{x \to 0} \dfrac{\sqrt{1 + x} - 1}{x}$ en observant

les valeurs de $g(x)$ lorsque x tend vers 0 par la gauche et par la droite. Qu'obtenez-vous comme valeur de y lorsque vous posez $x = 0$? Expliquez pourquoi.

2. À l'aide d'une calculatrice graphique, tracez la fonction

$$f(x) = \frac{1}{\sqrt{1 + x} + 1} \quad \text{dans la fenêtre d'affichage}$$

$[-1, 2] \times [0, 1]$. Utilisez les menus **zoom** et **trace** pour trouver $\lim\limits_{x \to 0} \dfrac{1}{\sqrt{1 + x} + 1}$.

3. La différence entre les graphiques de f et de g est-elle visible sur l'écran de la calculatrice?

4. Comparez vos résultats avec ceux de l'exemple 6.

 ## Limites à l'infini

Jusqu'à présent, nous nous sommes intéressés à la limite d'une fonction lorsque x tend vers un nombre (fini) a. Il arrive, cependant, qu'on veuille savoir si $f(x)$ s'approche d'une valeur numérique unique lorsque x augmente indéfiniment. Ainsi, supposons que, lors d'une expérience en laboratoire, la fonction P représente la population de drosophiles (ou mouches à fruits) présentes dans un récipient en fonction du temps t. Le graphique de P, représenté à la figure 2.30, montre bien que lorsque t croît indéfiniment (c'est-à-dire qu'il prend des valeurs positives de plus en plus grandes), la population $P(t)$ tend vers 400. Ce nombre, qu'on appelle la *capacité maximale* de l'environnement, est conditionné par divers facteurs environnementaux comme la disponibilité d'espace et de nourriture.

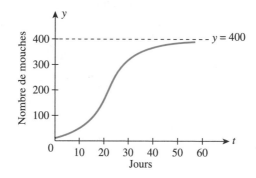

FIGURE 2.30
Le graphique de $P(t)$ représente la population de mouches à fruits au cours d'une expérience de laboratoire.

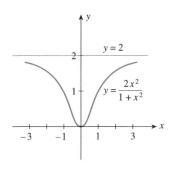

FIGURE 2.31

Le graphique de la fonction $y = \dfrac{2x^2}{1+x^2}$

admet une asymptote horizontale en $y = 2$.

Analysons un deuxième exemple. Soit la fonction

$$f(x) = \frac{2x^2}{1 + x^2}$$

dont nous voulons étudier le comportement lorsque x prend des valeurs positives de plus en plus grandes. À partir de la suite de nombres 1, 2, 5, 10, 100 et 1000, et des valeurs correspondantes de $f(x)$, on obtient le tableau des valeurs suivant:

x	1	2	5	10	100	1000
$f(x)$	1	1,6	1,92	1,98	1,9998	1,999998

Le tableau fait ressortir que lorsque x prend des valeurs positives de plus en plus grandes, $f(x)$ s'approche de plus en plus de 2. Le graphique de la fonction f représenté à la figure 2.31 renforce cette affirmation. En pareil cas, la droite $y = 2$ s'appelle une **asymptote horizontale**.* De plus, on dit que la limite de la fonction

$$f(x) = \frac{2x^2}{1 + x^2}$$

lorsque x croît indéfiniment est 2 et on écrit

$$\lim_{x \to \infty} \frac{2x^2}{1 + x^2} = 2$$

La définition suivante de la **limite d'une fonction à l'infini** offre une généralisation de la situation que nous venons de voir.

Limite d'une fonction à l'infini

On dit qu'une fonction f admet la limite L lorsque x croît indéfiniment (ou encore lorsque x tend vers l'infini) et on écrit

$$\lim_{x \to \infty} f(x) = L$$

si les valeurs de $f(x)$ peuvent être rendues arbitrairement proches de L à condition de prendre x suffisamment grand.

De même, on dit qu'une fonction f admet la limite M lorsque x décroît indéfiniment (ou encore lorsque x tend vers moins l'infini) et on écrit

$$\lim_{x \to -\infty} f(x) = M$$

si les valeurs de $f(x)$ peuvent être rendues arbitrairement proches de M à condition de prendre des valeurs négatives de x suffisamment grandes en valeur absolue.

---

* Nous étudierons les asymptotes plus en détail à la section 4.3.

EXEMPLE 7

Soit f et g les fonctions

$$f(x) = \begin{cases} -1 & \text{si } x < 0 \\ 1 & \text{si } x \geq 0 \end{cases} \qquad \text{et} \qquad g(x) = \frac{1}{x^2}$$

Calculez les limites suivantes :

a. $\lim\limits_{x \to \infty} f(x)$ et $\lim\limits_{x \to -\infty} f(x)$ **b.** $\lim\limits_{x \to \infty} g(x)$ et $\lim\limits_{x \to -\infty} g(x)$

Solution Les graphiques de $f(x)$ et $g(x)$ sont représentés à la figure 2.32. En se basant sur ces graphiques, on obtient immédiatement

a. $\lim\limits_{x \to \infty} f(x) = 1$ et $\lim\limits_{x \to -\infty} f(x) = -1$

b. $\lim\limits_{x \to \infty} \dfrac{1}{x^2} = 0$ et $\lim\limits_{x \to -\infty} \dfrac{1}{x^2} = 0$

Les cinq propriétés du théorème 1 sont encore valables lorsqu'on remplace a par ∞ ou $-\infty$. À ces propriétés vient s'ajouter la propriété suivante des limites à l'infini.

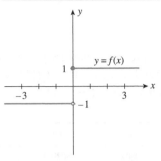

a) $\lim\limits_{x \to \infty} f(x) = 1$ et $\lim\limits_{x \to -\infty} f(x) = -1$

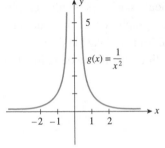

b) $\lim\limits_{x \to \infty} g(x) = 0$ et $\lim\limits_{x \to -\infty} g(x) = 0$

FIGURE 2.32

THÉORÈME 2

Pour tout $n > 0$,

$$\lim\limits_{x \to \infty} \frac{1}{x^n} = 0 \qquad \text{et} \qquad \lim\limits_{x \to -\infty} \frac{1}{x^n} = 0$$

pourvu que $\dfrac{1}{x^n}$ soit bien défini.

TECHNOLOGIE ET INTUITION

1. À l'aide d'une calculatrice graphique, tracez les fonctions

$$y_1 = \frac{1}{x^{0,5}}, \qquad y_2 = \frac{1}{x}, \qquad y_3 = \frac{1}{x^{1,5}}$$

dans la fenêtre $[0, 200] \times [0 ; 0,5]$. Qu'obtient-on comme valeur de $\lim\limits_{x \to \infty} \dfrac{1}{x^n}$ lorsque $n = 0,5$, $n = 1$ et $n = 1,5$? Ces résultats concordent-ils avec le théorème 2 ?

2. À l'aide d'une calculatrice graphique, tracez les fonctions

$$y_1 = \frac{1}{x} \qquad \text{et} \qquad y_2 = \frac{1}{x^{5/3}}$$

dans la fenêtre $[-50, 0] \times [-0,5 ; 0]$. Qu'obtient-on comme valeur de $\lim\limits_{x \to -\infty} \dfrac{1}{x^n}$ lorsque $n = 1$ et $n = \dfrac{5}{3}$? Ces résultats concordent-ils avec le théorème 2 ?

Suggestion : Pour tracer y_2, récrivez la fonction sous la forme $y_2 = 1/(x^{(1/3)})^5$.

Pour calculer la limite à l'infini d'une fonction rationnelle, une technique bien utile consiste *à diviser le numérateur et le dénominateur par la plus haute puissance de x qui figure au dénominateur*.

EXEMPLE 8   Calculez

$$\lim_{x \to \infty} \frac{x^2 - x + 3}{2x^3 + 1}$$

Solution

Nous ne pouvons appliquer la propriété 5 concernant la limite d'un quotient, puisque ni la limite du numérateur, ni celle du dénominateur n'existent lorsque x tend vers l'infini. Par contre, nous pouvons diviser le numérateur et le dénominateur de la fonction rationnelle par x^3, ce qui donne

$$\lim_{x \to \infty} \frac{x^2 - x + 3}{2x^3 + 1} = \lim_{x \to \infty} \frac{\dfrac{1}{x} - \dfrac{1}{x^2} + \dfrac{3}{x^3}}{2 + \dfrac{1}{x^3}}$$

$$= \frac{0 - 0 + 0}{2 + 0} = \frac{0}{2} \quad \text{par le théorème 2}$$

$$= 0$$

EXEMPLE 9   Soit

$$f(x) = \frac{3x^2 + 8x - 4}{2x^2 + 4x - 5}$$

Calculez, si elle existe, $\lim_{x \to \infty} f(x)$.

Solution

De nouveau, nous constatons que nous ne pouvons appliquer la propriété 5. En divisant le numérateur et le dénominateur par x^2, on obtient

$$\lim_{x \to \infty} \frac{3x^2 + 8x - 4}{2x^2 + 4x - 5} = \lim_{x \to \infty} \frac{3 + \dfrac{8}{x} - \dfrac{4}{x^2}}{2 + \dfrac{4}{x} - \dfrac{5}{x^2}}$$

$$= \frac{\lim\limits_{x \to \infty} 3 + 8 \lim\limits_{x \to \infty} \dfrac{1}{x} - 4 \lim\limits_{x \to \infty} \dfrac{1}{x^2}}{\lim\limits_{x \to \infty} 2 + 4 \lim\limits_{x \to \infty} \dfrac{1}{x} - 5 \lim\limits_{x \to \infty} \dfrac{1}{x^2}}$$

$$= \frac{3 + 0 - 0}{2 + 0 - 0} \quad \text{par le théorème 2}$$

$$= \frac{3}{2}$$

EXEMPLE 10   Soit $f(x) = \dfrac{2x^3 - 3x^2 + 1}{x^2 + 2x + 4}$

Calculez   **a.** $\lim\limits_{x \to \infty} f(x)$ **b.** $\lim\limits_{x \to -\infty} f(x)$

Solution

a. En divisant le numérateur et le dénominateur par x^2, on obtient

$$\lim_{x \to \infty} \frac{2x^3 - 3x^2 + 1}{x^2 + 2x + 4} = \lim_{x \to \infty} \frac{2x - 3 + \dfrac{1}{x^2}}{1 + \dfrac{2}{x} + \dfrac{4}{x^2}}$$

Comme, lorsque x tend vers l'infini, le numérateur prend des valeurs positives de plus en plus grandes et le dénominateur s'approche de 1, le quotient $f(x)$ prend des valeurs positives de plus en plus grandes lorsque x tend vers l'infini. Autrement dit, la limite n'existe pas. On écrit

$$\lim_{x \to \infty} \frac{2x^3 - 3x^2 + 1}{x^2 + 2x + 4} = \infty$$

b. Nous divisons de nouveau le numérateur et le dénominateur par x^2 et obtenons

$$\lim_{x \to -\infty} \frac{2x^3 - 3x^2 + 1}{x^2 + 2x + 4} = \lim_{x \to -\infty} \frac{2x - 3 + \dfrac{1}{x^2}}{1 + \dfrac{2}{x} + \dfrac{4}{x^2}}$$

Cette fois, lorsque x tend vers moins l'infini, le numérateur prend des valeurs *négatives* de plus en plus grandes et le dénominateur s'approche de 1, de sorte que le quotient $f(x)$ prend des valeurs négatives de plus en plus grandes et que la limite n'existe pas. On écrit

$$\lim_{x \to -\infty} \frac{2x^3 - 3x^2 + 1}{x^2 + 2x + 4} = -\infty$$

Les exemples 8, 9 et 10 montrent bien que la limite d'une fonction rationnelle $f(x)$ quand x tend vers l'infini ou vers moins l'infini est tout simplement la limite du rapport des monômes de plus haut degré au numérateur et au dénominateur. Ces monômes peuvent être considérés comme des termes *dominants* par rapport aux autres termes du numérateur et du dénominateur quand x tend vers l'infini ou vers moins l'infini. Le calcul des limites de fonctions rationnelles s'en trouve grandement simplifié. Voyez plutôt ce que devient l'exemple 9 :

$$\lim_{x \to \infty} \frac{3x^2 + 8x - 4}{2x^2 + 4x - 5} = \lim_{x \to \infty} \frac{3x^2}{2x^2} = \frac{3}{2}$$

L'exemple 11 propose une application du concept de limite d'une fonction à l'infini.

EXEMPLE 11

Coûts moyens L'entreprise Bureau 2000 fabrique des bureaux de direction. Le coût total de fabrication de x bureaux du modèle haut de gamme SEM est représenté par la fonction $C(x) = 100x + 200\,000$ dollars par année, de sorte que le coût moyen de fabrication de x bureaux est

$$\overline{C}(x) = \frac{C(x)}{x} = \frac{100x + 200\,000}{x} = 100 + \frac{200\,000}{x}$$

dollars par bureau. Calculez $\lim\limits_{x \to \infty} \overline{C}(x)$ et interprétez le résultat dans le contexte.

Solution

$$\lim_{x \to \infty} \overline{C}(x) = \lim_{x \to \infty} \left(100 + \frac{200\,000}{x} \right)$$

$$= \lim_{x \to \infty} 100 + \lim_{x \to \infty} \frac{200\,000}{x} = 100$$

Une esquisse du graphique de la fonction $\overline{C}(x)$ est représentée à la figure 2.33.

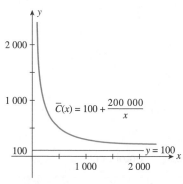

FIGURE 2.33

Lorsque la quantité de bureaux produits augmente, le coût moyen de fabrication s'approche de 100 $ par bureau.

Le résultat obtenu est tout à fait conforme à ce qu'on peut prévoir d'un point de vue économique. En effet, lorsque les quantités fabriquées x augmentent, les coûts fixes (200 000) sont absorbés par une plus grande quantité d'unités, de sorte que les coûts fixes par unité (200 000/x) diminuent. Le coût moyen a donc tendance à s'approcher d'une constante, soit le coût variable par unité, qui est de 100 $ dans le cas présent.

◨ EXERCICES D'AUTOÉVALUATION **2.4**

1. Pour chaque cas, calculez la limite, si elle existe.

a. $\lim\limits_{x \to 3} \dfrac{\sqrt{x^2 + 7} + \sqrt{3x - 5}}{x + 2}$

b. $\lim\limits_{x \to -1} \dfrac{x^2 - x - 2}{2x^2 - x - 3}$

2. L'entreprise Les disques UniSon estime que le coût moyen par disque (en dollars) pour presser x disques compacts est

Les solutions des exercices d'autoévaluation 2.4 se trouvent à la page 103.

$$\overline{C}(x) = 1{,}8 + \frac{3000}{x}$$

Calculez $\lim\limits_{x \to \infty} \overline{C}(x)$ et interprétez votre réponse.

◨ **2.4** EXERCICES

1–8 En vous basant sur le graphique de la fonction *f*, calculez, si elle existe, $\lim\limits_{x \to a} f(x)$ pour la valeur de *a* indiquée.

1.
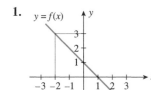

2.
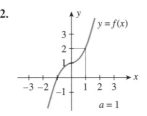

3.
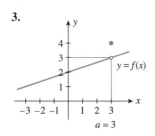

4.
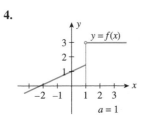

5.
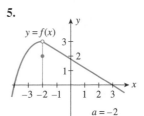

$a = -2$

6.
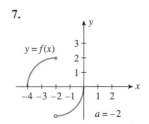

$a = -2$

7.
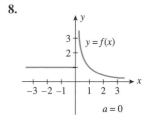

$a = -2$

8.
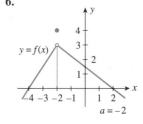

$a = 0$

9–12 Complétez le tableau en calculant *f(x)* aux valeurs de *x* indiquées, puis utilisez vos résultats pour estimer la limite indiquée, si elle existe.

9. $f(x) = x^2 + 1;\ \lim\limits_{x \to 2} f(x)$

x	1,9	1,99	1,999	2,001	2,01	2,1
$f(x)$						

10. $f(x) = \dfrac{|x|}{x}$; $\lim\limits_{x \to 0} f(x)$

x	$-0,1$	$-0,01$	$-0,001$	$0,001$	$0,01$	$0,1$
$f(x)$						

11. $f(x) = \dfrac{1}{x-2}$; $\lim\limits_{x \to 2} f(x)$

x	$1,9$	$1,99$	$1,999$	$2,001$	$2,01$	$2,1$
$f(x)$						

12. $f(x) = \dfrac{x^2 + x - 2}{x - 1}$; $\lim\limits_{x \to 1} f(x)$

x	$0,9$	$0,99$	$0,999$	$1,001$	$1,01$	$1,1$
$f(x)$						

13–16 Tracez le graphique de la fonction f et calculez $\lim\limits_{x \to a} f(x)$, si elle existe, pour la valeur de a indiquée.

13. $f(x) = \begin{cases} x - 1 & \text{si } x \le 0 \\ -1 & \text{si } x > 0 \end{cases}$ $\qquad (a = 0)$

14. $f(x) = \begin{cases} x - 1 & \text{si } x \le 3 \\ -2x + 8 & \text{si } x > 3 \end{cases}$ $\qquad (a = 3)$

15. $f(x) = \begin{cases} x & \text{si } x < 1 \\ 0 & \text{si } x = 1 \\ -x + 2 & \text{si } x > 1 \end{cases}$ $\qquad (a = 1)$

16. $f(x) = \begin{cases} -2x + 4 & \text{si } x < 1 \\ 4 & \text{si } x = 1 \\ x^2 + 1 & \text{si } x > 1 \end{cases}$ $\qquad (a = 1)$

17–30 Calculez la limite.

17. $\lim\limits_{x \to 2} 3$

18. $\lim\limits_{x \to -2} -3$

19. $\lim\limits_{x \to 3} x$

20. $\lim\limits_{x \to -2} -3x$

21. $\lim\limits_{x \to 1} (1 - 2x^2)$

22. $\lim\limits_{t \to 3} (4t^2 - 2t + 1)$

23. $\lim\limits_{s \to 0} (2s^2 - 1)(2s + 4)$

24. $\lim\limits_{x \to 2} (x^2 + 1)(x^2 - 4)$

25. $\lim\limits_{x \to 2} \dfrac{2x + 1}{x + 2}$

26. $\lim\limits_{x \to 1} \dfrac{x^3 + 1}{2x^3 + 2}$

27. $\lim\limits_{x \to 2} \sqrt{x + 2}$

28. $\lim\limits_{x \to -2} \sqrt[3]{5x + 2}$

29. $\lim\limits_{x \to -3} \sqrt{2x^4 + x^2}$

30. $\lim\limits_{x \to 2} \sqrt{\dfrac{2x^3 + 4}{x^2 + 1}}$

31–40 Calculez la limite, si elle existe.

31. $\lim\limits_{x \to 1} \dfrac{x^2 - 1}{x - 1}$

32. $\lim\limits_{x \to -2} \dfrac{x^2 - 4}{x + 2}$

33. $\lim\limits_{x \to 0} \dfrac{x^2 - x}{x}$

34. $\lim\limits_{x \to 0} \dfrac{2x^2 - 3x}{x}$

35. $\lim\limits_{b \to -3} \dfrac{b + 1}{b + 3}$

36. $\lim\limits_{x \to 1} \dfrac{x}{x - 1}$

37. $\lim\limits_{x \to -2} \dfrac{x^2 - x - 6}{x^2 + x - 2}$

38. $\lim\limits_{z \to 2} \dfrac{z^3 - 8}{z - 2}$

39. $\lim\limits_{x \to 1} \dfrac{\sqrt{x} - 1}{x - 1}$ **Suggestion:** Multipliez par $\dfrac{\sqrt{x} + 1}{\sqrt{x} + 1}$.

40. $\lim\limits_{x \to 1} \dfrac{x - 1}{x^3 + x^2 - 2x}$

41–46 À l'aide du graphique de la fonction f, trouvez $\lim\limits_{x \to \infty} f(x)$ et $\lim\limits_{x \to -\infty} f(x)$, si elles existent.

41.
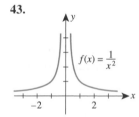
$f(x) = 2x^2 - 10$

42.
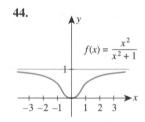
$f(x) = x^3 - x$

43.
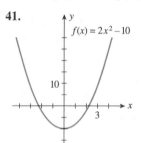
$f(x) = \dfrac{1}{x^2}$

44.
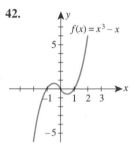
$f(x) = \dfrac{x^2}{x^2 + 1}$

45.
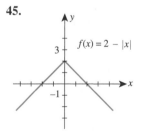
$f(x) = 2 - |x|$

46.
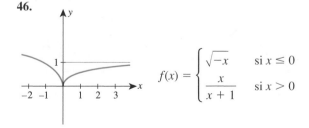
$f(x) = \begin{cases} \sqrt{-x} & \text{si } x \le 0 \\ \dfrac{x}{x + 1} & \text{si } x > 0 \end{cases}$

47–50 Complétez le tableau en calculant $f(x)$ aux valeurs de x indiquées, puis utilisez vos résultats pour estimer les limites indiquées, si elles existent.

47. $f(x) = \dfrac{1}{x^2 + 1}$; $\lim\limits_{x\to\infty} f(x)$ et $\lim\limits_{x\to -\infty} f(x)$

x	−100	−10	−1	1	10	100	1000
$f(x)$							

48. $f(x) = \dfrac{2x}{x + 1}$; $\lim\limits_{x\to\infty} f(x)$ et $\lim\limits_{x\to -\infty} f(x)$

x	−100	−10	−1	1	10	100	1000
$f(x)$							

49. $f(x) = 3x^3 - x^2 + 10$; $\lim\limits_{x\to\infty} f(x)$ et $\lim\limits_{x\to -\infty} f(x)$

x	−100	−10	−1	1	10	100	1000
$f(x)$							

50. $f(x) = \dfrac{|x|}{x}$; $\lim\limits_{x\to\infty} f(x)$ et $\lim\limits_{x\to -\infty} f(x)$

x	−100	−10	−1	1	10	100	1000
$f(x)$							

51–58 Calculez la limite, si elle existe.

51. $\lim\limits_{x\to\infty} \dfrac{3x+2}{x-5}$

52. $\lim\limits_{x\to -\infty} \dfrac{4x^2 - 1}{x + 2}$

53. $\lim\limits_{x\to -\infty} \dfrac{3x^3 + x^2 + 1}{x^3 + 1}$

54. $\lim\limits_{x\to\infty} \dfrac{2x^2 + 3x + 1}{x^4 - x^2}$

55. $\lim\limits_{x\to -\infty} \dfrac{x^4 + 1}{x^3 - 1}$

56. $\lim\limits_{x\to\infty} \dfrac{4x^2 - 3x^2 + 1}{2x^4 + x^3 + x^2 + x + 1}$

57. $\lim\limits_{x\to\infty} \dfrac{x^5 - x^3 + x - 1}{x^6 + 2x^2 + 1}$

58. $\lim\limits_{x\to\infty} \dfrac{2x^2 - 1}{x^3 + x^2 + 1}$

59. Déchets toxiques On a découvert récemment que la conduite d'eau principale d'une ville était contaminée au trichloréthylène, un produit chimique cancérigène, par suite de l'infiltration de la nappe phréatique par des produits chimiques provenant d'un dépotoir abandonné. Une proposition d'assainissement des eaux soumise aux conseillers municipaux stipule que le coût, mesuré en millions de dollars, d'élimination de $x\,\%$ de la matière toxique est

$$C(x) = \frac{0{,}5x}{100 - x} \qquad \text{(où } 0 < x < 100)$$

a. Trouvez combien il en coûterait pour éliminer 50 %, 60 %, 70 %, 80 %, 90 % et 95 % du polluant.

b. Calculez

$$\lim_{x\to 100} \frac{0{,}5x}{100 - x}$$

et interprétez votre résultat.

60. Situation apocalyptique La population d'une race de lapins introduite sur une île isolée est modélisée par

$$P(t) = \frac{72}{9 - t} \qquad (0 < t < 9)$$

où t est mesurée en mois.

a. Trouvez combien de lapins ont été introduits sur l'île à l'origine.

b. Montrez que la population de lapins croît indéfiniment.

c. Tracez le graphique de la fonction P.

(*Note :* Le phénomène ci-dessus porte le nom de *situation apocalyptique*.)

61. Coût moyen La propriétaire d'une érablière estime que le coût moyen de production (en dollars) de x boîtes de sirop clair de 540 ml est

$$\overline{C}(x) = 2{,}2 + \frac{2500}{x}$$

par boîte.

Calculez $\lim\limits_{x\to\infty} \overline{C}(x)$ et interprétez votre réponse.

62. Concentration d'un médicament dans le sang La concentration d'un médicament dans le sang d'un patient t h après qu'il ait reçu une injection est

$$C(t) = \frac{0{,}2t}{t^2 + 1}$$

mg/cm³. Calculez $\lim\limits_{t\to\infty} C(t)$ et interprétez votre réponse.

63. Recettes au box-office Les recettes au box-office international d'un film à succès sont modélisées par la fonction

$$T(x) = \frac{120x^2}{x^2 + 4}$$

où $T(x)$ est mesuré en millions de dollars et x désigne le nombre de mois écoulés depuis la sortie du film.

a. Quelles ont été les recettes du film après 1 mois ? Après 2 mois ? Après 3 mois ?

b. Quel montant total le film devrait-il rapporter ?

64. Croissance de population On prévoit construire un mégacomplexe immobilier de 4325 acres comportant des habitations, des bureaux, des magasins, des écoles et une église, dans la municipalité de Saint-Justin. Selon un urbaniste, il en résultera une croissance importante de la population au cours des prochaines années. Le modèle proposé est

$$P(t) = \frac{25t^2 + 125t + 200}{t^2 + 5t + 40}$$

où $P(t)$ désigne la population (en milliers) après t années.

a. Quelle est la population actuelle de Saint-Justin ?

b. Vers quelle valeur la population devrait-elle se stabiliser ?

(*suite à la page 103*)

TECHNOLOGIE EN APPLICATION

Calcul de la limite d'une fonction

Voici quelques exemples d'utilisation de la calculatrice graphique pour le calcul de la limite d'une fonction.

EXEMPLE 1

Soit $f(x) = \dfrac{x^3 - 1}{x - 1}$.

a. Tracez le graphique de f dans la fenêtre $[-2, 2] \times [0, 4]$.

b. Utilisez le menu ZOOM pour trouver $\displaystyle\lim_{x \to 1} \dfrac{x^3 - 1}{x - 1}$.

c. Vérifiez votre réponse par des calculs algébriques.

Solution

a. Le graphique de f dans la fenêtre $[-2, 2] \times [0, 4]$ est représenté à la figure T1a.

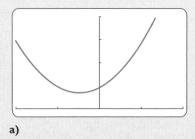

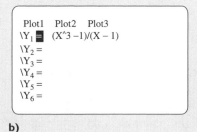

FIGURE T1

a) Graphique de $f(x) = \dfrac{x^3 - 1}{x - 1}$

dans la fenêtre $[-2, 2] \times [0, 4]$;

b) Écran d'édition de la TI-83

a)   b)

b. Après avoir utilisé l'option ZOOM IN plusieurs fois, nous constatons que lorsque x tend vers 1, y tend vers 3. Ainsi, il semble bien que

$$\lim_{x \to 1} \frac{x^3 - 1}{x - 1} = 3$$

c. Par calcul, nous obtenons

$$\lim_{x \to 1} \frac{x^3 - 1}{x - 1} = \lim_{x \to 1} \frac{(x - 1)(x^2 + x + 1)}{x - 1}$$

$$= \lim_{x \to 1} (x^2 + x + 1) = 3$$

REMARQUE Si on tente de trouver la limite de l'exemple 1 en calculant $f(1)$ au moyen de la fonction d'évaluation de la calculatrice graphique, on constate que la calculatrice n'affiche pas de valeur de y. Il ne faut pas s'en étonner, puisque $x = 1$ ne fait pas partie du domaine de f.

EXEMPLE 2

Utilisez le menu ZOOM pour trouver $\displaystyle\lim_{x \to 0} (1 + x)^{1/x}$.

Solution

On commence par tracer le graphique de la fonction $f(x) = (1 + x)^{1/x}$ dans une fenêtre appropriée. La figure T2a représente le tracé de f dans la fenêtre $[-1, 1] \times [0, 4]$. Après plusieurs utilisations de l'option ZOOM IN, on constate que $\displaystyle\lim_{x \to 0} (1 + x)^{1/x} \approx 2{,}71828$.

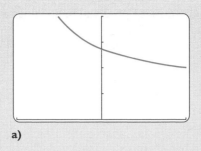

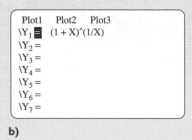

FIGURE T2
a) Graphique de $f(x) = (1 + x)^{1/x}$ dans la fenêtre $[-1, 1] \times [0, 4]$;
b) Écran d'édition de la TI–83

a)

b)

La limite de $f(x) = (1 + x)^{1/x}$ lorsque x tend vers 0, que l'on note e, joue un rôle important en mathématiques et dans de nombreuses applications (voir la section 5.6). Ainsi,

$$\lim_{x \to 0} (1 + x)^{1/x} = e$$

où, comme nous l'avons vu plus haut, $e \approx 2{,}71828$.

EXEMPLE 3

Teneur en oxygène d'un étang Lorsqu'on jette des déchets organiques dans un étang, le phénomène d'oxydation qui en résulte absorbe une partie de l'oxygène qui y était initialement présent. Toutefois, après un certain temps, la teneur en oxygène retrouve son niveau habituel. Supposons que, t jours après le déversement des déchets organiques, la teneur en oxygène de l'étang atteint

$$f(t) = 100 \left(\frac{t^2 + 10t + 100}{t^2 + 20t + 100} \right)$$

pour cent de son niveau habituel.

a. Tracez le graphique de f dans la fenêtre $[0, 200] \times [70, 100]$.
b. Que devient le graphique de $f(t)$ lorsque t devient de plus en plus grand?
c. Vérifiez l'observation que vous avez faite en **b** en calculant $\lim_{t \to \infty} f(t)$.

Solution

a. Le graphique de f est représenté à la figure T3a.
b. Selon le graphique, la fonction $f(t)$ semble s'approcher de plus en plus de 100 lorsque t devient de plus en plus grand. On en conclut qu'après un certain temps, la teneur en oxygène de l'étang finit par être rétablie.

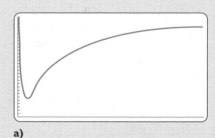

FIGURE T3
a) Graphique de f dans la fenêtre $[0, 200] \times [70, 100]$;
b) Écran d'édition de la TI-83

a)

b)

c. Pour vérifier l'observation que nous avons faite en **b**, il suffit de calculer

$$\lim_{t \to \infty} f(t) = \lim_{t \to \infty} 100 \left(\frac{t^2 + 10t + 100}{t^2 + 20t + 100} \right)$$

$$= 100 \lim_{t \to \infty} \left(\frac{1 + \dfrac{10}{t} + \dfrac{100}{t^2}}{1 + \dfrac{20}{t} + \dfrac{100}{t^2}} \right) = 100$$

■ EXERCICES AVEC LA CALCULATRICE GRAPHIQUE

1–10 Tracez le graphique de la fonction dans une fenêtre appropriée et utilisez l'option ZOOM IN de la calculatrice graphique pour trouver la limite demandée.

1. $\displaystyle\lim_{x \to 1} \frac{2x^3 - 2x^2 + 3x - 3}{x - 1}$

2. $\displaystyle\lim_{x \to -2} \frac{2x^3 + 3x^2 - x + 2}{x + 2}$

3. $\displaystyle\lim_{x \to -1} \frac{x^3 + 1}{x + 1}$ **4.** $\displaystyle\lim_{x \to -1} \frac{x^4 - 1}{x - 1}$

5. $\displaystyle\lim_{x \to 1} \frac{x^3 - x^2 - x + 1}{x^3 - 3x + 2}$

6. $\displaystyle\lim_{x \to 2} \frac{x^3 + 2x^2 - 16}{2x^3 - x^2 + 2x - 16}$

7. $\displaystyle\lim_{x \to 0} \frac{\sqrt{x + 1} - 1}{x}$ **8.** $\displaystyle\lim_{x \to 0} \frac{(x + 4)^{3/2} - 8}{x}$

9. $\displaystyle\lim_{x \to 0} (1 + 2x)^{1/x}$ **10.** $\displaystyle\lim_{x \to 0} \frac{2^x - 1}{x}$

11. Démontrez que $\displaystyle\lim_{x \to 3} \frac{2}{x - 3}$ n'existe pas.

12. Démontrez que $\displaystyle\lim_{x \to 2} \frac{x^3 - 9x^2 + 26x - 24}{x - 2}$ existe et trouvez sa valeur.

13. PLANIFICATION URBAINE Un promoteur immobilier a entrepris la construction d'un complexe de 5000 acres comportant des habitations, des bureaux, des magasins, des écoles et une église, dans la municipalité de Beauclair. Il en résultera une croissance importante de la population au cours des prochaines années. Selon le modèle retenu, la population, en milliers, après t années sera

$$P(t) = \frac{25t^2 + 125t + 200}{t^2 + 5t + 40}$$

a. Tracez le graphique de P dans la fenêtre $[0, 50] \times [0, 30]$.

b. Vers quelle valeur la population de Beauclair devrait-elle se stabiliser?

Suggestion: Trouvez $\displaystyle\lim_{t \to \infty} P(t)$.

14. PRÉCIPITATIONS La quantité totale d'eau (mesurée en cm) tombée après t h lors d'une forte pluie est modélisée par

$$T(t) = \frac{2t}{t + 4{,}1}$$

a. Tracez le graphique de T dans la fenêtre $[0, 30] \times [0, 2]$.

b. Combien d'eau est-il tombé au total pendant cette pluie?

Suggestion: Trouvez $\displaystyle\lim_{t \to \infty} T(t)$.

65. Coût d'utilisation d'une automobile Une étude réalisée par le CAA en 2003 estime le coût moyen (versements sur l'auto, dépréciation, assurances, permis de conduire, immatriculation, essence, entretien préventif, réparations) d'une Cavalier Z24 2004 dotée d'un moteur 4 cylindres de 2,4 litres. Ce coût, mesuré en cents par kilomètre, est modélisé par la fonction

$$C(x) = \frac{4020}{x^{1,9}} + 34,0$$

où x (en milliers) désigne le nombre de kilomètres parcourus par année.

  a. Quel est le coût moyen d'utilisation d'une Cavalier Z24 2004 pour des parcours de 10 000 km/an? 15 000 km/an? 20 000 km/an? 30 000 km/an? 40 000 km/an?
  b. À l'aide de **a**, tracez la fonction C.
  c. Comment la fonction C se comporte-t-elle lorsque le nombre de kilomètres parcourus augmente indéfiniment? Interprétez votre réponse dans le contexte.

  Source: Association canadienne des automobilistes

66–71 Dites si l'énoncé est vrai ou faux. S'il est vrai, dites pourquoi. S'il est faux, trouvez un contre-exemple.

66. Si $\lim\limits_{x \to a} f(x)$ existe, alors f est définie au point $x = a$.

67. Si $\lim\limits_{x \to 0} f(x) = 4$ et $\lim\limits_{x \to 0} g(x) = 0$, alors $\lim\limits_{x \to 0} f(x)g(x) = 0$.

68. Si $\lim\limits_{x \to 2} f(x) = 3$ et $\lim\limits_{x \to 2} g(x) = 0$, alors $\lim\limits_{x \to 2} [f(x)]/[g(x)]$ n'existe pas.

69. Si $\lim\limits_{x \to 3} f(x) = 0$ et $\lim\limits_{x \to 3} g(x) = 0$, alors $\lim\limits_{x \to 3} [f(x)]/[g(x)]$ n'existe pas.

70. $\lim\limits_{x \to 2} \left(\dfrac{x}{x + 1} + \dfrac{3}{x - 1} \right) = \lim\limits_{x \to 2} \dfrac{x}{x + 1} + \lim\limits_{x \to 2} \dfrac{3}{x - 1}$

71. $\lim\limits_{x \to 1} \left(\dfrac{2x}{x - 1} - \dfrac{2}{x - 1} \right) = \lim\limits_{x \to 1} \dfrac{2x}{x - 1} - \lim\limits_{x \to 1} \dfrac{2}{x - 1}$

72. Trouvez un exemple qui montre que $\lim\limits_{x \to a} [f(x) + g(x)]$ peut très bien exister alors que ni $\lim\limits_{x \to a} f(x)$ ni $\lim\limits_{x \to a} g(x)$ n'existent. Votre exemple est-il une contradiction du théorème 1?

73. Trouvez un exemple qui montre que $\lim\limits_{x \to a} [f(x)g(x)]$ peut très bien exister alors que ni $\lim\limits_{x \to a} f(x)$ ni $\lim\limits_{x \to a} g(x)$ n'existent. Votre exemple est-il une contradiction du théorème 1?

74. Trouvez un exemple qui montre que $\lim\limits_{x \to a} f(x)/g(x)$ peut très bien exister alors que ni $\lim\limits_{x \to a} f(x)$ ni $\lim\limits_{x \to a} g(x)$ n'existent. Votre exemple est-il une contradiction du théorème 1?

▣ SOLUTIONS DES EXERCICES D'AUTOÉVALUATION **2.4**

1. a.
$$\lim_{x \to 3} \frac{\sqrt{x^2 + 7} + \sqrt{3x - 5}}{x + 2} = \frac{\sqrt{9 + 7} + \sqrt{3(3) - 5}}{3 + 2}$$
$$= \frac{\sqrt{16} + \sqrt{4}}{5}$$
$$= \frac{6}{5}$$

  b. Lorsque x tend vers -1, la limite prend la forme indéterminée 0/0. Il faut donc procéder comme suit[1]:

$$\lim_{x \to -1} \frac{x^2 - x - 2}{2x^2 - x - 3} = \lim_{x \to -1} \frac{(x + 1)(x - 2)}{(x + 1)(2x - 3)}$$
$$= \lim_{x \to -1} \frac{x - 2}{2x - 3} \quad \textbf{On simplifie les}$$
$$\textbf{facteurs communs}$$
$$= \frac{-1 - 2}{2(-1) - 3}$$
$$= \frac{3}{5}$$

2.
$$\lim_{x \to \infty} \overline{C}(x) = \lim_{x \to \infty} \left(1,8 + \frac{3000}{x} \right)$$
$$= \lim_{x \to \infty} 1,8 + \lim_{x \to \infty} \frac{3000}{x}$$
$$= 1,8$$

Selon nos calculs, lorsque la quantité de disques compacts produits augmente «indéfiniment», le prix moyen baisse et tend vers un coût unitaire de 1,80 $.

---

[1] Pour faciliter l'étape de la factorisation, voici un théorème utile, que nous énonçons sans preuve. Si $f(a) = 0$, alors $(x - a)$ est un facteur de $f(x)$. Dans le cas présent, comme $x^2 - x - 2$ et $2x^2 - x - 3$ s'annulent tous deux au point -1, nous savons que $(x + 1)$ est un facteur de chacun des polynômes.

2.5 Limites unilatérales et continuité

Limites unilatérales

Soit la fonction f définie par

$$f(x) = \begin{cases} x - 1 & \text{si } x < 0 \\ x + 1 & \text{si } x \geq 0 \end{cases}$$

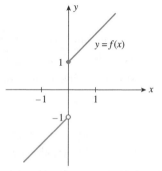

FIGURE 2.34
La fonction f n'admet pas de limite lorsque x tend vers 0.

Le graphique de la fonction f représenté à la figure 2.34 montre bien que f n'admet pas de limite lorsque x tend vers 0. En effet, même si on choisit x très voisin de 0, la fonction $f(x)$ prend des valeurs voisines de 1 si x est positif et voisines de -1 si x est négatif. Par conséquent, il n'existe pas un nombre unique L duquel $f(x)$ s'approche lorsque x tend vers 0. Toutefois, si on ne considère que les valeurs de x supérieures à 0 (c'est-à-dire à droite de 0), alors on peut rendre les valeurs de $f(x)$ arbitrairement proches de 1 en prenant x suffisamment proche de 0. On dit alors que la limite à droite de $f(x)$ quand x tend vers 0 (ou encore la limite de $f(x)$ quand x tend vers 0 par la droite) est 1, et on écrit

$$\lim_{x \to 0^+} f(x) = 1$$

De même, on peut rendre $f(x)$ arbitrairement proche de -1 en prenant x suffisamment proche de 0, mais toujours à gauche de 0. On dit alors que la limite à gauche de $f(x)$ quand x tend vers 0 (ou encore la limite de $f(x)$ quand x tend vers 0 par la gauche) est -1, et on écrit

$$\lim_{x \to 0^-} f(x) = -1$$

Ces limites sont dites **unilatérales**. Les définitions qui suivent offrent une généralisation de la situation que nous venons de voir.

> **Limites unilatérales**
>
> Nous écrivons
>
> $$\lim_{x \to a^+} f(x) = L$$
>
> et nous disons que la **limite à droite** de la fonction $f(x)$ quand x tend vers a (ou encore la **limite** de la fonction $f(x)$ quand x tend vers a **par la droite**) est L, si nous pouvons rendre les valeurs de $f(x)$ arbitrairement proches de L en prenant x suffisamment proche de a et strictement supérieur à a.
>
> De même, nous écrivons
>
> $$\lim_{x \to a^-} f(x) = M$$
>
> et nous disons que la **limite à gauche** de la fonction $f(x)$ quand x tend vers a (ou encore la **limite** de la fonction $f(x)$ quand x tend vers a **par la gauche**) est L, si nous pouvons rendre les valeurs de $f(x)$ arbitrairement proches de L en prenant x suffisamment proche de a et strictement inférieur à a.

Le lien entre les limites unilatérales et la définition de limite — bilatérale — que nous avons formulée précédemment est établi par le théorème qui suit.

> ### THÉORÈME 3
>
> Soit f une fonction définie pour tout x voisin de a (sauf possiblement au point a lui-même). Alors
>
> $$\lim_{x \to a} f(x) = L \qquad \text{si et seulement si} \qquad \lim_{x \to a^+} f(x) = \lim_{x \to a^-} f(x) = L$$

Ainsi, la limite (bilatérale) d'une fonction n'existe que si les limites unilatérales existent et sont égales.

EXEMPLE 1   Soit

$$f(x) = \begin{cases} \sqrt{x} & \text{si } x > 0 \\ -x & \text{si } x \leq 0 \end{cases} \qquad \text{et} \qquad g(x) = \begin{cases} -1 & \text{si } x < 0 \\ 1 & \text{si } x \geq 0 \end{cases}$$

a. Trouvez la limite à gauche et la limite à droite de f lorsque x tend vers 0 et utilisez les résultats obtenus pour justifier que $\lim_{x \to 0} f(x)$ existe.

b. Trouvez la limite à gauche et la limite à droite de g lorsque x tend vers 0 et utilisez les résultats obtenus pour justifier que $\lim_{x \to 0} g(x)$ n'existe pas.

Solution

a. Pour $x > 0$, on obtient

$$\lim_{x \to 0^+} f(x) = \lim_{x \to 0^+} \sqrt{x} = 0$$

alors que pour $x \leq 0$,

$$\lim_{x \to 0^-} f(x) = \lim_{x \to 0^-} (-x) = 0$$

Il s'ensuit que

$$\lim_{x \to 0} f(x) = 0$$

(figure 2.35a).

b. On a

$$\lim_{x \to 0^-} g(x) = -1 \qquad \text{et} \qquad \lim_{x \to 0^+} g(x) = 1$$

Comme la limite à gauche est différente de la limite à droite, il s'ensuit que $\lim_{x \to 0} g(x)$ n'existe pas (figure 2.35b).

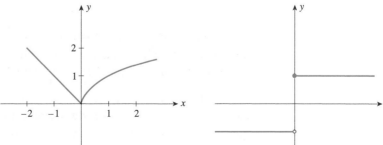

FIGURE 2.35   a) $\lim_{x \to 0} f(x)$ existe.   b) $\lim_{x \to 0} g(x)$ n'existe pas.

Fonctions continues

Les fonctions continues jouent un rôle important dans l'étude du calcul différentiel et intégral. En gros, une fonction est dite continue en un point si le graphique de la fonction en ce point ne présente ni trou, ni saut, ni interruption, autrement dit, si on peut traverser ce point sans lever le crayon. Considérons, par exemple, le graphique de la fonction *f* représenté à la figure 2.36.

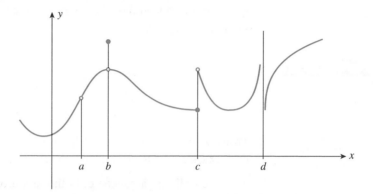

FIGURE 2.36
La fonction n'est pas continue en $x = a$, $x = b$, $x = c$ et $x = d$.

Examinons de plus près le comportement de la fonction en chacun des points *a*, *b*, *c* et *d*, de même que dans leur voisinage. Nous remarquons d'abord que la fonction n'est pas définie au point *a*, c'est-à-dire que $x = a$ ne fait pas partie du domaine de *f*, ce qui produit un «trou» dans le graphique de *f*. Ensuite, nous remarquons que la valeur de *f* au point *b*, ou $f(b)$, n'est pas égale à la limite de $f(x)$ quand *x* tend vers *b*, ce qui entraîne un «saut» à cet endroit du graphique. La fonction *f* n'admet pas de limite au point *c* puisque la limite à gauche et la limite à droite de $f(x)$ ne sont pas égales, ce qui occasionne encore une fois un saut à cet endroit. Finalement, la limite de *f* n'existe pas en $x = d$, ce qui provoque une interruption du graphique de *f*. La fonction *f* est *discontinue* en ces points. Elle est *continue* partout ailleurs.

> **Continuité en un point**
> Une fonction *f* est **continue au point** $x = a$ si chacune des trois conditions suivantes est satisfaite.
>
> **1.** $f(a)$ est définie.   **2.** $\lim\limits_{x \to a} f(x)$ existe.   **3.** $\lim\limits_{x \to a} f(x) = f(a)$

Ainsi, une fonction *f* est continue au point $x = a$ si la limite de *f* au point $x = a$ existe et si elle est égale à $f(a)$. D'un point de vue géométrique, *f* est continue au point $x = a$ si tout *x* proche de *a* a nécessairement une image $f(x)$ proche de $f(a)$.

Si *f* n'est pas continue en $x = a$, alors elle est **discontinue** en $x = a$. On dit alors que $x = a$ est un **point de discontinuité** de la fonction. Par ailleurs, on dit que *f* est **continue sur un intervalle** si elle est continue en chaque point de cet intervalle.

La figure 2.37 représente le graphique d'une fonction continue sur l'intervalle]a, b[. Remarquez que le graphique de la fonction peut être tracé sans qu'il soit nécessaire de lever le crayon.

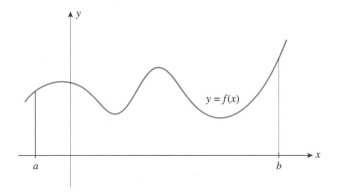

FIGURE 2.37
La fonction *f* est continue sur l'intervalle]a, b[.

EXEMPLE 2   Trouvez les valeurs de *x* pour lesquelles chaque fonction est continue.

a. $f(x) = x + 2$ **b.** $g(x) = \dfrac{x^2 - 4}{x - 2}$ **c.** $h(x) = \begin{cases} x + 2 & \text{si } x \neq 2 \\ 1 & \text{si } x = 2 \end{cases}$

d. $F(x) = \begin{cases} -1 & \text{si } x < 0 \\ 1 & \text{si } x \geq 0 \end{cases}$ **e.** $G(x) = \begin{cases} \dfrac{1}{x} & \text{si } x > 0 \\ -1 & \text{si } x \leq 0 \end{cases}$

Le graphique de chaque fonction est représenté à la figure 2.38.

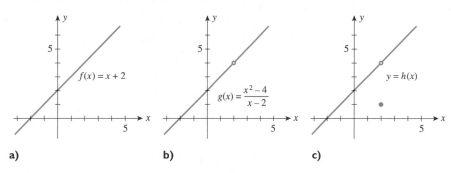

a)   b)   c)

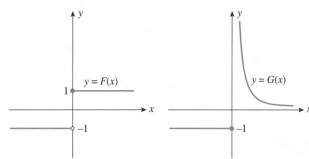

FIGURE 2.38   d)   e)

Solution

a. Les trois conditions de la définition de continuité sont satisfaites pour tout x; la fonction f est donc continue partout.

b. La fonction g n'est pas définie au point $x = 2$; elle est donc discontinue en ce point. Elle est continue partout ailleurs.

c. La fonction h est discontinue en $x = 2$ puisque la troisième condition de la définition de continuité n'est pas satisfaite: la limite de $h(x)$ quand x tend vers 2 existe et est égale à 4, alors que $h(2) = 1$. La fonction est continue partout ailleurs.

d. La limite de la fonction F quand x tend vers 0 n'existe pas (voir l'exemple 3 de la section 2.4). Par conséquent, F n'est pas continue en $x = 0$. Elle est continue partout ailleurs.

e. Comme la limite de $G(x)$ n'existe pas quand x tend vers 0, la fonction G n'est pas continue en ce point. Elle est continue partout ailleurs.

Propriétés des fonctions continues

Les propriétés suivantes, qui ne seront pas démontrées ici, découlent de la définition de continuité et des propriétés des limites.

Propriétés des fonctions continues

1. La fonction constante $f(x) = c$ est continue partout.

2. La fonction identité $f(x) = x$ est continue partout.

Si f et g sont des fonctions continues en $x = a$, alors

3. $[f(x)]^n$, où n est un nombre réel, est continue en $x = a$, pourvu qu'il soit défini en ce point.

4. $f \pm g$ est continue en $x = a$.

5. fg est continue en $x = a$.

6. f/g est continue en $x = a$, pourvu que $g(a) \neq 0$.

De ces propriétés des fonctions continues découlent les résultats suivants. (Une esquisse de la preuve de ces résultats est présentée à l'exercice 101, page 119.)

Continuité des fonctions polynomiales et des fonctions rationnelles

1. Une fonction polynomiale $y = P(x)$ est continue partout.

2. Une fonction rationnelle $R(x) = p(x)/q(x)$ est continue pour tout x tel que $q(x) \neq 0$.

EXEMPLE 3 Trouvez les valeurs de x pour lesquelles la fonction est continue.

a. $f(x) = 3x^3 + 2x^2 - x + 10$ **b.** $g(x) = \dfrac{8x^{10} - 4x + 1}{x^2 + 1}$

c. $h(x) = \dfrac{4x^3 - 3x^2 + 1}{x^2 - 3x + 2}$

Solution

a. La fonction f est une fonction polynomiale de degré 3, elle est donc continue partout.

b. La fonction g est une fonction rationnelle dont le dénominateur, $x^2 + 1$, ne s'annule jamais. Par conséquent, la fonction g est continue partout.

c. La fonction h est une fonction rationnelle. Or le dénominateur, $x^2 - 3x + 2$, se factorise en $(x - 2)(x - 1)$, de sorte qu'il s'annule en $x = 1$ et $x = 2$. Par conséquent, la fonction h est continue partout sauf en $x = 1$ et $x = 2$, où elle est discontinue.

APPLICATION

Les applications auxquelles nous nous sommes intéressés jusqu'à présent faisaient appel à des fonctions continues partout. Voici une application tirée du domaine de la psychologie de l'apprentissage et dans laquelle nous retrouvons une fonction discontinue.

EXEMPLE 4

Courbes d'apprentissage La figure 2.39 représente la courbe d'apprentissage d'une étudiante. Au début, l'étudiante ne possède aucune connaissance du sujet à l'étude et progresse de façon régulière pendant l'intervalle $0 \le t < t_1$. En se rapprochant de l'instant t_1, elle éprouve des difficultés à saisir un concept particulièrement difficile, ce qui ralentit son cheminement. Elle parvient à comprendre le concept à l'instant t_1, de sorte que sa connaissance du sujet fait un bond vers un niveau plus élevé. La courbe est discontinue en t_1.

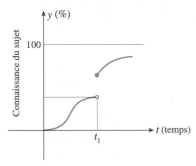

FIGURE 2.39
Une courbe d'apprentissage discontinue en $t = t_1$

Théorème des valeurs intermédiaires

Considérons de nouveau le mouvement du Maglev se déplaçant en ligne droite le long d'un rail. Nous savons, bien entendu, que le train ne peut disparaître à un endroit et réapparaître quelques instants plus tard à un autre endroit. Autrement dit, le train ne peut occuper les positions s_1 et s_2 sans occuper, à un moment donné, une position intermédiaire (figure 2.40).

FIGURE 2.40
Position du Maglev

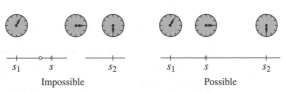

s_1 s s_2 Impossible s_1 s s_2 Possible

Pour formuler cette réalité mathématiquement, il faut d'abord rappeler que la position du Maglev en fonction du temps est modélisée par

$$f(t) = 1{,}2t^2 \qquad (\text{pour } 0 \le t \le 10)$$

Supposons que le Maglev soit à la position s_1 à un instant donné t_1 et à la position s_2 à l'instant t_2 (figure 2.41). Alors si s_3 est un nombre situé entre s_1 et s_2 représentant une position intermédiaire du Maglev, il doit y avoir au moins un instant t_3, entre t_1 et t_2, correspondant à l'instant où le train occupe la position s_3, c'est-à-dire pour lequel $f(t_3) = s_3$.

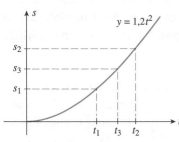

FIGURE 2.41
Si $s_1 \le s_3 \le s_2$, alors il doit y avoir au moins une valeur de t_3 telle que $t_1 \le t_3 \le t_2$ et $f(t_3) = s_3$.

C'est sur un raisonnement de ce genre que repose le théorème des valeurs inter-médiaires. La preuve du théorème figure dans des livres d'analyse plus avancés.

THÉORÈME 4

Théorème des valeurs intermédiaires

Soit f une fonction continue sur un intervalle fermé $[a, b]$ et soit M un nombre quelconque situé entre $f(a)$ et $f(b)$. Alors il existe au moins un nombre c dans $[a, b]$ tel que $f(c) = M$ (figure 2.42).

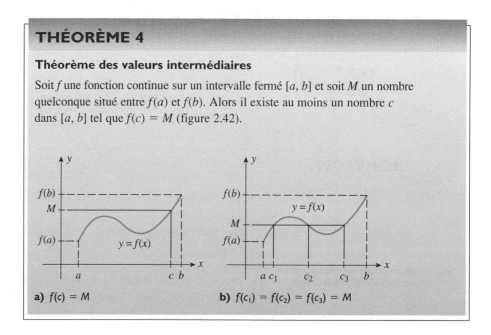

a) $f(c) = M$

b) $f(c_1) = f(c_2) = f(c_3) = M$

FIGURE 2.42

Une illustration du théorème des valeurs intermédiaires nous est fournie encore une fois par l'exemple du Maglev (voir la figure 2.24, page 84). On remarque que la position initiale du train est $f(0) = 0$ et que sa position à la fin du test est $f(10) = 120$. De plus, la fonction f est continue sur l'intervalle $[0, 10]$. En vertu du théorème des valeurs intermédiaires, nous avons l'assurance que si nous choisissons un nombre arbitraire situé entre 0 et 120 — 30, par exemple — indiquant la position du Maglev, il existe obligatoirement un instant $\bar{t}$ (lire : « t barre ») entre 0 et 10 où le train est à la position $s = 30$. Pour trouver la valeur de $\bar{t}$, il suffit de résoudre l'équation $f(\bar{t}) = s$, c'est-à-dire

$$1,2\bar{t}^2 = 30$$

d'où $\bar{t} = 5$ ($\bar{t}$ doit être situé entre 0 et 10).

 Il ne faut pas oublier que le théorème 4 ne peut s'appliquer que si la fonction f est continue. Si f n'est pas continue, il est possible que la conclusion du théorème des valeurs intermédiaires ne soit pas vérifiée (voir l'exercice 102, page 119).

Le théorème qui suit découle directement du théorème des valeurs inter-médiaires. Non seulement nous informe-t-il de l'existence d'un zéro d'une fonction f [c'est-à-dire d'une racine de l'équation $f(x) = 0$], mais il nous fournit aussi les bases pour le localiser.

THÉORÈME 5

Existence des zéros d'une fonction continue

Si f est une fonction continue sur l'intervalle fermé $[a, b]$ et si $f(a)$ et $f(b)$ sont de signes opposés, alors la fonction $f(x)$ s'annule au moins une fois dans l'intervalle ouvert $]a, b[$ (figure 2.43).

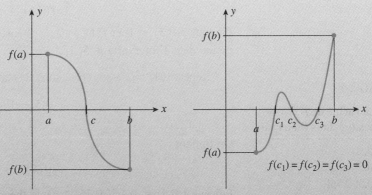

FIGURE 2.43
Si $f(a)$ et $f(b)$ sont de signes opposés, alors il existe au moins un nombre c (avec $a < c < b$) tel que $f(c) = 0$.

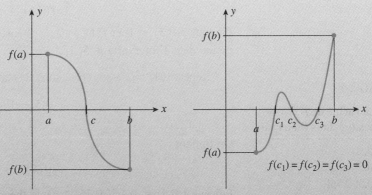

FIGURE 2.44
On a $f(a) < 0$ et $f(b) > 0$, mais le graphique de f ne traverse pas l'axe des x entre a et b parce que f est discontinue.

D'un point de vue géométrique, le théorème affirme que si le graphique d'une fonction continue passe d'un point au-dessus de l'axe des x à un point au-dessous, ou inversement, il doit obligatoirement *traverser* l'axe des x. Bien entendu, ce n'est pas nécessairement vrai lorsque la fonction est discontinue (figure 2.44).

EXEMPLE 5

Soit $f(x) = x^3 + x + 1$.

a. Montrez que f est continue pour tout x.
b. Calculez $f(-1)$ et $f(1)$ et servez-vous des réponses obtenues pour justifier l'existence d'au moins un point c tel que c est dans l'intervalle $]-1, 1[$ et $f(c) = 0$.

Solution

a. La fonction f est une fonction polynomiale de degré 3, elle est donc continue partout.
b. $f(-1) = (-1)^3 + (-1) + 1 = -1$
$f(1) = 1^3 + 1 + 1 = 3$

Comme $f(-1)$ et $f(1)$ sont de signes opposés, le théorème 5 nous assure de l'existence d'au moins un point $x = c$, où $-1 < c < 1$, tel que $f(c) = 0$.

L'exemple qui suit illustre comment on peut utiliser le théorème des valeurs intermédiaires pour trouver le zéro d'une fonction. La démarche utilisée s'appelle la **méthode de bissection**.

EXEMPLE 6 Soit $f(x) = x^3 + x - 1$. Puisque f est une fonction polynomiale, elle est continue partout. De plus, $f(0) = -1$ et $f(1) = 1$, de sorte que le théorème 5 nous assure de l'existence d'au moins une racine de l'équation $f(x) = 0$ dans l'intervalle $]0, 1[.$*

Nous pouvons localiser la racine avec plus de précision en utilisant de nouveau le théorème 5, comme suit : Évaluons $f(x)$ au point milieu de l'intervalle $[0, 1]$, ce qui donne

$$f(0,5) = -0,375$$

Puisque $f(0,5) < 0$ et $f(1) > 0$, le théorème 5 nous assure de l'existence d'une racine dans l'intervalle $]0,5; 1[$.

Répétons le processus : Évaluons $f(x)$ au point milieu de l'intervalle $[0,5; 1]$, soit

$$\frac{0,5 + 1}{2} = 0,75$$

On obtient

$$f(0,75) = 0,1719$$

Puisque $f(0,5) < 0$ et $f(0,75) > 0$, le théorème 5 nous assure de l'existence d'une racine dans l'intervalle $]0,5; 0,75[$. Nous pouvons poursuivre cette démarche autant de fois que nous le voulons. Le tableau 2.3 rassemble les résultats obtenus en neuf étapes.

L'examen du tableau 2.3 nous montre que la racine est approximativement 0,68, avec une précision de deux décimales. En poursuivant la démarche pendant un nombre suffisant d'étapes, nous pouvons obtenir le degré de précision désiré.

TABLEAU 2.3

Étape	La racine de $f(x) = 0$ se situe dans l'intervalle
1	$]0, 1[$
2	$]0,5; 1[$
3	$]0,5; 0,75[$
4	$]0,625; 0,75[$
5	$]0,625; 0,6875[$
6	$]0,65625; 0,6875[$
7	$]0,671875; 0,6875[$
8	$]0,6796875; 0,6875[$
9	$]0,6796875; 0,6835937[$

EXERCICES D'AUTOÉVALUATION **2.5**

1. Calculez $\lim\limits_{x \to -1^-} f(x)$ et $\lim\limits_{x \to -1^+} f(x)$, où

$$f(x) = \begin{cases} 1 & \text{si } x < -1 \\ 1 + \sqrt{x + 1} & \text{si } x \geq -1 \end{cases}$$

Est-ce que $\lim\limits_{x \to -1} f(x)$ existe ?

2. Trouvez les valeurs de x pour lesquelles la fonction est discontinue. En chaque point de discontinuité, indiquez quelle condition n'est pas satisfaite (il peut y en avoir plus d'une). Tracez le graphique de la fonction.

a. $f(x) = \begin{cases} -x^2 + 1 & \text{si } x \leq 1 \\ x - 1 & \text{si } x > 1 \end{cases}$

b. $g(x) = \begin{cases} -x + 1 & \text{si } x < -1 \\ 2 & \text{si } -1 < x \leq 1 \\ -x + 3 & \text{si } x > 1 \end{cases}$

Les solutions des exercices d'autoévaluation 2.5 se trouvent à la page 119.

---

* Il est possible de démontrer que la fonction f admet exactement un zéro dans l'intervalle $]0, 1[$ (voir l'exercice 100, p. 244).

▣ **2.5 EXERCICES**

1–8 À l'aide du graphique de la fonction f, trouvez, si elles existent, les valeurs de $\lim\limits_{x \to a^-} f(x)$, $\lim\limits_{x \to a^+} f(x)$ et $\lim\limits_{x \to a} f(x)$, au point a indiqué.

1.
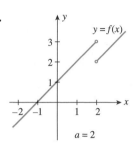
$a = 2$

2.
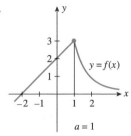
$a = 3$

3.
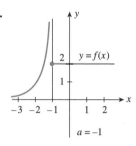
$a = -1$

4.
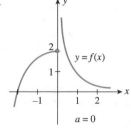
$a = 1$

5.
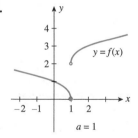
$a = 1$

6.
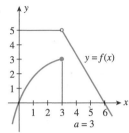
$a = 0$

7.
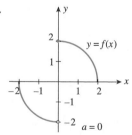
$a = 0$

8.
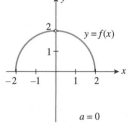
$a = 0$

9–14 Examinez le graphique de la fonction f et dites si l'énoncé est vrai ou faux.

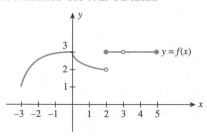

9. $\lim\limits_{x \to -3^+} f(x) = 1$

10. $\lim\limits_{x \to 0} f(x) = f(0)$

11. $\lim\limits_{x \to 2^-} f(x) = 2$

12. $\lim\limits_{x \to 2^+} f(x) = 3$

13. $\lim\limits_{x \to 3} f(x)$ n'existe pas.

14. $\lim\limits_{x \to 5^-} f(x) = 3$

15–20 Examinez le graphique de la fonction f et dites si l'énoncé est vrai ou faux.

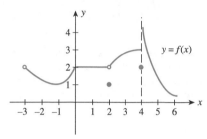

15. $\lim\limits_{x \to -3^+} f(x) = 2$

16. $\lim\limits_{x \to 0} f(x) = 2$

17. $\lim\limits_{x \to 2} f(x) = 1$

18. $\lim\limits_{x \to 4^-} f(x) = 3$

19. $\lim\limits_{x \to 4^+} f(x)$ n'existe pas.

20. $\lim\limits_{x \to 4} f(x) = 2$

21–42 Trouvez la limite unilatérale demandée, si elle existe.

21. $\lim\limits_{x \to 1^+} (2x + 4)$

22. $\lim\limits_{x \to 1^-} (3x - 4)$

23. $\lim\limits_{x \to 2^-} \dfrac{x - 3}{x + 2}$

24. $\lim\limits_{x \to 1^+} \dfrac{x + 2}{x + 1}$

25. $\lim\limits_{x \to 0^+} \dfrac{1}{x}$

26. $\lim\limits_{x \to 0^-} \dfrac{1}{x}$

27. $\lim\limits_{x \to 0^+} \dfrac{x - 1}{x^2 + 1}$

28. $\lim\limits_{x \to 2^+} \dfrac{x + 1}{x^2 - 2x + 3}$

29. $\lim\limits_{x \to 0^+} \sqrt{x}$

30. $\lim\limits_{x \to 2^+} 2\sqrt{x - 2}$

31. $\lim\limits_{x \to -2^+} (2x + \sqrt{2 + x})$

32. $\lim\limits_{x \to -5^+} x(1 + \sqrt{5 + x})$

33. $\lim\limits_{x \to 1^-} \dfrac{1 + x}{1 - x}$

34. $\lim\limits_{x \to 1^+} \dfrac{1 + x}{1 - x}$

35. $\lim\limits_{x \to 2^-} \dfrac{x^2 - 4}{x - 2}$

36. $\lim\limits_{x \to -3^+} \dfrac{\sqrt{x + 3}}{x^2 + 1}$

37. $\lim\limits_{x \to 3^+} \dfrac{x^2 - 9}{x + 3}$

38. $\lim\limits_{x \to -2^-} \dfrac{\sqrt[3]{x + 10}}{2x^2 + 1}$

39. $\lim\limits_{x \to 0^+} f(x)$ et $\lim\limits_{x \to 0^-} f(x)$, où

$$f(x) = \begin{cases} 2x & \text{si } x < 0 \\ x^2 & \text{si } x \geq 0 \end{cases}$$

40. $\lim_{x \to 0^+} f(x)$ et $\lim_{x \to 0^-} f(x)$, où

$$f(x) = \begin{cases} -x + 1 & \text{si } x \le 0 \\ 2x + 3 & \text{si } x > 0 \end{cases}$$

41. $\lim_{x \to 1^+} f(x)$ et $\lim_{x \to 1^-} f(x)$, où

$$f(x) = \begin{cases} \sqrt{x + 3} & \text{si } x \ge 1 \\ 2 + \sqrt{x} & \text{si } x < 1 \end{cases}$$

42. $\lim_{x \to 1^+} f(x)$ et $\lim_{x \to 1^-} f(x)$, où

$$f(x) = \begin{cases} x + 2\sqrt{x - 1} & \text{si } x \ge 1 \\ 1 - \sqrt{1 - x} & \text{si } x < 1 \end{cases}$$

43–50 Trouvez, le cas échéant, les valeurs de x pour lesquelles la fonction est discontinue. En chaque point de discontinuité, indiquez quelle condition n'est pas satisfaite (il peut y en avoir plus d'une).

43.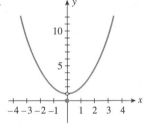
$$f(x) = \begin{cases} 2x - 4 & \text{si } x \le 0 \\ 1 & \text{si } x > 0 \end{cases}$$

44.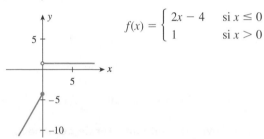
$$f(x) = \begin{cases} x^2 + 1 & \text{si } x \ne 0 \\ 0 & \text{si } x = 0 \end{cases}$$

45.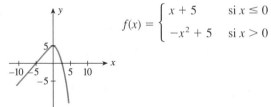
$$f(x) = \begin{cases} x + 5 & \text{si } x \le 0 \\ -x^2 + 5 & \text{si } x > 0 \end{cases}$$

46.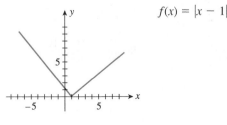
$$f(x) = |x - 1|$$

47.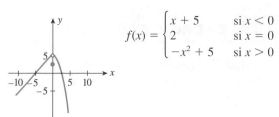
$$f(x) = \begin{cases} x + 5 & \text{si } x < 0 \\ 2 & \text{si } x = 0 \\ -x^2 + 5 & \text{si } x > 0 \end{cases}$$

48.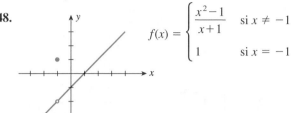
$$f(x) = \begin{cases} \dfrac{x^2 - 1}{x + 1} & \text{si } x \ne -1 \\ 1 & \text{si } x = -1 \end{cases}$$

49.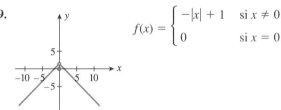
$$f(x) = \begin{cases} -|x| + 1 & \text{si } x \ne 0 \\ 0 & \text{si } x = 0 \end{cases}$$

50.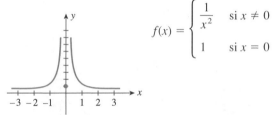
$$f(x) = \begin{cases} \dfrac{1}{x^2} & \text{si } x \ne 0 \\ 1 & \text{si } x = 0 \end{cases}$$

51–66 Trouvez les valeurs de x pour lesquelles la fonction est continue.

51. $f(x) = 2x^2 + x - 1$

52. $f(x) = x^3 - 2x^2 + x - 1$

53. $f(x) = \dfrac{2}{x^2 + 1}$ **54.** $f(x) = \dfrac{x}{2x^2 + 1}$

55. $f(x) = \dfrac{2}{2x - 1}$ **56.** $f(x) = \dfrac{x + 1}{x - 1}$

57. $f(x) = \dfrac{2x + 1}{x^2 + x - 2}$ **58.** $f(x) = \dfrac{x - 1}{x^2 + 2x - 3}$

59. $f(x) = \begin{cases} x & \text{si } x \le 1 \\ 2x - 1 & \text{si } x > 1 \end{cases}$

60. $f(x) = \begin{cases} -x + 1 & \text{si } x \le -1 \\ x + 1 & \text{si } x > -1 \end{cases}$

61. $f(x) = \begin{cases} -2x + 1 & \text{si } x < 0 \\ x^2 + 1 & \text{si } x \ge 0 \end{cases}$

62. $f(x) = \begin{cases} x + 1 & \text{si } x \le 1 \\ -x^2 + 1 & \text{si } x > 1 \end{cases}$

63. $f(x) = \begin{cases} \dfrac{x^2 - 1}{x - 1} & \text{si } x \ne 1 \\ 2 & \text{si } x = 1 \end{cases}$

64. $f(x) = \begin{cases} \dfrac{x^2 - 4}{x + 2} & \text{si } x \ne -2 \\ 1 & \text{si } x = -2 \end{cases}$

65. $f(x) = |x + 1|$ **66.** $f(x) = \dfrac{|x - 1|}{x - 1}$

67–70 Trouvez les valeurs de *x* pour lesquelles la fonction est discontinue.

67. $f(x) = \dfrac{2x}{x^2 - 1}$ **68.** $f(x) = \dfrac{1}{(x - 1)(x - 2)}$

69. $f(x) = \dfrac{x^2 - 2x}{x^2 - 3x + 2}$ **70.** $f(x) = \dfrac{x^2 - 3x + 2}{x^2 - 2x}$

71. Tarifs postaux En janvier 2004, l'affranchissement des lettres ordinaires était représenté par le modèle suivant :

$$f(x) = \begin{cases} 49 & \text{si } 0 < x \le 30 \\ 80 & \text{si } 30 < x \le 50 \\ 98 & \text{si } 50 < x \le 100 \\ 160 & \text{si } 100 < x \le 200 \\ 240 & \text{si } 200 < x \le 500 \end{cases}$$

où *x* désigne le poids en grammes et *f*(*x*), l'affranchissement en cents. Le graphique de la fonction est représenté ci-dessous. Dites quelles sont les valeurs de *x* pour lesquelles *f* est discontinue.

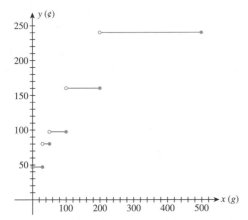

72. Gestion des stocks Dans le cadre d'une politique de gestion optimale des stocks, le directeur d'un magasin d'articles de bureau commande 500 rames de papier pour photocopieurs tous les 20 jours. Le graphique ci-après

représente la quantité de papier pour photocopieurs en stock au cours des 60 premiers jours ouvrables de l'année. Trouvez les points de discontinuité de la fonction représentée et donnez une interprétation du graphique dans le contexte.

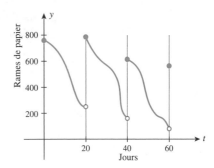

73. Courbes d'apprentissage Le graphique ci-dessous représente la façon avec laquelle Laurent est parvenu à trouver la solution d'un problème pendant un test de mathématiques. Sur le graphique, *x* est mesuré en minutes et *y* représente le pourcentage du problème complété. Donnez votre interprétation du graphique.

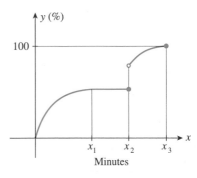

74. Consommation d'énergie Le graphique ci-après représente la quantité de mazout présente dans un réservoir de 1000 litres au cours d'une période de 120 jours ($t = 0$ coïncide avec le 1er octobre). Expliquez les point de discontinuité de la fonction en $t = 40, 70, 95$ et 110.

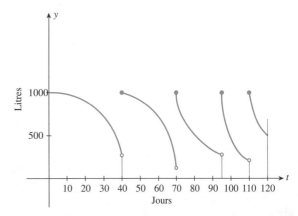

(suite à la page 118)

■ Recherche des points de discontinuité d'une fonction

L'observation du graphique d'une fonction f permet très souvent de localiser ses points de discontinuité. Examinons, par exemple, la figure T1, qui reproduit le graphique de la fonction $f(x) = x/(x^2 - 1)$ obtenu à la calculatrice graphique. On identifie sans peine les discontinuités de f en $x = -1$ et $x = 1$, d'autant plus que ces deux points ne font pas partie du domaine de f.

FIGURE T1

a) Graphique de la fonction

$f(x) = \dfrac{x}{x^2 - 1}$ dans la fenêtre

$[-4, 4] \times [-10, 10]$;

b) Écran d'édition de la TI-83

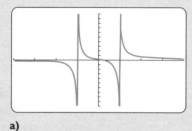

a)

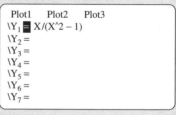

b)

Considérons maintenant la fonction

$$g(x) = \frac{2x^3 + x^2 - 7x - 6}{x^2 - x - 2}$$

À l'aide d'une calculatrice graphique, nous obtenons le graphique de g représenté à la figure T2a.

FIGURE T2

a) Graphique de la fonction

$g(x) = \dfrac{2x^3 + x^2 - 7x - 6}{x^2 - x - 2}$ dans

la fenêtre d'affichage standard;

b) Écran d'édition de la TI-83

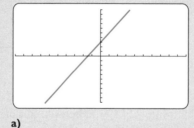

a)

b)

L'examen du graphique ne permet d'identifier aucun point de discontinuité. Toutefois, si on factorise le numérateur et le dénominateur de la fonction rationnelle, on obtient

$$g(x) = \frac{(x + 1)(x - 2)(2x + 3)}{(x + 1)(x - 2)}$$

$$= 2x + 3$$

pour $x \neq -1$ et $x \neq 2$, de sorte que le graphique de la fonction ressemble plutôt à celui de la figure T3 ci-contre.

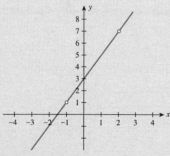

FIGURE T3

Le graphique de g admet des trous aux points $(-1, 1)$ et $(2, 7)$.

L'exemple ci-dessus illustre bien les limites du recours à la calculatrice graphique et l'importance de l'étude analytique des fonctions.

Graphique des fonctions définies par morceaux

L'exemple suivant illustre comment on obtient le graphique d'une fonction définie par morceaux à l'aide d'une calculatrice graphique.

EXEMPLE 1   Tracez le graphique de

$$f(x) = \begin{cases} x + 1 & \text{si } x \leq 1 \\ \dfrac{2}{x} & \text{si } x > 1 \end{cases}$$

Solution

Il suffit d'entrer la fonction ainsi :

$$y1 = (x + 1)(x \leq 1) + (2/x)(x > 1)$$

Le graphique de la fonction dans la fenêtre $[-5, 5] \times [-2, 4]$ est représenté à la figure T4.

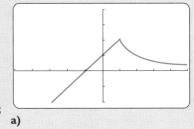   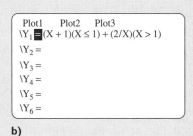

FIGURE T4
a) Graphique de la fonction f dans la fenêtre $[-5, 5] \times [-2, 4]$;
b) Écran d'édition de la TI-83   **a)**   **b)**

■ EXERCICES AVEC LA CALCULATRICE GRAPHIQUE

1–4 Tracez le graphique de la fonction f et examinez-le pour repérer les points de discontinuité de la fonction. Utilisez ensuite des moyens analytiques pour vérifier vos observations et obtenir tous les points de discontinuité.

1. $f(x) = \dfrac{2}{x^2 - x}$

2. $f(x) = \dfrac{\sqrt{x}}{x^2 - x - 2}$

3. $f(x) = \dfrac{6x^3 + x^2 - 2x}{2x^2 - x}$

4. $f(x) = \dfrac{2x^4 - 3x^3 - 2x^2}{2x^2 - 3x - 2}$

5–6 Tracez le graphique de la fonction f dans la fenêtre indiquée.

5. $f(x) = \begin{cases} -1 & \text{si } x \leq 1 \\ x + 1 & \text{si } x > 1 \end{cases}$; $[-5, 5] \times [-2, 8]$

6. $f(x) = \begin{cases} \dfrac{1}{3}x^2 - 2x & \text{si } x \leq 3 \\ -x + 6 & \text{si } x > 3 \end{cases}$; $[0, 7] \times [-5, 5]$

7. **TRAJECTOIRE D'UN AVION**   La fonction

$$f(x) = \begin{cases} 0 & \text{si } 0 \leq x < 0,5 \\ -x^3 + 6,5x^2 \\ \quad -7,75x + 2,375 & \text{si } 0,5 \leq x < 3,5 \\ 12 & \text{si } 3,5 \leq x \leq 30 \end{cases}$$

où x et $f(x)$ sont mesurés en km, décrit la trajectoire d'un avion qui amorce son décollage à l'origine et monte à une altitude de 12 000 m. Tracez le graphique de f pour visualiser la trajectoire de l'avion.

75. FRAIS DE STATIONNEMENT Les frais de stationnement dans le stationnement de courte durée de l'aéroport Pierre-Elliot-Trudeau sont de 5 $ pour la première demi-heure et de 5 $ par demi-heure additionnelle, avec un maximum de 15 $. Construisez une fonction f établissant le lien de correspondance entre les frais de stationnement et la durée du stationnement. Tracez le graphique de f et trouvez les valeurs de x pour lesquelles la fonction f est discontinue.

76. TAUX D'INTÉRÊT PRÉFÉRENTIEL La fonction P tracée ci-après représente le taux d'intérêt préférentiel (c'est-à-dire le taux d'intérêt dont les banques font bénéficier leurs meilleurs clients) en fonction du temps au cours des 32 premières semaines de 1989. Trouvez les points de discontinuité de P et interprétez vos résultats.

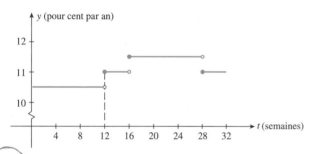

77. Soit
$$f(x) = \begin{cases} x + 2 & \text{si } x \le 1 \\ kx^2 & \text{si } x > 1 \end{cases}$$

Trouvez la valeur de k telle que f soit continue sur l'intervalle $]-\infty, \infty[$.

78. Soit
$$f(x) = \begin{cases} \dfrac{x^2 - 4}{x + 2} & \text{si } x \ne -2 \\ k & \text{si } x = -2 \end{cases}$$

Pour quelle valeur de k la fonction f est-elle continue sur l'intervalle $]-\infty, \infty[$?

79. a. Supposons que la fonction f est continue au point a et que la fonction g est discontinue au point a. La somme $f + g$ est-elle discontinue au point a ? Expliquez votre réponse.

b. Supposons que les fonctions f et g sont discontinues au point a. La somme $f + g$ est-elle nécessairement discontinue au point a ? Expliquez votre réponse.

80. a. Supposons que la fonction f est continue au point a et que la fonction g est discontinue au point a. Le produit fg est-il nécessairement discontinu au point a ? Expliquez votre réponse.

b. Supposons que les fonctions f et g sont discontinues au point a. Le produit fg est-il nécessairement discontinu au point a ? Expliquez votre réponse.

81–82 a) Montrez que la fonction f est continue pour tout x dans l'intervalle $[a, b]$ et b) prouvez que f s'annule au moins une fois dans l'intervalle $]a, b[$ en montrant que $f(a)$ et $f(b)$ sont de signes opposés.

81. $f(x) = 2x^3 - 3x^2 - 36x + 14$; $a = 0$, $b = 1$

82. $f(x) = 2x^{5/3} - 5x^{4/3}$; $a = 14$, $b = 16$

83–84 a) À l'aide du théorème des valeurs intermédiaires, justifiez l'existence d'une valeur c telle que $f(c) = M$. b) Trouvez c.

83. $f(x) = x^2 - 4x + 6$ sur l'intervalle $[0, 3]$; $M = 2$

84. $f(x) = x^2 - x + 1$ sur l'intervalle $[-1, 4]$; $M = 7$

85. Utilisez la méthode de bissection (voir l'exemple 6, p. 112) pour trouver une racine de l'équation $x^5 + 2x - 7 = 0$ avec une précision de deux décimales.

86. Utilisez la méthode de bissection (voir l'exemple 6, p. 112) pour trouver une racine de l'équation $x^3 - x + 1 = 0$ avec une précision de deux décimales.

87. CHUTE LIBRE Josée regarde par la fenêtre de sa cuisine un écureuil qui se promène sur un fil de téléphone, à une hauteur de 10 m du sol. Pendant ce temps son fils, qui joue dans la cour juste sous la fenêtre, lance une balle de tennis vers le haut. Supposons que la hauteur de la balle (mesurée en mètres à partir du sol) à l'instant t est $h(t) = 1 + 20t - 4,9t^2$.

a. Montrez que $h(0) = 1$ et $h(2) = 21,4$.

b. Basez-vous sur le théorème des valeurs intermédiaires pour déduire que la balle va entrer dans le champ de vision de Josée au moins une fois.

c. À quel(s) moment(s) la balle va-t-elle entrer dans le champ de vision de Josée ? Interprétez votre réponse.

88. TENEUR EN OXYGÈNE D'UN ÉTANG La teneur en oxygène d'un étang t jours après le déversement de déchets organiques est
$$f(t) = 100 \left(\frac{t^2 + 10t + 100}{t^2 + 20t + 100} \right)$$
pour cent de son niveau habituel.

a. Montrez que $f(0) = 100$ et $f(10) = 75$.

b. Basez-vous sur le théorème des valeurs intermédiaires pour déduire qu'à un moment donné, la teneur en oxygène de l'étang atteint 80 % de son niveau habituel.

c. À quel(s) moment(s) la teneur en oxygène de l'étang atteint-elle 80 % de son niveau habituel ?

Suggestion : Utilisez la formule quadratique.

89–97 Dites si l'énoncé est vrai ou faux. S'il est vrai, dites pourquoi. S'il est faux, trouvez un contre-exemple.

89. Si $f(2) = 4$, alors $\lim\limits_{x \to 2} f(x) = 4$.

90. Si $\lim\limits_{x \to 0} f(x) = 3$, alors $f(0) = 3$.

91. Soit une fonction f définie sur l'intervalle $[a, b]$. Si $f(a)$ et $f(b)$ sont de même signe, alors f ne peut s'annuler dans l'intervalle $[a, b]$.

92. Si $\lim_{x \to a} f(x) = L$, alors $\lim_{x \to a^+} f(x) - \lim_{x \to a^-} f(x) \neq 0$.

93. Si $\lim_{x \to a^-} f(x) = L$ et $\lim_{x \to a^+} f(x) = L$, alors $f(a) = L$.

94. Si $\lim_{x \to a} f(x) = L$ et $g(a) = M$, alors $\lim_{x \to a} f(x)g(x) = LM$.

95. Si f est continue pour tout $x \neq 0$ et si $f(0) = 0$, alors $\lim_{x \to 0} f(x) = 0$.

96. Si f est continue au point $x = 5$ et si $f(5) = 2$, alors $\lim_{x \to 5^-} f(x) = 2$.

97. Si f est continue sur l'intervalle $[-2, 3]$, si $f(-2) = 3$ et si $f(3) = 1$, alors il existe au moins un nombre c dans l'intervalle $[-2, 3]$ tel que $f(c) = 2$.

98. Soit f une fonction continue sur l'intervalle $[a, b]$ et telle que $f(a) < f(b)$. Si M est un nombre situé à l'extérieur de l'intervalle $[f(a), f(b)]$ et qu'il n'existe pas de nombre c dans l'intervalle $[a, b]$ tel que $f(c) = M$, a-t-on une contradiction du théorème des valeurs intermédiaires?

99. Soit la fonction $f(x) = x - \sqrt{1 - x^2}$.

    a. Montrez que f est continue pour tout x dans l'intervalle $[-1, 1]$.

    b. Montrez que f s'annule au moins une fois dans l'intervalle $[-1, 1]$.

    c. Trouvez les zéros de f dans l'intervalle $[-1, 1]$ en résolvant l'équation $f(x) = 0$.

100. Soit la fonction $f(x) = \dfrac{x^2}{x^2 + 1}$.

    a. Montrez que f est continue pour tout x.

    b. Montrez que $f(x)$ est positif ou nul pour tout x.

    c. Montrez que f admet un zéro en $x = 0$. Est-ce que cela vient en contradiction avec le théorème 5?

101. **a.** Démontrez qu'une fonction polynomiale $y = P(x)$ est continue pour tout x. Suivez les étapes suivantes:

    1) À l'aide des propriétés 2 et 3 des fonctions continues, montrez que la fonction $g(x) = x^n$, où n est un entier positif, est continue partout.

    2) À l'aide des propriétés 1 et 5, montrez que $f(x) = cx^n$, où c est une constante et n est un entier positif, est continue partout.

    3) Terminez la preuve à l'aide de la propriété 4.

    b. Démontrez qu'une fonction rationnelle

$$R(x) = p(x)/q(x)$$

est continue pour tout x tel que $q(x) \neq 0$.

    Suggestion: Utilisez le résultat prouvé en **a** et la propriété 6.

102. Trouvez un exemple montrant que si une fonction f est discontinue sur un intervalle $[a, b]$, alors la conclusion du théorème des valeurs intermédiaires n'est pas forcément satisfaite.

▣ SOLUTIONS DES EXERCICES D'AUTOÉVALUATION 2.5

1. Pour $x < -1$, $f(x) = 1$, de sorte que

$$\lim_{x \to -1^-} f(x) = \lim_{x \to -1^-} 1 = 1$$

Pour $x \geq -1$, $f(x) = 1 + \sqrt{x + 1}$ et

$$\lim_{x \to -1^+} f(x) = \lim_{x \to -1^+} (1 + \sqrt{x + 1}) = 1$$

Comme la limite à gauche et la limite à droite de f lorsque x tend vers -1 existent et sont toutes deux égales à 1,

$$\lim_{x \to -1} f(x) = 1$$

2. a. Voici le graphique de la fonction f:

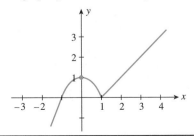

La fonction f est continue partout.

    b. Voici le graphique de la fonction g:

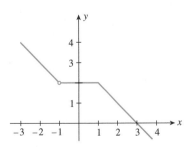

Comme la fonction g n'est pas définie au point $x = -1$, elle est discontinue en ce point. Elle est continue partout ailleurs.

2.6 Dérivée

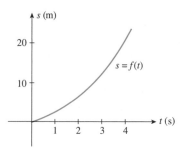

FIGURE 2.45
Position s d'un Maglev à l'instant t

📄 Un exemple intuitif

Nous avons mentionné à la section 2.4 que rechercher le *taux de variation* d'une quantité par rapport à une autre était mathématiquement équivalent à rechercher la *pente de la tangente* à une courbe en un point donné de la courbe. Nous allons bientôt démontrer cette similitude, mais tentons d'abord de comprendre intuitivement la situation.

Reprenons l'exemple du Maglev étudié à la section 2.4. La position du Maglev à l'instant t avait été définie par

$$s = f(t) = 1{,}2t^2 \qquad \text{(pour } 0 \le t \le 30)$$

où s est mesuré en mètres et t, en secondes. Le graphique de la fonction f est représenté à la figure 2.45.

On remarque que la courbe de f monte d'abord doucement, puis de plus en plus vite à mesure que t augmente, ce qui reflète bien l'augmentation de la vitesse du Maglev en fonction du temps. Il semble donc y avoir un lien entre la vitesse du train à un instant quelconque t et la *pente* de la courbe au point correspondant à cette valeur de t. C'est pourquoi, si nous trouvons un moyen de mesurer la pente de la courbe en un point quelconque, nous aurons en même temps trouvé comment mesurer la vitesse du Maglev en un instant quelconque.

Pour mettre au point un instrument de mesure de la pente d'une courbe, examinons le graphique d'une fonction f telle que celle de la figure 2.46a. On peut imaginer qu'il s'agit d'une section de montagnes russes (figure 2.46b). Quand un wagon se trouve au point P de la courbe, la direction du regard d'un passager assis bien droit dans le wagon et regardant droit devant lui est parallèle à la tangente T à la courbe au point P.

Comme l'illustre la figure 2.46a, la pente de la courbe — c'est-à-dire le taux d'augmentation ou de diminution de y par rapport à x — est la pente de la tangente au graphique de f au point $P(x, f(x))$. Voyons comment nous pouvons utiliser ce lien pour estimer le taux de variation d'une fonction à partir de son graphique.

FIGURE 2.46

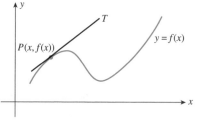

a) T est la tangente à la courbe au point P.

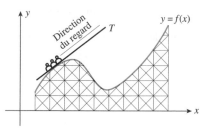

b) T est parallèle à la direction du regard.

EXEMPLE 1	**Bénéficiaires de l'aide sociale** Le graphique de la fonction $y = N(t)$, illustré à la figure 2.47, représente le nombre de bénéficiaires de l'aide sociale aux États-Unis, réel ou projeté, entre janvier 1990 ($t = 0$) et 2045 ($t = 55$).

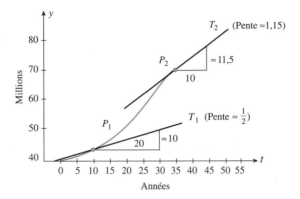

FIGURE 2.47
Le nombre de bénéficiaires de l'aide sociale entre 1990 et 2045. On utilise la pente de la tangente aux points indiqués pour estimer le taux de variation du nombre de bénéficiaires de l'aide sociale à des moments donnés.

À l'aide du graphique de la fonction $y = N(t)$, où $N(t)$ est mesuré en millions, estimez quel était le taux d'augmentation du nombre de bénéficiaires de l'aide sociale au début de l'an 2000 ($t = 10$). Quel sera le taux d'augmentation au début de l'an 2025 ($t = 35$)? [Supposez que le taux de variation de la fonction N à l'instant t s'obtient en calculant la pente de la tangente à la courbe au point $P(t, N(t))$.]

Source: Administration de la sécurité sociale américaine

Solution

D'après la figure, la pente de la tangente T_1 au point $P_1(10;\ 44,7)$ du graphique de $y = N(t)$ est environ 0,5. On en déduit que lorsque $t = 10$, y augmente au taux de $\frac{1}{2}$ unité pour chaque augmentation de 1 unité de t. Autrement dit, au début de l'an 2000, le nombre de bénéficiaires de l'aide sociale augmentait d'environ 0,5 million, ou 500 000 personnes, par an.

La pente de la tangente T_2 au point $P_2(35;\ 71,9)$ est approximativement 1,15. On en déduit qu'en l'an 2025, le nombre de bénéficiaires de l'aide sociale s'accroîtra d'environ 1 150 000 personnes par an.

🔲 Pente d'une tangente

À l'exemple 1, nous avons obtenu des valeurs approchées de taux de variation en examinant le graphique de la fonction N et la position approximative des tangentes en des points donnés. Il serait souhaitable, cependant, de pouvoir résoudre ce problème par des méthodes analytiques (et exactes !) chaque fois que nous en avons la possibilité. Pour y arriver, nous devons nous donner une définition précise du concept de pente de tangente à une courbe.

Définissons d'abord la notion de tangente à une courbe C en un point P de la courbe. Soit un point P fixé, et soit Q un point quelconque de C, différent de P (figure 2.48). Nous appelons **sécante** la droite qui passe par P et Q.

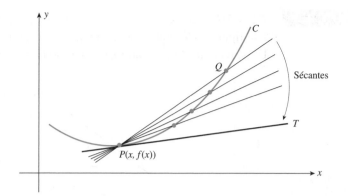

FIGURE 2.48

Lorsqu'on fait approcher Q de P sur la courbe C, les sécantes s'approchent de la tangente T.

Lorsqu'on fait approcher le point Q du point P sur la courbe, les sécantes passant par P et Q tournent autour de P et s'approchent d'une droite fixe passant par P. Cette droite fixe, qui est en fait la position limite des sécantes passant par P et Q lorsque Q tend vers P, s'appelle la **tangente au graphique de** f au point P.

Soyons encore plus précis. Si on désigne par $y = f(x)$ la fonction représentée par la courbe C, alors on peut désigner les points P et Q respectivement par $P(x, f(x))$ et $Q(x + h, f(x + h))$, où h est un nombre réel non nul (figure 2.49a). On remarque que faire approcher le point Q du point P sur la courbe C revient alors à faire tendre h vers 0 (figure 2.49b).

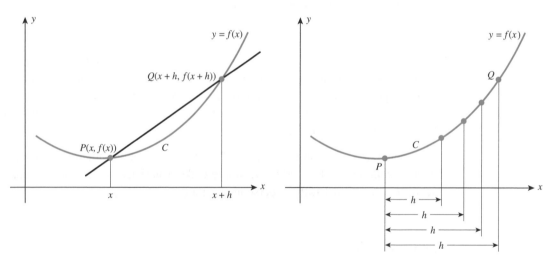

a) Les points $P(x, f(x))$ et $Q(x + h, f(x + h))$

b) Lorsque h tend vers 0, Q s'approche de P.

FIGURE 2.49

On peut ensuite obtenir la pente de la sécante passant par les points $P(x, f(x))$ et $Q(x + h, f(x + h))$ au moyen de la définition usuelle de pente de droite :

$$\frac{f(x + h) - f(x)}{(x + h) - x} = \frac{f(x + h) - f(x)}{h} \tag{5}$$

Comme nous l'avons souligné précédemment, on fait approcher Q de P, de sorte que les sécantes respectives passant par P et Q s'approchent de la tangente T lorsque h tend vers 0. Il faut donc s'attendre à ce que les pentes de sécantes s'approchent de la pente de la tangente T lorsque h tend vers 0, d'où la définition suivante :

Pente d'une tangente à une courbe

La pente de la tangente à la courbe de f au point $P(x, f(x))$ est définie par

$$\lim_{h \to 0} \frac{f(x + h) - f(x)}{h} \tag{6}$$

si la limite existe.

Taux de variation

Nous sommes prêts à justifier pourquoi la recherche de la pente de la tangente à la courbe d'une fonction f en un point $P(x, f(x))$ est mathématiquement équivalente à la recherche du taux de variation de f au point d'abscisse x. Soit en effet une fonction f décrivant le lien entre deux quantités x et y — c'est-à-dire telle que $y = f(x)$. Le nombre $f(x + h) - f(x)$ est la mesure de la variation de y correspondant à une variation h de x (figure 2.50).

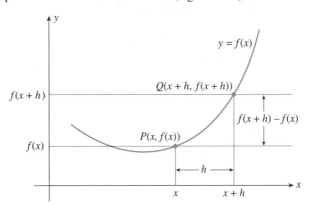

FIGURE 2.50
$f(x + h) - f(x)$ est la variation de y correspondant à une variation h de x.

Alors l'expression

$$\frac{f(x + h) - f(x)}{h} \tag{7}$$

mesure le **taux de variation moyen de y par rapport à x** sur l'intervalle $[x, x + h]$. Par exemple, si y mesure la position d'une voiture à l'instant x, alors l'expression (7) désigne la vitesse moyenne de la voiture dans l'intervalle de temps $[x, x + h]$.

Remarquez que les expressions (7) et (5) sont identiques. Nous en déduisons que l'expression (7) mesure également la pente de la sécante passant par les points $P(x, f(x))$ et $Q(x + h, f(x + h))$ du graphique de $y = f(x)$. Il ne reste plus qu'à calculer la limite de l'expression (7) lorsque h tend vers 0, c'est-à-dire

$$\lim_{h \to 0} \frac{f(x + h) - f(x)}{h} \tag{8}$$

pour obtenir le **taux de variation de f en un point x.** Par exemple, si y mesure la position d'une voiture à l'instant x, alors la limite (8) désigne la vitesse de la voiture à l'instant x. Le taux de variation d'une fonction f en un point x est souvent appelé **taux de variation instantané de f en un point x**, pour le distinguer du taux de variation moyen de f, calculé sur un *intervalle* $[x, x + h]$ plutôt qu'en un *point* x.

Remarquez que les limites (8) et (6) sont identiques. Nous en déduisons que la limite de l'expression (7) mesure également la pente de la tangente à la courbe de $y = f(x)$ au point de coordonnées $(x, f(x))$. En résumé,

---

Taux de variation moyen et taux de variation instantané

Le **taux de variation moyen** d'une fonction f sur un intervalle $[x, x + h]$, ou encore la **pente de la sécante** à la courbe de f passant par les points $(x, f(x))$ et $(x + h, f(x + h))$, est

$$\frac{f(x + h) - f(x)}{h} \tag{9}$$

Le **taux de variation instantané** d'une fonction f en un point x, ou encore la **pente de la tangente** à la courbe de f en un point $(x, f(x))$, est

$$\lim_{h \to 0} \frac{f(x + h) - f(x)}{h} \tag{10}$$

TRAVAIL EN ÉQUIPE

Expliquez la différence entre les notions de taux de variation moyen et de taux de variation instantané d'une fonction.

La dérivée

La limite (10) qui, comme nous l'avons vu, mesure à la fois la pente de la tangente à la courbe d'une fonction $y = f(x)$ en un point $P(x, f(x))$ et le taux de variation (instantané) de f en x, s'appelle la **dérivée de f par rapport à x**.

Dérivée d'une fonction

La dérivée d'une fonction f par rapport à x est la fonction f' (qui se lit : «f prime») telle que

$$f'(x) = \lim_{h \to 0} \frac{f(x + h) - f(x)}{h} \tag{11}$$

Le domaine de la fonction f' est l'ensemble des valeurs de x pour lesquelles la limite existe.

Ainsi, la dérivée d'une fonction f est une fonction f' qui fournit la valeur de la pente de la tangente à la courbe de f en *tout* point $(x, f(x))$, de même que le taux de variation de f par rapport à x pour tout x (figure 2.51).

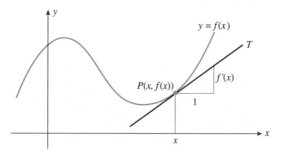

FIGURE 2.51

La pente de la tangente au point $P(x, f(x))$ est $f'(x)$; au point P, f varie au taux de $f'(x)$ unités par unité de variation de x.

Voici d'autres notations de la dérivée de f :

$$D_x f(x) \qquad \text{se lit : « } d \text{ indice } x \text{ de } f \text{ de } x \text{ »}$$

$$\frac{dy}{dx} \qquad \text{se lit : « } d\, y\, d\, x \text{ »}$$

$$y' \qquad \text{se lit : « } y \text{ prime »}$$

Les deux dernières expressions sont utilisées lorsque f s'écrit sous la forme $y = f(x)$.

EXEMPLE 2

Trouvez la pente de la tangente au graphique de $f(x) = 3x + 5$ en un point quelconque $(x, f(x))$.

Solution

La pente de la tangente en tout point du graphique de f est la dérivée de f par rapport à x. En vertu de la définition (11),

$$\begin{aligned}
f'(x) &= \lim_{h \to 0} \frac{f(x+h) - f(x)}{h} \\
&= \lim_{h \to 0} \frac{3(x+h) + 5 - (3x + 5)}{h} \\
&= \lim_{h \to 0} \frac{3x + 3h + 5 - 3x - 5}{h} \\
&= \lim_{h \to 0} \frac{3h}{h} = \lim_{h \to 0} 3 = 3
\end{aligned}$$

Ce résultat n'est pas étonnant puisque la tangente en tout point d'une droite coïncide avec la droite elle-même, de sorte qu'elle a la même pente que la droite. Dans le cas présent, le graphique de f est une droite de pente 3.

EXEMPLE 3

Soit $f(x) = x^2$.

a. Calculez $f'(x)$.

b. Calculez $f'(2)$ et interprétez le résultat.

Solution

a.
$$\begin{aligned}
f'(x) &= \lim_{h \to 0} \frac{f(x+h) - f(x)}{h} \\
&= \lim_{h \to 0} \frac{(x+h)^2 - x^2}{h} \\
&= \lim_{h \to 0} \frac{x^2 + 2xh + h^2 - x^2}{h} \\
&= \lim_{h \to 0} \frac{h(2x+h)}{h} \\
&= \lim_{h \to 0} (2x + h) = 2x
\end{aligned}$$

b. $f'(2) = 2(2) = 4$. Il s'ensuit que la pente de la tangente à la courbe de f au point $(2, 4)$ est 4. Nous pouvons aussi en conclure qu'au point d'abscisse $x = 2$, la fonction f augmente de 4 unités pour chaque unité de variation de x. Le graphique de f et la tangente à la courbe au point $(2, 4)$ sont illustrés à la figure 2.52.

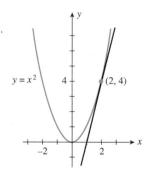

FIGURE 2.52
Tangente à la courbe de la fonction $f(x) = x^2$ au point $(2, 4)$

TECHNOLOGIE ET INTUITION

1. Soit la fonction $f(x) = x^2$ de l'exemple 3. Supposons que nous voulions calculer $f'(2)$ directement, au moyen de l'équation (11). Nous aurons alors,

$$f'(2) = \lim_{h \to 0} \frac{f(2 + h) - f(2)}{h} = \lim_{h \to 0} \frac{(2 + h)^2 - 2^2}{h}$$

À l'aide d'une calculatrice graphique, tracez la fonction

$$g(x) = \frac{(2 + x)^2 - 4}{x}$$

dans la fenêtre $[-3, 3] \times [-2, 6]$.

2. Utilisez les menus ZOOM et TRACE pour trouver $\lim\limits_{x \to 0} g(x)$.

3. Justifiez que la limite obtenue dans la partie **2** est $f'(2)$.

EXEMPLE 4 Soit $f(x) = x^2 - 4x$.

a. Calculez $f'(x)$.

b. Trouvez le point du graphique de f où la tangente à la courbe est horizontale.

c. Tracez le graphique de f et la tangente à la courbe au point trouvé dans la partie b.

d. Quel est le taux de variation de f en ce point ?

Solution

a. $f'(x) = \lim\limits_{h \to 0} \dfrac{f(x + h) - f(x)}{h}$

$$= \lim_{h \to 0} \frac{(x + h)^2 - 4(x + h) - (x^2 - 4x)}{h}$$

$$= \lim_{h \to 0} \frac{x^2 + 2xh + h^2 - 4x - 4h - x^2 + 4x}{h}$$

$$= \lim_{h \to 0} \frac{2xh + h^2 - 4h}{h}$$

$$= \lim_{h \to 0} \frac{h(2x + h - 4)}{h}$$

$$= \lim_{h \to 0} (2x + h - 4) = 2x - 4$$

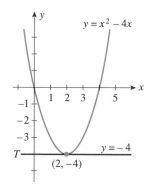

FIGURE 2.53
La tangente au graphique de la fonction $y = x^2 - 4x$ au point $(2, -4)$ a pour équation $y = -4$.

b. Pour que la tangente à la courbe de f soit horizontale, il faut que sa pente soit nulle, c'est-à-dire que la dérivée f' de f soit nulle. Il s'agit donc de résoudre l'équation $f'(x) = 0$, soit $2x - 4 = 0$, de sorte que $x = 2$. La valeur correspondante de y est $y = f(2) = -4$ et le point recherché est le point $(2, -4)$.

c. Le graphique de la fonction f et la tangente sont représentés à la figure 2.53.

d. Le taux de variation de f au point $x = 2$ est 0.

TRAVAIL EN ÉQUIPE

La tangente à la courbe d'une fonction peut-elle couper la courbe en plus d'un point?
Justifiez votre réponse par des illustrations.

EXEMPLE 5

Soit $f(x) = \dfrac{1}{x}$.

a. Calculez $f'(x)$.

b. Trouvez la pente de la tangente T à la courbe de f au point d'abscisse $x = 1$.

c. Trouvez une équation de cette tangente.

Solution

a. $f'(x) = \displaystyle\lim_{h \to 0} \dfrac{f(x + h) - f(x)}{h}$

$= \displaystyle\lim_{h \to 0} \dfrac{\dfrac{1}{x + h} - \dfrac{1}{x}}{h}$

$= \displaystyle\lim_{h \to 0} \dfrac{x - (x + h)}{x(x + h)} \cdot \dfrac{1}{h}$

$= \displaystyle\lim_{h \to 0} -\dfrac{h}{x(x + h)} \cdot \dfrac{1}{h}$

$= \displaystyle\lim_{h \to 0} -\dfrac{1}{x(x + h)} = -\dfrac{1}{x^2}$

b. La pente de la tangente T à la courbe de f au point d'abscisse $x = 1$ est $f'(1) = -1$.

c. Au point d'abscisse $x = 1$, $y = f(1) = 1$, de sorte que T est tangente à la courbe de f au point $(1, 1)$. Or, d'après **b**, la pente de T est -1. En utilisant la forme point-pente de l'équation d'une droite, on obtient pour équation de T

$$y - 1 = -1(x - 1)$$
$$y = -x + 2$$

(figure 2.54).

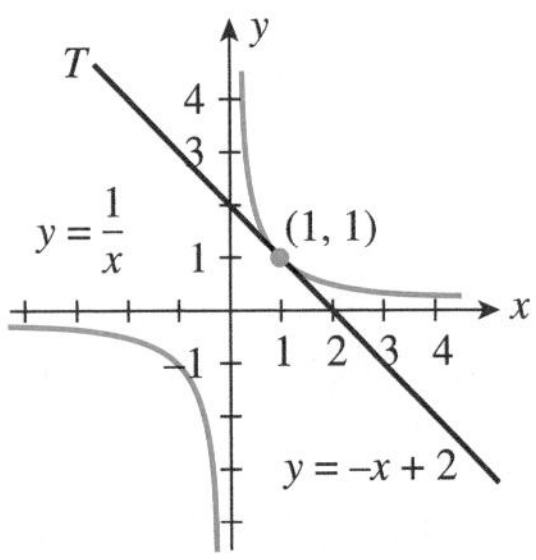

FIGURE 2.54
Tangente à la courbe de $f(x) = 1/x$ au point $(1, 1)$.

TECHNOLOGIE ET INTUITION

1. À l'aide d'une calculatrice graphique, tracez les graphiques de la fonction $f(x) = 1/x$ et de sa tangente au point $(1, 1)$ dans la fenêtre $[-4, 4] \times [-4, 4]$.

Suggestion: Posez $y_1 = 1/x$ et $y_2 = -x + 2$ (voir l'exemple 5).

2. Certaines calculatrices graphiques tracent directement la tangente à la courbe d'une fonction en un point: il suffit de nommer la fonction et de spécifier l'abscisse du point de tangence. Si la calculatrice graphique que vous utilisez possède cette option, répondez à la question 1 sans utiliser l'équation de la tangente.

TRAVAIL EN ÉQUIPE

Voici une autre façon d'aborder la dérivée d'une fonction :

Soit h un nombre positif et soit $P(x - h, f(x - h))$ et $Q(x + h, f(x + h))$ deux points du graphique de f.

1. Formulez une interprétation géométrique et une interprétation physique du quotient

$$\frac{f(x + h) - f(x - h)}{2h}$$

Illustrez votre réponse à l'aide d'un dessin.

2. Formulez une interprétation géométrique et une interprétation physique de la limite

$$\lim_{h \to 0} \frac{f(x + h) - f(x - h)}{2h}$$

Illustrez votre réponse à l'aide d'un dessin.

3. Expliquez pourquoi la définition suivante de la dérivée

$$f'(x) = \lim_{h \to 0} \frac{f(x + h) - f(x - h)}{2h}$$

a du sens.

4. À l'aide de la définition formulée dans la partie **3**, calculez la dérivée de la fonction $f(x) = x^2$. Comparez votre réponse avec celle de l'exemple 3, page 125.

APPLICATIONS

EXEMPLE 6

Vitesse moyenne d'une voiture   Soit $f(t) = 0{,}6t^2$ (pour $0 \le t \le 30$), la fonction exprimant la distance (en mètres) parcourue par une voiture se déplaçant sur une route rectiligne t secondes après son départ.

a. Calculez la vitesse moyenne de la voiture au cours des intervalles de temps [22; 23], [22; 22,1] et [22; 22,01].

b. Calculez la vitesse (instantanée) de la voiture lorsque $t = 22$.

c. Comparez les résultats de la partie **a** avec ceux de **b**.

Solution

a. Calculons d'abord la vitesse moyenne (c'est-à-dire le taux moyen de variation de f) sur l'intervalle $[t, t + h]$ à l'aide de la formule (9). Nous obtenons

$$\frac{f(t + h) - f(t)}{h} = \frac{0{,}6(t + h)^2 - 0{,}6t^2}{h}$$

$$= \frac{0{,}6t^2 + 1{,}2th + 0{,}6h^2 - 0{,}6t^2}{h}$$

$$= \frac{h(1{,}2t + 0{,}6h)}{h} = 1{,}2t + 0{,}6h$$

Ensuite, pour trouver la vitesse moyenne de la voiture dans l'intervalle [22; 23], nous posons $t = 22$ et $h = 1$ dans l'expression, ce qui donne

$$1,2(22) + 0,6(1) = 27$$

soit 27 m/s. De même, en posant $t = 22$, et $h = 0,1$ et $h = 0,01$ respectivement, nous trouvons des vitesses moyennes dans les intervalles [22; 22,1] et [22; 22,01] de 26,46 et 26,406 m/s, respectivement.

b. À l'aide de la formule (10), nous obtenons la valeur suivante de la vitesse instantanée en un instant quelconque t

$$\lim_{h \to 0} \frac{f(t + h) - f(t)}{h} = \lim_{h \to 0} (1,2t + 0,6h) \quad \text{Voir la partie } \mathbf{a.}$$
$$= 1,2t$$

En particulier, la vitesse de la voiture 22 secondes après son départ ($t = 22$) est

$$v = 1,2(22)$$

ou 26,4 m/s.

c. Les calculs effectués dans la partie **a** illustrent bien que lorsque les intervalles de temps deviennent de plus en plus petits, les vitesses moyennes calculées sur ces intervalles se rapprochent de plus en plus de la vitesse instantanée en $t = 22$, soit 26,4 m/s.

EXEMPLE 7

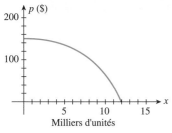

FIGURE 2.55
Graphique de la demande $p = 144 - x^2$

Demande de pneus La direction du fabricant de pneus Rouleau a établi que la demande hebdomadaire pour ses pneus de modèle Hercule est modélisée par la fonction

$$p = f(x) = 144 - x^2$$

où p est mesuré en dollars et x, en milliers d'unités (figure 2.55).

a. Trouvez le taux de variation moyen du prix d'un pneu si la demande est comprise entre 5000 et 6000 pneus, entre 5000 et 5100 pneus, et entre 5000 et 5010 pneus.

b. Quel est le taux de variation instantané du prix d'un pneu lorsque la demande hebdomadaire est de 5000 pneus ?

Solution

a. Le taux de variation moyen du prix d'un pneu si la demande est comprise entre x et $x + h$ est

$$\frac{f(x + h) - f(x)}{h} = \frac{[144 - (x + h)^2] - (144 - x^2)}{h}$$
$$= \frac{144 - x^2 - 2xh - h^2 - 144 + x^2}{h}$$
$$= -2x - h$$

Pour trouver le taux de variation moyen du prix d'un pneu lorsque la demande est comprise entre 5000 et 6000 pneus (c'est-à-dire, dans l'intervalle [5, 6]), nous posons $x = 5$ et $h = 1$ dans l'expression, ce qui donne

$$-2(5) - 1 = -11$$

ou −11 $ par 1000 pneus (puisque x est mesuré en milliers de pneus). De même, si nous posons $x = 5$, et $h = 0{,}1$ et $h = 0{,}01$ respectivement, les taux de variation moyens du prix unitaire des pneus pour des quantités demandées respectivement entre 5000 et 5100, et entre 5000 et 5010, sont −10,10 $ et −10,01 $ par 1000 pneus.

b. Le taux de variation instantané du prix unitaire des pneus pour une demande de x milliers de pneus est

$$\lim_{h \to 0} \frac{f(x + h) - f(x)}{h} = \lim_{h \to 0}(-2x - h) \qquad \text{Voir la partie } \mathbf{a.}$$
$$= -2x$$

En particulier, le taux de variation instantané du prix unitaire des pneus pour une demande de 5000 pneus est −2(5), ou −10 $ par 1000 pneus.

La dérivée d'une fonction nous fournit un outil de mesure du taux de variation d'une quantité par rapport à une autre. Nous vous présentons dans le tableau 2.4 une liste d'autres applications de cette limite très particulière.

TABLEAU 2.4

Applications faisant appel à des taux de variation

x représente	y représente	$\dfrac{f(a + h) - f(a)}{h}$ mesure	$\lim_{h \to 0} \dfrac{f(a + h) - f(a)}{h}$ mesure
le temps	la **concentration d'un médicament** dans le sang à l'instant x	le taux de variation moyen de la concentration du médicament dans l'intervalle de temps $[a, a + h]$	le taux de variation instantané de la concentration du médicament dans le sang à l'instant $x = a$
le nombre d'articles vendus	le **revenu** lorsque x unités sont vendues	le taux de variation moyen du revenu lorsqu'on vend entre $x = a$ et $x = a + h$ unités	le taux de variation instantané du revenu lorsqu'on vend a unités
le temps	la **quantité vendue** à l'instant x	le taux de variation moyen de la quantité vendue dans l'intervalle de temps $[a, a + h]$	le taux de variation instantané de la quantité vendue à l'instant $x = a$
le temps	la **population** de drosophiles (mouches à fruits) à l'instant x	le taux de croissance moyen de la population de mouches à fruits dans l'intervalle de temps $[a, a + h]$	le taux de variation instantané de la population de mouches à fruits à l'instant $x = a$

Dérivabilité et continuité

Dans certaines applications pratiques, il arrive que des fonctions continues en un point de leur domaine n'y soient pas **dérivables**, c'est-à-dire qu'elles n'admettent pas de dérivée en ce point. En particulier, une fonction continue f dont le graphique en un point $x = a$ effectue un changement de direction brusque n'est pas dérivable en ce point. Un tel point s'appelle un «point anguleux» (figure 2.56a). Par ailleurs, si la tangente à la courbe d'une fonction en un point est verticale, la fonction n'est pas dérivable non plus en ce point, puisque la pente d'une droite verticale n'est pas définie (figure 2.56b).

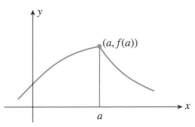
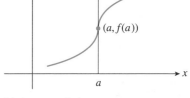

FIGURE 2.56

a) Le graphique effectue un changement de direction brusque en $x = a$.

b) La pente de la tangente en $x = a$ n'est pas définie.

Voici un exemple de fonction qui n'est pas dérivable en un point où elle est continue.

EXEMPLE 8

FIGURE 2.57
La fonction f n'est pas dérivable au point $(8, 64)$.

Salaire   Marie travaille dans un magasin à grande surface, où elle gagne 8 $ l'heure pour les 8 premières heures de la journée et 12 $ l'heure lorsqu'elle fait des heures supplémentaires. On peut modéliser par la fonction

$$f(x) = \begin{cases} 8x & \text{si } 0 \le x \le 8 \\ 12x - 32 & \text{si } 8 < x \end{cases}$$

le salaire de Marie pour une journée de x heures de travail. Tracez le graphique de la fonction f et expliquez pourquoi f n'est pas dérivable en $x = 8$.

Solution

Le graphique de f est représenté à la figure 2.57. Le graphique présente un point anguleux en $x = 8$, de sorte que f n'est pas dérivable en ce point.

On peut vérifier sans difficulté que la fonction de l'exemple 8 est continue partout, en particulier lorsque $x = 8$. On voit donc que la continuité d'une fonction en un point n'implique pas nécessairement que la fonction est dérivable en ce point. La réciproque, cependant, est vraie: si une fonction f est dérivable en un point $x = a$, alors elle est continue en ce point.

> **Dérivabilité et continuité**
> Si une fonction est dérivable au point $x = a$, alors elle est continue en $x = a$.

La preuve de ce résultat est laissée en exercice (exercice 54, page 139).

TECHNOLOGIE ET INTUITION

1. À l'aide d'une calculatrice graphique, tracez le graphique de la fonction $f(x) = x^{1/3}$ dans la fenêtre $[-2, 2] \times [-2, 2]$.

2. À l'aide de l'option **tangente** d'une calculatrice graphique, tracez la tangente à la fonction f au point $(0, 0)$. Commentez le résultat.

EXEMPLE 9 La figure 2.58 représente une portion du graphique d'une fonction. Expliquez pourquoi la fonction n'est dérivable en aucun des points $x = a, b, c, d, e, f$ et g.

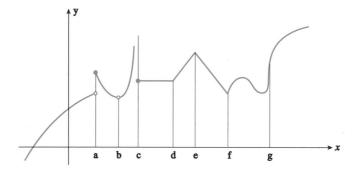

FIGURE 2.58
La fonction n'est dérivable en aucun des points a à g.

Solution

En chacun des points $x = a$, b et c, la fonction n'est pas dérivable parce qu'elle est discontinue. La fonction f n'admet pas de dérivée aux points $x = d$, e et f parce que les trois sont des points anguleux. Enfin, la fonction n'est pas dérivable en $x = g$ parce que la tangente à la courbe en ce point est verticale.

TRAVAIL EN ÉQUIPE

Supposez qu'une fonction f soit dérivable en $x = a$. Peut-il y avoir deux tangentes au graphique de f au point $(a, f(a))$? Justifiez votre réponse.

◼ EXERCICES D'AUTOÉVALUATION **2.6**

1. Soit $f(x) = -x^2 - 2x + 3$.
  a. En utilisant la définition de la dérivée, trouvez la dérivée f' de f.
  b. Trouvez la pente de la tangente à la courbe de f au point $(0, 3)$.
  c. Trouvez le taux de variation de f lorsque $x = 0$.
  d. Trouvez une équation de la tangente à la courbe de f au point $(0, 3)$.
  e. Tracez le graphique de f et la tangente à la courbe de f au point $(0, 3)$.

2. Les pertes encourues par la Banque populaire en raison de mauvaises créances dans les domaines de l'agriculture, de l'immobilier, des exportations et de l'énergie sont estimées à

$$A = f(t) = -t^2 + 10t + 30 \qquad \text{(pour } 0 \le t \le 10)$$

Les solutions des exercices d'autoévaluation 2.6 se trouvent à la page 140.

où $f(t)$ est mesuré en millions de dollars et t, en années ($t = 0$ correspondant au début de 1994). À quel taux ces pertes s'accroissaient-elles au début de 1997? Au début de 1999? Au début de 2001?

■ **2.6 EXERCICES**

1. **POIDS MOYEN D'UN BÉBÉ** Le graphique suivant représente le poids (mesuré en kg) d'un bébé «moyen» de la naissance à 24 mois. Calculez les pentes des tangentes illustrées afin d'estimer le taux de variation du poids d'un bébé à 3 mois et à 18 mois. Quel est le taux de variation moyen d'un bébé entre sa naissance et l'âge d'un an?

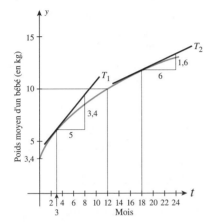

2. **EXPLOITATION DES FORÊTS** Le graphique suivant représente la quantité de matière ligneuse produite dans des forêts où poussent des arbres d'une seule essence. La fonction $f(t)$ est mesurée en mètres cubes par hectare et t est mesuré en années. Calculez les pentes des tangentes illustrées pour estimer le taux de variation de la quantité de matière ligneuse au début de la dixième année et au début de la trentième année.

Source: Encyclopédie Random House

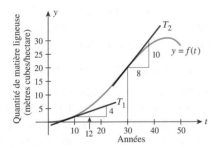

3. Les positions de deux voitures A et B, qui démarrent l'une à côté de l'autre puis se déplacent sur une route rectiligne, sont représentées respectivement par les fonctions $s = f(t)$ et $s = g(t)$, où s est mesurée en mètres et t, en secondes (voir la figure).

  a. À l'instant t_1, quelle voiture se déplace le plus rapidement?

  b. Que savez-vous à propos des vitesses respectives des deux voitures à l'instant t_2?

  Suggestion: Comparez les tangentes aux deux courbes.

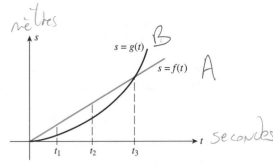

  c. À l'instant t_3, quelle voiture se déplace le plus rapidement?

  d. Quelles sont les positions respectives des deux voitures à l'instant t_3?

4. Les vitesses de deux voitures A et B, qui démarrent l'une à côté de l'autre puis se déplacent sur une route rectiligne, sont représentées respectivement par les fonctions $v = f(t)$ et $v = g(t)$, où v est mesurée en mètres par seconde et t, en secondes (voir la figure).

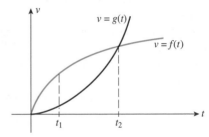

  a. Que savez-vous à propos des vitesses et des accélérations respectives des deux voitures à l'instant t_1? (L'accélération est le taux de variation de la vitesse.)

  b. Que savez-vous à propos des vitesses et des accélérations respectives des deux voitures à l'instant t_2?

5. **EFFICACITÉ D'UN BACTÉRICIDE** Sur le graphique ci-après, $f(t)$ représente la population P_1 d'une culture de bactéries t minutes après l'injection d'un bactéricide de type A dans la culture. La fonction $g(t)$ représente la population P_2 d'une culture de bactéries similaire, t minutes après l'injection d'un bactéricide de type B.

  a. À l'instant t_1, laquelle des deux populations décroît le plus rapidement?

  b. Et à l'instant t_2?

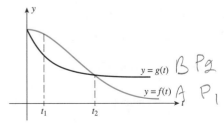

  c. Lequel des bactéricides est le plus efficace à court terme? Et à long terme?

6. **CONCURRENCE** La figure suivante illustre l'effet dévastateur qu'a eu l'établissement d'un magasin grande surface à prix réduits à proximité d'un magasin à rayons établi depuis 15 ans dans la municipalité de Beauclair. Le revenu du magasin grande surface au moment t (en mois) est $f(t)$ millions de dollars et le revenu du magasin à rayons au moment t est $g(t)$ millions de dollars.

Précisez le moment t auquel chacun des énoncés suivants correspond.

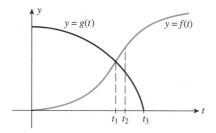

a. Le revenu du magasin à rayons décroît le plus lentement.

b. Le revenu du magasin à rayons décroît le plus rapidement.

c. Le revenu du magasin grande surface atteint celui du magasin à rayons.

d. Le revenu du magasin grande surface croît le plus rapidement.

7–14 Trouvez la pente de la tangente à la courbe de la fonction en un point quelconque $(x, f(x))$.

7. $f(x) = 13$

8. $f(x) = -6$

9. $f(x) = 2x + 7$

10. $f(x) = 8 - 4x$

11. $f(x) = 3x^2$

12. $f(x) = -\dfrac{1}{2}x^2$

13. $f(x) = -x^2 + 3x$

14. $f(x) = 2x^2 + 5x$

15–20 Trouvez la pente de la tangente à la courbe de chaque fonction au point donné et trouvez une équation de cette tangente.

15. $f(x) = 2x + 7$ au point $(2, 11)$

16. $f(x) = -3x + 4$ au point $(-1, 7)$

17. $f(x) = 3x^2$ au point $(1, 3)$

18. $f(x) = 3x - x^2$ au point $(-2, -10)$

19. $f(x) = -\dfrac{1}{x}$ au point $\left(3, -\dfrac{1}{3}\right)$

20. $f(x) = \dfrac{3}{2x}$ au point $\left(1, \dfrac{3}{2}\right)$

21. Soit la fonction $f(x) = 2x^2 + 1$.

a. Calculez la dérivée f' de f.

b. Trouvez une équation de la tangente à la courbe au point $(1, 3)$.

c. Tracez le graphique de f.

22. Soit la fonction $f(x) = x^2 + 6x$.

a. Trouvez la dérivée f' de f.

b. Trouvez le point du graphique de f où la tangente à la courbe est horizontale.

Suggestion : Trouvez la valeur de x pour laquelle $f'(x) = 0$.

c. Tracez le graphique de f et la tangente à la courbe au point trouvé dans la partie **b**.

23. Soit la fonction $f(x) = x^2 - 2x + 1$.

a. Trouvez la dérivée f' de f.

b. Trouvez le point du graphique de f où la tangente à la courbe est horizontale.

c. Tracez le graphique de f et la tangente à la courbe au point trouvé dans la partie **b**.

d. Quel est le taux de variation de f en ce point ?

24. Soit la fonction $f(x) = \dfrac{1}{x - 1}$.

a. Trouvez la dérivée f' de f.

b. Trouvez une équation de la tangente à la courbe au point $\left(-1, -\dfrac{1}{2}\right)$.

c. Tracez le graphique de f.

25. Soit la fonction $y = f(x) = x^2 + x$.

a. Trouvez le taux de variation moyen de y par rapport à x dans les intervalles $[2, 3]$, $[2; 2,5]$ et $[2; 2,1]$.

b. Trouvez le taux de variation (instantané) de y en $x = 2$.

c. Comparez les résultats obtenus en **a** avec celui de **b**.

26. Soit la fonction $y = f(x) = x^2 - 4x$.

a. Trouvez le taux de variation moyen de y par rapport à x dans les intervalles $[3, 4]$, $[3; 3,5]$ et $[3; 3,1]$.

b. Trouvez le taux de variation (instantané) de y en $x = 3$.

c. Comparez les résultats obtenus en **a** avec celui de **b**.

27. **VITESSE D'UNE VOITURE** Supposons que la distance s (en mètres) parcourue par une voiture se déplaçant sur une route rectiligne t secondes après son départ du repos est modélisée par la fonction $f(t) = 0,7t^2 + 16t$.

a. Calculez la vitesse moyenne de la voiture pendant les intervalles de temps $[20, 21]$, $[20; 20,1]$ et $[20; 20,01]$.

b. Calculez la vitesse (instantanée) de la voiture à l'instant $t = 20$.

c. Comparez les résultats obtenus en **a** avec celui de **b**.

28. VITESSE D'UNE BALLE LANCÉE VERS LE HAUT On lance une balle directement vers le haut avec une vitesse initiale de 40 m/s, de sorte que sa hauteur (en mètres) après t s est modélisée par la fonction $s(t) = 40t - 4,9t^2$.

a. Quelle est la vitesse moyenne de la balle pendant les intervalles de temps [2, 3], [2; 2,5] et [2; 2,1]?

b. Quelle est la vitesse (instantanée) de la balle à l'instant $t = 2$?

c. Quelle est la vitesse (instantanée) de la balle à l'instant $t = 5$? À cet instant, est-ce que la balle monte ou descend?

d. À quel instant la balle touchera-t-elle le sol?

29. Lors de la construction d'un gratte-ciel, un ouvrier a, par accident, échappé son tournevis électrique d'une hauteur de 120 m. Après t s, le tournevis avait parcouru une distance de $s = 4,9t^2$ m.

a. Après combien de temps le tournevis a-t-il touché le sol?

b. Quelle a été la vitesse moyenne du tournevis au cours de sa chute?

c. Quelle était la vitesse du tournevis au moment où il a touché le sol?

30. COÛT DE PRODUCTION DE PLANCHES À NEIGE Il en coûte au total $C(x)$ dollars à l'entreprise Le pic du Nord pour produire x planches à neige par jour, où

$$C(x) = -10x^2 + 300x + 130 \quad \text{(pour } 0 \le x \le 15)$$

a. Calculez $C'(x)$.

b. Quel est le taux de variation du coût total de production lorsque l'entreprise produit 10 planches à neige par jour?

c. Quel est le prix moyen de production pour 10 planches à neige par jour?

31. PUBLICITÉ ET AUGMENTATION DES PROFITS Le profit trimestriel (en milliers de dollars) de la Société immobilière de la Montérégie est modélisé par la fonction

$$P(x) = -\frac{1}{3}x^2 + 7x + 30 \quad \text{(pour } 0 \le x \le 50)$$

où x (en milliers de dollars) correspond au montant dépensé en publicité par la société chaque trimestre.

a. Calculez $P'(x)$.

b. Quel est le taux de variation du profit trimestriel de la société lorsqu'elle dépense 10 000 \$ par trimestre ($x = 10$) et 30 000 \$ par trimestre ($x = 30$) en publicité?

32. DEMANDE DE TENTES La demande d'une tente de modèle Le randonneur est modélisée par

$$p = f(x) = -0,1x^2 - x + 40$$

où p est mesuré en dollars et x est mesuré en milliers d'unités.

a. Trouvez le taux de variation moyen du prix unitaire des tentes lorsque la quantité demandée passe de 5000 à 5050 tentes; lorsqu'elle passe de 5000 à 5010 tentes.

b. Quel est le taux de variation du prix unitaire des tentes lorsque la demande se chiffre à 5000 unités?

33–38 Soit x et $f(x)$ tels que décrits. Posons $x = a$ et h un nombre positif voisin de 0. Donnez une interprétation des expressions

$$\frac{f(a + h) - f(a)}{h} \quad \text{et} \quad \lim_{h \to 0} \frac{f(a + h) - f(a)}{h}$$

33. x désigne le temps et $f(x)$ désigne la population de loups marins au moment x.

34. x désigne le temps et $f(x)$ désigne le taux d'intérêt préférentiel au moment x.

35. x désigne le temps et $f(x)$ désigne le produit national brut d'un pays.

36. x désigne la quantité produite d'un bien de consommation et $f(x)$ le coût total de production de x unités de ce bien.

37. x désigne l'altitude et $f(x)$ désigne la pression atmosphérique.

38. x désigne la vitesse d'une voiture (en km/h) et $f(x)$ désigne la consommation de la voiture mesurée en litres par 100 km.

39–44 Examinez le graphique de la fonction $f(x)$ et dites si la fonction a) admet une limite en $x = a$, b) est continue en $x = a$ et c) est dérivable en $x = a$. Justifiez vos réponses.

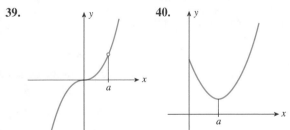

39.

40.

(suite à la page 139)

TECHNOLOGIE EN APPLICATION

 Tracé d'une fonction et de la tangente en un point

La calculatrice graphique fournit le graphique d'une fonction f et de la tangente à la courbe de f en un point quelconque.

EXEMPLE 1 Soit $f(x) = x^2 - 4x$.

a. Trouvez une équation de la tangente à la courbe de f au point $(3, -3)$.

b. Sur un même système de coordonnées, tracez le graphique de f et de la tangente trouvée en **a**.

Solution

a. La pente de la tangente en un point quelconque de la courbe de f est $f'(x)$. Or, nous avons calculé cette dérivée à l'exemple 4, p. 126, et trouvé $f'(x) = 2x - 4$. Ainsi, la pente de la tangente à la courbe de f au point $(3, -3)$ est

$$f'(3) = 2(3) - 4 = 2$$

En utilisant la forme point-pente de l'équation d'une droite, on obtient

$$y - (-3) = 2(x - 3)$$
$$y + 3 = 2x - 6$$
$$y = 2x - 9$$

qui est l'équation de la tangente au point $(3, -3)$.

b. La figure T1a représente le graphique de f dans la fenêtre d'affichage standard ainsi que la tangente à la courbe au point $(3, -3)$.

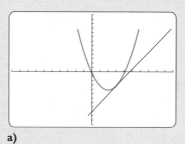

a)

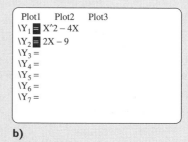

b)

FIGURE T1
a) Graphique de la fonction
$f(x) = x^2 - 4x$ et de la tangente
$y = 2x - 9$ dans la fenêtre
d'affichage standard;
b) Écran d'édition de la TI-83

REMARQUE Sur certaines calculatrices graphiques, on peut obtenir directement le graphique de la tangente à la courbe de f en un point donné dès que le graphique de la fonction est tracé. Il suffit, en choisissant l'option appropriée dans le menu DRAW, de spécifier l'abscisse x du point.

Recherche de la dérivée d'une fonction en un point donné

La calculatrice graphique fournit une valeur numérique approximative de la dérivée d'une fonction en un point d'abscisse x donné.

EXEMPLE 2

Soit $f(x) = \sqrt{x}$.

a. Utilisez l'option de dérivation numérique d'une calculatrice graphique pour trouver la dérivée de f au point $(4, 2)$.

b. Trouvez une équation de la tangente à la courbe de f au point $(4, 2)$.

c. Sur un même système de coordonnées, tracez le graphique de f et la tangente à la courbe de f au point $(4, 2)$.

Solution

a. L'option de dérivation numérique d'une calculatrice graphique fournit la réponse

$$f'(4) = \frac{1}{4}$$

Note : Sur la calculatrice TI 83, utiliser l'option **nDeriv** du menu MATH (figure T2).

```
nDeriv(X^.5, X, 4)
      .250000002
```

FIGURE T2
Écran de dérivation numérique de la TI-83

b. L'équation point-pente de la tangente recherchée est

$$y - 2 = \frac{1}{4}(x - 4)$$

$$y = \frac{1}{4}x + 1$$

c. La figure T3a illustre le graphique de f et sa tangente au point $(4, 2)$ dans la fenêtre d'affichage $[0, 15] \times [0, 4]$.

FIGURE T3
a) Le graphique de $f(x) = \sqrt{x}$ et de la tangente $y = \frac{1}{4}x + 1$ dans la fenêtre $[0, 15] \times [0, 4]$;
b) Écran d'édition de la TI-83

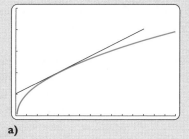

a)

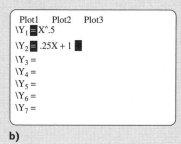

b)

1–10 a) Trouvez une équation de la tangente au graphique de f au point indiqué et b) tracez le graphique de f et de la tangente au point indiqué sur un même système de coordonnées. Utilisez une fenêtre d'affichage appropriée.

Note: **Si la calculatrice que vous utilisez trace directement les tangentes, vous n'avez pas à répondre à la question a).**

1. $f(x) = 4x - 3$; au point $(2, 5)$

2. $f(x) = -2x + 5$; au point $(1, 3)$

3. $f(x) = 2x^2 + x$; au point $(-2, 6)$

4. $f(x) = -x^2 + 2x$; au point $(1, 1)$

5. $f(x) = 2x^2 + x - 3$; au point $(2, 7)$

6. $f(x) = -3x^2 + 2x - 1$; au point $(1, -2)$

7. $f(x) = x + \dfrac{1}{x}$; au point $(1, 2)$

8. $f(x) = x - \dfrac{1}{x}$; au point $(1, 0)$

9. $f(x) = \sqrt{x}$; au point $(4, 2)$

10. $f(x) = \dfrac{1}{\sqrt{x}}$; au point $\left(4, \dfrac{1}{2}\right)$

11–20 a) Utilisez l'option de dérivation d'une calculatrice graphique pour calculer la dérivée de la fonction f en l'abscisse x du point donné (avec deux décimales de précision); b) trouvez une équation de la tangente à la courbe de f au point indiqué; c) tracez le graphique de f et de la tangente recherchée sur un même système de coordonnées. Utilisez une fenêtre d'affichage appropriée.

Note: **Si la calculatrice que vous utilisez trace directement les tangentes, vous n'avez pas à répondre à la question b).**

11. $f(x) = x^3 + x + 1$; $(1, 3)$

12. $f(x) = -2x^3 + 3x^2 + 2$; $(-1, 7)$

13. $f(x) = x^4 - 3x^2 + 1$; $(2, 5)$

14. $f(x) = -x^4 + 3x + 1$; $(1, 3)$

15. $f(x) = x - \sqrt{x}$; $(4, 2)$ 16. $f(x) = x^{3/2} - x$; $(4, 4)$

17. $f(x) = \dfrac{1}{x + 1}$; $\left(1, \dfrac{1}{2}\right)$ 18. $f(x) = \dfrac{x}{x + 1}$; $\left(3, \dfrac{3}{4}\right)$

19. $f(x) = x\sqrt{x^2 + 1}$; $(2, 2\sqrt{5})$

20. $f(x) = \dfrac{x}{\sqrt{x^2 + 1}}$; $\left(1, \dfrac{\sqrt{2}}{2}\right)$

21. **Coût d'utilisation d'une automobile** Le coût moyen d'utilisation d'une automobile aux États-Unis entre 1991 et 2001 est approximé par la fonction

$$C(t) = 0,0375t^2 + 0,4625t + 23,3125$$
$$\text{(pour } 0 \le t \le 11)$$

où $C(t)$ est mesuré en cents par km et t est mesuré en années, $t = 0$ correspondant au début de l'année 1991.

a. Tracez le graphique de la fonction C dans la fenêtre $[0, 10] \times [22, 23]$.

b. À combien se chiffrait le coût moyen d'utilisation d'une automobile aux États-Unis au début de 1995?

c. Quel était le taux de variation du coût moyen d'utilisation d'une automobile aux États-Unis au début de 1995?

Source: Automobile Association of America

22. **Dépenses des commissions scolaires** Les dépenses annuelles des commissions scolaires canadiennes (en milliards de dollars courants) entre 1996 et l'an 2000 sont approximées par la fonction

$$f(t) = 0,158t^2 - 0,0468t + 31,0254 \quad \text{(pour } 0 \le t \le 4)$$

où t est mesuré en années, $t = 0$ correspondant à 1990.

a. Tracez le graphique de f dans la fenêtre $[0, 4] \times [30, 34]$.

b. Quelles étaient les dépenses annuelles des commissions scolaires canadiennes en 1999?

c. Quel était le taux de variation approximatif des dépenses annuelles des commissions scolaires canadiennes en 1999?

Source: Statistique Canada

41.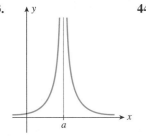

42.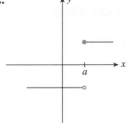

43.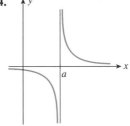

44.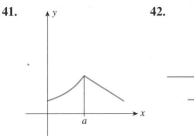

45. La distance s (en mètres) parcourue en t s par une moto se déplaçant en ligne droite à partir du repos est modélisée par la fonction

$$s(t) = -0{,}03t^3 + 0{,}6t^2 + 7t$$

Calculez la vitesse moyenne de la moto dans l'intervalle de temps $[2, 2 + h]$ pour $h = 1$; $0{,}1$; $0{,}01$; $0{,}001$; $0{,}0001$ et $0{,}00001$. En vous basant sur les résultats obtenus, estimez la vitesse instantanée de la moto en $t = 2$.

46. Une entreprise estime que le coût de production journalier $C(x)$ de x caisses de sauce pimentée Saveurs du Mexique est modélisé par

$$C(x) = 0{,}000002x^3 + 5x + 400$$

Calculez l'expression

$$\frac{C(100 + h) - C(100)}{h}$$

pour $h = 1$; $0{,}1$; $0{,}01$; $0{,}001$ et $0{,}0001$. En vous basant sur les résultats obtenus, estimez le taux de variation du coût de production journalier lorsque l'entreprise produit 100 caisses par jour.

47-48 Dites si l'énoncé est vrai ou faux. S'il est vrai, dites pourquoi. S'il est faux, trouvez un contre-exemple.

47. Si f est continue en $x = a$, alors f est dérivable en $x = a$.

48. Si f est continue en $x = a$ et g est dérivable en $x = a$, alors $\lim\limits_{x \to a} f(x)g(x) = f(a)g(a)$.

49. Tracez le graphique de la fonction $f(x) = |x + 1|$ et montrez que la fonction n'admet pas de dérivée en $x = -1$.

50. Tracez le graphique de la fonction $f(x) = 1/(x - 1)$ et montrez que la fonction n'admet pas de dérivée en $x = 1$.

51. Soit

$$f(x) = \begin{cases} x^2 & \text{si } x \leq 1 \\ ax + b & \text{si } x > 1 \end{cases}$$

Trouvez les valeurs de a et de b pour lesquelles la fonction f est continue et admet une dérivée en $x = 1$. Tracez le graphique de f.

52. Tracez le graphique de la fonction $f(x) = x^{2/3}$. La fonction est-elle continue en $x = 0$? La dérivée $f'(x)$ existe-t-elle en $x = 0$? Expliquez pourquoi.

53. Démontrez que la dérivée de la fonction $f(x) = |x|$ en $x \neq 0$ est

$$f'(x) = \begin{cases} 1 & \text{si } x > 0 \\ -1 & \text{si } x < 0 \end{cases}$$

Suggestion: Utilisez la définition de valeur absolue.

54. Démontrez que si une fonction f est dérivable en un point $x = a$, alors elle est continue en ce point.

Suggestion: En vous basant sur l'égalité

$$f(x) - f(a) = \left[\frac{f(x) - f(a)}{x - a} \right] (x - a)$$

faites appel à la règle de la limite d'un produit et à la définition de la dérivée, et démontrez que

$$\lim_{x \to a} [f(x) - f(a)] = 0$$

◼ SOLUTIONS DES EXERCICES D'AUTOÉVALUATION **2.6**

1. a. $f'(x) = \lim_{h \to 0} \dfrac{f(x + h) - f(x)}{h}$

$= \lim_{h \to 0} \dfrac{[-(x + h)^2 - 2(x + h) + 3] - (-x^2 - 2x + 3)}{h}$

$= \lim_{h \to 0} \dfrac{-x^2 - 2xh - h^2 - 2x - 2h + 3 + x^2 + 2x - 3}{h}$

$= \lim_{h \to 0} \dfrac{h(-2x - h - 2)}{h}$

$= \lim_{h \to 0} (-2x - h - 2) = -2x - 2$

b. D'après **a**, la pente de la tangente à la courbe de f en tout point $(x, f(x))$ est

$$f'(x) = -2x - 2$$

En particulier, la pente de la tangente à la courbe de f au point $(0, 3)$ est

$$f'(0) = -2$$

c. Le taux de variation de f en $x = 0$ est $f'(0) = -2$, ou -2 unités/unité de variation de x.

d. D'après **b**, une équation de la tangente recherchée est

$$y - 3 = -2(x - 0)$$

soit

$$y = -2x + 3$$

e.

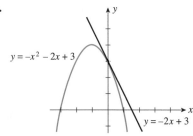

$y = -x^2 - 2x + 3$

$y = -2x + 3$

2. Le taux de variation des pertes au moment t est

$f'(t) = \lim_{h \to 0} \dfrac{f(t + h) - f(t)}{h}$

$= \lim_{h \to 0} \dfrac{[-(t + h)^2 + 10(t + h) + 30] - (-t^2 + 10t + 30)}{h}$

$= \lim_{h \to 0} \dfrac{-t^2 - 2th - h^2 + 10t + 10h + 30 + t^2 - 10t - 30}{h}$

$= \lim_{h \to 0} \dfrac{h(-2t - h + 10)}{h}$

$= \lim_{h \to 0} (-2t - h + 10)$

$= -2t + 10$

Le taux de variation des pertes encourues par la banque au début de 1997 ($t = 3$) était donc

$$f'(3) = -2(3) + 10 = 4$$

Autrement dit, les pertes augmentaient au taux de 4 millions de dollars par an. Au début de 1999 ($t = 5$),

$$f'(5) = -2(5) + 10 = 0$$

de sorte que le taux d'augmentation des pertes était nul à ce moment-là. Au début de 2001 ($t = 7$),

$$f'(7) = -2(7) + 10 = -4$$

ce qui nous permet d'affirmer que les pertes diminuaient alors de 4 millions de dollars par an.

◼ CHAPITRE **2** Résumé des principales formules

FORMULES

1. Taux de variation moyen de f dans l'intervalle $[x, x + h]$
ou
pente de la sécante passant par les points $(x, f(x))$ et $(x + h, f(x + h))$ du graphique

$\dfrac{f(x + h) - f(x)}{h}$

2. Taux de variation instantané de f au point $(x, f(x))$
ou
pente de la tangente à la courbe de f au point $(x, f(x))$
ou
dérivée de f

$\lim_{h \to 0} \dfrac{f(x + h) - f(x)}{h}$

CHAPITRE **2** EXERCICES RÉCAPITULATIFS

1. Trouvez le domaine de chaque fonction:

a. $f(x) = \sqrt{9 - x}$ **b.** $f(x) = \dfrac{x + 3}{2x^2 - x - 3}$

2. Soit $f(x) = 3x^2 + 5x - 2$. Calculez:

a. $f(-2)$ **b.** $f(a + 2)$
c. $f(2a)$ **d.** $f(a + h)$

3. Soit $y^2 = 2x + 1$.

a. Tracez le graphique de cette équation.
b. Est-ce que y est une fonction de x? Justifiez.
c. Est-ce que x est une fonction de y? Justifiez.

4. Tracez le graphique de la fonction définie par

$$f(x) = \begin{cases} x + 1 & \text{si } x < 1 \\ -x^2 + 4x - 1 & \text{si } x \geq 1 \end{cases}$$

5. Soit $f(x) = 1/x$ et $g(x) = 2x + 3$. Trouvez:
a. $f(x)g(x)$ **b.** $f(x)/g(x)$
c. $f(g(x))$ **d.** $g(f(x))$

6–19 Calculez la limite, si elle existe.

6. $\lim\limits_{x \to 0} (5x - 3)$ **7.** $\lim\limits_{x \to 1} (x^2 + 1)$

8. $\lim\limits_{x \to -1} (3x^2 + 4)(2x - 1)$

9. $\lim\limits_{x \to 3} \dfrac{x - 3}{x + 4}$ **10.** $\lim\limits_{x \to 2} \dfrac{x + 3}{x^2 - 9}$

11. $\lim\limits_{x \to -2} \dfrac{x^2 - 2x - 3}{x^2 + 5x + 6}$ **12.** $\lim\limits_{x \to 3} \sqrt{2x^3 - 5}$

13. $\lim\limits_{x \to 3} \dfrac{4x - 3}{\sqrt{x + 1}}$ **14.** $\lim\limits_{x \to 1^+} \dfrac{x - 1}{x(x - 1)}$

15. $\lim\limits_{x \to 1^-} \dfrac{\sqrt{x} - 1}{x - 1}$ **16.** $\lim\limits_{x \to \infty} \dfrac{x^2}{x^2 - 1}$

17. $\lim\limits_{x \to -\infty} \dfrac{x + 1}{x}$ **18.** $\lim\limits_{x \to \infty} \dfrac{3x^2 + 2x + 4}{2x^2 - 3x + 1}$

19. $\lim\limits_{x \to -\infty} \dfrac{x^2}{x + 1}$

20. Tracez le graphique de la fonction

$$f(x) = \begin{cases} 2x - 3 & \text{si } x \leq 2 \\ -x + 3 & \text{si } x > 2 \end{cases}$$

et calculez $\lim\limits_{x \to a^+} f(x)$, $\lim\limits_{x \to a^-} f(x)$ et $\lim\limits_{x \to a} f(x)$ au point d'abscisse $a = 2$, si elles existent.

21. Tracez le graphique de la fonction

$$f(x) = \begin{cases} 4 - x & \text{si } x \leq 2 \\ x + 2 & \text{si } x > 2 \end{cases}$$

et calculez $\lim\limits_{x \to a^+} f(x)$, $\lim\limits_{x \to a^-} f(x)$ et $\lim\limits_{x \to a} f(x)$ au point d'abscisse $a = 2$, si elles existent.

22–25 Trouvez les valeurs de *x* pour lesquelles la fonction est discontinue.

22. $g(x) = \begin{cases} x + 3 & \text{si } x \neq 2 \\ 0 & \text{si } x = 2 \end{cases}$

23. $f(x) = \dfrac{3x + 4}{4x^2 - 2x - 2}$

24. $f(x) = \begin{cases} \dfrac{1}{(x + 1)^2} & \text{si } x \neq -1 \\ 2 & \text{si } x = -1 \end{cases}$

25. $f(x) = \dfrac{|2x|}{x}$

26. Soit $y = x^2 + 2$.

a. Trouvez le taux moyen de variation de y par rapport à x dans les intervalles $[1, 2]$; $[1; 1,5]$ et $[1; 1,1]$.
b. Trouvez le taux de variation (instantané) de y au point d'abscisse $x = 1$.

27. Au moyen de la définition de la dérivée, calculez la pente de la tangente à la courbe de la fonction $f(x) = 3x + 5$ en tout point $P(x, f(x))$ de la courbe.

28. Au moyen de la définition de la dérivée, calculez la pente de la tangente à la courbe de la fonction $f(x) = -1/x$ en tout point $P(x, f(x))$ de la courbe.

29. Au moyen de la définition de la dérivée, calculez la pente de la tangente à la courbe de la fonction $f(x) = \frac{3}{2}x + 5$ au point $(-2, 2)$ et trouvez une équation de la tangente.

30. Au moyen de la définition de la dérivée, calculez la pente de la tangente à la courbe de la fonction $f(x) = -x^2$ au point $(2, -4)$ et trouvez une équation de la tangente.

31. Le graphique de la fonction *f* est représenté sur la figure ci-après.

    a. La fonction *f* est-elle continue en $x = a$? Justifiez.

    b. La fonction *f* est-elle dérivable en $x = a$? Justifiez.

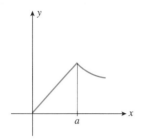

32. **CHIFFRE D'AFFAIRES** Le chiffre d'affaires annuel d'une entreprise (en millions de dollars) en fonction du temps (en années) suit un modèle approximativement linéaire. Le chiffre d'affaires atteignait 2,4 millions de dollars en 1996 et 7,4 millions de dollars en 2001.

    a. Trouvez une équation du chiffre d'affaires de l'entreprise en fonction du temps.

    b. Estimez le chiffre d'affaires de l'entreprise en 1999.

33. **VENTES DE BALADEURS** Le montant des ventes d'un certain modèle de baladeur est approximé par la relation $V(x) = 6000x + 30\,000$ (pour $0 \leq x \leq 5$), où $V(x)$ désigne le nombre d'unités vendues au cours de l'année *x* ($x = 0$ correspondant à l'année 2001). Estimez le nombre de baladeurs vendus au cours de l'année 2005.

34. **PROFITS D'UNE ENTREPRISE** Une entreprise manufacturière a des coûts fixes de 30 000 $ et des coûts variables de 6 $ par unité produite. Chaque unité se vend 10 $.

    a. Trouvez la fonction coût.

    b. Trouvez la fonction revenu.

    c. Trouvez la fonction profit.

    d. Calculez le profit (ou la perte) correspondant à des productions respectives de 6000, 8000 et 12 000 unités.

35. La fonction coût et la fonction revenu d'une entreprise sont représentées respectivement par $C(x) = 12x + 20\,000$ et $R(x) = 20x$. Trouvez le seuil de rentabilité de l'entreprise.

    Définition : Le seuil de rentabilité est le nombre d'unités qu'il faut produire pour que le coût soit strictement égal au revenu, c'est-à-dire que le profit soit nul.

36. **ÉQUILIBRE DE MARCHÉ** L'équation de la demande d'un bien de consommation est $3x + p - 40 = 0$ et l'équation de l'offre est $2x - p + 10 = 0$, où *p* est le prix unitaire en dollars et *x* représente la quantité produite, en milliers d'unités. Trouvez la quantité et le prix à l'équilibre.

37. **COURBE D'APPRENTISSAGE DE THURSTONE** Le psychologue L. L. Thurstone a construit le modèle suivant reliant le temps d'apprentissage *T* et la longueur *n* d'une liste :

$$T = f(n) = An\sqrt{n - b}$$

où *A* et *b* sont des constantes déterminées selon la personne et la tâche. Supposons que, pour une personne et une tâche données, $A = 4$ et $b = 4$; calculez $f(4), f(5), \ldots, f(12)$ et utilisez les résultats obtenus pour tracer le graphique de *f*. Interprétez vos résultats.

38. **ÉQUILIBRE DE MARCHÉ** Les fonctions représentant la demande et l'offre mensuelles de lampes de bureau Luminar sont respectivement

$$p = d(x) = -1{,}1x^2 + 1{,}5x + 40$$
$$p = o(x) = 0{,}1x^2 + 0{,}5x + 15$$

où *p* est mesuré en dollars et *x* en milliers d'unités. Trouvez la quantité et le prix à l'équilibre.

39. **COÛT MOYEN D'UN BIEN DE CONSOMMATION** Le coût moyen de production (en dollars) de *x* unités d'un bien de consommation est

$$\overline{C}(x) = 20 + \frac{400}{x}$$

Évaluez $\lim_{x \to \infty} \overline{C}(x)$ et interprétez votre réponse.

3 Règles de dérivation

Dennis MacDonald/PhotoEdit

Quel effet le déversement de déchets organiques a-t-il sur la teneur en oxygène d'un étang? À l'exemple 7, page 161, vous verrez comment calculer la vitesse à laquelle un étang retrouve sa teneur habituelle en oxygène, après qu'on y ait versé une certaine quantité de déchets organiques.

Le présent chapitre présente des règles qui simplifient grandement le calcul de dérivées de fonctions et grâce auxquelles on peut appliquer le taux de variation d'une quantité par rapport à une autre à bon nombre de situations réelles. Nous allons notamment trouver à quelle vitesse la population d'une espèce de baleines en voie de disparition se rétablit après l'adoption d'un certain nombre de mesures de conservation, calculer le taux de variation de l'indice des prix à la consommation (IPC) d'un pays à un moment donné, ou encore déterminer le taux de variation du temps requis pour mémoriser des mots sur une liste par rapport au nombre de mots sur la liste. Nous allons aussi appliquer les règles de dérivation à l'analyse marginale, c'est-à-dire l'étude des taux de variation de variables économiques. Nous allons finalement aborder l'étude de la différentielle d'une fonction. Les différentielles constituent un moyen simple de calculer une approximation de la variation d'une quantité engendrée par une faible variation d'une autre quantité qui lui est reliée.

3.1 Règles de dérivation de base

Quatre règles de base

Gottfried Wilhelm von Leibniz (1646-1716)

Leibniz, un érudit allemand, voyage à Paris et à Londres en mission diplomatique et y rencontre de grands mathématiciens et scientifiques, ce qui aiguise son intérêt pour les mathématiques. En 1671, il s'intéresse au domaine du calcul différentiel et intégral. On lui doit les notions $df(x)/dx$ pour la dérivée et $\int f(x)dx$ pour l'intégrale. On lui attribue aussi la découverte de la formule $d(x^n) = nx^{n-1}dx$ pour n entier et n rationnel, de même que la dérivée d'une fonction composée.

Bien que son travail sur le calcul différentiel soit postérieur à celui de Newton, il a publié ses résultats avant, ce qui a donné lieu à un débat à savoir à qui attribuer la paternité du calcul différentiel et intégral. Aujourd'hui, il est généralement admis que les deux chercheurs l'ont développé indépendamment l'un de l'autre.

La méthode que nous avons utilisée au chapitre 2 pour calculer la dérivée d'une fonction était fondée directement sur la définition du concept de dérivée en tant que limite d'un quotient. Ainsi, pour trouver la fonction dérivée f' d'une fonction f, nous commencions par calculer l'expression

$$\frac{f(x + h) - f(x)}{h}$$

puis nous calculions sa limite lorsque h tend vers 0. Vous avez certainement remarqué que cette méthode peut rapidement se révéler pénible, même dans le cas de fonctions relativement simples.

Dans le présent chapitre, nous allons surtout présenter des règles qui simplifieront la recherche de la dérivée d'une fonction. Nous utiliserons la notation de Leibniz

$$\frac{d}{dx}[f(x)] \qquad \text{qui se lit : «}d, d\,x \text{ de } f \text{ de } x\text{»}$$

pour représenter «la dérivée de f par rapport à x au point d'abscisse x»[1]. Pour chaque règle de dérivation, on suppose que les fonctions f et g sont dérivables.

> **1re règle : Dérivée d'une fonction constante**
>
> $$\frac{d}{dx}(c) = 0 \qquad \text{(où } c \text{ est une constante)}$$

La dérivée d'une fonction constante est égale à 0.

---

1 Il ne faut pas lire $\frac{d}{dx}$ comme un quotient de d par dx, mais bien comme un *tout*, qui désigne la dérivée par rapport à la variable x de la fonction qui suit.

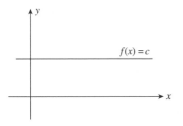

FIGURE 3.1
La pente de la tangente à la courbe de $f(x) = c$, où c est une constante, est 0.

L'interprétation géométrique de cette propriété va de soi. En effet, le graphique d'une fonction constante est une droite parallèle à l'axe des x (figure 3.1); et comme la tangente à une droite en tout point de cette droite est la droite elle-même, sa pente [c'est-à-dire la dérivée de la fonction $f(x) = c$] doit être nulle. Le résultat s'obtient aussi à l'aide de la définition de la dérivée. Ainsi,

$$f'(x) = \lim_{h \to 0} \frac{f(x + h) - f(x)}{h}$$

$$= \lim_{h \to 0} \frac{c - c}{h}$$

$$= \lim_{h \to 0} 0 = 0$$

EXEMPLE 1

a. Si $f(x) = 28$, alors

$$f'(x) = \frac{d}{dx}(28) = 0$$

b. Si $f(x) = -2$, alors

$$f'(x) = \frac{d}{dx}(-2) = 0$$

2e règle : Dérivée d'une fonction puissance

Si n est un nombre réel quelconque, alors $\dfrac{d}{dx}(x^n) = nx^{n-1}$.

Vérifions cette règle dans le cas particulier où $n = 2$. Si $f(x) = x^2$, alors

$$f'(x) = \frac{d}{dx}(x^2) = \lim_{h \to 0} \frac{f(x + h) - f(x)}{h}$$

$$= \lim_{h \to 0} \frac{(x + h)^2 - x^2}{h}$$

$$= \lim_{h \to 0} \frac{x^2 + 2xh + h^2 - x^2}{h}$$

$$= \lim_{h \to 0} \frac{2xh + h^2}{h} = \lim_{h \to 0} (2x + h) = 2x$$

ce qui vérifie bien la propriété.

La preuve de la validité de cette règle pour un exposant réel quelconque présente un niveau de difficulté qui dépasse le cadre du présent ouvrage. Cependant, vous pouvez sans difficulté vérifier que la règle est valable pour $n = 3$ (voir l'exercice 66, page 156).

EXEMPLE 2   **a.** Si $f(x) = x$, alors

$$f'(x) = \frac{d}{dx}(x) = 1 \cdot x^{1-1} = x^0 = 1$$

b. Si $f(x) = x^8$, alors

$$f'(x) = \frac{d}{dx}(x^8) = 8x^7$$

c. Si $f(x) = x^{5/2}$, alors

$$f'(x) = \frac{d}{dx}(x^{5/2}) = \frac{5}{2}x^{3/2}$$

Pour dériver une fonction comportant un radical, il suffit de récrire la fonction au moyen d'exposants fractionnaires, puis d'utiliser la règle de dérivation d'une fonction puissance.

EXEMPLE 3   Calculez la dérivée des fonctions suivantes :

a. $f(x) = \sqrt{x}$ **b.** $g(x) = \dfrac{1}{\sqrt[3]{x}}$

Solution

a. On récrit $\sqrt{x}$ sous la forme $x^{1/2}$, ce qui donne

$$f'(x) = \frac{d}{dx}(x^{1/2})$$

$$= \frac{1}{2}x^{-1/2} = \frac{1}{2x^{1/2}} = \frac{1}{2\sqrt{x}}$$

b. On récrit $\dfrac{1}{\sqrt[3]{x}}$ sous la forme $x^{-1/3}$, ce qui donne

$$g'(x) = \frac{d}{dx}(x^{-1/3})$$

$$= -\frac{1}{3}x^{-4/3} = -\frac{1}{3x^{4/3}}$$

3e règle : Dérivée du produit d'une fonction par une constante

$$\frac{d}{dx}[cf(x)] = c\frac{d}{dx}[f(x)] \qquad \text{(où } c \text{ est une constante)}$$

La dérivée d'une constante fois une fonction est égale à la constante fois la dérivée de la fonction.

Le résultat se démontre sans difficulté au moyen du raisonnement suivant.

Si $g(x) = cf(x)$, alors

$$g'(x) = \lim_{h \to 0} \frac{g(x + h) - g(x)}{h} = \lim_{h \to 0} \frac{cf(x + h) - cf(x)}{h}$$

$$= c \lim_{h \to 0} \frac{f(x + h) - f(x)}{h}$$

$$= cf'(x)$$

EXEMPLE 4

a. Si $f(x) = 5x^3$, alors

$$f'(x) = \frac{d}{dx}(5x^3) = 5\frac{d}{dx}(x^3)$$
$$= 5(3x^2) = 15x^2$$

b. Si $f(x) = \dfrac{3}{\sqrt{x}}$, alors

$$f'(x) = \frac{d}{dx}(3x^{-1/2})$$
$$= 3\left(-\frac{1}{2}x^{-3/2}\right) = -\frac{3}{2x^{3/2}}$$

4e règle: Dérivée d'une somme ou d'une différence de fonctions

$$\frac{d}{dx}[f(x) \pm g(x)] = \frac{d}{dx}[f(x)] \pm \frac{d}{dx}[g(x)]$$

La dérivée de la somme (ou de la différence) de deux fonctions dérivables est égale à la somme (ou la différence) des dérivées (respectives des deux fonctions).

Ce résultat peut être généralisé à la somme ou la différence d'un nombre fini quelconque de fonctions dérivables. Vérifions sa validité pour la somme de deux fonctions.

Si $s(x) = f(x) + g(x)$, alors

$$s'(x) = \lim_{h \to 0} \frac{s(x + h) - s(x)}{h}$$
$$= \lim_{h \to 0} \frac{[f(x + h) + g(x + h)] - [f(x) + g(x)]}{h}$$
$$= \lim_{h \to 0} \frac{[f(x + h) - f(x)] + [g(x + h) - g(x)]}{h}$$
$$= \lim_{h \to 0} \frac{f(x + h) - f(x)}{h} + \lim_{h \to 0} \frac{g(x + h) - g(x)}{h}$$
$$= f'(x) + g'(x)$$

EXEMPLE 5   Calculez la dérivée des fonctions suivantes:

a. $f(x) = 4x^5 + 3x^4 - 8x^2 + x + 3$ **b.** $g(t) = \dfrac{t^2}{5} + \dfrac{5}{t^3}$

Solution

a. $f'(x) = \dfrac{d}{dx}(4x^5 + 3x^4 - 8x^2 + x + 3)$

$$= \frac{d}{dx}(4x^5) + \frac{d}{dx}(3x^4) - \frac{d}{dx}(8x^2) + \frac{d}{dx}(x) + \frac{d}{dx}(3)$$
$$= 20x^4 + 12x^3 - 16x + 1$$

b. Ici, la variable indépendante est t plutôt que x; nous devons donc dériver par rapport à t. Ainsi,

$$g'(t) = \frac{d}{dt}\left(\frac{1}{5}t^2 + 5t^{-3}\right) \qquad \text{On récrit } \frac{1}{t^3} \text{ sous la forme } t^{-3}.$$

$$= \frac{2}{5}t - 15t^{-4}$$

$$= \frac{2t^5 - 75}{5t^4} \qquad \text{On récrit } t^{-4} \text{ sous la forme } \frac{1}{t^4} \text{ et on met}$$
au même dénominateur.

EXEMPLE 6

Trouvez la pente et une équation de la tangente à la courbe de la fonction $f(x) = 2x + 1/\sqrt{x}$ au point $(1, 3)$.

Solution La pente de la tangente en un point $(x, f(x))$ de la courbe de f est

$$f'(x) = \frac{d}{dx}\left(2x + \frac{1}{\sqrt{x}}\right)$$

$$= \frac{d}{dx}(2x + x^{-1/2}) \qquad \text{On récrit } \frac{1}{\sqrt{x}} \text{ sous la forme } \frac{1}{x^{1/2}} = x^{-1/2}.$$

$$= 2 - \frac{1}{2}x^{-3/2} \qquad \text{Dérivée d'une somme}$$

$$= 2 - \frac{1}{2x^{3/2}}$$

En particulier, la pente de la tangente à la courbe de f au point $(1, 3)$ (où $x = 1$) est

$$f'(1) = 2 - \frac{1}{2(1^{3/2})} = 2 - \frac{1}{2} = \frac{3}{2}$$

En utilisant la forme point-pente de l'équation d'une droite de pente $\frac{3}{2}$ passant par le point $(1, 3)$, nous obtenons

$$y - 3 = \frac{3}{2}(x - 1) \qquad (y - y_1) = m(x - x_1)$$

ou, après simplification,

$$y = \frac{3}{2}x + \frac{3}{2}$$

APPLICATIONS

EXEMPLE 7

Protection d'une espèce de baleines Un groupe de biologistes marins de l'Institut d'océanographie Neptune a recommandé une série de mesures de protection à mettre en oeuvre au cours des dix prochaines années pour sauver une espèce de baleines en voie d'extinction. Lorsque les mesures auront été implantées, on s'attend à ce que la population de l'espèce suive le modèle

$$N(t) = 3t^3 + 2t^2 - 10t + 600 \qquad \text{(pour } 0 \le t \le 10)$$

où $N(t)$ désigne la population de baleines à la fin de l'année t. Trouvez le taux de croissance de la population de baleines en $t = 2$ et en $t = 6$. Combien y aura-t-il de baleines de cette espèce 8 ans après la mise en oeuvre des mesures de protection?

Solution Le taux de variation du nombre de baleines au temps t est

$$N'(t) = 9t^2 + 4t - 10$$

En particulier, pour $t = 2$ et pour $t = 6$, on a

$$N'(2) = 9(2)^2 + 4(2) - 10$$
$$= 34$$
$$N'(6) = 9(6)^2 + 4(6) - 10$$
$$= 338$$

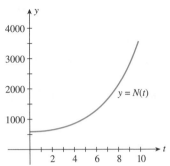

FIGURE 3.2
La population de baleines au bout de t années est modélisée par la fonction $N(t)$.

La population s'accroîtra donc de 34 baleines par an après 2 ans et de 338 baleines par an après 6 ans.

À la fin de la huitième année, la population de baleines aura atteint

$$N(8) = 3(8)^3 + 2(8)^2 - 10(8) + 600$$
$$= 2184 \text{ baleines}$$

Le graphique de la fonction N est représenté à la figure 3.2. On remarque que la population croît plus rapidement au cours des dernières années, où les effets des mesures de protection commencent à se faire sentir, qu'au cours des premières années.

EXEMPLE 8   **Altitude d'une fusée** L'altitude (en mètres) d'une fusée t secondes après le décollage est modélisée par la fonction

$$s = f(t) = -0{,}3t^3 + 25t^2 + 240t + 2 \qquad (\text{pour } t \geq 0)$$

a. Trouvez une expression de la vitesse v de la fusée à un instant quelconque t.
b. Calculez la vitesse de la fusée pour $t = 0$, 30, 50, 60 et 70 s. Interprétez vos réponses.
c. D'après les réponses de la partie **b**, et sachant que lorsque la fusée atteint son altitude maximale, sa vitesse est nulle, trouvez l'altitude maximale atteinte par la fusée.

Solution

a. La vitesse de la fusée à l'instant t est

$$v = f'(t) = -0{,}9t^2 + 50t + 240$$

b. La vitesse de la fusée pour $t = 0$, 30, 50, 60 et 70 est

$$f'(0) = -0{,}9(0)^2 + 50(0) + 240 = 240$$
$$f'(30) = -0{,}9(30)^2 + 50(30) + 240 = 930$$
$$f'(50) = -0{,}9(50)^2 + 50(50) + 240 = 490$$
$$f'(60) = -0{,}9(60)^2 + 50(60) + 240 = 0$$
$$f'(70) = -0{,}9(70)^2 + 50(70) + 240 = -670$$

c'est-à-dire respectivement 240 m/s, 930 m/s, 490 m/s, 0 m/s et -670 m/s.

Ainsi, la fusée a une vitesse initiale de 240 m/s en $t = 0$ s et accélère jusqu'à atteindre une vitesse de 930 m/s à $t = 30$ s. Cinquante secondes après le décollage, la fusée est propulsée à 490 m/s, une vitesse inférieure à celle qu'elle avait à $t = 30$ s. Cela signifie que la fusée commence à décélérer, après une période initiale d'accélération. (Nous verrons plus loin comment calculer la vitesse maximale de la fusée.)

La décélération se poursuit : la vitesse est de 0 m/s à $t = 60$ s et de -670 m/s à $t = 70$ s. Donc 70 s après le décollage, la fusée revient vers la Terre à la vitesse de 670 m/s.

c. Nous avons vu à la partie **b** que la vitesse de la fusée est nulle à l'instant $t = 60$ s. À cet instant, l'altitude de la fusée est maximale à

$$s = f(60) = -0{,}3(60)^3 + 25(60)^2 + 240(60) + 2$$
$$= 39\ 602\ \text{m}$$

Le graphique de f est représenté à la figure 3.3.

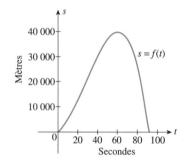

FIGURE 3.3
L'altitude de la fusée t s après le décollage est représentée par la fonction $f(t)$.

⌨ TECHNOLOGIE ET INTUITION

Reportez-vous à l'exemple 8.

1. À l'aide d'une calculatrice graphique, tracez le graphique de la vitesse v de la fusée

$$v = f'(t) = -0{,}9t^2 + 50t + 240$$

dans la fenêtre $[0, 100] \times [-4000, 3000]$. Ensuite, en utilisant les menus ZOOM et TRACE, ou encore l'option de recherche des zéros d'une fonction, vérifiez que $f'(60) = 0$.

2. Tracez le graphique de la position s de la fusée

$$s = f(t) = -0{,}3t^3 + 25t^2 + 240t + 2$$

dans la fenêtre $[0, 100] \times [0, 50\ 000]$. Ensuite, en utilisant de façon répétée les menus ZOOM et TRACE, vérifiez que l'altitude maximale atteinte par la fusée est de 39 602 m.

3. Utilisez les menus ZOOM et TRACE ou encore l'option de recherche des zéros d'une fonction, pour trouver à quel moment la fusée est de retour sur Terre.

◼ EXERCICES D'AUTOÉVALUATION **3.1**

1. Utilisez les règles de dérivation de base pour calculer la dérivée de chaque fonction.

   a. $f(x) = 1{,}5x^2 + 2x^{1{,}5}$

   b. $g(x) = 2\sqrt{x} + \dfrac{3}{\sqrt{x}}$

2. Soit $f(x) = 2x^3 - 3x^2 + 2x - 1$.

   a. Calculez $f'(x)$.

   b. Quelle est la pente de la tangente à la courbe de f au point d'abscisse $x = 2$?

   c. Quel est le taux de variation de f au point d'abscisse $x = 2$?

3. Le produit national brut (PNB) d'un pays (en millions de dollars) est modélisé par la fonction

$$G(t) = -2t^3 + 45t^2 + 20t + 6000 \qquad \text{(pour } 0 \le t \le 11)$$

où $t = 0$ correspond au début de l'année 1992.

Les solutions des exercices d'autoévaluation 3.1 se trouvent à la page 156.

   a. Quel était le taux de variation du PNB de ce pays au début de l'année 1997? Au début de l'année 1999? Au début de l'an 2002?

   b. Quel a été le taux de variation moyen du PNB durant la période 1997–2002?

◼ **3.1** EXERCICES

1–34 Utilisez les règles de dérivation de base pour calculer la dérivée de la fonction f.

1. $f(x) = -3$

2. $f(x) = 365$

3. $f(x) = x^5$

4. $f(x) = x^7$

5. $f(x) = x^{2{,}1}$

6. $f(x) = x^{0{,}8}$

7. $f(x) = 3x^2$

8. $f(x) = -2x^3$

9. $f(r) = \pi r^2$

10. $f(r) = \dfrac{4}{3}\pi r^3$

11. $f(x) = 9x^{1/3}$

12. $f(x) = \dfrac{5}{4}x^{4/5}$

13. $f(x) = 3\sqrt{x}$

14. $f(u) = \dfrac{2}{\sqrt{u}}$

15. $f(x) = 7x^{-12}$

16. $f(x) = 0{,}3x^{-1{,}2}$

17. $f(x) = 5x^2 - 3x + 7$

18. $f(x) = x^3 - 3x^2 + 1$

19. $f(x) = -x^3 + 2x^2 - 6$

20. $f(x) = x^4 - 2x^2 + 5$

21. $f(x) = 0{,}03x^2 - 0{,}4x + 10$

22. $f(x) = 0{,}002x^3 - 0{,}05x^2 + 0{,}1x - 20$

23. $f(x) = \dfrac{x^3 - 4x^2 + 3}{x}$

24. $f(x) = \dfrac{x^3 + 2x^2 + x - 1}{x}$

25. $f(x) = 4x^4 - 3x^{5/2} + 2$

26. $f(x) = 5x^{4/3} - \dfrac{2}{3}x^{3/2} + x^2 - 3x + 1$

27. $f(x) = 3x^{-1} + 4x^{-2}$ **28.** $f(x) = -\dfrac{1}{3}(x^{-3} - x^6)$

29. $f(t) = \dfrac{4}{t^4} - \dfrac{3}{t^3} + \dfrac{2}{t}$

30. $f(x) = \dfrac{5}{x^3} - \dfrac{2}{x^2} - \dfrac{1}{x} + 200$

31. $f(x) = 2x - 5\sqrt{x}$ **32.** $f(t) = 2t^2 + \sqrt{t^3}$

33. $f(x) = \dfrac{2}{x^2} - \dfrac{3}{x^{1/3}}$ **34.** $f(x) = \dfrac{3}{x^3} + \dfrac{4}{\sqrt{x}} + 1$

35. Soit $f(x) = 2x^3 - 4x$. Calculez :

    a. $f'(-2)$ **b.** $f'(0)$ **c.** $f'(2)$

36. Soit $f(x) = 4x^{5/4} + 2x^{3/2} + x$. Calculez :

    a. $f'(0)$ **b.** $f'(16)$

37–40 Associez la limite demandée à la dérivée d'une fonction f appropriée en un point a déterminé, puis trouvez la limite en calculant $f'(a)$.
Suggestion : Reportez-vous à la définition de la dérivée.

37. $\displaystyle \lim_{h \to 0} \frac{(1+h)^3 - 1}{h}$ **38.** $\displaystyle \lim_{x \to 1} \frac{x^5 - 1}{x - 1}$

                                                   Suggestion : Posez $h = x - 1$.

39. $\displaystyle \lim_{h \to 0} \frac{3(2+h)^2 - (2+h) - 10}{h}$

40. $\displaystyle \lim_{t \to 0} \frac{1 - (1+t)^2}{t(1+t)^2}$

41–44 Trouvez la pente et une équation de la tangente à la courbe de la fonction f au point donné.

41. $f(x) = 2x^2 - 3x + 4$; au point $(2, 6)$

42. $f(x) = -\dfrac{5}{3}x^2 + 2x + 2$; au point $\left(-1, -\dfrac{5}{3}\right)$

43. $f(x) = x^4 - 3x^3 + 2x^2 - x + 1$; au point $(1, 0)$

44. $f(x) = \sqrt{x} + \dfrac{1}{\sqrt{x}}$; au point $\left(4, \dfrac{5}{2}\right)$

45. Soit $f(x) = x^3$.

    a. Trouvez le point du graphique de f où la tangente est horizontale.

    b. Tracez le graphique de f et tracez-y la tangente horizontale.

46. Soit $f(x) = x^3 - 4x^2$.

    a. Trouvez le ou les points du graphique de f où la tangente est horizontale.

    b. Tracez le graphique de f et tracez-y la ou les tangentes horizontales.

47. Soit $f(x) = x^3 + 1$.

    a. Trouvez le ou les points du graphique de f où la pente de la tangente est égale à 12.

    b. Trouvez une équation de la ou des tangentes de la partie **a.**

    c. Tracez le graphique de f de même que la ou les tangentes de pente 12.

48. Soit $f(x) = \dfrac{2}{3}x^3 + x^2 - 12x + 6$. Trouvez les valeurs de x pour lesquelles :

    a. $f'(x) = -12$ **b.** $f'(x) = 0$
    c. $f'(x) = 12$

49. Soit $f(x) = \dfrac{1}{4}x^4 - \dfrac{1}{3}x^3 - x^2$. Trouvez le ou les points du graphique de f où la pente de la tangente est égale à :

    a. $-2x$ **b.** 0 **c.** $10x$

50. On appelle *normale* à une courbe en un point P la droite qui passe par P et qui est perpendiculaire à la tangente à la courbe en P. Trouvez une équation de la tangente et de la normale à la courbe $y = x^3 - 3x + 1$ au point $(2, 3)$.

51. CROISSANCE D'UNE TUMEUR CANCÉREUSE Le volume d'une tumeur cancéreuse de forme sphérique est

$$V(r) = \frac{4}{3}\pi r^3$$

où r désigne le rayon de la tumeur (en cm). Trouvez le taux de variation du volume de la tumeur lorsque

    a. $r = \dfrac{2}{3}$ cm   **b.** $r = \dfrac{5}{4}$ cm

52. RENDEMENT AU TRAVAIL Une étude menée par le fabricant d'équipement électronique Poltronique a démontré que le nombre d'émetteurs-récepteurs portatifs du modèle BD assemblés par un travailleur moyen t heures après son arrivée à 8 h est

$$N(t) = -t^3 + 6t^2 + 15t$$

    a. Calculez le rendement (en nombre d'émetteurs-récepteurs par heure) du travailleur moyen t h après son arrivée au travail.

    b. Quel est le rendement du travailleur moyen à 10 h ? À 11 h ?

    c. Combien d'émetteurs-récepteurs le travailleur moyen assemble-t-il entre 10 h et 11 h ?

53. STOPS ET VITESSE MOYENNE Selon les données d'une étude, la vitesse moyenne A (mesurée en km/h) conservée au cours d'un trajet est liée au nombre x de stops/km qu'il a fallu effectuer par l'équation

$$A = \frac{34{,}3}{x^{0{,}45}}$$

Calculez dA/dx pour $x = 0{,}25$ et $x = 1$. Interprétez votre réponse dans le contexte.
Source : General Motors

54. PUBLICITÉ ET AUGMENTATION DU CHIFFRE D'AFFAIRES
Le chiffre d'affaires V du fabricant d'instruments de précision Cannon est relié à la somme x consacrée à la publicité par la fonction

$$V(x) = -0,002x^3 + 0,6x^2 + x + 500 \quad (\text{pour } 0 \le x \le 200)$$

où x est mesuré en milliers de dollars. Calculez le taux de variation du chiffres d'affaires par rapport à la somme consacrée à la publicité. Le taux d'augmentation du chiffre d'affaires est-il plus important lorsque le montant dépensé en publicité est de 100 000 $ ou lorsqu'il est de 150 000 $?

55. INDICE DES PRIX À LA CONSOMMATION L'indice des prix à la consommation (IPC) d'une province canadienne est modélisé par la fonction

$$I(t) = -0,2t^3 + 3t^2 + 100 \quad (\text{pour } 0 \le t \le 10)$$

où $t = 0$ correspond à l'année 1993.
a. Quel était le taux de variation de l'IPC en 1998 ? En 2000 ? En 2003 ?
b. Quel a été le taux de variation moyen de l'IPC entre 1998 et 2003 ?

56. RALENTISSEMENT DE CROISSANCE Il y a cinq ans, le gouvernement d'une île du Pacifique a instauré une vaste campagne de sensibilisation visant à freiner la croissance de la population. Selon des données recueillies par le Bureau de la statistique de ce pays, la population (mesurée en milliers de personnes), au cours des quatre années suivantes, était modélisée par la fonction

$$P(t) = -\frac{1}{3}t^3 + 64t + 3000$$

où t est mesuré en années et $t = 0$ correspond au début de la campagne. Trouvez le taux de variation de la population à la fin des années 1, 2, 3 et 4. La campagne de sensibilisation a-t-elle été efficace ?

57. CROISSANCE DE POPULATION Une étude préparée pour la Chambre de commerce d'une ville de la Montérégie prévoit qu'au cours des trois prochaines années, la population devrait s'accroître selon la règle

$$P(t) = 50\,000 + 30t^{3/2} + 20t$$

où $P(t)$ représente la population dans t mois à compter de maintenant. Quel sera le taux de croissance de la population dans 9 mois ? Dans 16 mois ?

58. PROTECTION DES TORTUES LUTHS Une espèce de tortues marines, les *Dermochelys coriacea* ou tortues luths, est menacée d'extinction en raison des soi-disant vertus aphrodisiaques de leurs oeufs. On espère que, grâce à l'instauration de mesures sévères contre le braconnage, la population des tortues luths pourra désormais croître suivant le modèle

$$N(t) = 2t^3 + 3t^2 - 4t + 1000 \quad (\text{pour } 0 \le t \le 10)$$

où $N(t)$ désigne la population à la fin de l'année t. Calculez le taux de croissance de la population de tortues lorsque $t = 2$ et $t = 8$. Quelle sera la population de tortues 10 ans après l'instauration des mesures de protection ?

59. DISTANCE DE FREINAGE D'UNE VOITURE DE COURSE
Au cours d'un test effectué pour le compte d'une revue de sport automobile, la distance de freinage s (en mètres) de la voiture de course MacPherson X-2 était modélisée par la fonction

$$s = f(t) = 40t - 5t^2 \quad (\text{pour } t \ge 0)$$

où t représente le temps (en secondes) écoulé à partir de l'application des freins.
a. Trouvez l'expression de la vitesse v de la voiture à l'instant t.
b. Quelle était la vitesse de la voiture au moment de l'application des freins ?
c. Quelle a été la distance de freinage de la voiture lors de ce test ?
Suggestion : Le temps de freinage s'obtient en posant $v = 0$.

60. DEMANDE DE LAMPES La demande de lampes de bureau de marque Luminar est représentée par la fonction

$$p = f(x) = -0,1x^2 - 0,4x + 35$$

où x représente la quantité demandée (mesurée en milliers d'unités) et p est le prix unitaire en dollars.
a. Calculez $f'(x)$.
b. Quel est le taux de variation du prix unitaire lorsque la demande se chiffre à 10 000 unités ($x = 10$) ? Quel est alors le prix unitaire ?

61. AUGMENTATION DU NOMBRE D'EMPLOYÉS OCCASIONNELS
Selon le ministère du Travail des États-Unis, le nombre d'employés occasionnels (en millions) suit le modèle

$$N(t) = 0,025t^2 + 0,255t + 1,505 \quad (\text{pour } 0 \le t \le 5)$$

où t est mesuré en années, $t = 0$ correspondant à 1991.
a. Combien d'employés occasionnels y avait-il au début de l'année 1994 ?
b. Quel était le taux de croissance du nombre d'employés occasionnels au début de 1994 ?
Source : Ministère du Travail des États-Unis

(suite à la page 156)

TECHNOLOGIE EN APPLICATION

Calcul du taux de variation d'une fonction

L'option de dérivation numérique d'une calculatrice graphique fournit une valeur approximative de la dérivée d'une fonction $f(x)$ pour une valeur de x donnée et fournit ainsi des réponses aux différentes questions qui concernent le taux de variation d'une quantité y par rapport à une autre quantité x, où $y = f(x)$, pour une valeur particulière de x.

EXEMPLE 1

Soit $y = 3t^3 + 2\sqrt{t}$.

a. Utilisez l'option de dérivation numérique d'une calculatrice graphique pour trouver le taux de variation de y par rapport à t lorsque $t = 1$.

b. Vérifiez le résultat obtenu en **a** à l'aide des règles de dérivation de base.

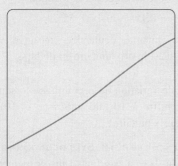

```
nDeriv((3X^3+2X^
.5), X, 1)
        10.00000313
■
```

FIGURE T1
Écran de dérivation numérique de la TI-83 pour le calcul de $f'(1)$

Solution

a. Le taux de variation de y par rapport à t lorsque $t = 1$ est $f'(1)$. L'option de dérivation numérique appliquée à la fonction $f(t) = 3t^3 + 2\sqrt{t}$ fournit une réponse voisine de 10 (figure T1).

b. On a $f(t) = 3t^3 + 2t^{1/2}$, de sorte que

$$f'(t) = 9t^2 + 2\left(\frac{1}{2}t^{-1/2}\right) = 9t^2 + \frac{1}{\sqrt{t}}$$

Ainsi, lorsque $t = 1$, y varie de

$$f'(1) = 9(1^2) + \frac{1}{\sqrt{1}} = 10$$

unités pour chaque unité de variation de t, ce que nous avions obtenu en **a**.

EXEMPLE 2

SCOLARITÉ DES FEMMES Le nombre de Québécoises qui détenaient un certificat, un diplôme ou un grade universitaire entre 1981 et 2001 est modélisé par la fonction

$$f(t) = -\,0{,}00162t^4 + 0{,}05181t^3 -\,0{,}23549t^2 + 13{,}23575t + 186{,}78 \quad (0 \le t \le 20)$$

où $f(t)$ est mesuré en milliers et t est mesuré en années, la valeur $t = 0$ correspondant à 1981.

a. À l'aide d'une calculatrice graphique, tracez le graphique de f sur l'intervalle $[0, 20]$.

b. Trouvez le taux de variation de f lorsque $t = 2$, $t = 15$ et $t = 19$.

c. Interprétez les résultats obtenus.

Source: Statistique Canada, Recensements du Canada

FIGURE T2
La graphique de la fonction f sur l'intervalle $[0, 20]$

Solution

a. Le graphique est représenté à la figure T2.

b. Sur la TI-83, l'option **dy/dx** du menu CALCULATE fournit les valeurs successives $f'(2) = 12{,}86367$, $f'(15) = 19{,}2728$ et $f'(19) = 15{,}95104$, qui sont les taux de variation recherchés.

c. Les résultats obtenus en **b** indiquent que le taux de variation du nombre de diplômées québécoises était d'environ 12 864 par an en 1983, qu'il est monté à environ 19 273 par an en 1996, pour redescendre vers 15 951 par an en l'an 2000.

1–6 Utilisez l'option de dérivation numérique pour trouver le taux de variation de $f(x)$ pour la valeur de x donnée. Conservez quatre décimales de précision.

1. $f(x) = 4x^5 - 3x^3 + 2x^2 + 1$; $x = 0,5$

2. $f(x) = -x^5 + 4x^2 + 3$; $x = 0,4$

3. $f(x) = x - 2\sqrt{x}$; $x = 3$

4. $f(x) = \dfrac{\sqrt{x} - 1}{x}$; $x = 2$

5. $f(x) = x^{1/2} - x^{1/3}$; $x = 1,2$

6. $f(x) = 2x^{5/4} + x$; $x = 2$

7. Pollution au monoxyde de carbone La concentration moyenne globale de monoxyde de carbone dans l'atmosphère depuis 1860 a été modélisée par la fonction

$$f(t) = 0,881443t^4 - 1,45533t^3 + 0,695876t^2 + 2,87801t + 293 \quad \text{(pour } 0 \le t \le 4)$$

où t est mesuré en intervalles de 40 ans, la valeur $t = 0$ correspondant au début de l'année 1860, et $f(t)$ est mesuré en parties par million en volume.

a. Tracez le graphique de f dans la fenêtre $[0, 4] \times [280, 400]$.

b. À l'aide d'une calculatrice graphique, estimez le taux de variation de la concentration moyenne globale de monoxyde de carbone dans l'atmosphère au début de l'an 1900 ($t = 1$) et au début de l'an 2000 ($t = 3,5$).

Source: Meadows *et al.*, *Beyond the Limits*

8. Marché immobilier Le nombre moyen de jours écoulés entre la mise en vente d'une maison unifamiliale et l'acceptation de l'offre d'achat dans une région du Québec est modélisé par la fonction

$$f(t) = 0,0171911t^4 - 0,662121t^3 + 6,18083t^2 - 8,97086t + 53,3357 \quad \text{(pour } 0 \le t \le 10)$$

où t est mesuré en années, la valeur $t = 0$ correspondant au début de 1984.

a. Tracez le graphique de f dans la fenêtre $[0, 12] \times [0, 120]$.

b. Quel était le taux de variation du nombre de jours écoulés entre la mise en vente d'une maison unifamiliale et l'acceptation de l'offre d'achat dans cette région au début de 1988?

9. Transmission du sida Mondialement, le nombre estimé de nouveaux cas d'enfants ayant contracté le sida du fait d'une tranmission du VIH par la mère est modélisé par la fonction

$$f(t) = -0,2083t^3 + 3,0357t^2 + 44,0476t + 200,2857 \quad \text{(pour } 0 \le t \le 12)$$

où $f(t)$ est mesuré en milliers et t est mesuré en années, la valeur $t = 0$ correspondant au début de l'année 1990.

a. Tracez le graphique de f dans la fenêtre $[0, 12] \times [0, 800]$.

b. Quel était le taux de variation du nombre estimé de nouveaux cas d'enfants ayant contracté le sida du fait d'une tranmission du VIH par la mère au début de l'an 2000?

Source: Organisation des nations unies

62. **PÊCHE CÔTIÈRE**   La population de poissons de fond sur les côtes de la Nouvelle-Angleterre entre 1989 et 1999 est modélisée par la fonction

$$f(t) = 5{,}303t^2 - 53{,}977t + 253{,}8$$
$$(\text{pour } 0 \le t \le 10)$$

où $f(t)$ est mesuré en milliers de tonnes métriques et t est mesuré en années, $t = 0$ correspondant au début de 1989.

a. Quel était le taux de variation de la population de poissons de fond dans cette région au début de 1994? Au début de 1996?

b. Des quotas de pêche ont été imposés le 7 décembre 1994. Ces mesures se sont-elles révélées efficaces?

Source: Conseil de gestion de la pêche de la Nouvelle-Angleterre

63. **OFFRE DE RADIOS**   L'offre d'une marque de radio transistor est modélisée par

$$p = f(x) = 0{,}0001x^{5/4} + 10$$

où x est la quantité offerte et p est le prix unitaire en dollars.

a. Calculez $f'(x)$.

b. Quel est le taux de variation du prix unitaire lorsque la quantité de radios offerte se chiffre à 10 000 unités?

64-65 Dites si l'énoncé est vrai ou faux. S'il est vrai, dites pourquoi. S'il est faux, trouvez un contre-exemple.

64. Si f et g sont deux fonctions dérivables, alors

$$\frac{d}{dx}[2f(x) - 5g(x)] = 2f'(x) - 5g'(x)$$

65. Si $f(x) = 3^x$, alors $f'(x) = x\,3^{x-1}$.

66. Démontrez la règle de la dérivée d'une fonction puissance pour le cas particulier où $n = 3$.

Suggestion: Calculez $\lim\limits_{h \to 0} \left[\dfrac{(x+h)^3 - x^3}{h} \right]$.

▣ SOLUTIONS DES EXERCICES D'AUTOÉVALUATION 3.1

1. a. $f'(x) = \dfrac{d}{dx}(1{,}5x^2) + \dfrac{d}{dx}(2x^{1{,}5})$

$\qquad = (1{,}5)(2x) + (2)(1{,}5x^{0{,}5})$

$\qquad = 3x + 3\sqrt{x} = 3(x + \sqrt{x})$

b. $g'(x) = \dfrac{d}{dx}(2x^{1/2}) + \dfrac{d}{dx}(3x^{-1/2})$

$\qquad = (2)\left(\dfrac{1}{2}x^{-1/2}\right) + (3)\left(-\dfrac{1}{2}x^{-3/2}\right)$

$\qquad = x^{-1/2} - \dfrac{3}{2}x^{-3/2}$

$\qquad = \dfrac{1}{2}x^{-3/2}(2x - 3) = \dfrac{2x - 3}{2x^{3/2}}$

2. a. $f'(x) = \dfrac{d}{dx}(2x^3) - \dfrac{d}{dx}(3x^2) + \dfrac{d}{dx}(2x) - \dfrac{d}{dx}(1)$

$\qquad = (2)(3x^2) - (3)(2x) + 2$

$\qquad = 6x^2 - 6x + 2$

b. La pente de la tangente à la courbe de f au point d'abscisse $x = 2$ est

$$f'(2) = 6(2)^2 - 6(2) + 2 = 14$$

c. Le taux de variation de f en $x = 2$ est $f'(2)$. Selon **b**, le taux de variation recherché est de 14 unités par unité de variation de x.

3. a. Le taux de variation du PNB à un moment quelconque t (pour $0 < t < 11$) est

$$G'(t) = -6t^2 + 90t + 20$$

En particulier, les taux de variation du PNB au début des années 1997 ($t = 5$), 1999 ($t = 7$) et 2002 ($t = 10$) étaient respectivement

$$G'(5) = 320, \quad G'(7) = 356 \quad \text{et} \quad G'(10) = 320$$

c'est-à-dire de 320 millions \$, 356 millions \$ et 320 millions \$ par année, respectivement.

b. Le taux de variation moyen du PNB entre le début de 1997 ($t = 5$) et le début de 2002 ($t = 10$) est

$$\frac{G(10) - G(5)}{10 - 5} = \frac{[-2(10)^3 + 45(10)^2 + 20(10) + 6000]}{5}$$

$$\frac{- [-2(5)^3 + 45(5)^2 + 20(5) + 6000]}{5}$$

$$= \frac{8700 - 6975}{5}$$

ou 345 millions \$ par année.

3.2 Dérivées du produit et du quotient de deux fonctions

Dans cette section, nous abordons deux autres règles de dérivation : la **règle du produit** et la **règle du quotient**.

Dérivée du produit de deux fonctions

La règle de la dérivée du produit de deux fonctions dérivables s'énonce ainsi :

5ᵉ règle : Dérivée du produit de deux fonctions

$$\left[f(x) \cdot g(x) \right]' = \frac{d}{dx}\left[f(x) \cdot g(x) \right] = f'(x)g(x) + f(x)g'(x)$$

La dérivée du produit de deux fonctions est égale à la dérivée de la première multipliée par la deuxième plus la première multipliée par la dérivée de la deuxième.

On peut généraliser la règle de la dérivée du produit de deux fonctions de manière à calculer la dérivée du produit d'un nombre quelconque fini de fonctions (voir l'exercice 44, p. 166). La règle du produit est démontrée à la fin de la présente section.

⚠️ La dérivée du produit de deux fonctions *n'est pas* le produit des dérivées des deux fonctions, c'est-à-dire qu'en général

$$\frac{d}{dx}[f(x) \cdot g(x)] \neq f'(x) \cdot g'(x)$$

EXEMPLE 1 Calculez la dérivée de la fonction

$$f(x) = (2x^2 - 1)(x^3 + 3)$$

Solution Selon la règle de la dérivée du produit de deux fonctions,

$$f'(x) = \frac{d}{dx}(2x^2 - 1) \cdot (x^3 + 3) + (2x^2 - 1) \cdot \frac{d}{dx}(x^3 + 3)$$
$$= (4x)(x^3 + 3) + (2x^2 - 1)(3x^2)$$
$$= 4x^4 + 12x + 6x^4 - 3x^2$$
$$= 10x^4 - 3x^2 + 12x$$
$$= x(10x^3 - 3x + 12)$$

EXEMPLE 2 Calculez la dérivée de la fonction

$$f(x) = x^3(\sqrt{x} + 1)$$

Solution Remplaçons d'abord le radical par la puissance de *x* équivalente :

$$f(x) = x^3(x^{1/2} + 1)$$

Selon la règle de la dérivée du produit de deux fonctions,

$$f'(x) = \frac{d}{dx}(x^3) \cdot (x^{1/2} + 1) + x^3 \cdot \frac{d}{dx}(x^{1/2} + 1)$$

$$= (3x^2)(x^{1/2} + 1) + x^3\left(\frac{1}{2}x^{-1/2}\right)$$

$$= 3x^{5/2} + 3x^2 + \frac{1}{2}x^{5/2}$$

$$= \frac{7}{2}x^{5/2} + 3x^2$$

REMARQUE Dans les deux exemples précédents, nous aurions pu calculer le produit des deux fonctions, puis dériver le résultat. Toutefois, cette façon de faire n'est pas toujours possible, comme nous le verrons à la section 3.3. C'est alors que la règle de dérivation d'un produit prendra tout son sens.

☐ Dérivée du quotient de deux fonctions

La règle de la dérivée du quotient de deux fonctions dérivables s'énonce ainsi :

> **6e règle : Dérivée du quotient de deux fonctions**
>
> $$\left[\frac{f(x)}{g(x)}\right]' = \frac{d}{dx}\left[\frac{f(x)}{g(x)}\right] = \frac{f'(x) \cdot g(x) - f(x) \cdot g'(x)}{\left[g(x)\right]^2} \qquad (g(x) \neq 0)$$

La dérivée du quotient de deux fonctions est égale à la dérivée du numérateur multiplié par le dénominateur moins le numérateur multiplié par la dérivée du dénominateur, le tout divisé par le carré du dénominateur.

REMARQUE Observez bien les analogies et les différences entre la règle du produit et la règle du quotient.

La preuve de la règle de dérivation du quotient est laissée en exercice (voir l'exercice 45, p. 166).

 La dérivée du quotient de deux fonctions *n'est pas* égale au quotient des dérivées, c'est-à-dire que

$$\frac{d}{dx}\left[\frac{f(x)}{g(x)}\right] \neq \frac{f'(x)}{g'(x)}$$

Par exemple, si $f(x) = x^3$ et $g(x) = x^2$, alors

$$\frac{d}{dx}\left[\frac{f(x)}{g(x)}\right] = \frac{d}{dx}\left(\frac{x^3}{x^2}\right) = \frac{d}{dx}(x) = 1$$

qui, bien entendu, *n'est pas* égal à

$$\frac{f'(x)}{g'(x)} = \frac{\frac{d}{dx}(x^3)}{\frac{d}{dx}(x^2)} = \frac{3x^2}{2x} = \frac{3}{2}x$$

EXEMPLE 3   Calculez $f'(x)$, sachant que $f(x) = \dfrac{x}{2x - 4}$.

Solution   Selon la règle de la dérivée du quotient de deux fonctions,

$$f'(x) = \frac{\dfrac{d}{dx}(x) \cdot (2x - 4) - x \cdot \dfrac{d}{dx}(2x - 4)}{(2x - 4)^2}$$

$$= \frac{(1)(2x - 4) - x(2)}{(2x - 4)^2}$$

$$= \frac{2x - 4 - 2x}{(2x - 4)^2} = -\frac{4}{(2x - 4)^2}$$

EXEMPLE 4   Calculez $f'(x)$, sachant que $f(x) = \dfrac{x^2 + 1}{x^2 - 1}$.

Solution   Selon la règle de dérivation du quotient de deux fonctions,

$$f'(x) = \frac{\dfrac{d}{dx}(x^2 + 1)(x^2 - 1) - (x^2 + 1)\dfrac{d}{dx}(x^2 - 1)}{(x^2 - 1)^2}$$

$$= \frac{(2x)(x^2 - 1) - (x^2 + 1)(2x)}{(x^2 - 1)^2}$$

$$= \frac{2x^3 - 2x - 2x^3 - 2x}{(x^2 - 1)^2}$$

$$= -\frac{4x}{(x^2 - 1)^2}$$

EXEMPLE 5   Calculez $h'(x)$, sachant que $h(x) = \dfrac{\sqrt{x}}{x^2 + 1}$.

Solution   Récrivons $h(x)$ sous la forme $h(x) = \dfrac{x^{1/2}}{x^2 + 1}$. En vertu de la règle de dérivation du quotient de deux fonctions,

$$h'(x) = \frac{\dfrac{d}{dx}(x^{1/2})(x^2 + 1) - x^{1/2}\dfrac{d}{dx}(x^2 + 1)}{(x^2 + 1)^2}$$

$$= \frac{\left(\dfrac{1}{2}x^{-1/2}\right)(x^2 + 1) - x^{1/2}(2x)}{(x^2 + 1)^2}$$

$$= \frac{\dfrac{1}{2}x^{-1/2}(x^2 + 1 - 4x^2)}{(x^2 + 1)^2} \qquad \text{Mise en évidence de } \tfrac{1}{2}x^{-1/2} \text{ au numérateur.}$$

$$= \frac{1 - 3x^2}{2\sqrt{x}(x^2 + 1)^2}$$

APPLICATIONS

EXEMPLE 6 **Taux de variation des ventes de DVD** Les ventes (en millions de dollars) d'un film à succès sous forme de DVD t années après sa mise en circulation suit le modèle donné par la fonction

$$V(t) = \frac{5t}{t^2 + 1}$$

a. Trouvez le taux de variation des ventes au moment t.

b. Quel est le taux de variation des ventes de DVD au moment de la mise en circulation ($t = 0$)? Deux ans plus tard?

Solution

a. Le taux de variation des ventes au moment t est fourni par $V'(t)$. Selon la règle du quotient,

$$V'(t) = \frac{d}{dt}\left[\frac{5t}{t^2 + 1}\right] = 5\frac{d}{dt}\left[\frac{t}{t^2 + 1}\right]$$

$$= 5\left[\frac{(1)(t^2 + 1) - t(2t)}{(t^2 + 1)^2}\right]$$

$$= 5\left[\frac{t^2 + 1 - 2t^2}{(t^2 + 1)^2}\right] = \frac{5(1 - t^2)}{(t^2 + 1)^2}$$

b. Le taux de variation des ventes de DVD au moment de la mise en circulation est

$$V'(0) = \frac{5(1 - 0)}{(0 + 1)^2} = 5$$

soit une augmentation de 5 millions de dollars par année.

Deux ans plus tard, les ventes varient au taux de

$$V'(2) = \frac{5(1 - 4)}{(4 + 1)^2} = -\frac{3}{5} = -0,6$$

soit une diminution de 600 000 $ par année.

Le graphique de la fonction V est représenté à la figure 3.4.

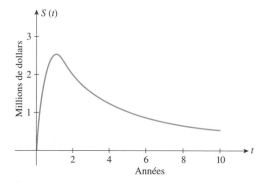

FIGURE 3.4
Après un début fulgurant, les ventes se mettent à diminuer.

TECHNOLOGIE ET INTUITION

Reportez-vous à l'exemple 6.

1. À l'aide d'une calculatrice graphique, tracez le graphique de la fonction V dans la fenêtre $[0, 10] \times [0, 3]$.

2. Utilisez les menus TRACE et ZOOM pour trouver le point le plus élevé du graphique de V dans l'intervalle $[0, 10]$. Interprétez votre réponse.

TRAVAIL EN ÉQUIPE

Supposons que le revenu d'une entreprise soit $R(x) = xp(x)$, où x représente le nombre d'unités vendues d'un produit et $p(x)$, le prix unitaire en dollars.

1. Calculez $R'(x)$ et expliquez, en quelques mots, le lien qui existe entre $R'(x)$ et $p(x)$ et/ou sa dérivée.

2. Que peut-on dire de $R'(x)$ si $p(x)$ est constant? Ce résultat est-il surprenant?

EXEMPLE 7   **Taux de restauration de l'oxygène dans un étang**   Lorsqu'on jette des déchets organiques dans un étang, le phénomème d'oxydation qui en résulte absorbe une partie de l'oxygène qui y était initialement présent. Toutefois, après un certain temps, la teneur en oxygène retrouve son niveau habituel. Supposons que la teneur en oxygène de l'étang t jours après le déversement des déchets atteint

$$f(t) = 100 \left[\frac{t^2 + 10t + 100}{t^2 + 20t + 100} \right] \qquad (\text{pour } 0 < t < \infty)$$

pour cent de son niveau habituel.

a. Trouvez l'expression générale du taux de variation de la teneur en oxygène de l'étang à l'instant t.

b. Quel est le taux de variation de la teneur en oxygène de l'étang 1 jour, 10 jours et 20 jours après le déversement des déchets toxiques?

Solution

a. Le taux de variation de la teneur en oxygène de l'étang à l'instant t est la dérivée de la fonction f. L'expression recherchée est

$$f'(t) = 100 \frac{d}{dt} \left[\frac{t^2 + 10t + 100}{t^2 + 20t + 100} \right]$$

$$= 100 \left[\frac{\frac{d}{dt}(t^2 + 10t + 100)(t^2 + 20t + 100) - (t^2 + 10t + 100)\frac{d}{dt}(t^2 + 20t + 100)}{(t^2 + 20t + 100)^2} \right]$$

$$= 100 \left[\frac{(2t + 10)(t^2 + 20t + 100) - (t^2 + 10t + 100)(2t + 20)}{(t^2 + 20t + 100)^2} \right]$$

$$= 100 \left[\frac{2t^3 + 10t^2 + 40t^2 + 200t + 200t + 1000 - 2t^3 - 20t^2 - 20t^2 - 200t - 200t - 2000}{(t^2 + 20t + 100)^2} \right]$$

$$= 100 \left[\frac{10t^2 - 1000}{(t^2 + 20t + 100)^2} \right]$$

b. Le taux de variation de la teneur en oxygène de l'étang 1 jour après le déversement des déchets toxiques est

$$f'(1) = 100\left[\frac{10 - 1000}{(1 + 20 + 100)^2}\right] = -6{,}76$$

c'est-à-dire que la teneur en oxygène diminue au taux de 6,8 % par jour. Après 10 jours, le taux est

$$f'(10) = 100\left[\frac{10(10)^2 - 1000}{(100 + 200 + 100)^2}\right] = 0$$

c'est-à-dire qu'il ne croît ni ne décroît. Après 20 jours, le taux est

$$f'(20) = 100\left[\frac{10(20)^2 - 1000}{(400 + 400 + 100)^2}\right] = 0{,}37$$

c'est-à-dire que la teneur en oxygène augmente au taux de 0,37 % par jour, ce qui indique que la restauration de la teneur en oxygène a alors commencé.

⬜ Démonstration de la règle du produit

Voici une démonstration de la règle de dérivation du produit de deux fonctions. Si $p(x) = f(x)g(x)$, alors

$$p'(x) = \lim_{h \to 0} \frac{p(x + h) - p(x)}{h}$$

$$= \lim_{h \to 0} \frac{f(x + h)g(x + h) - f(x)g(x)}{h}$$

Ajoutons au numérateur l'expression $-f(x)g(x + h) + f(x)g(x + h)$ (soit zéro !) et factorisons. Nous obtenons alors

$$p'(x) = \lim_{h \to 0} \frac{[f(x + h) - f(x)]g(x + h) + f(x)[g(x + h) - g(x)]}{h}$$

$$= \lim_{h \to 0} \left\{\left[\frac{f(x + h) - f(x)}{h}\right]g(x + h) + f(x)\left[\frac{g(x + h) - g(x)}{h}\right]\right\}$$

$$= \lim_{h \to 0} \left[\frac{f(x + h) - f(x)}{h}\right]g(x + h)$$

$$+ \lim_{h \to 0} f(x)\left[\frac{g(x + h) - g(x)}{h}\right] \qquad \text{Propriété 3 des limites}$$

$$= \lim_{h \to 0} \frac{f(x + h) - f(x)}{h} \cdot \lim_{h \to 0} g(x + h)$$

$$+ \lim_{h \to 0} f(x) \cdot \lim_{h \to 0} \frac{g(x + h) - g(x)}{h} \qquad \text{Propriété 4 des limites}$$

$$= f'(x)g(x) + f(x)g'(x)$$

Remarquez que dans l'avant-dernière étape du raisonnement, nous avons pu écrire que $\lim_{h \to 0} g(x + h) = g(x)$ puisque g est continue — parce que dérivable — en x.

■ **EXERCICES D'AUTOÉVALUATION 3.2**

1. Calculez la dérivée de la fonction $f(x) = \dfrac{2x + 1}{x^2 - 1}$.

2. Quelle est la pente de la tangente à la courbe de
$$f(x) = (x^2 + 1)(2x^3 - 3x^2 + 1)$$
au point (2, 25)? Quel est le taux de variation de la fonction f lorsque $x = 2$?

3. Le chiffre d'affaires d'une entreprise de systèmes d'alarmes au cours de ses deux premières années d'existence est
$$S = f(t) = \frac{0,3t^3}{1 + 0,4t^2} \qquad \text{(pour } 0 \le t \le 2\text{)}$$
où S est mesuré en millions de dollars et $t = 0$ correspond à la date où l'entreprise a débuté ses activités. Quel était le taux de variation du chiffre d'affaires de l'entreprise au début de sa deuxième année d'existence ?

Les solutions des exercices d'autoévaluation 3.2 se trouvent à la page 167.

■ **3.2 EXERCICES**

1–24 Calculez la dérivée de la fonction donnée.

1. $f(x) = 2x(x^2 + 1)$

2. $f(x) = 3x^2(x - 1)$

3. $f(t) = (t - 1)(2t + 1)$

4. $f(x) = (2x + 3)(3x - 4)$

5. $f(x) = (3x + 1)(x^2 - 2)$

6. $f(x) = (x^3 - 12x)(3x^2 + 2x)$

7. $f(w) = (w^3 - w^2 + w - 1)(w^2 + 2)$

8. $f(x) = \dfrac{1}{5}x^5 + (x^2 + 1)(x^2 - x - 1) + 28$

9. $f(x) = (5x^2 + 1)(2\sqrt{x} - 1)$

10. $f(t) = (1 + \sqrt{t})(2t^2 - 3)$

11. $f(x) = (x^2 - 5x + 2)\left(x - \dfrac{2}{x}\right)$

12. $f(x) = (x^3 + 2x + 1)\left(2 + \dfrac{1}{x^2}\right)$

13. $f(x) = \dfrac{1}{x - 2}$

14. $g(x) = \dfrac{3}{2x + 4}$

15. $f(x) = \dfrac{x - 1}{2x + 1}$

16. $f(t) = \dfrac{1 - 2t}{1 + 3t}$

17. $f(s) = \dfrac{s^2 - 4}{s + 1}$

18. $f(x) = \dfrac{x^3 - 2}{x^2 + 1}$

19. $f(x) = \dfrac{\sqrt{x}}{x^2 + 1}$

20. $f(x) = \dfrac{x^2 + 2}{x^2 + x + 1}$

21. $f(x) = \dfrac{(x + 1)(x^2 + 1)}{x - 2}$

22. $f(x) = (3x^2 - 1)\left(x^2 - \dfrac{1}{x}\right)$

23. $f(x) = \dfrac{x}{x^2 - 4} - \dfrac{x - 1}{x^2 + 4}$

24. $f(x) = \dfrac{x + \sqrt{3x}}{3x - 1}$

25–28 Calculez la dérivée de la fonction et sa valeur au point d'abscisse x donné.

25. $f(x) = (2x - 1)(x^2 + 3)$; au point d'abscisse $x = 1$

26. $f(x) = \dfrac{2x + 1}{2x - 1}$; au point d'abscisse $x = 2$

27. $f(x) = \dfrac{x}{x^4 - 2x^2 - 1}$; au point d'abscisse $x = -1$

28. $f(x) = (\sqrt{x} + 2x)(x^{3/2} - x)$; au point d'abscisse $x = 4$

(suite à la page 166)

TECHNOLOGIE EN APPLICATION

◼ **Dérivées du produit et du quotient de deux fonctions**

Soit $f(x) = (2\sqrt{x} + 0{,}5x)\left(0{,}3x^3 + 2x - \dfrac{0{,}3}{x}\right)$. Trouvez $f'(0{,}2)$.

Solution

L'option de dérivation numérique d'une calculatrice graphique fournit la réponse

$$f'(0{,}2) = 6{,}4797499802$$

Voir la figure T1.

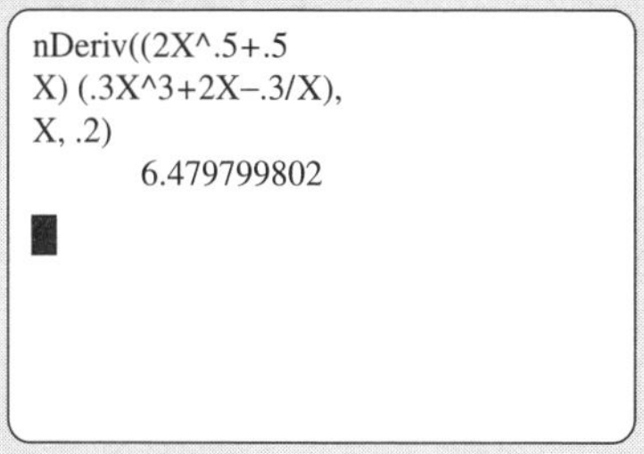

```
nDeriv((2X^.5+.5
X)(.3X^3+2X−.3/X),
X, .2)
        6.479799802
```

FIGURE T1
Écran de dérivation numérique de
la TI-83 pour le calcul de $f'(0{,}2)$

Importance d'une intervention rapide lors d'une crise cardiaque Selon des études récentes, le taux d'efficacité du traitement de la victime d'une crise cardiaque dépend du délai de traitement et est modélisé par la fonction

$$f(t) = \frac{-16{,}94t + 203{,}28}{t + 2{,}0328} \qquad \text{(pour } 0 \le t \le 12)$$

où t est mesuré en heures et $f(t)$ est exprimé en pourcentage.

a. À l'aide d'une calculatrice graphique, tracez la fonction f dans la fenêtre $[0, 13] \times [0, 120]$.

b. Utilisez une calculatrice graphique pour trouver la dérivée de f en $t = 0$ et en $t = 2$.

c. Interprétez les réponses obtenues en **b**.

Solution

a. Le graphique de f est représenté à la figure T2.

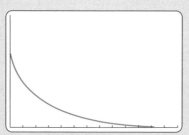

FIGURE T2

b. L'option de dérivation d'une calculatrice graphique fournit les réponses

$$f'(0) \approx -57,5266$$

$$f'(2) \approx -14,6165$$

c. Les réponses en **b** montrent que le taux d'efficacité du traitement diminue de 58 % par heure au moment de la crise cardiaque et de 15 % par heure après 2 heures. On en conclut qu'il faut traiter les victimes de crise cardiaque de toute urgence.

■ EXERCICES AVEC LA CALCULATRICE GRAPHIQUE

1–6 Utilisez l'option de dérivation numérique pour trouver le taux de variation de $f(x)$ au point d'abscisse x donné. Conservez quatre décimales de précision.

1. $f(x) = (2x^2 + 1)(x^3 + 3x + 4)$; au point $x = -0,5$

2. $f(x) = (\sqrt{x} + 1)(2x^2 + x - 3)$; au point $x = 1,5$

3. $f(x) = \dfrac{\sqrt{x} - 1}{\sqrt{x} + 1}$; au point $x = 3$

4. $f(x) = \dfrac{\sqrt{x}(x^2 + 4)}{x^3 + 1}$; au point $x = 4$

5. $f(x) = \dfrac{\sqrt{x}(1 + x^{-1})}{x + 1}$; au point $x = 1$

6. $f(x) = \dfrac{x^2(2 + \sqrt{x})}{1 + \sqrt{x}}$; au point $x = 1$

7. Nouveaux emplois dans le secteur de la construction La présidente d'une entreprise de construction résidentielle affirme que le nombre d'emplois qui seront créés dans le secteur de la construction au cours des t prochains mois suit le modèle

$$f(t) = 1,42 \left(\frac{7t^2 + 140t + 700}{3t^2 + 80t + 550} \right)$$

où $f(t)$ est mesuré en milliers d'emplois par an. À quel taux les emplois dans la construction seront-ils créés dans 1 an, si l'on suppose que ses projections se réalisent ?

8. Croissance de population On prévoit construire un mégacomplexe immobilier de 4 325 acres comportant des habitations, des bureaux, des magasins, des écoles et une église, dans la municipalité de Saint-Justin. Selon un urbaniste, il en résultera une croissance importante de la population au cours des prochaines années. Le modèle proposé est

$$P(t) = \frac{25t^2 + 125t + 200}{t^2 + 5t + 40}$$

où $P(t)$ est mesuré en milliers et t, en années à compter de maintenant.

a. Selon ce modèle, quelle sera la population de Saint-Justin dans 10 ans ?

b. Quel sera le taux de variation de la population dans 10 ans ?

29–30 Calculez la pente de la tangente à la courbe de la fonction f au point donné, puis trouvez une équation de la tangente.

29. $f(x) = (x^3 + 1)(x^2 - 2)$; au point $(2, 18)$

30. $f(x) = \dfrac{x^2}{x + 1}$; au point $\left(2, \dfrac{4}{3}\right)$

31. Trouvez une équation de la tangente à la courbe de la fonction $f(x) = (x^3 + 1)(3x^2 - 4x + 2)$ au point $(1, 2)$.

32. Trouvez une équation de la tangente à la courbe de la fonction $f(x) = \dfrac{3x}{x^2 - 2}$ au point $(2, 3)$.

33. Soit $f(x) = (x^2 + 1)(2 - x)$. Trouvez le ou les points du graphique de f où la tangente est horizontale.

34. Trouvez le ou les points du graphique de la fonction $f(x) = \dfrac{x + 1}{x - 1}$ où la pente de la tangente est $-\dfrac{1}{2}$.

35. La *normale* à une courbe en un point P est la droite qui passe par P et qui est perpendiculaire à la tangente à la courbe en ce point. Trouvez une équation de la tangente et de la normale à la courbe de la fonction $y = \dfrac{1}{1 + x^2}$ au point $\left(1, \dfrac{1}{2}\right)$.

36. Coût de réduction des déchets toxiques   On a découvert récemment que la conduite d'eau principale d'une ville était contaminée au trichloréthylène, un produit chimique cancérigène. Une proposition d'assainissement des eaux soumise aux conseillers municipaux stipule que le coût, mesuré en millions de dollars, d'élimination de $x\%$ de la matière toxique est

$$C(x) = \frac{0{,}5x}{100 - x}$$

Calculez $C'(80)$, $C'(90)$, $C'(95)$ et $C'(99)$. Selon les résultats obtenus, combien en coûterait-il pour éliminer la totalité de la matière toxique?

37. Efficacité d'un bactéricide   Le nombre $N(t)$ de bactéries dans une culture t minutes après qu'on y ait introduit un bactéricide expérimental suit le modèle

$$N(t) = \frac{10\,000}{1 + t^2} + 2000$$

Trouvez le taux de variation du nombre de bactéries dans la culture 1 min et 2 min après l'introduction du bactéricide. Quelle est la population de bactéries présentes dans la culture 1 min et 2 min après l'introduction du bactéricide?

38. Recettes au box-office   Les recettes au box-office international d'un film à succès sont modélisées par la fonction

$$T(x) = \frac{120x^2}{x^2 + 4}$$

où $T(x)$ est mesuré en millions de dollars et x désigne le nombre d'années écoulées depuis la sortie du film. Quel est le taux de variation des recettes 1 an, 3 ans et 5 ans après la sortie du film?

39. Contamination au formaldéhyde   Une étude sur la contamination au formaldéhyde menée auprès de 900 foyers indique que les émissions provenant de divers contaminants chimiques décroissent avec le temps. Selon les résultats de l'étude, la concentration de formaldéhyde (mesurée en parties par million) dans une habitation moyenne est modélisée par

$$f(t) = \frac{0{,}055t + 0{,}26}{t + 2} \qquad \text{(pour } 0 \le t \le 12\text{)}$$

où t désigne l'âge de la maison mesuré en années. Quel est le taux de variation de la concentration de formaldéhyde pour une maison neuve? Au début de la quatrième année?

40–43 Dites si l'énoncé est vrai ou faux. S'il est vrai, dites pourquoi. S'il est faux, trouvez un contre-exemple.

40. Si f et g sont deux fonctions dérivables, alors

$$\frac{d}{dx}[f(x)g(x)] = f'(x)g'(x)$$

41. Si f est une fonction dérivable, alors

$$\frac{d}{dx}[xf(x)] = f(x) + xf'(x)$$

42. Si f est une fonction dérivable, alors

$$\frac{d}{dx}\left[\frac{f(x)}{x^2}\right] = \frac{f'(x)}{2x}$$

43. Si f, g et h sont des fonctions dérivables, alors

$$\frac{d}{dx}\left[\frac{f(x)g(x)}{h(x)}\right] = \frac{f'(x)g(x)h(x) + f(x)g'(x)h(x) - f(x)g(x)h'(x)}{[h(x)]^2}$$

44. Généralisez la règle de dérivation du produit de deux fonctions à la dérivée du produit de trois fonctions dérivables, comme suit: Soit $h(x) = u(x)v(x)w(x)$, montrez que $h'(x) = u'(x)v(x)w(x) + u(x)v'(x)w(x) + u(x)v(x)w'(x)$.
Suggestion: Posez $f(x) = u(x)v(x)$, $g(x) = w(x)$ et $h(x) = f(x)g(x)$, et appliquez la règle de dérivation du produit à la fonction h.

45. Démontrez la règle de dérivation du quotient de deux fonctions.
Suggestion: Posez $k(x) = f(x)/g(x)$, de sorte que $f(x) = k(x) \cdot g(x)$. Calculez ensuite $f'(x) = [k(x) \cdot g(x)]'$, puis isolez $k'(x)$ apparaissant dans le membre de droite de l'égalité.

◼ SOLUTIONS DES EXERCICES D'AUTOÉVALUATION 3.2

1. Selon la règle du quotient,

$$f'(x) = \frac{\frac{d}{dx}(2x+1)(x^2-1) - (2x+1)\frac{d}{dx}(x^2-1)}{(x^2-1)^2}$$

$$= \frac{(2)(x^2-1) - (2x+1)(2x)}{(x^2-1)^2}$$

$$= \frac{2x^2 - 2 - 4x^2 - 2x}{(x^2-1)^2}$$

$$= \frac{-2x^2 - 2x - 2}{(x^2-1)^2}$$

$$= \frac{-2(x^2 + x + 1)}{(x^2-1)^2}$$

2. La pente de la tangente à la courbe de f au point d'abscisse x est

$$f'(x) = \frac{d}{dx}(x^2+1) \cdot (2x^3 - 3x^2 + 1)$$

$$+ (x^2+1) \cdot \frac{d}{dx}(2x^3 - 3x^2 + 1)$$

$$= (2x)(2x^3 - 3x^2 + 1) + (x^2+1)(6x^2 - 6x)$$

En particulier, la pente de la tangente à la courbe de f en $x = 2$ est

$$f'(2) = [2(2)][2(2^3) - 3(2^2) + 1]$$
$$+ (2^2 + 1)[6(2^2) - 6(2)]$$
$$= 20 + 60 = 80$$

On remarque qu'il n'est pas nécessaire de simplifier l'expression de $f'(x)$ puisqu'il faut simplement évaluer l'expression en $x = 2$. La réponse indique que lorsque $x = 2$, la fonction f varie de 80 unités par unité de variation de x.

3. Le taux de variation du chiffre d'affaires de l'entreprise à l'instant t est

$$S'(t) = \frac{\frac{d}{dt}(0{,}3t^3)(1 + 0{,}4t^2) - (0{,}3t^3)\frac{d}{dt}(1 + 0{,}4t^2)}{(1 + 0{,}4t^2)^2}$$

$$= \frac{(0{,}9t^2)(1 + 0{,}4t^2) - (0{,}3t^3)(0{,}8t)}{(1 + 0{,}4t^2)^2}$$

Ainsi, au début de la deuxième année d'existence de l'entreprise, le chiffre d'affaires augmentait au taux de

$$S'(1) = \frac{(0{,}9)(1 + 0{,}4) - (0{,}3)(0{,}8)}{(1 + 0{,}4)^2} = 0{,}520408$$

c'est-à-dire de 520 408 $ par an.

3.3 Dérivée des fonctions composées

Dans la présente section, nous allons exposer la règle de dérivation des fonctions composées, aussi appelée règle de dérivation en chaîne. Ajoutée aux six règles dont nous disposons déjà, cette nouvelle règle permet d'agrandir considérablement le champ des fonctions que nous sommes en mesure de dériver.

◻ Dérivée des fonctions composées

Soit la fonction $h(x) = (x^2 + x + 1)^2$. Nous pouvons calculer $h'(x)$ en n'utilisant que les règles de dérivation étudiées dans les deux sections précédentes du chapitre 3: il suffit de développer $h(x)$. Ainsi,

$$h(x) = (x^2 + x + 1)^2 = (x^2 + x + 1)(x^2 + x + 1)$$
$$= x^4 + 2x^3 + 3x^2 + 2x + 1$$

et

$$h'(x) = 4x^3 + 6x^2 + 6x + 2$$

Mais si nous avions plutôt la fonction $H(x) = (x^2 + x + 1)^{100}$? Nous pourrions bien entendu utiliser la même technique pour calculer la dérivée de $H(x)$, mais à quel prix! Et que dire de la fonction $G(x) = \sqrt{x^2 + 1}$? Les fonctions H et G sont deux cas pour lesquels les dérivées H' et G' ne peuvent s'obtenir directement à partir des règles de dérivation des sections précédentes.

Remarquez que H et G sont deux **fonctions composées**, c'est-à-dire que chacune est construite à partir de fonctions plus simples. Par exemple, la fonction H est composée des deux fonctions plus simples $f(x) = x^2 + x + 1$ et $g(x) = x^{100}$, comme suit:

$$H(x) = g[f(x)] = [\, g(x^2 + x + 1)$$
$$= (x^2 + x + 1)^{100}$$

De même, la fonction G est composée des deux fonctions plus simples $f(x) = x^2 + 1$ et $g(x) = \sqrt{x}$. Ainsi,

$$G(x) = g[f(x)] = g(x^2 + 1)$$
$$= \sqrt{x^2 + 1}$$

Pour calculer la dérivée h' d'une fonction composée $h = g \circ f$ définie par $h(x) = g[f(x)]$, on peut commencer par poser

$$u = f(x) \qquad \text{et} \qquad y = g[f(x)] = g(u)$$

Comme on le voit à la figure 3.5, la fonction h dépend à la fois de g et de f. Comme u est une fonction de x, on peut, à condition que f soit une fonction dérivable, calculer la dérivée de u par rapport à x, obtenant ainsi $du/dx = f'(x)$. De plus, si g est une fonction dérivable de u, on peut calculer la dérivée de g par rapport à u, obtenant $dy/du = g'(u)$. Finalement, comme la fonction h est la composée des fonctions g et f, on peut s'attendre à ce que la règle permettant d'obtenir la dérivée h' de h fasse intervenir à la fois la dérivée de f et celle de g. Mais comment combiner ces deux dérivées pour obtenir h'?

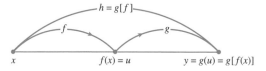

FIGURE 3.5
La fonction composée $h(x) = g[f(x)]$

La réponse à cette question repose sur l'interprétation de la dérivée de chaque fonction en tant que taux de variation de la fonction. Par exemple, supposons que $u = f(x)$ varie trois fois plus vite que x, c'est-à-dire que

$$f'(x) = \frac{du}{dx} = 3$$

Supposons de plus que $y = g(u)$ varie deux fois plus vite que u, c'est-à-dire que

$$g'(u) = \frac{dy}{du} = 2$$

Alors, on s'attend à ce que $y = h(x)$ varie six fois plus vite que x, c'est-à-dire que

$$h'(x) = g'(u)f'(x) = (2)(3) = 6$$

ou encore

$$\frac{dy}{dx} = \frac{dy}{du} \cdot \frac{du}{dx} = (2)(3) = 6$$

Selon la logique de l'observation précédente, nous énonçons la règle suivante, dont la preuve dépasse le cadre du présent ouvrage.

7e règle : Dérivée des fonctions composées

Si $h(x) = g[f(x)]$, alors

$$h'(x) = \frac{d}{dx}g(f(x)) = g'(f(x))f'(x) \tag{1}$$

De façon similaire, dans la notation de Leibniz,
si $y = h(x) = g(u)$, où $u = f(x)$, alors

$$\frac{dy}{dx} = \frac{dy}{du} \cdot \frac{du}{dx} \tag{2}$$

REMARQUES

1. Si nous représentons la fonction h ainsi :

$$\overset{\text{Fonction intérieure}}{\underset{\downarrow}{}}$$

$$h(x) = g[\underset{\uparrow}{f(x)}]$$

$$\text{Fonction extérieure}$$

alors $h'(x)$ s'obtient en calculant la *dérivée* de la « fonction extérieure » *évaluée en* la « fonction intérieure » multipliée par la *dérivée* de la « fonction intérieure ».

2. La notation de Leibniz utilisée dans l'équation (2) est facile à mémoriser lorsqu'on remarque que l'« on fait comme si on pouvait simplifier les *du* ».

$$\frac{dy}{dx} = \frac{dy}{du} \cdot \frac{du}{dx} = \frac{dy}{dx}$$

▢ Cas particulier des fonctions puissances

De nombreuses fonctions composées ont la forme $h(x) = g(f(x))$, où g est définie par $g(x) = x^n$ (n étant un nombre réel), c'est-à-dire que

$$h(x) = [f(x)]^n$$

Autrement dit, la fonction h est alors une puissance de la fonction f. Les fonctions

$$h(x) = (x^2 + x + 1)^2, \qquad H = (x^2 + x + 1)^{100}, \qquad G = \sqrt{x^2 + 1}$$

rencontrées précédemment sont des exemples de ce type de fonctions composées. Voici un corollaire de la règle de dérivation des fonctions composées qui nous permet de calculer plus facilement la dérivée de telles fonctions.

Généralisation de la dérivée d'une fonction puissance

Si f est une fonction dérivable et si $h(x) = [f(x)]^n$ (où n est un nombre réel), alors

$$h'(x) = \frac{d}{dx}[f(x)]^n = n[f(x)]^{n-1}f'(x) \tag{3}$$

La validité du résultat s'explique par le fait que $h(x) = g(f(x))$, où $g(x) = x^n$, de sorte que, en vertu de la règle de dérivation des fonctions composées,

$$h'(x) = g'(f(x))f'(x)$$
$$= n[f(x)]^{n-1}f'(x)$$

puisque $g'(x) = nx^{n-1}$.

EXEMPLE 1   Soit $F(x) = (3x + 1)^2$.

a. Calculez $F'(x)$ à l'aide de la formule (3).
b. Vérifiez votre réponse en utilisant une autre méthode que la formule (3).

Solution

a. En vertu de la généralisation de la dérivée d'une fonction puissance,

$$F'(x) = 2(3x + 1)^1 \frac{d}{dx}(3x + 1)$$
$$= 2(3x + 1)(3)$$
$$= 6(3x + 1)$$

b. Développons d'abord $F(x)$:

$$F(x) = (3x + 1)^2 = 9x^2 + 6x + 1$$

En dérivant l'expression, nous obtenons

$$F'(x) = \frac{d}{dx}(9x^2 + 6x + 1)$$
$$= 18x + 6$$
$$= 6(3x + 1)$$

soit la même réponse que précédemment.

EXEMPLE 2   Dérivez la fonction $G(x) = \sqrt{x^2 + 1}$.

Solution   On récrit la fonction $G(x)$ sous la forme

$$G(x) = (x^2 + 1)^{1/2}$$

puis on applique la formule (3)

$$G'(x) = \frac{1}{2}(x^2 + 1)^{-1/2} \frac{d}{dx}(x^2 + 1)$$
$$= \frac{1}{2}(x^2 + 1)^{-1/2} \cdot 2x = \frac{x}{\sqrt{x^2 + 1}}$$

EXEMPLE 3   Dérivez la fonction $f(x) = x^2(2x + 3)^5$.

Solution   On applique successivement la règle du produit et la formule (3), obtenant

$$f'(x) = \frac{d}{dx}(x^2) \cdot (2x + 3)^5 + x^2 \cdot \frac{d}{dx}(2x + 3)^5$$
$$= (2x)(2x + 3)^5 + (x^2)5(2x + 3)^4 \cdot \frac{d}{dx}(2x + 3)$$
$$= 2x(2x + 3)^5 + 5x^2(2x + 3)^4(2)$$
$$= 2x(2x + 3)^4(2x + 3 + 5x) = 2x(7x + 3)(2x + 3)^4$$

EXEMPLE 4   Calculez $f'(x)$ si $f(x) = (2x^2 + 3)^4(3x - 1)^5$.

Solution   On applique d'abord la règle du produit

$$f'(x) = \frac{d}{dx}(2x^2 + 3)^4 \cdot (3x - 1)^5 + (2x^2 + 3)^4 \cdot \frac{d}{dx}(3x - 1)^5$$

puis ensuite la formule (3)

$$f'(x) = 4(2x^2 + 3)^3\frac{d}{dx}(2x^2 + 3) \cdot (3x - 1)^5 + (2x^2 + 3)^4 \cdot 5(3x - 1)^4\frac{d}{dx}(3x - 1)$$

$$= 4(2x^2 + 3)^3(4x)(3x - 1)^5 + 5(2x^2 + 3)^4(3x - 1)^4 \cdot 3$$

Finalement, en observant que $(2x^2 + 3)^3(3x - 1)^4$ est commun aux deux termes de la somme, il ne reste plus qu'à factoriser et à simplifier:

$$f'(x) = (2x^2 + 3)^3(3x - 1)^4[16x(3x - 1) + 15(2x^2 + 3)]$$

$$= (2x^2 + 3)^3(3x - 1)^4(48x^2 - 16x + 30x^2 + 45)$$

$$= (2x^2 + 3)^3(3x - 1)^4(78x^2 - 16x + 45)$$

EXEMPLE 5   Calculez $f'(x)$ si $f(x) = \dfrac{1}{(4x^2 - 7)^2}$.

Solution   On récrit $f(x)$, puis on applique la formule (3), obtenant ainsi

$$f'(x) = \frac{d}{dx}\left[\frac{1}{(4x^2 - 7)^2}\right] = \frac{d}{dx}(4x^2 - 7)^{-2}$$

$$= -2(4x^2 - 7)^{-3}\frac{d}{dx}(4x^2 - 7)$$

$$= -2(4x^2 - 7)^{-3}(8x) = -\frac{16x}{(4x^2 - 7)^3}$$

EXEMPLE 6   Calculez la pente de la tangente à la courbe de la fonction

$$f(x) = \left(\frac{2x + 1}{3x + 2}\right)^3$$

au point $\left(0, \frac{1}{8}\right)$.

Solution   La pente de la tangente à la courbe de f en un point x est $f'(x)$. Cette dernière se calcule au moyen de la formule (3), suivie de la règle de dérivation du quotient de deux fonctions. Ainsi,

$$f'(x) = 3\left(\frac{2x + 1}{3x + 2}\right)^2 \frac{d}{dx}\left(\frac{2x + 1}{3x + 2}\right)$$

$$= 3\left(\frac{2x + 1}{3x + 2}\right)^2\left[\frac{(2)(3x + 2) - (2x + 1)(3)}{(3x + 2)^2}\right]$$

$$= 3\left(\frac{2x + 1}{3x + 2}\right)^2\left[\frac{6x + 4 - 6x - 3}{(3x + 2)^2}\right]$$

$$= \frac{3(2x + 1)^2}{(3x + 2)^4}$$

En particulier, la pente de la tangente à la courbe de f au point $\left(0, \frac{1}{8}\right)$ est

$$f'(0) = \frac{3(0 + 1)^2}{(0 + 2)^4} = \frac{3}{16}$$

TECHNOLOGIE ET INTUITION

Reportez-vous à l'exemple 6.

1. À l'aide d'une calculatrice graphique, tracez le graphique de la fonction f dans la fenêtre $[-2, 1] \times [-1, 2]$. Tracez ensuite la tangente à la courbe de f au point $\left(0, \frac{1}{8}\right)$.

2. Pour obtenir une meilleure représentation de la situation, refaites la partie **1** en utilisant cette fois la fenêtre $[-1, 1] \times [-0,1; 0,3]$.

3. Utilisez l'option de dérivation numérique de la calculatrice graphique pour vérifier que la pente de la tangente au point $\left(0, \frac{1}{8}\right)$ est $\frac{3}{16}$.

APPLICATIONS

EXEMPLE 7   **Croissance du nombre d'abonnés d'un club de santé**   Le nombre d'abonnés d'un club de conditionnement physique ouvert depuis un an est modélisé par la fonction

$$N(t) = 100(64 + 4t)^{2/3} \qquad \text{(pour } 0 \le t \le 52)$$

où $N(t)$ désigne le nombre de membres au début de la semaine t.

a. Calculez $N'(t)$.
b. Quel était le taux de variation du nombre d'abonnés à l'ouverture ($t = 0$)?
c. Quel était le taux de variation du nombre d'abonnés au début de la 40ᵉ semaine?
d. Quel était le nombre d'abonnés à l'ouverture du club? Au début de la 40ᵉ semaine?

Solution

a. À l'aide la formule (3), on obtient

$$N'(t) = \frac{d}{dt}[100(64 + 4t)^{2/3}]$$

$$= 100\frac{d}{dt}(64 + 4t)^{2/3}$$

$$= 100\left(\frac{2}{3}\right)(64 + 4t)^{-1/3}\frac{d}{dt}(64 + 4t)$$

$$= \frac{200}{3}(64 + 4t)^{-1/3}(4)$$

$$= \frac{800}{3(64 + 4t)^{1/3}}$$

b. Le taux de variation du nombre d'abonnés à l'ouverture du club était

$$N'(0) = \frac{800}{3(64)^{1/3}} \approx 66,7$$

ou environ 67 personnes par semaine.

c. Le taux de variation du nombre d'abonnés au début de la 40e semaine était

$$N'(40) = \frac{800}{3(64 + 160)^{1/3}} \approx 43,9$$

soit environ 44 personnes par semaine.

d. Le nombre d'abonnés à l'ouverture du club était

$$N(0) = 100(64)^{2/3} = 100(16)$$

soit environ 1600 personnes. Le nombre d'abonnés au début de la 40e semaine était

$$N(40) = 100(64 + 160)^{2/3} \approx 3688,3$$

ou approximativement 3688 personnes.

TRAVAIL EN ÉQUIPE

Le profit P du fabricant d'un logiciel dépend du nombre d'unités vendues. Le fabricant estime pouvoir vendre x unités de son logiciel par semaine. Supposez que $P = g(x)$ et que $x = f(t)$, où g et f sont des fonctions dérivables.

1. Trouvez une expression du taux de variation du profit par rapport au nombre d'unités vendues.

2. Trouvez une expression du taux de variation du nombre d'unités vendues par semaine.

3. Trouvez une expression du taux de variation du profit par semaine.

EXEMPLE 8

Athérosclérose   L'athérosclérose apparaît dès l'enfance par la formation d'une plaque jaunâtre (constituée de dépôts de petits nodules gras) au niveau de la surface interne des artères, bloquant le débit sanguin et menant éventuellement à une crise cardiaque, une congestion cérébrale ou la gangrène. Supposons que la section transversale idéalisée de l'aorte soit circulaire, que son rayon mesure a cm et qu'au bout de t années, l'épaisseur de la plaque (en supposant qu'elle soit uniforme) soit $h = f(t)$ cm (figure 3.6). Alors l'aire de l'artère où le sang peut encore circuler est $A = \pi(a - h)^2$ cm^2.

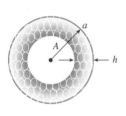

FIGURE 3.6
Section transversale de l'aorte

Supposons que le rayon de l'artère d'une personne soit 1 cm ($a = 1$) et que l'épaisseur de la plaque au bout de t années soit

$$h = g(t) = 1 - 0{,}01(10\,000 - t^2)^{1/2} \text{ cm}$$

Comme l'aire de l'artère où le sang peut encore circuler est

$$A = f(h) = \pi(1 - h)^2$$

le taux de variation de A par rapport au temps est

$$\frac{dA}{dt} = \frac{dA}{dh} \cdot \frac{dh}{dt} = f'(h) \cdot g'(t) \qquad \text{Dérivée des fonctions composées}$$

$$= 2\pi(1 - h)(-1)\left[-0{,}01\left(\frac{1}{2}\right)(10\,000 - t^2)^{-1/2}(-2t)\right] \quad \text{Double application de la dérivée des fonctions composées.}$$

$$= -2\pi(1 - h)\left[\frac{0{,}01t}{(10\,000 - t^2)^{1/2}}\right]$$

$$= -\frac{0{,}02\pi(1 - h)t}{\sqrt{10\,000 - t^2}}$$

Par exemple, pour une personne de 50 ans,

$$h = g(50) = 1 - 0,01(10\ 000 - 2500)^{1/2} \approx 0,134$$

de sorte que

$$\frac{dA}{dt} = -\frac{0,02\pi(1 - 0,134)50}{\sqrt{10\ 000 - 2500}} \approx -0,03$$

et que l'aire transversale de circulation du sang diminue de 0,03 cm² par an.

☒ EXERCICES D'AUTOÉVALUATION **3.3**

1. Calculez la dérivée de la fonction

$$f(x) = -\frac{1}{\sqrt{2x^2 - 1}}$$

2. Supposons que l'espérance de vie (en années) d'une femme dans un certain pays soit modélisée par la fonction

$$g(t) = 50,02(1 + 1,09t)^{0,1} \qquad \text{(pour } 0 \le t \le 150)$$

où t est mesuré en années, la valeur $t = 0$ correspondant au début de l'année 1900.

Les solutions des exercices d'autoévaluation 3.3 se trouvent à la page 178.

   a. Quelle est l'espérance de vie d'une femme de ce pays née au début de 1980 ? Au début de l'an 2000 ?

   b. Quel est le taux de variation à l'instant t de l'espérance de vie d'une femme de ce pays ?

☒ **3.3 EXERCICES**

1–38 Calculez la dérivée des fonctions indiquées.

1. $f(x) = (2x - 1)^4$ **2.** $f(x) = (1 - x)^3$

3. $f(x) = (x^2 + 2)^5$ **4.** $f(x) = (2x - x^2)^3$

5. $f(x) = (2x + 1)^{-2}$ **6.** $f(t) = \frac{1}{2}(2t^2 + t)^{-3}$

7. $f(x) = (x^2 - 4)^{3/2}$ **8.** $f(x) = \sqrt{3x - 2}$

9. $f(x) = \sqrt[3]{1 - x^2}$ **10.** $f(x) = \sqrt{2x^2 - 2x + 3}$

11. $f(x) = \dfrac{1}{(2x + 3)^3}$ **12.** $f(x) = \dfrac{2}{(x^2 - 1)^4}$

13. $f(t) = \dfrac{1}{\sqrt{2t - 3}}$ **14.** $y = \dfrac{1}{(4x^4 + x)^{3/2}}$

15. $f(x) = (3x^2 + 2x + 1)^{-2}$

16. $f(t) = (5t^3 + 2t^2 - t + 4)^{-3}$

17. $f(x) = (x^2 + 1)^3 - (x^3 + 1)^2$

18. $f(t) = (2t - 1)^4 + (2t + 1)^4$

19. $f(t) = (t^{-1} - t^{-2})^3$ **20.** $f(v) = (v^{-3} + 4v^{-2})^3$

21. $f(x) = \sqrt{x + 1} + \sqrt{x - 1}$

22. $f(u) = (2u + 1)^{3/2} + (u^2 - 1)^{-3/2}$

23. $f(x) = 2x^2(3 - 4x)^4$ **24.** $h(t) = t^2(3t + 4)^3$

25. $f(x) = (x - 1)^2(2x + 1)^4$

26. $g(u) = (1 + u^2)^5(1 - 2u^2)^8$

27. $f(x) = \left(\dfrac{x + 3}{x - 2}\right)^3$ **28.** $s(t) = \left(\dfrac{t}{2t + 1}\right)^{3/2}$

29. $g(u) = \sqrt{\dfrac{u + 1}{3u + 2}}$

30. $g(x) = \sqrt{\dfrac{2x + 1}{2x - 1}}$

31. $f(x) = \dfrac{x^2}{(x^2 - 1)^4}$

32. $h(x) = \dfrac{(3x^2 + 1)^3}{(x^2 - 1)^4}$

33. $f(x) = \dfrac{\sqrt{2x + 1}}{x^2 - 1}$

34. $f(t) = \dfrac{4t^2}{\sqrt{2t^2 + 2t - 1}}$

35. $g(t) = \dfrac{\sqrt{t + 1}}{\sqrt{t^2 + 1}}$

36. $f(x) = \dfrac{\sqrt{x^2 + 1}}{\sqrt{x^2 - 1}}$

37. $f(x) = (3x + 1)^4(x^2 - x + 1)^3$

38. $g(t) = (2t + 3)^2(3t^2 - 1)^{-3}$

39–42 Calculez $\dfrac{dy}{du}$, $\dfrac{du}{dx}$ et $\dfrac{dy}{dx}$.

39. $y = u^{4/3}$ et $u = 3x^2 - 1$

40. $y = \sqrt{u}$ et $u = 7x - 2x^2$

41. $y = u^{-2/3}$ et $u = 2x^3 - x + 1$

42. $y = 2u^2 + 1$ et $u = x^2 + 1$

43. Soit $F(x) = f(f(x))$. Peut-on déduire que $F'(x) = [f'(x)]^2$?
Suggestion : Posez $f(x) = x^2$.

44. Supposons que $h = g \circ f$. S'ensuit-il que $h' = g' \circ f'$?
Suggestion : Posez $f(x) = x$ et $g(x) = x^2$.

45. Supposons que $h = f \circ g$. Montrez que $h' = (f' \circ g)g'$.

46-48 Trouvez une équation de la tangente à la courbe de la fonction au point indiqué.

46. $f(x) = (1 - x)(x^2 - 1)^2$; au point $(2, -9)$

47. $f(x) = \left(\dfrac{x + 1}{x - 1}\right)^2$; au point $(3, 4)$

48. $f(x) = x\sqrt{2x^2 + 7}$; au point $(3, 15)$

49. Concentration de monoxyde de carbone (CO) dans l'air   Selon une étude menée conjointement par la société de gestion de l'environnement Purifac et le ministère de l'Environnement, la concentration de CO dans l'air imputable aux gaz d'échappement des automobiles sera, d'ici t années, de

$$C(t) = 0,01(0,2t^2 + 4t + 64)^{2/3}$$

parties par million.

a. Calculez le taux de variation de la concentration de CO par rapport au temps.

b. Calculez quel sera le taux de variation de la concentration de CO dans l'air dans 5 ans.

50. Vieillissement de la population   Le pourcentage de la population âgée de 55 ans ou plus dans un pays d'Europe est approximé par la fonction

$$f(t) = 10,72(0,9t + 10)^{0,3} \qquad \text{(pour } 0 \le t \le 20\text{)}$$

où t est mesuré en années, la valeur $t = 0$ correspondant à l'an 2000. Quel était le taux de variation de la proportion des habitants âgés de 55 ans ou plus dans ce pays au début de l'an 2000 ? Quel en sera le taux de variation en 2010 ? Quelle proportion de la population de ce pays sera âgée de 55 ans ou plus en 2010 ?

51. Mères au travail   Le pourcentage des femmes qui travaillent hors du foyer et qui ont un enfant âgé de moins de 6 ans est modélisé par la fonction

$$P(t) = 33,55(t + 5)^{0,205} \qquad \text{(pour } 0 \le t \le 21\text{)}$$

où t est mesuré en années, la valeur $t = 0$ correspondant au début de 1980. Calculez $P'(t)$. Quel était le taux de variation de ce pourcentage au début de l'an 2000 ? Quel était ce pourcentage au début de l'an 2000 ?

52. Nombre d'inscriptions à la formation continue   La registraire d'une université québécoise estime que le nombre total d'inscriptions à la Formation continue au cours des prochaines années sera modélisé par

$$N(t) = -\dfrac{20\,000}{\sqrt{1 + 0,2t}} + 21\,000$$

où $N(t)$ désigne le nombre d'étudiants inscrits à la Formation continue dans t années. Trouvez l'expression de $N'(t)$. Quel est le taux de variation actuel du nombre d'étudiants inscrits à la Formation continue de cette université ? Quel sera le taux de variation dans 5 ans ?

53. Rythme cardiaque d'une athlète   Le rythme cardiaque (en battements par minute) d'une coureuse de fond t s après le début de la course est

$$P(t) = \dfrac{300\sqrt{\frac{1}{2}t^2 + 2t + 25}}{t + 25} \qquad (t \ge 0)$$

Calculez $P'(t)$. Quel est le taux de variation du rythme cardiaque de l'athlète 10 s, 60 s et 2 min après le début de la course ? Quel est son rythme cardiaque 2 min après le début ?

54. **COURBE D'APPRENTISSAGE DE THURSTONE** Le psychologue L. L. Thurstone a construit le modèle suivant reliant le temps d'apprentissage T et la longueur n d'une liste:

$$T = f(n) = An\sqrt{n - b}$$

où A et b sont des constantes déterminées selon la personne et la tâche.

a. Calculez dT/dn et interprétez votre réponse.

b. Pour une personne et une tâche données, supposez que $A = 4$ et $b = 4$. Calculez $f'(13)$ et $f'(29)$, et interprétez vos réponses.

55. **ACCIDENTS PÉTROLIERS** Les hydrocarbures qui se répandent à la surface de la mer après le naufrage d'un pétrolier forment une marée noire qui s'étend dans tous les sens. Supposons que la surface polluée forme un cercle dont le rayon augmente de 1 m/s. Calculez le taux de variation de la surface polluée lorsque le rayon est de 15 m.

56. **ATHÉROSCLÉROSE** Reportez-vous à l'exemple 8, page 173. Supposons que le rayon de l'artère d'une personne mesure 1 cm et que l'épaisseur de la plaque (en cm) au bout de t années soit

$$h = g(t) = \frac{0,5t^2}{t^2 + 10} \qquad \text{(pour } 0 \leq t \leq 10)$$

Quel sera le taux de variation de l'aire de l'artère où le sang peut encore circuler dans 5 ans?

57. **CIRCULATION AUTOMOBILE** Inaugurée à la fin des années 50, la voie rapide Central Artery du centre-ville de Boston a été conçue en prévision d'une circulation de 75 000 véhicules par jour. Le nombre de véhicules qui empruntent cette voie rapide chaque jour suit le modèle

$$x = f(t) = 6,25t^2 + 19,75t + 74,75 \qquad \text{(pour } 0 \leq t \leq 5)$$

où x est mesuré en milliers et t en décennies, $t = 0$ correspondant au début de 1959. Supposez que la vitesse moyenne (en km/h) des véhicules sur la voie rapide soit

$$v = g(x) = -0,0012x^2 + 108 \qquad \text{(pour } 75 \leq x \leq 350)$$

où x a la même signification que précédemment. Quel était le taux de variation de la vitesse moyenne des véhicules au début de 1999? Quelle était la vitesse moyenne des véhicules à ce moment-là?

58. **DEMANDE D'ORDINATEURS PERSONNELS** La quantité x d'une marque d'ordinateur personnel (PC) demandée chaque mois est liée au prix unitaire moyen p (en dollars) des PC par la fonction

$$x = f(p) = \frac{100}{9}\sqrt{810\,000 - p^2}$$

On prévoit que dans t mois, le prix moyen d'un PC sera

$$p(t) = \frac{400}{1 + \frac{1}{8}\sqrt{t}} + 200 \qquad \text{(pour } 0 \leq t \leq 60)$$

dollars. Trouvez quel sera le taux de variation de la demande mensuelle d'ordinateurs personnels de cette marque dans 16 mois.

59. **EFFETS DES MISES EN CHANTIER SUR L'EMPLOI** Le président d'une firme de construction résidentielle affirme que le nombre d'emplois créés dans le secteur de la construction suit le modèle

$$N(x) = 1,42x$$

où x représente le nombre de mises en chantier. Supposons que le nombre de mises en chantier prévues au cours des t prochains mois soit modélisé par la fonction

$$x(t) = \frac{7t^2 + 140t + 700}{3t^2 + 80t + 550}$$

où x est mesuré en millions d'unités par année. Trouvez une expression du taux de variation du nombre d'emplois dans la construction au cours des t prochains mois. Quel sera le taux de variation du nombre d'emplois dans la construction dans 1 an?

60. **RÉSERVATION DE CROISIÈRES** Les dirigeants de Croisière autour du monde, une entreprise offrant des croisières dans les Antilles, prévoit que leur clientèle de jeunes adultes devrait s'accroître de façon significative au cours des prochaines années. Ils ont construit le modèle suivant, qui représente le pourcentage de jeunes adultes parmi les passagers des croisières à l'année t:

$$p = f(t) = 50\left(\frac{t^2 + 2t + 4}{t^2 + 4t + 8}\right) \qquad (0 \leq t \leq 5)$$

Or, généralement, les jeunes adultes choisissent des croisières moins chères et de plus courte durée que les passagers plus âgés. La somme moyenne R (en dollars) dépensée par passager lors d'une croisière où le pourcentage de jeunes adultes est p est représentée approximativement par la fonction

$$R(p) = 1000\left(\frac{p + 4}{p + 2}\right)$$

Trouvez quel sera le taux de variation de la somme moyenne dépensée par passager dans deux ans.

(suite à la page 178)

TECHNOLOGIE EN APPLICATION

▣ Calcul de la dérivée d'une fonction composée

```
nDeriv(X^.5(1+.0
2X^2)^1.5, X, 2.1)

      .5821463392

■
```

FIGURE T1
Écran de dérivation numérique de
la TI-83 pour le calcul de $f'(2,1)$

EXEMPLE 1

Trouvez le taux de variation de $f(x) = \sqrt{x}(1 + 0{,}02x^2)^{3/2}$ en $x = 2{,}1$.

Solution

L'option de dérivation numérique d'une calculatrice graphique fournit la réponse

$$f'(2{,}1) = 0{,}5821463392$$

soit approximativement 0,58 unité par unité de variation de x (figure T1).

EXEMPLE 2 Fréquentation d'un parc d'attractions Les dirigeants du Futuroscope estiment que le nombre total de visiteurs (en milliers) au parc d'attractions t heures après l'ouverture à 9 h suit le modèle

$$N(t) = \frac{30t}{\sqrt{2+t^2}}$$

À quel taux les visiteurs entrent-ils dans le parc à 10 h 30?

Solution

L'option de dérivation numérique d'une calculatrice graphique fournit la réponse

$$N'(1{,}5) \approx 6{,}8481$$

soit environ 6848 visiteurs à l'heure.

▣ EXERCICES AVEC LA CALCULATRICE GRAPHIQUE

1–4 Utilisez l'option de dérivation numérique pour trouver le taux de variation de $f(x)$ pour la valeur de x donnée. Conservez quatre décimales de précision.

1. $f(x) = \sqrt{x^2 - x^4}$; $x = 0{,}5$

2. $f(x) = x - \sqrt{1 - x^2}$; $x = 0{,}4$

3. $f(x) = \dfrac{\sqrt{1 + x^2}}{x^3 + 2}$; $x = -1$

4. $f(x) = \dfrac{x^3}{1 + (1 + x^2)^{3/2}}$; $x = 3$

5. PRODUCTION MONDIALE DE VÉHICULES La production mondiale de véhicules entre 1960 et 1990 est modélisée par la fonction

$$f(t) = 16{,}5\sqrt{1 + 2{,}2t} \qquad \text{(pour } 0 \le t \le 3\text{)}$$

où $f(t)$ est mesuré en millions et t est mesuré en décennies, la valeur $t = 0$ correspondant au début de 1960. Quel était le taux de variation de la production mondiale de véhicules au début de 1970? Au début de 1980?
Source: Automotive News

61. DEMANDE DE MONTRES La demande de montres Sicard est modélisée par

$$x = f(p) = 10\sqrt{\frac{50 - p}{p}} \qquad \text{(pour } 0 < p \le 50\text{)}$$

où x (mesuré en milliers) est la quantité hebdomadaire demandée et p désigne le prix unitaire en dollars. Trouvez le taux de variation de la quantité demandée par rapport au prix unitaire lorsque celui-ci est fixé à 25 \$.

62–65 Dites si l'énoncé est vrai ou faux. S'il est vrai, dites pourquoi. S'il est faux, trouvez un contre-exemple.

62. Si f et g sont dérivables et si $h = f \circ g$, alors $h'(x) = f'[g(x)]g'(x)$.

63. Si f est dérivable et si c est une constante, alors

$$\frac{d}{dx}[f(cx)] = cf'(cx).$$

64. Si f est dérivable, alors

$$\frac{d}{dx}\sqrt{f(x)} = \frac{f'(x)}{2\sqrt{f(x)}}$$

65. Si f est dérivable, alors

$$\frac{d}{dx}\left[f\left(\frac{1}{x}\right)\right] = f'\left(\frac{1}{x}\right)$$

66. À la section 3.1, nous avons démontré que

$$\frac{d}{dx}(x^n) = nx^{n-1}$$

dans le cas particulier où $n = 2$. Utilisez la règle de dérivation des fonctions composées pour démontrer que si $f(x) = x^{1/n}$ est une fonction dérivable, alors

$$\frac{d}{dx}(x^{1/n}) = \frac{1}{n}x^{1/n-1}$$

pour tout entier non nul n.

Suggestion: Posez $f(x) = x^{1/n}$, de sorte que $[f(x)]^n = x$, puis dérivez les deux membres de l'égalité par rapport à x.

67. En vous inspirant de l'exercice 66, démontrez que

$$\frac{d}{dx}(x^r) = rx^{r-1}$$

pour tout nombre rationnel r.

Suggestion: Posez $r = m/n$, où m et n sont des entiers et $n \ne 0$, et formez l'égalité $x^r = (x^m)^{1/n}$.

▣ SOLUTIONS DES EXERCICES D'AUTOÉVALUATION **3.3**

1. On récrit la fonction sous la forme

$$f(x) = -(2x^2 - 1)^{-1/2}$$

Selon la formule (3),

$$\begin{aligned}
f'(x) &= -\frac{d}{dx}(2x^2 - 1)^{-1/2} \\
&= -\left(-\frac{1}{2}\right)(2x^2 - 1)^{-3/2}\frac{d}{dx}(2x^2 - 1) \\
&= \frac{1}{2}(2x^2 - 1)^{-3/2}(4x) \\
&= \frac{2x}{(2x^2 - 1)^{3/2}}
\end{aligned}$$

2. a. L'espérance de vie d'une femme née au début de 1980 est

$$g(80) = 50{,}02[1 + 1{,}09(80)]^{0,1} \approx 78{,}29$$

soit environ 78 ans. De même, l'espérance de vie d'une femme née au début de l'an 2000 est

$$g(100) = 50{,}02[1 + 1{,}09(100)]^{0,1} \approx 80{,}04$$

soit environ 80 ans.

b. Le taux de variation de l'espérance de vie d'une femme née à l'instant t est $g'(t)$. Selon la formule (3),

$$\begin{aligned}
g'(t) &= 50{,}02\frac{d}{dt}(1 + 1{,}09t)^{0,1} \\
&= (50{,}02)(0{,}1)(1 + 1{,}09t)^{-0,9}\frac{d}{dt}(1 + 1{,}09t) \\
&= (50{,}02)(0{,}1)(1{,}09)(1 + 1{,}09t)^{-0,9} \\
&= 5{,}45218(1 + 1{,}09t)^{-0,9} \\
&= \frac{5{,}45218}{(1 + 1{,}09t)^{0,9}}
\end{aligned}$$

3.4 Fonctions marginales en économie

L'analyse marginale est l'étude des taux de variation des variables économiques. Par exemple, un économiste ne s'intéresse pas qu'à la valeur du produit national brut (PNB) d'un pays à un moment donné, mais aussi à la variation de ce PNB dans le temps. De même, un fabricant ne s'intéresse pas uniquement à ce qu'il en coûte pour produire une certaine quantité de biens, mais aussi à la variation des coûts par rapport aux quantités produites. Nous commençons la présente section par une illustration de la signification de l'adjective *marginal*, tel qu'il est utilisé en économie.

Fonctions de coût

EXEMPLE I   **Taux de variation d'une fonction de coût**   Supposons que le coût total (en dollars) engagé chaque semaine par l'entreprise Polaire pour fabriquer x réfrigérateurs est modélisé par la fonction

$$C(x) = 8000 + 200x - 0{,}2x^2 \qquad (\text{pour } 0 \le x \le 400)$$

a. Quel est le coût de fabrication du 251e réfrigérateur?
b. Trouvez le taux de variation du coût total par rapport à x pour $x = 250$.
c. Comparez les résultats obtenus en **a** et en **b**.

Solution

a. Le coût réel de production du 251e réfrigérateur est la différence entre le coût total de production des 251 premiers réfrigérateurs et le coût total de production des 250 premiers.

$$\begin{aligned}
C(251) - C(250) &= [8000 + 200(251) - 0{,}2(251)^2] \\
&\quad - [8000 + 200(250) - 0{,}2(250)^2] \\
&= 45\,599{,}8 - 45\,500 \\
&= 99{,}80
\end{aligned}$$

soit 99,80 $.

b. Le taux de variation du coût total C par rapport à x est la dérivée de C, c'est-à-dire $C'(x) = 200 - 0{,}4x$. Ainsi, pour une production de 250 réfrigérateurs, le taux de variation du coût total par rapport à x est

$$\begin{aligned}
C'(250) &= 200 - 0{,}4(250) \\
&= 100
\end{aligned}$$

soit 100 $.

c. Selon le résultat obtenu en **a**, nous savons que le coût réel de production du 251e réfrigérateur est de 99,80 $. On obtient une réponse approximative très voisine (100 $) par le raisonnement effectué en **b**. On peut comprendre pourquoi en observant que la différence $C(251) - C(250)$ peut se récrire sous la forme

$$\frac{C(251) - C(250)}{1} = \frac{C(250 + 1) - C(250)}{1} = \frac{C(250 + h) - C(250)}{h}$$

où $h = 1$. Autrement dit, la différence $C(251) - C(250)$ est le taux de variation moyen du coût total C dans l'intervalle $[250, 251]$ ou, ce qui revient au même, la pente de la sécante passant par les points $(250; 45\,500)$ et $(251; 45\,599{,}8)$. Par ailleurs, le nombre $C'(250) = 100$ est le taux de variation instantané du coût total C en $x = 250$, c'est-à-dire la pente de la tangente à la courbe de C en $x = 250$.

Or, quand h est petit, le taux de variation moyen de la fonction C est une bonne approximation du taux de variation instantané de C ou, ce qui revient au même, la pente de la sécante est une bonne approximation de la pente de la tangente. Il faut donc s'attendre à ce que

$$C(251) - C(250) = \frac{C(251) - C(250)}{1} = \frac{C(250 + h) - C(250)}{h}$$

$$\approx \lim_{h \to 0} \frac{C(250 + h) - C(250)}{h} = C'(250)$$

ce qui est d'ailleurs le cas ici.

Le coût réel de fabrication d'une unité supplémentaire d'un produit lorsque la production dans une usine a déjà atteint un certain niveau s'appelle le **coût marginal**. Pour la direction d'une entreprise, connaître le coût marginal est un élément très important de l'information nécessaire au processus de décision. Comme nous l'avons vu à l'exemple 1, on estime le coût marginal en calculant le taux de variation instantané du coût total au point approprié. C'est pourquoi les économistes définissent la **fonction de coût marginal** comme la dérivée de la fonction de coût total correspondante. Autrement dit, si C désigne une fonction de coût total alors, par définition, la fonction coût marginal est sa dérivée C'. Donc l'adjectif *marginal* est synonyme de *dérivée de*.

EXEMPLE 2

Fonction de coût marginal   Une filiale de Poltronique fabrique des calculatrices de poche programmables. La direction a établi que le coût total de production journalier de ces calculatrices (en dollars) est modélisé par

$$C(x) = 0{,}0001x^3 - 0{,}08x^2 + 40x + 5000$$

où x désigne le nombre de calculatrices produites.

a. Trouvez la fonction de coût marginal.
b. Calculez le coût marginal pour $x = 200$, 300, 400 et 600.
c. Interprétez vos réponses.

Solution

a. La fonction de coût marginal C' s'obtient en dérivant la fonction C. Ainsi,

$$C'(x) = 0{,}0003x^2 - 0{,}16x + 40$$

b. Le coût marginal pour $x = 200, 300, 400$ et 600 est

$$C'(200) = 0,0003(200)^2 - 0,16(200) + 40 = 20$$
$$C'(300) = 0,0003(300)^2 - 0,16(300) + 40 = 19$$
$$C'(400) = 0,0003(400)^2 - 0,16(400) + 40 = 24$$
$$C'(600) = 0,0003(600)^2 - 0,16(600) + 40 = 52$$

soit 20 \$, 19 \$, 24 \$ et 52 \$ respectivement.

c. D'après les résultats obtenus en **b**, le coût réel de production de la 201ᵉ calcu-latrice est d'environ 20 \$. Le coût réel de production d'une calculatrice supplé-mentaire lorsque l'entreprise produit 300 calculatrices par jour est d'environ 19 \$, et ainsi de suite. Remarquez que lorsque la production atteint 600 unités, le coût réel de production d'une unité supplémentaire est approximativement de 52 \$. Le coût marginal plus élevé peut dépendre de divers facteurs, notamment des dépassements de coûts en raison d'heures supplémentaires à payer ou de la nécessité d'un entretien plus suivi de la machinerie, des arrêts de production causés par des efforts excessifs sur l'équipement, etc. Le graphique de la fonction de coût total est représenté à la figure 3.7

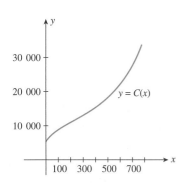

FIGURE 3.7
Coût de production $C(x)$ de x calculatrices

Fonctions de coût moyen

Voici maintenant un autre concept étroitement lié à celui de coût marginal. Soit $C(x)$ le coût total de production de x unités d'un produit. Alors le **coût moyen** de production de x unités du produit est égal au quotient du coût total par le nombre d'unités produites, ce qui nous amène à la définition suivante :

Fonction de coût moyen

Soit $C(x)$ une fonction de coût total. Alors la **fonction de coût moyen**, désignée par $\overline{C}(x)$ (qui se lit : «C barre de x»), est définie par

$$\overline{C}(x) = \frac{C(x)}{x} \tag{4}$$

La dérivée $\overline{C}'(x)$ de la fonction de coût moyen, qu'on appelle **fonction de coût moyen marginal**, mesure le taux de variation de la fonction de coût moyen par rapport au nombre d'unités produites.

EXEMPLE 3   **Fonction de coût moyen marginal**   Le coût total de production de x unités d'un produit est

$$C(x) = 400 + 20x$$

dollars.

a. Trouvez la fonction de coût moyen $\overline{C}$.
b. Trouvez la fonction de coût moyen marginal $\overline{C}'$.
c. Interprétez les résultats obtenus d'un point de vue économique.

Solution

a. La fonction de coût moyen est

$$\bar{C}(x) = \frac{C(x)}{x} = \frac{400 + 20x}{x}$$

$$= 20 + \frac{400}{x}$$

b. La fonction de coût moyen marginal est

$$\bar{C}'(x) = -\frac{400}{x^2}$$

c. Comme la fonction de coût moyen marginal est négative pour toutes les valeurs admissibles de x, le taux de variation de la fonction de coût moyen est négatif pour tout $x > 0$; il s'ensuit que $\bar{C}(x)$ décroît lorsque x croît. Cependant, le graphique de $\bar{C}$ est situé au-dessus de la droite horizontale d'équation $y = 20$ pour tout x, mais il s'en approche lorsque x prend des valeurs de plus en plus grandes; en effet,

$$\lim_{x \to \infty} \bar{C}(x) = \lim_{x \to \infty} \left(20 + \frac{400}{x}\right) = 20$$

Une esquisse du graphique de la fonction $\bar{C}(x)$ est représentée à la figure 3.8. Ce résultat n'étonne guère si nous l'analysons d'un point de vue économique. En effet, lorsque le niveau de production augmente, le coût fixe par unité produite, représenté par le terme $(400/x)$, diminue progressivement. Le coût moyen s'approche du coût variable par unité produite, soit 20 $ dans le cas actuel.

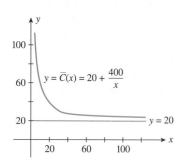

FIGURE 3.8
Lorsque les quantités produites augmentent, le coût moyen s'approche de 20 $.

EXEMPLE 4

Fonction de coût moyen marginal   Reportons-nous à la filiale de Poltronique, dont le coût total de production journalier des calculatrices (en dollars) est modélisé par

$$C(x) = 0{,}0001x^3 - 0{,}08x^2 + 40x + 5000$$

dollars, où x représente le nombre de calculatrices fabriquées (voir l'exemple 2).

a. Trouvez la fonction de coût moyen $\bar{C}$.
b. Trouvez la fonction de coût moyen marginal $\bar{C}'$. Calculez $\bar{C}'(500)$.
c. Esquissez le graphique de la fonction $\bar{C}$ et interprétez les résultats obtenus en **a** et en **b**.

Solution

a. La fonction de coût moyen est

$$\bar{C}(x) = \frac{C(x)}{x} = 0{,}0001x^2 - 0{,}08x + 40 + \frac{5000}{x}$$

b. La fonction de coût moyen marginal est

$$\bar{C}'(x) = 0{,}0002x - 0{,}08 - \frac{5000}{x^2}$$

et

$$\bar{C}'(500) = 0{,}0002(500) - 0{,}08 - \frac{5000}{(500)^2} = 0$$

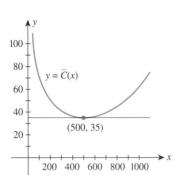

FIGURE 3.9
Le coût moyen atteint un minimum de 35 \$ pour une production de 500 calculatrices.

c. Pour esquisser le graphique de la fonction $\overline{C}$, remarquons d'abord que si x est un petit nombre positif, alors $\overline{C}(x) > 0$. De plus, $\overline{C}(x)$ prend des valeurs positives de plus en plus grandes lorsque x tend vers 0 par la droite, car le terme $(5000/x)$ prend des valeurs de plus en plus grandes lorsque x tend vers 0. En troisième lieu, le résultat $\overline{C}'(500) = 0$ obtenu en **b** indique que la tangente à la courbe de $\overline{C}$ est horizontale au point $(500, 35)$ du graphique. Enfin, en situant les points du graphique correspondant, par exemple, à $x = 100, 200, 300, \ldots, 900$, nous obtenons l'esquisse représentée à la figure 3.9. Comme prévu, le coût moyen diminue lorsque les quantités produites augmentent. Mais cette fois, contrairement à la situation observée à l'exemple 3, le coût moyen atteint un minimum de 35 \$ pour une production de 500 unités, *puis se remet à augmenter*.

Le phénomène que nous venons de décrire est typique de situations où le coût marginal augmente à partir d'un certain niveau de production, comme dans l'exemple 2. Par contre, dans l'exemple 3, le coût marginal est constant quel que soit le niveau de production et on ne retrouve donc pas cette situation.

TECHNOLOGIE ET INTUITION

Reportez-vous à l'exemple 4.

1. À l'aide d'une calculatrice graphique, tracez le graphique de la fonction de coût moyen

$$\overline{C}(x) = 0,0001x^2 - 0,08x + 40 + \frac{5000}{x}$$

dans la fenêtre $[0, 1000] \times [0, 100]$. Ensuite, en utilisant les menus ZOOM et TRACE, montrez que le point le plus bas du graphique de $\overline{C}$ est $(500, 35)$.

2. Tracez la tangente à la courbe de $\overline{C}$ au point $(500, 35)$. Quelle est sa pente ? Faut-il être surpris du résultat ?

3. Tracez le graphique de la fonction de coût moyen marginal

$$\overline{C}'(x) = 0,0002x - 0,08 - \frac{5000}{x^2}$$

dans la fenêtre $[0, 2000] \times [-1, 1]$. Utilisez ensuite les menus ZOOM et TRACE pour montrer que la fonction $\overline{C}'$ admet un zéro en $x = 500$. Vérifiez ce résultat à l'aide de l'option de calcul des zéros apparaissant dans le menu CALCULATE de la calculatrice graphique. Le résultat est-il conforme à celui que vous avez obtenu dans la partie **2** ? Justifiez votre réponse.

 Fonctions de revenu

Rappelons qu'une fonction de revenu $R(x)$ représente le revenu réalisé par une entreprise pour la vente de x unités d'un produit. Si l'entreprise vend chaque unité p dollars, alors

$$R(x) = px \qquad\qquad \textbf{(5)}$$

Cependant, le prix que demandera l'entreprise pour le produit dépend de la situation du marché. Si plusieurs entreprises offrent le produit – et qu'aucune d'entre elles n'est en mesure d'en dicter le prix – alors on se retrouve dans un marché de concurrence et le prix est régi par l'équilibre de marché (revoir à ce sujet la section 2.3). Par ailleurs, si l'entreprise est la seule à fournir le produit, alors on se retrouve en situation de monopole ; l'entreprise contrôle l'offre et peut ainsi fixer le prix. Le prix de vente unitaire p du produit est lié à la quantité x demandée du produit. Cette relation entre p et x s'appelle l'*équation de demande* (section 2.3). Lorsqu'on résout l'équation de demande pour p en fonction de x, on obtient la fonction f du prix unitaire. Ainsi,

$$p = f(x)$$

et la fonction revenu R est

$$R(x) = px = xf(x)$$

Le **revenu marginal** est le revenu réel obtenu en vendant une unité supplémentaire d'un produit compte tenu que les ventes ont déjà atteint un certain niveau. Par un raisonnement analogue à celui qui a été utilisé à l'exemple 1 pour la fonction de coût, on admet sans difficulté que le revenu marginal peut être approximé par $R'(x)$. Ainsi, on définit la **fonction de revenu marginal** comme $R'(x)$, où R est la fonction de revenu. La dérivée R' de la fonction R est la mesure du taux de variation de la fonction de revenu.

EXEMPLE 5   **Fonction de revenu marginal**   Supposons que le prix unitaire p (en dollars) et la quantité demandée x d'un système de haut-parleurs soient liés par la fonction

$$p = -0,02x + 400 \qquad (\text{où } 0 \leq x \leq 20\,000)$$

a. Trouvez la fonction de revenu R.
b. Trouvez la fonction de revenu marginal R'.
c. Calculez $R'(2000)$ et interprétez votre réponse.

Solution

a. La fonction de revenu R est

$$R(x) = px$$
$$= x(-0,02x + 400)$$
$$= -0,02x^2 + 400x \qquad (\text{pour } 0 \leq x \leq 20\,000)$$

b. La fonction de revenu marginal R' est

$$R'(x) = -0,04x + 400$$

c. $R'(2000) = -0,04(2000) + 400 = 320$

Ainsi, le revenu réel provenant de la vente du 2001e système de haut-parleurs est approximativement de 320 $.

Fonctions de profit

Poursuivons notre étude des fonctions marginales par la fonction de profit. La fonction de profit P est décrite par

$$P(x) = R(x) - C(x) \tag{6}$$

où R et C représentent respectivement la fonction de revenu et la fonction de coût, et x est le nombre d'unités qui ont été produites et vendues. La **fonction de profit marginal** $P'(x)$ est la mesure du taux de variation de la fonction de profit P; elle fournit une approximation valable du profit ou de la perte réels résultant de la vente de la $(x + 1)^e$ unité du produit (en supposant que la xe unité a été vendue).

EXEMPLE 6

Fonction de profit marginal   Supposons que le coût de production de x unités du système de haut-parleurs de l'exemple 5 suit le modèle

$$C(x) = 100x + 200\ 000$$

dollars.

a. Trouvez la fonction de profit P.

b. Trouvez la fonction de profit marginal P'.

c. Calculez $P'(2000)$ et interprétez votre réponse.

d. Tracez le graphique de la fonction de profit P.

Solution

a. À l'exemple 5a, nous avons obtenu

$$R(x) = -0{,}02x^2 + 400x$$

de sorte que la fonction de profit P est

$$\begin{aligned}
P(x) &= R(x) - C(x) \\
&= (-0{,}02x^2 + 400x) - (100x + 200\ 000) \\
&= -0{,}02x^2 + 300x - 200\ 000
\end{aligned}$$

b. La fonction de profit marginal P' est

$$P'(x) = -0{,}04x + 300$$

c. $P'(2000) = -0{,}04(2000) + 300 = 220$

Il s'ensuit que le profit réel résultant de la vente du 2001e système de haut-parleurs est approximativement de 220 \$.

d. Le graphique de la fonction de profit P est représenté à la figure 3.10.

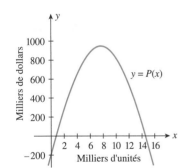

FIGURE 3.10
Le profit total résultant de la vente de x haut-parleurs est $P(x)$.

Élasticité de la demande

Pour terminer, nous utilisons les notions de fonctions marginales étudiées dans la présente section pour aborder un concept de base auquel font appel les économistes dans leur analyse de la fonction de demande : l'élasticité de la demande.

Dans ce qui suit, nous allons, par souci de commodité, écrire la fonction de demande f sous la forme $x = f(p)$, c'est-à-dire que la quantité demandée d'un produit sera vue comme une fonction de son prix unitaire. Comme la demande d'un produit diminue généralement avec l'augmentation de son prix unitaire, la fonction $f(p)$ est caractérisée par une courbe décroissante (figure 3.11a).

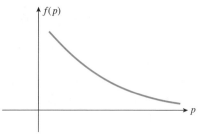 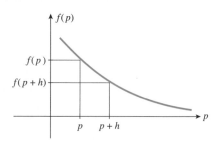

FIGURE 3.11

a) Graphique d'une fonction de demande

b) $f(p + h)$ est la quantité demandée lorsque le prix unitaire est $p + h$ dollars.

Supposons que le prix unitaire d'un produit augmente de h dollars, passant de p dollars à $(p + h)$ dollars (figure 3.11b). Alors la demande diminue, passant de $f(p)$ unités à $f(p + h)$ unités, une variation de $[f(p + h) - f(p)]$ unités. La variation relative du prix unitaire est

$$\frac{h}{p}(100) \qquad \frac{\text{Variation du prix unitaire}}{\text{Prix } p}(100)$$

et la variation relative correspondante de la quantité demandée est

$$100\left[\frac{f(p + h) - f(p)}{f(p)}\right] \qquad \frac{\text{Variation de la quantité demandée}}{\text{Quantité demandée au prix } p}(100)$$

Or, une bonne façon de mesurer l'effet d'une variation relative du prix d'un produit sur la variation relative de la quantité demandée de ce produit est tout simplement de diviser la deuxième par la première. On obtient

$$\frac{\text{Variation relative de la quantité demandée}}{\text{Variation relative du prix}} = \frac{100\left[\dfrac{f(p + h) - f(p)}{f(p)}\right]}{100\left(\dfrac{h}{p}\right)}$$

$$= \frac{\dfrac{f(p + h) - f(p)}{h}}{\dfrac{f(p)}{p}}$$

Si f est une fonction dérivable en p, alors

$$\frac{f(p + h) - f(p)}{h} \approx f'(p)$$

lorsque h est suffisamment petit. Par conséquent, si h est petit, alors le quotient est approximativement

$$\frac{f'(p)}{\dfrac{f(p)}{p}} = \frac{pf'(p)}{f(p)}$$

Les économistes désignent l'opposé de cette quantité sous le nom d'*élasticité de la demande*.

> **Élasticité de la demande**
>
> Si f est une fonction de demande dérivable définie par $x = f(p)$, alors l'**élasticité de la demande** au prix p est
>
> $$E(p) = -\frac{pf'(p)}{f(p)} \qquad (7)$$

REMARQUE   Nous verrons à la section 4.1 que si f est une fonction décroissante sur un intervalle, alors $f'(p) < 0$ pour tout p dans cet intervalle. Il s'ensuit que puisque p et $f(p)$ sont positifs et que $f(p)$ est une fonction décroissante, la quantité $\dfrac{pf'(p)}{f(p)}$ est négative. Or, les économistes préfèrent les quantités positives ; c'est pourquoi l'élasticité de la demande $E(p)$ est définie comme l'opposé de $\dfrac{pf'(p)}{f(p)}$.

EXEMPLE 7   **Élasticité de la demande**   Soit l'équation de demande

$$p = -0{,}02x + 400 \qquad \text{(pour } 0 \le x \le 20\,000\text{)}$$

décrivant le lien entre le prix unitaire (en dollars) et la quantité demandée x des systèmes de haut-parleurs des exemples 5 et 6.

a. Trouvez l'élasticité de la demande $E(p)$.
b. Calculez $E(100)$ et interprétez votre réponse.
c. Calculez $E(300)$ et interprétez votre réponse.

Solution

a. On isole d'abord x en fonction de p dans la fonction de demande

$$x = f(p) = -50p + 20\,000$$

d'où

$$f'(p) = -50$$

Par conséquent,

$$E(p) = -\frac{pf'(p)}{f(p)} = -\frac{p(-50)}{-50p + 20\,000}$$

$$= \frac{p}{400 - p}$$

b.
$$E(100) = \frac{100}{400 - 100} = \frac{1}{3}$$

qui représente l'élasticité de la demande lorsque $p = 100$. On se rappelle que $E(100)$ est le signe opposé du quotient de la variation relative de la quantité demandée par la variation relative du prix unitaire lorsque $p = 100$. On en déduit que lorsque le prix unitaire p d'un haut-parleur est 100 $, une augmentation de 1 % du prix unitaire entraîne une diminution d'environ 0,33 % de la quantité demandée.

c.
$$E(300) = \frac{300}{400 - 300} = 3$$

qui représente l'élasticité de la demande lorsque $p = 300$. On en déduit que lorsque le prix unitaire d'un haut-parleur est de 300 $, une augmentation de 1 % du prix unitaire entraîne une diminution d'environ 3 % de la quantité demandée.

Voici une terminologie fréquemment employée par les économistes pour décrire la demande à l'aide du concept d'élasticité.

> ### Élasticité de la demande
> La demande est dite **élastique** si $E(p) > 1$.
> La demande est dite **unitaire** si $E(p) = 1$.
> La demande est dite **inélastique** si $E(p) < 1$.

Par exemple, les calculs de l'exemple 7 révèlent une demande de haut-parleurs qui est élastique lorsque $p = 300$ mais inélastique lorsque $p = 100$. Ces calculs confirment que lorsque la demande pour un produit est élastique, une faible variation relative du prix unitaire du produit résulte en une variation relative supérieure de la quantité demandée ; au contraire, lorsque la demande est inélastique, une faible variation relative du prix unitaire du produit résulte en une variation relative plus faible de la quantité demandée. Enfin, lorsque la demande est unitaire, une faible variation relative du prix unitaire du produit entraîne la même variation relative de la quantité demandée.

Nous pouvons aussi décrire, à l'aide du concept d'élasticité, la réponse de la fonction de revenu à une variation du prix unitaire. Si la relation entre la quantité demandée d'un produit et son prix unitaire est représentée par la fonction $x = f(p)$, alors le revenu de la vente de x unités du produit au prix unitaire p est

$$R(p) = px = pf(p)$$

Le taux de variation du revenu par rapport au prix unitaire p est

$$\begin{aligned} R'(p) &= f(p) + pf'(p) \\ &= f(p)\left[1 + \frac{pf'(p)}{f(p)}\right] \\ &= f(p)[1 - E(p)] \end{aligned}$$

Or, supposons que lorsque le prix unitaire est a dollars, la demande est élastique. Alors $E(a) > 1$, de sorte que $1 - E(a) < 0$. Puisque $f(p)$ est positif quel que soit p, on obtient

$$R'(a) = f(a)[1 - E(a)] < 0$$

et $R(p)$ est décroissant en $p = a$. Donc, lorsque $p = a$, une faible augmentation du prix unitaire entraîne une diminution du revenu, alors qu'une faible diminution du prix unitaire résulte en une augmentation du revenu. De même, vous pourrez montrer que si la demande est inélastique lorsque le prix unitaire est a dollars, alors une faible augmentation du prix unitaire entraîne une augmentation du revenu et une faible diminution du prix unitaire, une diminution du revenu. Enfin, si la demande est unitaire lorsque $p = a$, alors $E(a) = 1$ et $R'(a) = 0$. Il s'ensuit qu'une faible augmentation ou une faible diminution du prix unitaire ne modifient pas le revenu. L'argumentation précédente peut se résumer en quelques phrases.

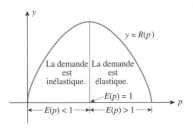

FIGURE 3.12
Le revenu est croissant dans l'intervalle où la demande est inélastique, décroissant dans l'intervalle où la demande est élastique et stationnaire au point où la demande est unitaire.

1. Si la demande est élastique en p [$E(p) > 1$], alors une augmentation du prix unitaire entraîne une diminution du revenu et une diminution du prix unitaire entraîne une augmentation du revenu.

2. Si la demande est inélastique en p [$E(p) < 1$], alors une augmentation du prix unitaire entraîne une augmentation du revenu et une diminution du prix unitaire entraîne une diminution du revenu.

3. Si la demande est unitaire en p [$E(p) = 1$], alors une augmentation du prix unitaire n'entraîne ni augmentation, ni diminution du revenu.

Ces propriétés sont illustrées à la figure 3.12.

REMARQUE   Voici une façon de vous rappeler les résultats précédents :

1. Si la demande est élastique, alors le revenu et le prix unitaire varient de façon opposée.
2. Si la demande est inélastique, ils varient dans le même sens.

EXEMPLE 8   **Élasticité de la demande**   Reportez-vous à l'exemple 7.

a. La demande est-elle élastique, unitaire ou inélastique en $p = 100$? En $p = 300$?

b. Si le prix unitaire est de 100 \$ et qu'on l'augmente légèrement, en résultera-t-il une augmentation ou une diminution du revenu ?

Solution

a. À l'exemple 7, on a vu que $E(100) = \frac{1}{3} < 1$ et $E(300) = 3 > 1$. On en conclut que la demande est inélastique lorsque $p = 100$ et élastique lorsque $p = 300$.

b. Comme la demande est inélastique lorsque $p = 100$, une faible augmentation du prix unitaire fera augmenter le revenu.

■ EXERCICES D'AUTOÉVALUATION 3.4

1. La demande hebdomadaire de magnétoscopes de marque Pulsar est représentée par l'équation

$$p = -0{,}02x + 300 \qquad \text{(pour } 0 \le x \le 15\,000\text{)}$$

où p représente le prix de gros unitaire en dollars et x représente la quantité demandée. Le coût total hebdomadaire de production de ces magnétoscopes est

$$C(x) = 0{,}000003x^3 - 0{,}04x^2 + 200x + 70\,000 \text{ dollars}$$

a. Trouvez la fonction de revenu R et la fonction de profit P.

b. Trouvez la fonction de coût marginal C', la fonction de revenu marginal R' et la fonction de profit marginal P'.

c. Trouvez la fonction de coût moyen marginal $\overline{C}\,'$.

d. Calculez $C'(3000)$, $R'(3000)$ et $P'(3000)$ et interprétez vos réponses.

Les solutions des exercices d'autoévaluation 3.4 se trouvent à la page 193.

2. Reportez-vous à l'exercice précédent. Déterminez si la demande est élastique, unitaire ou inélastique en $p = 100$ et en $p = 200$.

■ 3.4 EXERCICES

1. **COÛTS DE PRODUCTION** Nous avons représenté ci-dessous le graphique caractéristique d'une fonction de coût total $C(x)$ associée à la fabrication de x unités d'un produit.

   a. Expliquez pourquoi la fonction C est partout croissante.

   b. Lorsque les quantités produites x augmentent, le coût unitaire diminue, de sorte que $C(x)$ continue d'augmenter, mais plus lentement. Cependant, si on augmente encore les quantités produites, le coût unitaire se met à augmenter de façon importante (ce peut être en raison d'une pénurie de matières premières, d'heures supplémentaires à payer, d'arrêts de production causés par des efforts excessifs sur l'équipement, etc.) de sorte que $C(x)$ continue d'augmenter, plus rapidement cette fois. Utilisez le graphique de la fonction C pour estimer le niveau de production x_0 où se produit le phénomène.

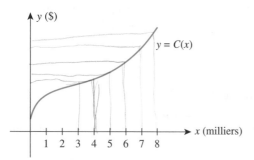

2. **COÛTS DE PRODUCTION** Nous avons représenté ci-dessous le graphique d'une fonction de coût moyen $A(x) = C(x)/x$, où $C(x)$ est une fonction de coût total associée à la fabrication de x unités d'un produit.

   a. Utilisez une argumentation de nature économique pour expliquer pourquoi $A(x)$ est élevé lorsque x est faible et pourquoi $A(x)$ est élevé lorsque x est élevé.

   b. Quelle signification ont x_0 et y_0, soit l'abscisse et l'ordonnée du minimum de la fonction A ?

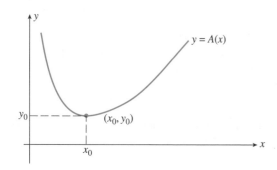

L'usage d'une calculatrice est recommandé pour les exercices 3 à 34.

3. **COÛT MARGINAL** Le coût hebdomadaire total (en dollars) engagé par une entreprise pour presser x disques compacts est

   $$C(x) = 2000 + 2x - 0{,}0001x^2 \quad (\text{pour } 0 \le x \le 6000)$$

   a. Quels sont les coûts réels de production du 1001e et du 2001e disque ?

   b. Quel est le coût marginal lorsque $x = 1000$? Lorsque $x = 2000$?

4. **COÛT MARGINAL** Une filiale des Industries Électricon fabrique le four à micro-ondes de modèle Futura. Le coût de production journalier (en dollars) de ces fours à micro-ondes est

   $$C(x) = 0{,}0002x^3 - 0{,}06x^2 + 120x + 5000$$

   où x représente le nombre d'unités produites.

   a. Quel est le coût réel de production du 101e four à micro-ondes ? Du 201e ? Du 301e ?

   b. Quel est le coût marginal lorsque $x = 100$, lorsque $x = 200$ et lorsque $x = 300$?

5. **COÛT MOYEN MARGINAL** L'entreprise Ameublement Pierre fabrique un modèle de bureaux de direction. On estime que le coût total de fabrication de x unités de ce modèle est

   $$C(x) = 100x + 200\,000$$

   dollars par an.

   a. Trouvez la fonction de coût moyen $\overline{C}$.

   b. Trouvez la fonction de coût moyen marginal $\overline{C}'$.

   c. Comment se comporte la fonction $\overline{C}(x)$ lorsque x prend des valeurs très élevées ? Interprétez votre réponse.

6. **COÛT MOYEN MARGINAL** La direction de l'entreprise ThermoMaître, dont la filiale mexicaine fabrique des thermomètres pouvant être utilisés aussi bien à l'extérieur qu'à l'intérieur, estime que le coût hebdomadaire total (en dollars) engagé pour produire x thermomètres est

   $$C(x) = 5000 + 2x$$

   a. Trouvez la fonction de coût moyen $\overline{C}$.

   b. Trouvez la fonction de coût moyen marginal $\overline{C}'$.

   c. Interprétez vos résultats.

7. Trouvez les fonctions de coût moyen $\overline{C}$ et de coût moyen marginal $\overline{C}'$ associées à la fonction de coût total décrite à l'exercice 3.

8. Trouvez les fonctions de coût moyen $\overline{C}$ et de coût moyen marginal $\overline{C}'$ associées à la fonction de coût total décrite à l'exercice 4.

9. REVENU MARGINAL Une compagnie aérienne de Beloeil offrant des vols d'une demi-heure au-dessus de la région réalise un revenu mensuel de

$$R(x) = 8000x - 100x^2$$

dollars lorsque le prix demandé est de x dollars par passager.

a. Trouvez le revenu marginal R'.

b. Calculez $R'(39)$, $R'(40)$ et $R'(41)$.

c. Selon les réponses obtenues en **b**, quel prix la compagnie aérienne devrait-elle demander par passager pour maximiser ses revenus ?

10. REVENU MARGINAL La direction d'Acrosonique prévoit mettre sur le marché un système de haut-parleurs électrostatiques. Les experts du service de marketing prévoient que la demande de ces haut-parleurs sera modélisée par la fonction

$$p = -0,04x + 800 \qquad (\text{pour } 0 \le x \le 20\ 000)$$

où p désigne le prix unitaire d'un haut-parleur (en dollars) et x désigne le nombre d'unités demandées.

a. Trouvez la fonction de revenu R.

b. Trouvez la fonction de revenu marginal R'.

c. Calculez $R'(5000)$ et interprétez votre réponse.

11. PROFIT MARGINAL Reportez-vous à l'exercice 10. La direction du service de production d'Acrosonique estime que le coût total (en dollars) engagé dans la fabrication de x haut-parleurs électrostatiques au cours de la première année de production sera

$$C(x) = 200x + 300\ 000$$

a. Trouvez la fonction de profit P.

b. Trouvez la fonction de profit marginal P'.

c. Calculez $P'(5000)$ et $P'(8000)$.

d. Tracez le graphique de la fonction de profit et interprétez vos résultats.

12. PROFIT MARGINAL Le 400 René-Lévesque, un complexe d'appartements situé dans le centre-ville de Montréal, est constitué de 100 appartements de quatre pièces et demie. Le profit mensuel (en dollars) généré par la location de x appartements est

$$P(x) = -10x^2 + 1760x - 50\ 000$$

a. Quel est le profit réel résultant de la location du 51e appartement, en supposant que 50 appartements ont déjà été loués ?

b. Calculez le profit marginal lorsque $x = 50$ et comparez votre réponse avec celle obtenue en **a**.

13. COÛT, REVENU ET PROFIT MARGINAUX La demande hebdomadaire du téléviseur couleur Pulsar 25 est modélisée par la fonction

$$p = 600 - 0,05x \qquad (\text{pour } 0 \le x \le 12\ 000)$$

où p désigne le prix unitaire de gros (en dollars) et x représente les quantités demandées. Le coût total hebdomadaire de fabrication de x téléviseurs est

$$C(x) = 0,000002x^3 - 0,03x^2 + 400x + 80\ 000$$

a. Trouvez la fonction de revenu R et la fonction de profit P.

b. Trouvez la fonction de coût marginal C', la fonction revenu marginal R' et la fonction de profit marginal P'.

c. Calculez $C'(2000)$, $R'(2000)$ et $P'(2000)$, et interprétez vos réponses.

d. Tracez les graphiques des fonctions C, R et P et interprétez les parties **b** et **c** à l'aide des graphiques obtenus.

14. COÛT, REVENU ET PROFIT MARGINAUX Pulsar fabrique également un téléviseur plus petit. La relation entre le nombre x de téléviseurs de ce modèle demandés chaque semaine et le prix de gros unitaire p est modélisée par

$$p = -0,006x + 180$$

Le coût total hebdomadaire de fabrication de x appareils est

$$C(x) = 0,000002x^3 - 0,02x^2 + 120x + 60\ 000$$

dollars. Répondez aux questions posées à l'exercice 13 en tenant compte de ces nouvelles données.

15. COÛT MOYEN MARGINAL Trouvez la fonction de coût moyen $\overline{C}$ associée à la fonction de coût total C de l'exercice 13.

a. Quelle est la fonction de coût moyen marginal $\overline{C}'$?

b. Calculez $\overline{C}'(5000)$ et $\overline{C}'(10\ 000)$, et interprétez vos réponses.

c. Tracez le graphique de $\overline{C}$.

16. COÛT MOYEN MARGINAL Trouvez la fonction de coût moyen $\overline{C}$ associée à la fonction de coût total C de l'exercice 14.

a. Quelle est la fonction de coût moyen marginal $\overline{C}'$?

b. Calculez $\overline{C}'(5000)$ et $\overline{C}'(10\ 000)$, et interprétez vos réponses.

17. REVENU MARGINAL La demande mensuelle de montres Sicard est reliée au prix unitaire par l'équation

$$p = \frac{50}{0,01x^2 + 1} \qquad (\text{pour } 0 \le x \le 20)$$

où p est mesuré en dollars et x en milliers.

a. Trouvez la fonction de revenu R.

b. Trouvez la fonction de revenu marginal R'.

c. Calculez $R'(2)$ et interprétez votre réponse.

18. PROPENSION MARGINALE À CONSOMMER La fonction de consommation de l'économie américaine entre 1929 et 1941 était

$$C(x) = 0,712x + 95,05$$

où $C(x)$ désigne les dépenses de consommation personnelle et x désigne le revenu personnel, mesurés tous les deux en milliards de dollars. Trouvez le taux de variation de la consommation par rapport au revenu, dC/dx, appelé la *propension marginale à consommer*.

19. **PROPENSION MARGINALE À CONSOMMER** Reportez-vous à l'exercice 18. Supposons que la fonction de consommation de l'économie d'un pays soit modélisée par

$$C(x) = 0,873x^{1,1} + 20,34$$

où $C(x)$ et x sont mesurés en milliards de dollars. Trouvez la propension marginale à consommer lorsque $x = 10$.

20. **PROPENSION MARGINALE À ÉPARGNER** Supposons que $C(x)$ désigne les dépenses de consommation personnelle d'une économie et x, le revenu personnel, mesurés en milliards de dollars. Alors, la fonction

$$S(x) = x - C(x) \qquad \text{Revenu moins consommation}$$

est une mesure de l'épargne correspondant à un revenu de x milliards de dollars. Montrez que

$$\frac{dS}{dx} = 1 - \frac{dC}{dx}$$

On désigne dS/dx sous le nom de *propension marginale à épargner*.

21. Reportez-vous à l'exercice 20. Soit la fonction de consommation de l'exercice 18. Trouvez la propension marginale à épargner.

22. Reportez-vous à l'exercice 20. Soit la fonction de consommation de l'exercice 19. Trouvez la propension marginale à épargner lorsque $x = 10$.

23–28 Pour l'équation de demande $x = f(p)$ donnée, calculez l'élasticité de la demande, puis déterminez si la demande est élastique, unitaire ou inélastique au prix indiqué.

23. $x = -\dfrac{5}{4}p + 20$; $p = 10$ 24. $x = -\dfrac{3}{2}p + 9$; $p = 2$

25. $x + \dfrac{1}{3}p - 20 = 0$; $p = 30$

26. $0,4x + p - 20 = 0$; $p = 10$

27. $p = 169 - x^2$; $p = 29$ 28. $p = 144 - x^2$; $p = 96$

29. **ÉLASTICITÉ DE LA DEMANDE** La demande du séchoir à cheveux de marque Roland est exprimée par l'équation

$$x = \frac{1}{5}(225 - p^2) \qquad \text{(pour } 0 \le p \le 15)$$

où x (mesuré en milliers) désigne la quantité hebdomadaire demandée et p désigne le prix unitaire en dollars.

a. Dites si la demande est élastique ou inélastique lorsque $p = 8$; lorsque $p = 10$.

b. Pour quelle valeur de p la demande est-elle unitaire?

c. Si le prix unitaire est de 10 $ et qu'on le réduit légèrement, cela aura-t-il pour effet d'augmenter ou de diminuer le revenu?

d. Si le prix unitaire est de 8 $ et qu'on l'augmente légèrement, cela aura-t-il pour effet d'augmenter ou de diminuer le revenu?

30. **ÉLASTICITÉ DE LA DEMANDE** La direction du fabricant de pneus Rouleau a établi que la demande hebdomadaire pour ses pneus de modèle Hercule est reliée au prix unitaire p par la fonction

$$x = \sqrt{144 - p}$$

où p est mesuré en dollars et x, en milliers.

a. Calculez l'élasticité de la demande lorsque $p = 63$, lorsque $p = 96$ et lorsque $p = 108$.

b. Interprétez les réponses obtenues en **a**.

c. La demande est-elle élastique, unitaire ou inélastique lorsque $p = 63$, lorsque $p = 96$ et lorsque $p = 108$?

31. **ÉLASTICITÉ DE LA DEMANDE** La propriétaire du club vidéo Le 7ᵉ art estime que le prix de location unitaire p (en dollars) des DVD et la quantité x de DVD loués chaque semaine sont liés par l'équation

$$x = \frac{2}{3}\sqrt{36 - p^2} \qquad \text{(pour } 0 \le p \le 6)$$

Actuellement, le prix de location est de 4 $ par DVD.

a. À ce prix, la demande est-elle élastique ou inélastique?

b. Si on augmente le coût de location, le revenu va-t-il augmenter ou diminuer?

32. **ÉLASTICITÉ DE LA DEMANDE** La demande hebdomadaire x (en centaines) d'un appareil photo miniature de marque Mikado est reliée au prix unitaire p (en dollars) par l'équation

$$x = \sqrt{400 - 5p} \qquad \text{(pour } 0 \le p \le 80)$$

a. La demande est-elle élastique ou inélastique lorsque $p = 40$? Lorsque $p = 60$?

b. Pour quelle valeur de p la demande est-elle unitaire?

c. Si le prix unitaire est de 60 $ et qu'on le réduit légèrement, cela aura-t-il pour effet d'augmenter ou de diminuer le revenu?

d. Si le prix unitaire est de 40 $ et qu'on l'augmente légèrement, cela aura-t-il pour effet d'augmenter ou de diminuer le revenu?

33. **ÉLASTICITÉ DE LA DEMANDE** La demande hebdomadaire d'une bicyclette d'exercice vendue exclusivement par câble est modélisée par la fonction

$$p = \sqrt{9 - 0,02x} \qquad \text{(pour } 0 \le x \le 450\text{)}$$

où p désigne le prix unitaire en centaines de dollars et x, le nombre d'unités demandées. Calculez l'élasticité de la demande et déterminez les prix qui résulteront en une demande élastique, unitaire ou inélastique.

Suggestion: Résolvez $E(p) = 1$.

34. **ÉLASTICITÉ DE LA DEMANDE** L'équation de demande de la montre Sicard est

$$x = 10\sqrt{\frac{50 - p}{p}} \qquad \text{(pour } 0 < p \le 50\text{)}$$

où x (mesuré en milliers) désigne la demande hebdomadaire et p, le prix unitaire en dollars. Calculez l'élasticité de la demande et déterminez les prix qui résulteront en une demande élastique, unitaire ou inélastique.

35–36 Dites si l'énoncé est vrai ou faux. S'il est vrai, dites pourquoi. S'il est faux, trouvez un contre-exemple.

35. Si une fonction de coût total C est dérivable, alors la fonction de coût moyen marginal est

$$\overline{C}'(x) = \frac{xC'(x) - C(x)}{x^2}$$

36. Si la fonction de profit marginal est positive en $x = a$, alors il est raisonnable de décroître la production.

■ SOLUTIONS DES EXERCICES D'AUTOÉVALUATION 3.4

1. **a.** $R(x) = px$
$$= x(-0,02x + 300)$$
$$= -0,02x^2 + 300x \qquad (0 \le x \le 15\,000)$$
$$P(x) = R(x) - C(x)$$
$$= -0,02x^2 + 300x$$
$$\quad -(0,000003x^3 - 0,04x^2 + 200x + 70\,000)$$
$$= -0,000003x^3 + 0,02x^2 + 100x - 70\,000$$

b. $C'(x) = 0,000009x^2 - 0,08x + 200$
$$R'(x) = -0,04x + 300$$
$$P'(x) = -0,000009x^2 + 0,04x + 100$$

c. La fonction de coût moyen est

$$\overline{C}(x) = \frac{C(x)}{x}$$

$$= \frac{0,000003x^3 - 0,04x^2 + 200x + 70\,000}{x}$$

$$= 0,000003x^2 - 0,04x + 200 + \frac{70\,000}{x}$$

Par conséquent, la fonction de coût moyen marginal est

$$\overline{C}'(x) = 0,000006x - 0,04 - \frac{70\,000}{x^2}$$

d. En utilisant le résultat **b**, on obtient

$$C'(3000) = 0,000009(3000)^2 - 0,08(3000) + 200$$
$$= 41$$

Donc, lorsqu'on produit 3000 magnétoscopes, le coût réel de production d'un magnétoscope supplémentaire est d'environ 41 $. Or,

$$R'(3000) = -0,04(3000) + 300 = 180$$

Le revenu réel résultant de la vente du 3001e magnétoscope est d'environ 180 $. Enfin,

$$P'(3000) = -0,000009(3000)^2 + 0,04(3000) + 100$$
$$= 139$$

Le profit réel provenant de la vente du 3001e magnétoscope est d'environ 139 $ (confirmé par 180 $ − 41 $).

2. On commence par isoler x en fonction de p.

$$x = f(p) = -50p + 15\,000$$
$$f'(p) = -50$$

Par conséquent,

$$E(p) = -\frac{pf'(p)}{f(p)} = -\frac{p}{-50p + 15\,000}(-50)$$

$$= \frac{p}{300 - p} \qquad \text{(pour } 0 \le p < 300\text{)}$$

On calcule ensuite

$$E(100) = \frac{100}{300 - 100} = \frac{1}{2} < 1$$

Donc, la demande est inélastique en $p = 100$. De plus,

$$E(200) = \frac{200}{300 - 200} = 2 > 1$$

d'où la demande est élastique en $p = 200$.

3.5 Dérivées d'ordre supérieur

Dérivées d'ordre supérieur

La dérivée f' d'une fonction f est également une fonction, de sorte que l'on peut aussi s'intéresser à *sa* dérivée. Ainsi, la fonction f' admet une dérivée f'' en un point x du domaine de f' si la limite du quotient

$$\frac{f'(x + h) - f'(x)}{h}$$

existe lorsque h tend vers zéro. Autrement dit, f'' est la dérivée de la dérivée de f.

La fonction f'' ainsi obtenue s'appelle la **dérivée seconde de** la fonction f, et dans ce contexte, la dérivée f' de f s'appelle la dérivée première de f. En poursuivant ce genre de raisonnement, nous obtenons la dérivée troisième, puis la quatrième, et ainsi de suite, soit les dérivées d'ordre supérieur de f, chaque fois qu'elles existent. Les notations utilisées pour désigner les dérivées première, deuxième, troisième, quatrième et, en général, n^e d'une fonction f en un point x sont

$$f'(x), f''(x), f'''(x), f^{(4)}(x), \ldots, f^{(n)}(x)$$

ou $\qquad\qquad D^1 f(x), D^2 f(x), D^3 f(x), D^4 f(x), \ldots, D^n f(x)$

Si on écrit f sous la forme $y = f(x)$, alors les notations utilisées pour désigner les dérivées sont

$$y', y'', y''', y^{(4)}, \ldots, y^{(n)}$$

$$\frac{dy}{dx}, \frac{d^2y}{dx^2}, \frac{d^3y}{dx^3}, \frac{d^4y}{dx^4}, \ldots, \frac{d^n y}{dx^n}$$

ou $\qquad\qquad D^1 y, D^2 y, D^3 y, D^4 y, \ldots, D^n y$

respectivement.

EXEMPLE 1 Calculez toutes les dérivées de la fonction polynomiale

$$f(x) = x^5 - 3x^4 + 4x^3 - 2x^2 + x - 8$$

Solution On a

$$f'(x) = 5x^4 - 12x^3 + 12x^2 - 4x + 1$$

$$f''(x) = \frac{d}{dx} f'(x) = 20x^3 - 36x^2 + 24x - 4$$

$$f'''(x) = \frac{d}{dx} f''(x) = 60x^2 - 72x + 24$$

$$f^{(4)}(x) = \frac{d}{dx} f'''(x) = 120x - 72$$

$$f^{(5)}(x) = \frac{d}{dx} f^{(4)}(x) = 120$$

et ensuite,

$$f^{(n)}(x) = 0 \qquad (\text{pour } n > 5)$$

EXEMPLE 2   Trouvez la dérivée troisième de la fonction f définie par $y = x^{2/3}$. Trouvez son domaine.

Solution

On a

$$y' = \frac{2}{3}x^{-1/3}$$

$$y'' = \left(\frac{2}{3}\right)\left(-\frac{1}{3}\right)x^{-4/3} = -\frac{2}{9}x^{-4/3}$$

de sorte que la dérivée recherchée est

$$y''' = \left(-\frac{2}{9}\right)\left(-\frac{4}{3}\right)x^{-7/3} = \frac{8}{27}x^{-7/3} = \frac{8}{27x^{7/3}}$$

Les fonctions f', f'' et f''' ont toutes les trois pour domaine l'ensemble des nombres réels sauf $x = 0$. Le domaine de $y = x^{2/3}$ est l'ensemble des nombres réels. Le graphique de la fonction $y = x^{2/3}$ est représenté à la figure 3.13.

REMARQUE   Il est toujours utile de simplifier l'expression d'une dérivée avant de la dériver pour obtenir la dérivée d'ordre suivant.

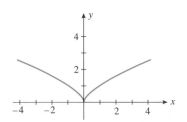

FIGURE 3.13
Graphique de la fonction $y = x^{2/3}$

EXEMPLE 3   Calculez la dérivée seconde de la fonction $y = (2x^2 + 3)^{3/2}$.

Solution

En utilisant la généralisation de la dérivée d'une fonction puissance, on obtient

$$y' = \frac{3}{2}(2x^2 + 3)^{1/2}(4x) = 6x(2x^2 + 3)^{1/2}$$

On poursuit avec la dérivée d'un produit et de nouveau avec la généralisation de la dérivée d'une fonction puissance

$$y'' = \left[\frac{d}{dx}(6x)\right](2x^2 + 3)^{1/2} + (6x) \cdot \frac{d}{dx}(2x^2 + 3)^{1/2}$$

$$= 6(2x^2 + 3)^{1/2} + (6x)\left(\frac{1}{2}\right)(2x^2 + 3)^{-1/2}(4x)$$

$$= 6(2x^2 + 3)^{1/2} + 12x^2(2x^2 + 3)^{-1/2}$$

$$= 6(2x^2 + 3)^{-1/2}\left[(2x^2 + 3) + 2x^2\right]$$

$$= \frac{6(4x^2 + 3)}{\sqrt{2x^2 + 3}}$$

APPLICATIONS

Nous savons que la dérivée f' d'une fonction f en un point x est la mesure du taux de variation de la fonction f en ce point; de même, la dérivée seconde de f (c'est-à-dire la dérivée de f') est la mesure du taux de variation de la fonction f', la dérivée troisième est la mesure du taux de variation de f'', et ainsi de suite.

Au chapitre 4, nous allons étudier l'interprétation géométrique de la dérivée seconde d'une fonction. Le prochain exemple présente une interprétation plus familière de la dérivée seconde.

EXEMPLE 4

Accélération du Maglev Reportez-vous à l'exemple de la page 83. La distance s (en mètres) parcourue par un Maglev se déplaçant le long d'un rail droit t s après le départ est exprimée par la fonction $s = 1,2t^2$ (pour $0 \leq t \leq 30$). Quelle est l'accélération du Maglev au bout de 30 s?

Solution La vitesse du Maglev au bout de t s est

$$v = \frac{ds}{dt} = \frac{d}{dt}(1,2t^2) = 2,4t$$

L'accélération du Maglev t s après le départ est le taux de variation de la vitesse par rapport à t, c'est-à-dire

$$a = \frac{d}{dt}v = \frac{d}{dt}\left(\frac{ds}{dt}\right) = \frac{d^2s}{dt^2} = \frac{d}{dt}(2,4t) = 2,4$$

soit 2,4 mètres par seconde par seconde, qui s'écrit habituellement 2,4 m/s^2.

Voici une autre interprétation de la dérivée seconde d'une fonction, cette fois dans le domaine de l'économie. Supposons que l'indice des prix à la consommation (IPC) de l'économie d'un pays entre les années a et b soit décrite par la fonction $I(t)$ (pour $a \leq t \leq b$) (figure 3.14). Alors la dérivée première de I en $t = c$, $I'(c)$, où $a < c < b$, représente le taux de variation de I au moment c. Par ailleurs, le rapport

$$\frac{I'(c)}{I(c)}$$

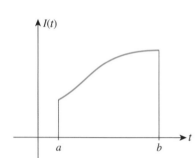

FIGURE 3.14
L'IPC d'une économie entre les années a et b est $I(t)$.

désigné sous le nom de *taux de variation relatif de $I(t)$* par rapport à t en $t = c$, est la mesure du *taux d'inflation* présent dans l'économie au moment $t = c$. La dérivée seconde de I en $t = c$, $I''(c)$, mesure quant à elle le taux de variation de I' en $t = c$. Or, il est tout à fait possible que $I'(t)$ soit positif et que $I''(t)$ soit négatif en $t = c$ (voir l'exemple 5). On en déduit alors qu'en $t = c$, l'économie subit une inflation (puisque l'IPC augmente), mais que le taux d'augmentation de l'inflation décroît. En pareille situation, les économistes et les politiciens affirment que «l'inflation ralentit».

EXEMPLE 5

Taux d'inflation dans une économie La fonction

$$f(t) = -0,2t^3 + 3t^2 + 100 \qquad \text{(pour } 0 \leq t \leq 9\text{)}$$

représente l'IPC d'une économie, où la valeur $t = 0$ correspond au début de 1995.

a. Trouvez le taux d'inflation au début de 2001 ($t = 6$).
b. Montrez qu'au début de 2001, l'inflation ralentissait.

Solution

a. La dérivée $I'(t) = -0,6t^2 + 6t$. Donc, $I'(6) = -0,6(6)^2 + 6(6) = 14,4$ et $I(6) = -0,2(6)^3 + 3(6)^2 + 100 = 164,8$, de sorte que le taux d'inflation vaut

$$\frac{I'(6)}{I(6)} = \frac{14,4}{164,8} \approx 0,0874$$

soit environ 8,7 %.

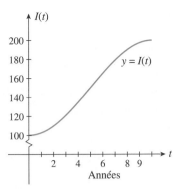

FIGURE 3.15
Graphique de l'IPC $I(t)$ d'une économie.

b. On a

$$I''(t) = \frac{d}{dt}(-0,6t^2 + 6t) = -1,2t + 6$$

Puisque

$$I''(6) = -1,2(6) + 6 = -1,2$$

alors I' décroît effectivement en $t = 6$ et nous pouvons conclure que l'inflation ralentissait à ce moment (figure 3.15).

◼ EXERCICES D'AUTOÉVALUATION **3.5**

1. Calculez la dérivée troisième de la fonction

$$f(x) = 2x^5 - 3x^3 + x^2 - 6x + 10$$

2. Soit

$$f(x) = \frac{1}{1 + x}$$

Calculez $f'(x)$, $f''(x)$ et $f'''(x)$.

3. Une espèce de tortues marines, les *Dermochelys coriacea* ou tortues luths, est menacée d'extinction en raison des soi-disant vertus aphrodisiaques de leurs oeufs. On espère que, grâce à l'instauration de mesures sévères contre le braconnage, la population de tortues luths pourra désormais croître selon le modèle

$$N(t) = 2t^3 + 3t^2 - 4t + 1000 \qquad \text{(pour } 0 \leq t \leq 10)$$

Les solutions des exercices d'autoévaluation 3.5 se trouvent à la page 201.

où $N(t)$ désigne la population à la fin de l'année t. Calculez $N''(2)$ et $N''(8)$. Selon les réponses obtenues, que pensez-vous de l'efficacité du programme de protection mis en place?

◼ 3.5 EXERCICES

1–16 Calculez la dérivée première et la dérivée seconde de la fonction donnée.

1. $f(x) = 4x^2 - 2x + 1$

2. $f(x) = -0,2x^2 + 0,3x + 4$

3. $f(x) = 2x^3 - 3x^2 + 1$

4. $f(x) = x^5 - x^4 + x^3 - x^2 + x - 1$

5. $f(x) = (x^2 + 2)^5$ **6.** $g(t) = t^2(3t + 1)^4$

7. $g(t) = (2t^2 - 1)^2(3t^2)$

8. $h(x) = (x^2 + 1)^2(x - 1)$

9. $f(x) = (2x^2 + 2)^{7/2}$

10. $h(w) = (w^2 + 2w + 4)^{5/2}$

11. $f(x) = \dfrac{x}{2x + 1}$ **12.** $g(t) = \dfrac{t^2}{t - 1}$

13. $f(s) = \dfrac{s - 1}{s + 1}$ **14.** $f(u) = \dfrac{u}{u^2 + 1}$

15. $f(u) = \sqrt{4 - 3u}$ **16.** $f(x) = \sqrt{2x - 1}$

(suite à la page 200)

TECHNOLOGIE EN APPLICATION

 Calcul de la dérivée seconde d'une fonction en un point

Certaines calculatrices graphiques sont munies d'une option permettant de calculer la valeur numérique de la dérivée seconde d'une fonction en un point. Voici quelques exemples et exercices utilisant cette option.

EXEMPLE 1

Utilisez l'option de calcul numérique de la dérivée seconde d'une calculatrice graphique pour trouver la dérivée seconde de $f(x) = \sqrt{x}$ en $x = 4$.

Solution

L'option de calcul numérique de la dérivée seconde fournit le résultat

$$f''(4) = \text{der2}(x^\wedge.5, x, 4) = -0{,}03125$$

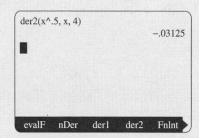

FIGURE T1
Écran de dérivation numérique de la TI-86 pour le calcul de $f''(4)$

EXEMPLE 2

Prévalence des cas de la maladie d'Alzheimer Le nombre de personnes atteintes de la maladie d'Alzheimer aux États-Unis est modélisé par la fonction

$$f(t) = -0{,}02765t^4 + 0{,}3346t^3 - 1{,}1261t^2$$
$$+ 1{,}7575t + 3{,}7745 \qquad (\text{pour } 0 \leq t \leq 6)$$

où $f(t)$ est mesuré en millions et t est mesuré en décennies, la valeur $t = 0$ correspondant au début de l'an 1990.

a. Quel devrait être le taux de croissance du nombre de personnes atteintes de la maladie d'Alzheimer au début de l'an 2030 ?
b. Quel devrait être le taux de croissance du taux de croissance du nombre de personnes atteintes de la maladie d'Alzheimer au début de l'an 2030 ?
c. Tracez le graphique de f dans la fenêtre $[0, 7] \times [0, 12]$.
Source : Société Alzheimer des États-Unis

Solution

a. L'option de dérivation numérique d'une calculatrice graphique fournit la réponse

$$f'(4) = 1{,}7311$$

On en conclut qu'en 2030, le nombre de personnes atteintes de cette maladie augmentera d'environ 1,7 million de personnes par décennie.

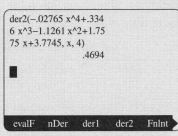

FIGURE T2
Écran de dérivation numérique de la TI-86 pour le calcul de $f''(4)$

FIGURE T3
Graphique de f dans la fenêtre $[0, 7] \times [0, 12]$

b. L'option de calcul numérique de la dérivée seconde d'une calculatrice graphique fournit le résultat

$$f''(4) = 0,4694$$

(figure T2); donc, en 2030, le taux de variation du nombre de personnes atteintes de la maladie d'Alzheimer augmentera d'environ 0,5 million de personnes par décennie.

c. Le graphique est représenté à la figure T3.

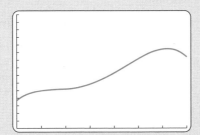

■ EXERCICES AVEC LA CALCULATRICE GRAPHIQUE

1–8 Trouvez la valeur numérique de la dérivée seconde de f au point x. Conservez quatre décimales de précision.

1. $f(x) = 2x^3 - 3x^2 + 1; x = -1$

2. $f(x) = 2,5x^5 - 3x^3 + 1,5x + 4; x = 2,1$

3. $f(x) = 2,1x^{3,1} - 4,2x^{1,7} + 4,2; x = 1,4$

4. $f(x) = 1,7x^{4,2} - 3,2x^{1,3} + 4,2x - 3,2; x = 2,2$

5. $f(x) = \dfrac{x^2 + 2x - 5}{x^3 + 1}; x = 2,1$

6. $f(x) = \dfrac{x^3 + x + 2}{2x^2 - 5x + 4}; x = 1,2$

7. $f(x) = \dfrac{x^{1/2} + 2x^{3/2} + 1}{2x^{1/2} + 3}; x = 0,5$

8. $f(x) = \dfrac{\sqrt{x} - 1}{2x + \sqrt{x} + 4}; x = 2,3$

9. MARCHÉ DU MULTIMÉDIA Le chiffre d'affaires annuel du marché du multimédia (matériel et logiciel) est modélisé par

$$S(t) = -0,0094t^4 + 0,1204t^3 - 0,0868t^2 + 0,0195t + 3,3325 \qquad \text{(pour } 0 \le t \le 10\text{)}$$

où $S(t)$ est mesuré en milliards de dollars et t est mesuré en années, la valeur $t = 0$ correspondant à 1990. Calculez $S''(7)$ et interprétez votre réponse.
Source: Electronics Industries Association

17–24 Calculez la dérivée troisième de la fonction donnée.

17. $f(x) = 3x^4 - 4x^3$

18. $f(x) = 3x^5 - 6x^4 + 2x^2 - 8x + 12$

19. $f(x) = \dfrac{1}{x}$　　　　**20.** $f(x) = \dfrac{2}{x^2}$

21. $g(s) = \sqrt{3s - 2}$　　　**22.** $g(t) = \sqrt{2t + 3}$

23. $f(x) = (2x - 3)^4$　　　**24.** $g(t) = \left(\dfrac{1}{2}t^2 - 1\right)^5$

25. CRIMINALITÉ Le nombre de crimes violents commis dans une grande ville américaine entre 1988 et 1995 est approximé par la fonction

$$N(t) = -0{,}1t^3 + 1{,}5t^2 + 100 \qquad \text{(pour } 0 \le t \le 7)$$

où $N(t)$ désigne le nombre de crimes commis au cours de l'année t, la valeur $t = 0$ correspondant à 1988. Exaspérés par la hausse de criminalité, les citoyens de la ville, de concert avec les forces policières locales, ont organisé, dès le début de 1992, un comité de surveillance de quartier pour contrer ce fléau social.

  a. Vérifiez qu'effectivement cette ville a connu une hausse de criminalité entre 1988 et 1995.
    Suggestion : Calculez $N'(0), N'(1), \ldots, N'(7)$.

  b. Démontrez l'efficacité du programme de surveillance de quartier d'après les résultats de $N''(4), N''(5), N''(6)$ et $N''(7)$.

26. PNB D'UN PAYS EN VOIE DE DÉVELOPPEMENT Le produit national brut (PNB) d'un pays en voie de développement entre 1992 et 2000 est modélisé par la fonction

$$P(t) = -0{,}2t^3 + 2{,}4t^2 + 60 \qquad \text{(pour } 0 \le t \le 8)$$

où $P(t)$ est mesuré en milliards de dollars, la valeur $t = 0$ correspondant à 1992.

  a. Calculez $P'(0), P'(1), \ldots, P'(8)$.
  b. Calculez $P''(0), P''(1), \ldots, P''(8)$.
  c. D'après les résultats obtenus en **a** et en **b**, montrez que la croissance du PNB a été spectaculaire au cours des premières années, mais qu'elle a considérablement ralenti par la suite.

27. PRESTATIONS D'INVALIDITÉ Le nombre de personnes âgées de 18 à 64 ans recevant des prestations d'invalidité, comme l'assurance sociale, la CSST ou la SAAQ, entre 1990 et 2000, est modélisé par la fonction

$$N(t) = 0{,}037t^3 - 2{,}42t^2 + 52t + 530 \quad \text{(pour } 0 \le t \le 10)$$

où $f(t)$ est mesuré en milliers et t est mesuré en années, la valeur $t = 0$ correspondant au début de 1990. Calculez $N(8), N'(8)$ et $N''(8)$ et interprétez vos résultats.

28. VIEILLISSEMENT DE LA POPULATION Le pourcentage de la population âgée de 55 ans ou plus dans un pays d'Europe est approximée par la fonction

$$f(t) = 10{,}72(0{,}9t + 10)^{0{,}3} \qquad \text{(pour } 0 \le t \le 20)$$

où t est mesuré en années, la valeur $t = 0$ correspondant à l'an 2000. Calculez $f''(10)$ et interprétez votre réponse.

29. MÈRES AU TRAVAIL Le pourcentage des femmes qui travaillent hors du foyer et qui ont un enfant âgé de moins de 6 ans est modélisé par la fonction

$$P(t) = 33{,}55(t + 5)^{0{,}205} \qquad \text{(pour } 0 \le t \le 21)$$

où t est mesuré en années, la valeur $t = 0$ correspondant au début de 1980. Calculez $P''(20)$ et interprétez votre réponse.

30–34 Dites si l'énoncé est vrai ou faux. S'il est vrai, dites pourquoi. S'il est faux, trouvez un contre-exemple.

30. Si la dérivée seconde de f existe en $x = a$, alors $f''(a) = [f'(a)]^2$.

31. Si $h = fg$ et si les dérivées secondes de f et de g existent, alors

$$h''(x) = f''(x)g(x) + 2f'(x)g'(x) + f(x)g''(x)$$

32. Si $f(x)$ est une fonction polynomiale de degré n, alors $f^{(n+1)}(x) = 0$.

33. Supposons que $P(t)$ représente une population de bactéries à l'instant t où $P'(t) > 0$ et $P''(t) < 0$; on peut déduire que la population est croissante à l'instant t, mais que son taux de croissance est décroissant.

34. Si $h(x) = f(2x)$, alors $h''(x) = 4f''(2x)$.

35. Soit f la fonction définie par $f(x) = x^{7/3}$. Montrez que les dérivées première et seconde de f existent pour tout x (en particulier pour $x = 0$), mais que la dérivée troisième de f n'existe pas en $x = 0$.

36. Construisez une fonction f dont les n premières dérivées existent en un point a, mais dont la dérivée $(n + 1)^{\text{e}}$ n'existe pas au point a.
  Suggestion : Reportez-vous à l'exercice 35.

37. Montrez qu'une fonction polynomiale admet des dérivées de tout ordre.
  Suggestion : Soit $P(x) = a_0x^n + a_1x^{n-1} + a_2x^{n-2} + \cdots + a_n$ un polynôme de degré n, où n est un entier positif, $a_0, a_1, \ldots, a_n$ sont des constantes et $a_0 \ne 0$. Calculez $P'(x), P''(x), \ldots$.

SOLUTIONS DES EXERCICES D'AUTOÉVALUATION 3.5

1. $f'(x) = 10x^4 - 9x^2 + 2x - 6$
$f''(x) = 40x^3 - 18x + 2$
$f'''(x) = 120x^2 - 18$

2. On récrit la fonction sous la forme $f(x) = (1 + x)^{-1}$, puis on utilise la généralisation de la dérivée d'une fonction puissance :

$$f'(x) = (-1)(1 + x)^{-2}\frac{d}{dx}(1 + x) = -(1 + x)^{-2}(1)$$
$$= -(1 + x)^{-2} = -\frac{1}{(1 + x)^2}$$

On obtient ensuite

$$f''(x) = -(-2)(1 + x)^{-3}\frac{d}{dx}(1 + x)$$
$$= 2(1 + x)^{-3} = \frac{2}{(1 + x)^3}$$

puis

$$f'''(x) = 2(-3)(1 + x)^{-4}\frac{d}{dx}(1 + x)$$
$$= -6(1 + x)^{-4}$$
$$= -\frac{6}{(1 + x)^4}$$

3. $N'(t) = 6t^2 + 6t - 4$ et $N''(t) = 12t + 6 = 6(2t + 1)$

Par conséquent, $N''(2) = 30$ et $N''(8) = 102$. Les résultats de nos calculs indiquent qu'à la fin de l'an 2, le *taux* de croissance de la population de tortues augmente de 30 tortues/an/an. À la fin de l'an 8, le taux augmente de 102 tortues/an/an. Il ne fait pas de doute que le programme de protection mis en place est tout à fait efficace.

3.6 Dérivation implicite et taux de variation liés

Dérivation implicite

Les fonctions que nous avons étudiées jusqu'à présent étaient exprimées sous la forme $y = f(x)$, c'est-à-dire que la variable dépendante y était exprimée *explicitement* comme une fonction de la variable indépendante x. Toutefois, les fonctions ne sont pas toujours exprimées sous cette forme. Considérons, par exemple, l'équation

$$x^2y + y - x^2 + 1 = 0 \tag{8}$$

Dans cette équation, y est exprimé *implicitement* comme une fonction de x. En effet, il suffit de résoudre l'équation (8) pour y, pour obtenir

$$(x^2 + 1)y = x^2 - 1 \qquad \text{Équation implicite}$$
$$y = f(x) = \frac{x^2 - 1}{x^2 + 1} \qquad \text{Équation explicite}$$

qui est une représentation explicite de f.

Considérons cet autre exemple.

$$y^4 - y^3 - y + 2x^3 - x = 8$$

Lorsqu'on pose certaines restrictions sur x et y, l'équation définit y comme une fonction de x. Cependant, exprimer y explicitement en fonction de x n'est pas une mince affaire et la question suivante vient tout naturellement à l'esprit : Comment peut-on calculer dy/dx en pareille situation ?

En l'occurrence, la dérivée des composées de fonctions nous fournit une méthode tout à fait appropriée de calcul de la dérivée d'une fonction à partir de son équation implicite. Cette méthode, désignée sous le nom de **dérivation implicite**, est illustrée dans les exemples qui suivent.

EXEMPLE 1

Soit l'équation $y^2 = x$. Trouvez $\dfrac{dy}{dx}$.

Solution Dérivons les deux membres de l'équation par rapport à x:

$$\frac{d}{dx}(y^2) = \frac{d}{dx}(x)$$

Pour dériver le terme $\dfrac{d}{dx}\,y^2$, il faut se rappeler que y est une fonction de x, ce que nous allons souligner en récrivant y sous la forme $f(x)$.

$$\frac{d}{dx}(y^2) = \frac{d}{dx}[f(x)]^2 \qquad \text{Remplacement de } y \text{ par } f(x)$$

$$= 2f(x)f'(x) \qquad \text{Dérivée des fonctions composées}$$

$$= 2y\frac{dy}{dx} \qquad \text{Retour à la notation } y$$

Il s'ensuit que l'équation

$$\frac{d}{dx}(y^2) = \frac{d}{dx}(x)$$

devient, une fois dérivée,

$$2y\frac{dy}{dx} = 1$$

Il ne reste plus qu'à isoler $\dfrac{dy}{dx}$ dans l'équation:

$$\frac{dy}{dx} = \frac{1}{2y}$$

Avant d'étudier d'autres exemples, voici un résumé des principales étapes de la dérivation implicite — en supposant que dy/dx existe.

Calcul de $\dfrac{dy}{dx}$ par la méthode de dérivation implicite

1. Dériver chaque membre de l'équation *par rapport à x*. (S'assurer que la dérivée des termes en y comportent le facteur dy/dx).
2. Résoudre l'équation résultante en dy/dx en termes de x et de y.

EXEMPLE 2

Trouvez $\dfrac{dy}{dx}$, si y est défini implicitement par l'équation

$$y^3 - y + 2x^3 - x = 8$$

Solution

Dérivons les deux membres de l'équation par rapport à x.

$$\frac{d}{dx}(y^3 - y + 2x^3 - x) = \frac{d}{dx}(8)$$

$$\frac{d}{dx}(y^3) - \frac{d}{dx}(y) + \frac{d}{dx}(2x^3) - \frac{d}{dx}(x) = 0$$

Or, y est une fonction de x et nous devons appliquer la règle de dérivation des fonctions composées aux deux premiers termes du membre de gauche de l'équation. Ainsi,

$$3y^2 \frac{dy}{dx} - \frac{dy}{dx} + 6x^2 - 1 = 0$$

$$(3y^2 - 1)\frac{dy}{dx} = 1 - 6x^2$$

$$\frac{dy}{dx} = \frac{1 - 6x^2}{3y^2 - 1}$$

TRAVAIL EN ÉQUIPE

Voir l'exemple 2. Supposons que dans l'équation $y^3 - y + 2x^3 - x = 8$, nous considérions que x est défini implicitement en fonction de y. Trouvez dx/dy. Justifiez la validité de votre démarche.

EXEMPLE 3

Soit l'équation $x^2 + y^2 = 4$.

a. Trouvez dy/dx par la méthode de dérivation implicite.

b. Calculez la pente de la tangente à la courbe de la fonction $y = f(x)$ au point $(1, \sqrt{3})$.

c. Trouvez une équation de cette tangente.

Solution

a. Dérivons les deux membres de l'équation par rapport à x.

$$\frac{d}{dx}(x^2 + y^2) = \frac{d}{dx}(4)$$

$$\frac{d}{dx}(x^2) + \frac{d}{dx}(y^2) = 0$$

$$2x + 2y\frac{dy}{dx} = 0$$

$$\frac{dy}{dx} = -\frac{x}{y} \qquad (y \neq 0)$$

b. La pente de la tangente à la courbe de la fonction au point $(1, \sqrt{3})$ est

$$\left.\frac{dy}{dx}\right|_{(1, \sqrt{3})} = -\left.\frac{x}{y}\right|_{(1, \sqrt{3})} = -\frac{1}{\sqrt{3}}$$

(*N. B.*: La notation se lit : «dy/dx évaluée au point $(1, \sqrt{3})$».)

c. Utilisons la forme point-pente de l'équation d'une droite avec $m = -1/\sqrt{3}$ et le point $(1, \sqrt{3})$. Ainsi,

$$y - \sqrt{3} = -\frac{1}{\sqrt{3}}(x - 1)$$

$$\sqrt{3}y - 3 = -x + 1$$

$$x + \sqrt{3}y - 4 = 0$$

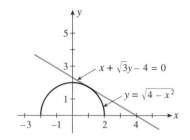

FIGURE 3.16
La droite d'équation $x + \sqrt{3}\,y - 4 = 0$ est tangente à la courbe de la fonction $y = f(x)$.

La situation est représentée à la figure 3.16.

Nous pouvons aussi résoudre l'équation $x^2 + y^2 = 4$ explicitement pour y en fonction de x. Nous obtenons alors

$$y = \pm\sqrt{4 - x^2}$$

et en déduisons que l'équation $x^2 + y^2 = 4$ définit deux fonctions, soit

$$y = f(x) = \sqrt{4 - x^2}$$

et

$$y = g(x) = -\sqrt{4 - x^2}$$

Comme le point $(1, \sqrt{3})$ n'est pas situé sur le graphique de $y = g(x)$, on en déduit que

$$y = f(x) = \sqrt{4 - x^2}$$

est la fonction recherchée. Le graphique de f est le demi-cercle supérieur tracé à la figure 3.16.

REMARQUE La notation

$$\frac{dy}{dx}\bigg|_{(a,\ b)}$$

désigne la valeur de la dérivée dy/dx au point (a, b).

TRAVAIL EN ÉQUIPE

Reportez-vous à l'exemple 3. Nous pouvons aussi définir y explicitement à partir de l'équation $x^2 + y^2 = 4$ par la fonction

$$y = h(x) = \begin{cases} \sqrt{4 - x^2} & \text{si } -2 \leq x < 0 \\ -\sqrt{4 - x^2} & \text{si } 0 \leq x \leq 2 \end{cases}$$

1. Tracez le graphique de h.
2. Montrez que $h'(x) = -x/y$, c'est-à-dire le résultat obtenu à l'exemple 3a.
3. Trouvez une équation de la tangente à la courbe de h au point $(1, -\sqrt{3})$.

Lorsqu'on cherche à calculer dy/dx en un *point particulier* (a, b), il est souvent avantageux de dériver l'équation implicitement par rapport à x puis de remplacer immédiatement x et y par a et b, respectivement, *avant* de résoudre l'équation pour dy/dx. Les calculs algébriques s'en trouvent généralement simplifiés.

EXEMPLE 4 Trouvez $\dfrac{dy}{dx}$, sachant que x et y vérifient l'équation

$$x^2y^3 + 6x^2 = y + 12$$

et que $y = 2$ lorsque $x = 1$.

Solution Dérivons les deux membres de l'équation par rapport à x.

$$\frac{d}{dx}(x^2y^3) + \frac{d}{dx}(6x^2) = \frac{d}{dx}(y) + \frac{d}{dx}(12)$$

$$\frac{d}{dx}(x^2) \cdot y^3 + x^2 \cdot \frac{d}{dx}(y^3) + 12x = \frac{dy}{dx} \qquad \begin{array}{l}\text{Utiliser la règle du produit}\\ \text{pour calculer } \frac{d}{dx}(x^2y^3).\end{array}$$

$$2xy^3 + 3x^2y^2\frac{dy}{dx} + 12x = \frac{dy}{dx}$$

Substituons x par 1 et y par 2 dans l'équation

$$2(1)(2)^3 + 3(1)^2(2)^2\frac{dy}{dx} + 12(1) = \frac{dy}{dx}$$

$$16 + 12\frac{dy}{dx} + 12 = \frac{dy}{dx}$$

En isolant $\dfrac{dy}{dx}$, nous obtenons

$$\frac{dy}{dx} = -\frac{28}{11}$$

REMARQUE Dans les exemples 3 et 4, on peut vérifier sans difficulté que les points pour lesquels nous avons évalué dy/dx sont réellement situés sur les courbes étudiées. Il suffit de montrer que ces points vérifient les équations des courbes.

EXEMPLE 5 Trouvez $\dfrac{dy}{dx}$, sachant que x et y vérifient l'équation

$$\sqrt{x^2 + y^2} - x^2 = 5$$

Solution

Dérivons les deux membres de l'équation par rapport x.

$$\frac{d}{dx}(x^2 + y^2)^{1/2} - \frac{d}{dx}(x^2) = \frac{d}{dx}(5) \qquad \begin{array}{l}\text{Récrire } \sqrt{x^2 + y^2} \text{ sous}\\ \text{la forme } (x^2 + y^2)^{1/2}.\end{array}$$

$$\frac{1}{2}(x^2 + y^2)^{-1/2}\frac{d}{dx}(x^2 + y^2) - 2x = 0 \qquad \begin{array}{l}\text{Utiliser la généralisation}\\ \text{de la dérivée d'une}\\ \text{fonction puissance.}\end{array}$$

$$\frac{1}{2}(x^2 + y^2)^{-1/2}\left(2x + 2y\frac{dy}{dx}\right) - 2x = 0 \qquad \begin{array}{l}\text{Additionner } 2x \text{ aux deux}\\ \text{membres puis multiplier}\\ \text{les deux membres par}\\ 2(x^2 + y^2)^{1/2}.\end{array}$$

$$2x + 2y\frac{dy}{dx} = 4x(x^2 + y^2)^{1/2}$$

$$2y\frac{dy}{dx} = 4x(x^2 + y^2)^{1/2} - 2x$$

$$\frac{dy}{dx} = \frac{2x\sqrt{x^2 + y^2} - x}{y}$$

☐ Taux de variation liés

La dérivation implicite se révèle une méthode bien pratique pour résoudre les problèmes dits de **taux de variation liés**. Par exemple, supposons que x et y soient deux fonctions d'une troisième variable t. Ainsi, x pourrait désigner le taux hypothécaire à un moment t et y, le nombre de maisons unifamiliales vendues à ce moment. Supposons de plus que le lien entre x et y soit exprimé au moyen d'une équation (ainsi, le nombre y de maisons vendues est lié au taux hypothécaire x). Lorsque nous dérivons les deux membres de cette équation implicitement par rapport à t, nous obtenons une équation représentant le lien entre dx/dt et dy/dt. Dans le contexte de l'exemple cité, l'équation obtenue relie le taux de variation du taux hypothécaire et le taux de variation du nombre de maisons vendues, en fonction du temps. Ainsi, connaissant

$$\frac{dx}{dt}$$ Le taux de variation du taux hypothécaire au moment t

nous pouvons calculer

$$\frac{dy}{dt}$$ Le taux de variation du nombre de maisons vendues à ce moment

EXEMPLE 6   **Taux de variation du nombre de mises en chantier**   Une étude préparée pour la Société canadienne d'hypothèque et de logement estime que le nombre de mises en chantier $N(t)$ (mesuré en millions) de nouvelles constructions au Québec au cours des cinq prochaines années est relié au taux hypothécaire $r(t)$ (en pour cent par année) par l'équation

$$9N^2 + r = 36$$

Quel est le taux de variation du nombre de mises en chantier par rapport au temps lorsque le taux hypothécaire est de 3,5 % par an et croît au taux de 1,5 % par an ?

Solution   Nous savons que

$$r = 3,5 \qquad \text{et} \qquad \frac{dr}{dt} = 1,5$$

à un certain instant, et nous devons trouver dN/dt. Tout d'abord, en substituant r par 3,5 dans l'équation, nous trouvons

$$9N^2 + 3,5 = 36$$

de sorte que

$$N^2 = \frac{32,5}{9}$$

ou $N = 1,9$ (la racine négative est rejetée). Ensuite, nous dérivons les deux membres de l'équation implicitement par rapport à t.

$$\frac{d}{dt}(9N^2) + \frac{d}{dt}(r) = \frac{d}{dt}(36)$$

$$18N\frac{dN}{dt} + \frac{dr}{dt} = 0$$ Utiliser la dérivée des fonctions composées pour dériver le premier terme.

En remplaçant N par 1,9 et dr/dt par 1,5, nous obtenons

$$18\,(1,9)\,\frac{dN}{dt} + 1,5 = 0$$

Il ne reste plus qu'à résoudre l'équation en dN/dt, pour obtenir

$$\frac{dN}{dt} = -\frac{1,5}{34,2} \approx -0,044$$

Ainsi, au moment considéré, le nombre de mises en chantier décroît de 44 000 unités par an.

EXEMPLE 7

Offre et prix de gros   Un important manufacturier de disques compacts consent à fabriquer x milliers de coffrets de dix disques compacts à enregistrement unique chaque semaine lorsque le prix de gros unitaire des coffrets est p \$. La relation entre x et p est modélisée par l'équation

$$x^2 - 3xp + p^2 = 5$$

Quel est le taux de variation de l'offre lorsque le prix de gros d'un coffret est 11 \$, que l'offre hebdomadaire se situe à 4000 coffrets et que le prix de gros des coffrets augmente de 0,10 \$ chaque semaine?

Solution   Nous savons que

$$p = 11, \qquad x = 4 \quad \text{et} \qquad \frac{dp}{dt} = 0,1$$

à un certain instant, et nous devons trouver dx/dt. Dérivons les deux membres de l'équation implicitement par rapport à t.

$$\frac{d}{dt}(x^2) - \frac{d}{dt}(3xp) + \frac{d}{dt}(p^2) = \frac{d}{dt}(5)$$

$$2x\frac{dx}{dt} - 3\left(\frac{dx}{dt}p + x\frac{dp}{dt}\right) + 2p\frac{dp}{dt} = 0 \qquad \begin{array}{l}\text{Utiliser la dérivée du}\\\text{produit de fonctions pour}\\\text{dériver le deuxième terme.}\end{array}$$

Nous substituons ensuite les valeurs de p, x et dp/dt données dans l'équation obtenue.

$$2(4)\frac{dx}{dt} - 3\left[\frac{dx}{dt}(11) + 4(0,1)\right] + 2(11)(0,1) = 0$$

$$8\frac{dx}{dt} - 33\frac{dx}{dt} - 1,2 + 2,2 = 0$$

$$25\frac{dx}{dt} = 1$$

$$\frac{dx}{dt} = 0,04$$

Ainsi, au moment considéré, l'offre de coffrets de disques compacts augmente au taux de $(0,04)(1000)$, soit 40 coffrets par semaine.

Dans certains problèmes de taux de variation liés, il est nécessaire de formuler le problème mathématiquement avant de l'analyser. Voici une marche à suivre qui devrait vous être utile pour résoudre ce type de problèmes.

Résolution de problèmes de taux de variation liés

Lire attentivement le problème. (Relire au besoin, le nombre de fois qu'il faut!)

1. Attribuer un nom de variable à toutes les quantités qui dépendent du temps. Faire un croquis chaque fois que c'est possible.

2. Exprimer l'information donnée sous forme de valeur de variable ou de taux de variation par rapport à t. Identifier le taux de variation recherché.

3. Formuler une équation qui lie les variables du problème. Si nécessaire, éliminer une de ces variables par substitution.

4. Dériver chaque membre de l'équation implicitement par rapport à t.

5. Remplacer les variables et leurs dérivées par les données consignées au numéro 2 et résoudre l'équation pour trouver le taux de variation recherché.

EXEMPLE 8

Lancement d'une fusée   Posté à une distance de 1 200 m de la rampe de lancement, un spectateur assiste au lancement d'une fusée. Si celle-ci s'élève verticalement et que sa vitesse est de 175 m/s lorsqu'elle atteint une altitude de 1 000 m, à quelle vitesse la distance entre le spectateur et la fusée varie-t-elle à ce moment précis?

Solution

Étape I   Soit

$$y = \text{l'altitude de la fusée}$$

$$x = \text{la distance entre la fusée et le spectateur}$$

à l'instant t (figure 3.17).

Étape 2   Nous savons qu'à un certain instant

$$y = 1000 \qquad \text{et} \qquad \frac{dy}{dt} = 175$$

et nous devons trouver dx/dt à cet instant.

Étape 3   Selon le théorème de Pythagore

$$x^2 = y^2 + 1200^2$$

(figure 3.17)

Ainsi, lorsque $y = 1000$,

$$x = \sqrt{1000^2 + 1200^2} \approx 1562$$

Étape 4   Nous dérivons ensuite l'équation $x^2 = y^2 + 1200^2$ par rapport à t, ce qui donne

$$2x\frac{dx}{dt} = 2y\frac{dy}{dt}$$

(x et y sont deux fonctions de t.)

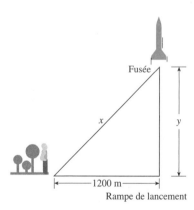

Fusée

x y

|← 1200 m →|
Rampe de lancement

FIGURE 3.17
Le taux de variation de x par rapport au temps est lié au taux de variation de y par rapport au temps.

Étape 5   Il reste à substituer $x = 1562$, $y = 1000$ et $dy/dt = 175$, d'où

$$2(1562)\frac{dx}{dt} = 2(1000)(175)$$

$$\frac{dx}{dt} = 112$$

Ainsi, la distance entre la fusée et le spectateur augmente de 112 m/s.

 Prenez garde de *ne pas* remplacer les variables de l'équation obtenue à l'étape 3 par leurs valeurs numériques avant de dériver l'équation implicitement.

◼ EXERCICES D'AUTOÉVALUATION **3.6**

Les solutions des exercices d'autoévaluation 3.6 se trouvent à la page 212.

1. Soit l'équation $x^3 + 3xy + y^3 = 4$. Trouvez dy/dx par dérivation implicite.

2. Trouvez une équation de la tangente à la courbe de $16x^2 + 9y^2 = 144$ au point $\left(2, -\dfrac{4\sqrt{5}}{3}\right)$

◼ **3.6** EXERCICES

1–8 Trouvez la dérivée dy/dx a) en résolvant l'équation explicitement en y puis en dérivant par rapport à x ; b) par dérivation implicite. Montrez que les résultats sont équivalents.

1. $x + 2y = 5$

2. $3x + 4y = 6$

3. $xy = 1$

4. $xy - y - 1 = 0$

5. $x^3 - x^2 - xy = 4$

6. $x^2y - x^2 + y - 1 = 0$

7. $\dfrac{x}{y} - x^2 = 1$

8. $\dfrac{y}{x} - 2x^3 = 4$

9–24 Trouvez dy/dx par dérivation implicite.

9. $x^2 + y^2 = 16$

10. $2x^2 + y^2 = 16$

11. $x^2 - 2y^2 = 16$

12. $x^3 + y^3 + y - 4 = 0$

13. $x^2 - 2xy = 6$

14. $x^2 + 5xy + y^2 = 10$

15. $x^{1/2} + y^{1/2} = 1$

16. $x^{1/3} + y^{1/3} = 1$

17. $\sqrt{x + y} = x$

18. $(2x + 3y)^{1/3} = x^2$

19. $\dfrac{1}{x^2} + \dfrac{1}{y^2} = 1$

20. $\sqrt{xy} = x + y$

21. $\dfrac{x + y}{x - y} = 3x$

22. $xy^{3/2} = x^2 + y^2$

23. $(x + y)^3 + x^3 + y^3 = 0$

24. $(x + y^2)^{10} = x^2 + 25$

25–26 Trouvez une équation de la tangente à la courbe de la fonction f définie par l'équation donnée au point indiqué.

25. $4x^2 + 9y^2 = 36$; au point $(0, 2)$

26. $x^2y^3 - y^2 + xy - 1 = 0$; au point $(1, 1)$

27–30 Trouvez la dérivée seconde d^2y/dx^2 de la fonction définie implicitement par l'équation donnée.

27. $xy = 1$

28. $x^3 + y^3 = 28$

29. $y^2 - xy = 8$

30. $x^{1/3} + y^{1/3} = 1$

31. **DEMANDE ET PRIX DE VENTE** On suppose que la demande hebdomadaire pour les pneus de modèle Hercule est liée au prix unitaire des pneus par la fonction

$$p + x^2 = 144$$

où p est mesuré en dollars et x est mesuré en milliers. Quel est le taux de variation de la demande lorsque $x = 9$, $p = 63$ et que le prix unitaire des pneus augmente de 2 \$ par semaine ?

32. **OFFRE ET PRIX DE VENTE** On suppose que la quantité x de pneus de modèle Hercule offerts chaque semaine sur le marché est reliée au prix de vente unitaire par l'équation

$$p - \frac{1}{2}x^2 = 48$$

où x est mesuré en milliers et p, en dollars. Quel est le taux de variation de l'offre hebdomadaire lorsque $x = 6$, $p = 66$ et que le prix unitaire des pneus diminue de 3 \$ par semaine ?

33. **DEMANDE ET PRIX DE VENTE** L'équation de demande d'une marque de disques compacts à enregistrement unique est

$$100x^2 + 9p^2 = 3600$$

où x représente la demande hebdomadaire (en milliers) de coffrets de dix disques compacts lorsque le prix unitaire d'un coffret est p \$. Quel est le taux de variation de la demande lorsque le coffret se vend 14 \$ et que le prix de vente diminue de 0,15 \$ par coffret par semaine ?

Suggestion : On trouve la valeur de x lorsque $p = 14$ en substituant $p = 14$ dans l'équation $100x^2 + 9p^2 = 3600$, puis en résolvant l'équation en x résultante.

34. **EFFET D'UNE VARIATION DE PRIX SUR L'OFFRE** On suppose que le prix de gros p (en dollars/carton de 12 douzaines) d'une marque d'oeufs de format moyen est lié à l'offre hebdomadaire x (en milliers de cartons) par l'équation

$$625p^2 - x^2 = 100$$

Si 25 000 cartons d'oeufs sont offerts au début d'une semaine et que le prix diminue de 0,02 \$ par carton par semaine, à quel taux l'offre diminue-t-elle ?

Suggestion : On trouve la valeur de p lorsque $x = 25$ en substituant $x = 25$ dans l'équation de l'offre, puis en résolvant l'équation en p résultante.

35. **OFFRE ET DEMANDE** Reportez-vous à l'exercice 34. Si 25 000 cartons d'oeufs sont offerts au début d'une semaine et que l'offre diminue de 1000 cartons par semaine, quel est le taux de variation du prix de gros ?

36. **ÉLASTICITÉ DE LA DEMANDE** La fonction de la demande pour un modèle de cartouche d'imprimante à jet d'encre est

$$p = -0,01x^2 - 0,1x + 6$$

où p est le prix unitaire en dollars et x désigne la quantité demandée chaque semaine, mesurée en milliers. Calculez l'élasticité de la demande et dites si la demande est inélastique, unitaire ou élastique lorsque $x = 10$.

37. **ÉLASTICITÉ DE LA DEMANDE** La fonction de la demande pour un modèle de disque compact est

$$p = -0,01x^2 - 0,2x + 8$$

où p est le prix de gros unitaire en dollars et x, la quantité demandée chaque semaine, mesurée en milliers. Calculez l'élasticité de la demande et dites si la demande est inélastique, unitaire ou élastique lorsque $x = 15$.

38. Le volume V d'un cube dont les côtés mesurent x cm varie en fonction du temps. À un certain moment, les côtés mesurent 5 cm et s'accroissent de 0,1 cm/s. Quel est le taux de variation du volume à ce moment ?

39. On gonfle d'hélium un ballon sphérique de telle sorte que son volume s'accroît de 7500 cm³/min. Quel est le taux de variation du rayon du ballon au moment où il atteint 10 cm ? (Le volume V d'une sphère en fonction de son rayon r est donné par $V = \frac{4}{3}\pi r^3$.)

40. Deux bateaux partent d'un même port à midi. Le bateau A se déplace vers le nord à 24 km/h et le bateau B navigue vers l'est à 20 km/h. Quel est le taux de variation de la distance entre les deux bateaux à 13 h ?

41. Une voiture quitte une intersection et se dirige vers l'est. Sa position au bout de t s est $x = 0,3\,(t^2 + t)$ m. Au même moment, une autre voiture quitte l'intersection et se dirige vers le nord, parcourant $y = 0,3t^2 + t$ m en t s. Trouvez le taux de variation de la distance entre les deux voitures au bout de 5 s.

42. Posté à une distance de 15 m d'un héliport, un homme observe un hélicoptère décoller. Si l'hélicoptère quitte le sol verticalement et qu'il s'élève à une vitesse de 14 m/s au moment où il a atteint 35 m d'altitude, à quelle vitesse la distance entre l'hélicoptère et l'homme varie-t-elle à ce moment ?

43. Une spectatrice, assise au bord d'une rivière, observe une compétition d'aviron. Le meneur se déplace parallèlement à la rive, à une distance de 35 m de celle-ci. Si le bateau avance à la vitesse constante de 6 m/s, à quelle vitesse le bateau s'éloigne-t-il de la spectatrice après l'avoir dépassée de 50 m ?

44. On ramène un bateau vers le quai avec une corde attachée à la proue et enroulée sur un tambour situé au bord du quai, à 1,2 m plus haut que l'attache. Si la corde est tirée à la vitesse de 1 m/s, à quelle vitesse le bateau s'approche-t-il du quai au moment où il en est encore éloigné de 8 m?

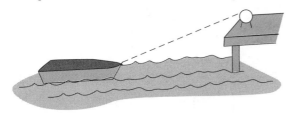

45. Supposons qu'une boule de neige a la forme d'une sphère. Montrez que si elle fond à un taux proportionnel à l'aire de sa surface, alors son rayon décroît à un taux constant.

Suggestion: Le volume est $V = (4/3)\pi r^3$ et l'aire de la surface est $S = 4\pi r^2$.

46. BULLES DE SAVON Carlos insuffle de l'air dans une bulle de savon au rythme de 8 cm³/s. Si on suppose que la bulle est sphérique, à quelle vitesse le rayon de la bulle varie-t-il à l'instant où ce rayon mesure 10 cm? À quelle vitesse l'aire de la surface de la bulle varie-t-elle alors?

47. MISSION DE RECHERCHE DE LA GARDE CÔTIÈRE Le pilote d'un avion de la Garde côtière affecté à une mission de recherche vient de repérer un chalutier en détresse et décide de s'en approcher. En volant à une altitude constante de 300 m et à une vitesse constante de 80 m/s, l'avion passe directement au-dessus du chalutier. À quelle vitesse l'avion s'éloigne-t-il du chalutier lorsque 460 m les séparent?

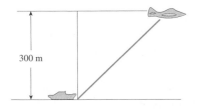

48. La verseuse d'une cafetière filtre ayant la forme d'un cylindre circulaire droit de 10 cm de rayon se remplit d'eau versée à un taux constant. Si le niveau d'eau monte au taux de 1 cm/s, à quelle vitesse l'eau est-elle versée?

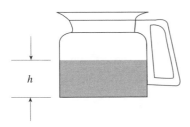

49. Un homme mesurant 1,80 m s'éloigne en ligne droite d'un réverbère de 5,5 m de haut, à une vitesse de 2 m/s. À quelle vitesse la pointe de son ombre au sol se déplace-t-elle?

50. Une échelle longue de 6 m et appuyée contre un mur se met à glisser. À quelle vitesse le haut de l'échelle glisse-t-il le long du mur au moment où le pied de l'échelle se trouve à 3,5 m du mur, sachant que l'échelle s'écarte du mur à 1,5 m/s?

Suggestion: Reportez-vous à la figure. Selon le théorème de Pythagore, $x^2 + y^2 = 36$. Calculez dy/dt lorsque $x = 3,5$ et $dx/dt = 1,5$.

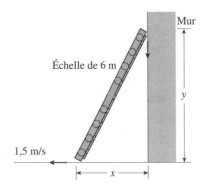

51. Le pied d'une échelle de 4 m de longueur appuyée contre un mur commence à glisser en s'écartant du mur. À l'instant où le pied de l'échelle est à 3,6 m du mur, il s'en écarte à la vitesse de 2 m/s. À quelle vitesse le haut de l'échelle glisse-t-il à cet instant?

Suggestion: Relisez la suggestion du problème 50.

52-53 Dites si l'énoncé est vrai ou faux. S'il est vrai, dites pourquoi. S'il est faux, trouvez un contre-exemple.

52. Si f et g sont deux fonctions dérivables et si $f(x)g(y) = 0$, alors

$$\frac{dy}{dx} = -\frac{f'(x)g(y)}{f(x)g'(y)} \qquad (\text{où } f(x) \neq 0 \text{ et } g'(y) \neq 0)$$

53. Si f et g sont deux fonctions dérivables et si $f(x) + g(y) = 0$, alors

$$\frac{dy}{dx} = -\frac{f'(x)}{g'(y)}$$

$x^3 + 3x + y^3 = 4$

■ SOLUTIONS DES EXERCICES D'AUTOÉVALUATION **3.6**

1. Dérivons les deux membres de l'équation par rapport à x.

$$3x^2 + 3y + 3xy' + 3y^2y' = 0$$
$$(x^2 + y) + (x + y^2)y' = 0$$
$$y' = -\frac{x^2 + y}{x + y^2}$$

2. La pente de la tangente à la courbe de la fonction en un point quelconque s'obtient en dérivant l'équation implicitement par rapport à x, ce qui donne

$$32x + 18yy' = 0$$
$$y' = -\frac{16x}{9y}$$

En particulier, la pente de la tangente en $\left(2, -\frac{4\sqrt{5}}{3}\right)$ est

$$m = -\frac{16(2)}{9\left(-\frac{4\sqrt{5}}{3}\right)} = \frac{8}{3\sqrt{5}}$$

Utilisons la forme point-pente de l'équation d'une droite.

$$y - \left(-\frac{4\sqrt{5}}{3}\right) = \frac{8}{3\sqrt{5}}(x - 2)$$
$$y = \frac{8\sqrt{5}}{15}x - \frac{36\sqrt{5}}{15} = \frac{8\sqrt{5}}{15}x - \frac{12\sqrt{5}}{5}$$

3.7 Différentielles

Julie et Éric prévoient acheter une maison prochainement. Ils estiment qu'ils devront contracter une hypothèque à taux fixe de 120 000 $, à échéance dans 25 ans. Si le taux d'intérêt annuel passe du taux actuel de 4,75 % à 5,25 % d'ici la signature de l'hypothèque, quelle sera l'augmentation approximative des versements mensuels sur leur hypothèque ? (Voir à ce sujet l'exercice 13, page 220.)

De telles situations, dans lesquelles on désire *estimer* la variation de la variable dépendante (le versement hypothécaire mensuel) correspondant à une légère variation de la variable indépendante (le taux d'intérêt annuel), se produisent fréquemment dans la vie réelle. Par exemple :

■ Un économiste désire connaître l'effet d'une légère augmentation des investissements gouvernementaux sur le produit national brut d'un pays.

■ Une sociologue désire connaître l'effet d'une légère augmentation des sommes affectées à des projets d'habitations à loyer modique sur le taux de criminalité d'une ville.

■ Une femme d'affaires désire connaître l'effet d'une légère augmentation du prix unitaire d'un produit sur les profits réalisés.

■ Un bactériologiste désire connaître l'effet d'une légère augmentation d'un bactéricide sur une population de bactéries.

Le calcul de ces variations et de leurs effets s'effectue au moyen de la *différentielle* d'une fonction, un concept que nous abordons maintenant.

▢ Différentielles

Soit une quantité variable x qui varie de x_1 à x_2. Cette variation de x, notée Δx (se lit: «delta x»), est donnée par

$$\Delta x = x_2 - x_1 \qquad \text{Valeur finale} - \text{valeur initiale} \qquad \textbf{(9)}$$

EXEMPLE 1 Calculez Δx lorsque x varie a) de 3 à 3,2 ; b) de 3 à 2,7.

Solution

a. On a $x_1 = 3$ et $x_2 = 3,2$, de sorte que

$$\Delta x = x_2 - x_1 = 3,2 - 3 = 0,2$$

b. On a $x_1 = 3$ et $x_2 = 2,7$. Par conséquent,

$$\Delta x = x_2 - x_1 = 2,7 - 3 = -0,3$$

Remarquez que Δx joue le rôle de h à la section 2.4.

Supposons maintenant que deux quantités, x et y, sont liées par l'équation $y = f(x)$, où f est une fonction. Si x varie de x à $x + \Delta x$, alors la variation correspondante de y, notée Δy, est donnée par

$$\Delta y = f(x + \Delta x) - f(x) \tag{10}$$

(figure 3.18).

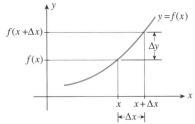

FIGURE 3.18
Une variation Δx de x résulte en une variation $\Delta y = f(x + \Delta x) - f(x)$ de y.

EXEMPLE 2 Soit $y = x^3$. Trouvez Δx et Δy lorsque x varie a) de 2 à 2,01 ; b) de 2 à 1,98.

Solution   Soit $f(x) = x^3$.

a. On a $\Delta x = 2,01 - 2 = 0,01$. De plus,

$$\Delta y = f(x + \Delta x) - f(x) = f(2,01) - f(2)$$
$$= (2,01)^3 - 2^3 = 8,120601 - 8 = 0,120601$$

b. On a $\Delta x = 1,98 - 2 = -0,02$. De plus,

$$\Delta y = f(x + \Delta x) - f(x) = f(1,98) - f(2)$$
$$= (1,98)^3 - 2^3 = 7,762392 - 8 = -0,237608$$

Il est possible d'obtenir une estimation rapide et relativement simple de la valeur de Δy, la variation de y résultant d'une légère variation de Δx. La figure 3.19 nous illustre comment.

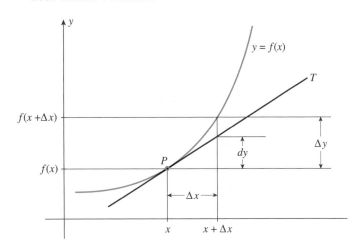

FIGURE 3.19
Si Δx est petit, alors dy est une bonne approximation de Δy.

On observe que près du point de tangence P, la tangente T suit de près le graphique de f. Par conséquent, si Δx est petit, alors dy se révèle une bonne approximation de Δy. Or, l'expression de dy s'obtient ainsi: On sait que la pente de T est

$$\frac{dy}{\Delta x} \qquad \text{Variation en ordonnée} \div \text{variation en abscisse}$$

mais la pente de T est aussi $f'(x)$, de sorte que

$$\frac{dy}{\Delta x} = f'(x)$$

et $dy = f'(x)\Delta x$. On obtient ainsi l'approximation

$$\Delta y \approx dy = f'(x)\Delta x$$

qui est fonction de la dérivée de f en x. La quantité dy s'appelle la *différentielle de y*.

La différentielle

Soit $y = f(x)$ une fonction dérivable de x. Alors,
1. La **différentielle dx** de la variable indépendante x est $dx = \Delta x$.
2. La **différentielle dy** de la variable dépendante y est

$$dy = f'(x)\Delta x = f'(x)dx \tag{11}$$

REMARQUES

1. Pour la variable indépendante x: Il n'y a pas de différence entre Δx et dx, les deux quantités mesurent la variation de la variable x, de x à $x + \Delta x$.
2. Pour la variable dépendante y: Δy mesure la variation *réelle* de y lorsque x varie de x à $x + \Delta x$, alors que dy mesure la variation *approximative* de y pour la même variation de x.
3. La différentielle dy dépend à la fois de x et dx, mais pour un x donné, dy est une fonction linéaire de dx.

EXEMPLE 3

Soit $y = x^3$.

a. Trouvez la différentielle dy de y.
b. Utilisez dy pour estimer la variation Δy résultant d'une variation de x de 2 à 2,01.
c. Utilisez dy pour estimer la variation Δy résultant d'une variation de 2 à 1,98.
d. Comparez les réponses obtenues en **b** et en **c** avec celles de l'exemple 2.

Solution

a. Soit $f(x) = x^3$. Alors,
$$dy = f'(x)\, dx = 3x^2 dx$$

b. On a $x = 2$ et $dx = 2,01 - 2 = 0,01$, de sorte que
$$dy = 3x^2\, dx = 3(2)^2(0,01) = 0,12$$

c. On a $x = 2$ et $dx = 1,98 - 2 = -0,02$, de sorte que
$$dy = 3x^2\, dx = 3(2)^2(-0,02) = -0,24$$

d. Comme on peut le constater, les approximations 0,12 et $-0,24$ sont très rapprochées des variations réelles de Δy que nous avions calculées à l'exemple 2, soit 0,120601 et $-0,237608$.

On remarque qu'il peut être plus simple d'obtenir la variation approximative d'une fonction — grâce à la différentielle — que de calculer la valeur réelle de cette variation. En voici quelques exemples.

APPLICATIONS

EXEMPLE 4

Vitesse et coûts de transport   Le coût de transport total d'un trajet de 800 km effectué par un tracteur routier à une vitesse moyenne de v km/h est modélisé par la fonction

$$C(v) = 125 + 0{,}625v + \frac{7200}{v}$$

dollars. Trouvez la variation approximative du coût de transport total lorsque la vitesse moyenne du trajet passe de 100 km/h à 105 km/h.

Solution

Lorsque $v = 100$ et $\Delta v = dv = 5$, on obtient

$$\Delta C \approx dC = C'(v)dv = \left(0{,}625 - \frac{7200}{v^2}\right)\Bigg|_{v=100}(5)$$

$$= \left(0{,}625 - \frac{7200}{100^2}\right)(5) \approx -0{,}48$$

de sorte que le coût de transport total décroît d'environ 0,48 $. Faut-il y voir là la raison pour laquelle la plupart des camionneurs dépassent régulièrement la vitesse maximale permise de 100 km/h ?

EXEMPLE 5

Effet de la publicité sur le chiffre d'affaires   La relation entre le montant x consacré à la publicité par un marchand de lunettes et le chiffre d'affaires $V(x)$ de ce marchand est modélisée par la fonction

$$V(x) = -0{,}002x^3 + 0{,}6x^2 + x + 500 \qquad \text{(pour } 0 \leq x \leq 200)$$

où x est mesuré en milliers de dollars. À l'aide de la différentielle, estimez la variation du chiffre d'affaires du marchand s'il accroît le montant consacré à la publicité de 100 000 $ ($x = 100$) à 105 000 $ ($x = 105$).

Solution

La variation recherchée du chiffre d'affaires est

$$\Delta V \approx dV = V'(100)dx$$

$$= -0{,}006x^2 + 1{,}2x + 1\big|_{x=100} \cdot (5) \qquad dx = 105 - 100 = 5$$

$$= (-60 + 120 + 1)(5) = 305$$

soit une augmentation de 305 000 $.

Les anneaux de Neptune

a. Soit un anneau[1] de rayon intérieur r et de rayon extérieur R, où $(R - r)$ est beaucoup plus petit que r (figure 3.20a). Utilisez les différentielles pour estimer la mesure de l'aire de cet anneau.

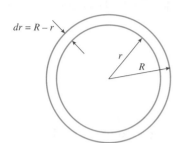

b. Des observations récentes, y compris celles de *Voyager I* et *II*, ont montré que le système d'anneaux de Neptune est beaucoup complexe qu'on l'avait d'abord supposé. En particulier, Neptune n'est pas entourée d'un grand anneau continu comme on le croyait, mais plutôt d'un grand nombre d'anneaux que l'on peut distinguer les uns des autres (figure 3.20b). Le rayon intérieur de l'anneau 1989N1R (le plus grand) mesure environ 62 900 km (mesuré à partir du centre de la planète) et son épaisseur mesure environ 50 km. Estimez l'aire de l'anneau à l'aide des différentielles.

a) L'aire d'un «anneau» est à peu près égale au produit de la circonférence du cercle intérieur par l'épaisseur dr.

Solution

a. L'aire d'un cercle de rayon x est $A = f(x) = \pi x^2$, de sorte que

$$
\begin{aligned}
\pi R^2 - \pi r^2 &= f(R) - f(r) \\
&= \Delta A \qquad \begin{array}{l} \Delta A = \text{variation de } f \text{ lorsque } x \\ \text{varie de } x = r \text{ à } x = R. \end{array} \\
&\approx dA \\
&= f'(r)dr
\end{aligned}
$$

b) La planète Neptune et ses anneaux
FIGURE 3.20

où $dr = R - r$. Ainsi, l'anneau mesure environ $2\pi r(R - r)$ unités d'aire. Autrement dit, l'aire de l'anneau est à peu près égale à

Circonférence du cercle intérieur × Épaisseur

b. Si on applique le résultat obtenu en **a**, où $r = 62\ 900$ et $dr = 50$, l'aire de l'anneau est approximativement de $2\pi(62\ 900)(50)$, ou $19\ 760\ 618$ km^2, ce qui correspond à environ 4 % de la surface de la Terre.

Voici quelques définitions qui nous aideront à aborder les deux prochains exemples. Lorsqu'une quantité dont la valeur réelle est q est mesurée ou calculée avec une erreur Δq, alors on appelle le rapport $\Delta q/q$ l'*erreur relative* sur la mesure ou le calcul de q. Si le rapport $\Delta q/q$ est exprimé sous forme de pourcentage, on le désigne alors sous le nom de *pourcentage d'erreur*. Puisque Δq peut s'approximer par dq, l'erreur relative $\Delta q/q$ s'approxime habituellement par dq/q.

Estimation d'erreurs de mesure On prend la mesure du rayon d'une bille et on trouve 1,25 cm, avec une erreur maximum de $\pm 0,0005$ cm. L'erreur relative sur r est alors

$$
\frac{dr}{r} = \frac{\pm 0,0005}{1,25} = \pm 0,0004
$$

et le pourcentage d'erreur est $\pm 0,04\,\%$.

---

1 *N.D.L.T.*: Le terme français utilisé pour cette figure géométrique est «couronne». Cependant, pour rendre possible l'analogie avec les anneaux de Neptune, nous avons opté pour «anneau».

EXEMPLE 8

Estimation d'erreurs de mesure   On a mesuré le côté d'un cube avec une erreur maximum de 2 %. À l'aide des différentielles, estimez le pourcentage d'erreur maximum dans le calcul du volume du cube.

Solution   Désignons le côté du cube par x, de sorte que son volume est

$$V = x^3$$

Nous savons que $\left| \dfrac{dx}{x} \right| \leq 0,02$. Or,

$$dV = 3x^2 dx$$

de sorte que

$$\frac{dV}{V} = \frac{3x^2 dx}{x^3} = 3\frac{dx}{x}$$

Par conséquent,

$$\left| \frac{dV}{V} \right| = 3 \left| \frac{dx}{x} \right| \leq 3(0,02) = 0,06$$

Alors le pourcentage d'erreur maximum sur la mesure du volume du cube est de 6 %.

Avant de terminer, soulignons que la notion de différentielle que nous venons d'étudier n'était pas tout à fait nouvelle, puisque nous l'avions déjà abordée à la section 3.4 (exemple 1). Dans cet exemple, nous avions $\Delta x = 1$, puisque nous voulions trouver le coût marginal de production lorsque la quantité produite passait de $x = 250$ à $x = 251$. Si nous avions utilisé les différentielles, nous aurions trouvé

$$C(251) - C(250) \approx C'(250)dx$$

de sorte qu'avec $dx = \Delta x = 1$, nous aurions obtenu $C(251) - C(250) \approx C'(250)$, ce qui correspond au résultat de l'exemple 1. Nous avions donc, à la section 3.4, abordé la notion de différentielle dans le cas particulier où $dx = 1$.

■ EXERCICES D'AUTOÉVALUATION 3.7

1. Trouvez la différentielle de $f(x) = \sqrt{x} + 1$.

2. Dans un pays d'Amérique latine, les économistes ont modélisé la demande en maïs par l'équation

$$p = f(x) = \frac{125}{x^2 + 1}$$

où p est exprimé en dollars/boisseau et x, la demande annuelle, est mesurée en milliards de boisseaux. On prévoit une récolte de 6 milliards de boisseaux cette année. Si la production réelle se chiffre plutôt à 6,2 milliards de boisseaux, quelle variation approximative du prix du boisseau de maïs en résultera-t-il ?

Les solutions des exercices d'autoévaluation se trouvent à la page 220.

TECHNOLOGIE EN APPLICATION

▪ Recherche de la différentielle d'une fonction

Le calcul de la différentielle d'une fonction *f* en une valeur donnée *x* nécessite le calcul de la dérivée de *f* en ce point, ce qui s'obtient sans difficulté avec l'option de dérivation numérique d'une calculatrice graphique.

EXEMPLE 1

Approximez la variation Δy à l'aide de la différentielle dy, sachant que $y = x^2(2x^2 + x + 1)^{2/3}$ et que *x* varie de 2 à 1,98.

Solution Soit $f(x) = x^2(2x^2 + x + 1)^{2/3}$. Puisque $dx = 1,98 - 2 = -0,02$, l'approximation recherchée est

$$dy = f'(2)(-0,02)$$

L'option de dérivation numérique fournit le résultat

$$f'(2) = 30,57581679$$

(figure T1), de sorte que

$$dy = (-0,02)(30,57581679) = -0,6115163358$$

```
nDeriv(X^2(2X^2+
X+1)^(2/3), X, 2)
       30.57581679
```

FIGURE T1
Écran de dérivation numérique de la TI-83 pour le calcul de $f'(2)$

EXEMPLE 2

Julie et Éric prévoient acheter une maison prochainement. Ils estiment qu'ils devront contracter une hypothèque à taux fixe de 120 000 $, à échéance dans 25 ans. Selon ces données, le montant de leur versement hypothécaire mensuel sera

$$P = \frac{10\,000r}{1 - \left(1 + \dfrac{r}{12}\right)^{-300}}$$

dollars. Si le taux d'intérêt annuel passe du taux actuel de 4,75% à 5,25% d'ici la signature de l'hypothèque, quelle sera l'augmentation des versements mensuels sur leur hypothèque?

Solution On a

$$P = f(r) = \frac{10\,000r}{1 - \left(1 + \dfrac{r}{12}\right)^{-300}}$$

L'augmentation des versements mensuels sera donc d'environ

$$dP = f'(0,0475)dr = f'(0,0475)(0,005) \quad \text{Puisque } dr = 0,0525 - 0,0475$$

$$= (6902,00)(0,005) \approx 34,51$$

soit environ 34,51 $ par mois (figure T2).

```
nDeriv((10000X)/
(1−(1+X/12)^ −300),
X, .0475)
        6902.00
```

FIGURE T2
Écran de dérivation numérique de
la TI-83 pour le calcul de $f'(0,0475)$

■ EXERCICES AVEC LA CALCULATRICE GRAPHIQUE

1–6 Approximez la variation Δy à l'aide de la différentielle dy, sachant que $y = f(x)$ et que x varie de $x = a$ à $x = b$.

1. $f(x) = 0,21x^7 - 3,22x^4 + 5,43x^2 + 1,42x + 12,42$;
$a = 3, b = 3,01$

2. $f(x) = \dfrac{0, x^2 + 3,1}{1,2x + 1,3}$; $a = 2, b = 1,96$

3. $f(x) = \sqrt{2,2x^2 + 1,3x + 4}$; $a = 1, b = 1,03$

4. $f(x) = x\sqrt{2x^3 - x + 4}$; $a = 2, b = 1,98$

5. $f(x) = \dfrac{\sqrt{x^2 + 4}}{x - 1}$; $a = 4, b = 4,1$

6. $f(x) = 2,1x^2 + \dfrac{3}{\sqrt{x}} + 5$; $a = 3, b = 2,95$

7. VERSEMENTS HYPOTHÉCAIRES Reportez-vous à l'exemple 2. Quelle sera l'augmentation des versements mensuels sur l'hypothèque de Julie et d'Éric si le taux d'intérêt annuel passe de 4,75 % à 5,5 %? À 5,75 %? À 6 %?

8. AIRE D'UN ANNEAU DE NEPTUNE Le rayon intérieur de l'anneau 1989N2R de Neptune mesure environ 53 200 km (mesuré à partir du centre de la planète) et son épaisseur mesure environ 15 km. Estimez l'aire de l'anneau à l'aide des différentielles.

9. EFFET D'UNE VARIATION DE PRIX SUR LA DEMANDE La demande hebdomadaire x (mesurée en milliers) pour la montre Chrono10 est reliée au prix de vente unitaire p dollars par l'équation

$$x = f(p) = 10\sqrt{\frac{50 - p}{p}} \qquad (\text{pour } 0 \leq p \leq 50)$$

À l'aide des différentielles, estimez la variation de la demande hebdomadaire résultant d'une augmentation du prix de la montre de 40 $ à 42 $.

10. PÉRIODE D'UN SATELLITE DE COMMUNICATION Selon la troisième loi de Kepler, la période T (en jours) d'un satellite se déplaçant selon une orbite circulaire d km au-dessus de la surface de la Terre est modélisée par

$$T = 0,0588\left(1 + \frac{d}{6334}\right)^{3/2}$$

Supposons qu'un satellite de communication se déplaçant selon une orbite circulaire à une distance de 35 000 km au-dessus de la surface de la Terre subisse, en raison du frottement, une modification de sa trajectoire et que le rayon de l'orbite soit réduit à 34 500 km au-dessus de la surface de la Terre. À l'aide des différentielles, estimez au $\frac{1}{100}$ h près la diminution de la période du satellite.

▣ **3.7** EXERCICES

1–8 Trouvez la différentielle de la fonction.

1. $f(x) = 2x^2$

2. $f(x) = 3x^2 + 1$

3. $f(x) = \sqrt{x+1}$

4. $f(x) = 2x^{3/2} + x^{1/2}$

5. $f(x) = x + \dfrac{2}{x}$

6. $f(x) = \dfrac{x-1}{x^2+1}$

7. $f(x) = \sqrt{3x^2 - x}$

8. $f(x) = (2x^2 + 3)^{1/3}$

9. Soit f la fonction définie par $y = f(x) = x^2 - 1$

  a. Trouvez la différentielle de f.

  b. Utilisez le résultat obtenu en **a** pour estimer la variation de y résultant d'une variation de x de 1 à 1,02.

  c. Calculez la variation réelle de y lorsque x varie de 1 à 1,02 et comparez votre réponse avec celle que vous avez obtenue en **b**.

10. Soit f la fonction définie par $y = f(x) = \sqrt{2x + 1}$

  a. Trouvez la différentielle de f.

  b. Utilisez le résultat obtenu en **a** pour estimer la variation de y résultant d'une variation de x de 4 à 4,1.

  c. Calculez la variation réelle de y lorsque x varie de 4 à 4,1 et comparez votre réponse avec celle que vous avez obtenue en **b**.

11. **ESTIMATION DE L'ERREUR** L'arête d'un cube mesure 12 cm, avec une erreur de mesure possible de 0,02 cm. À l'aide des différentielles, estimez l'erreur possible en calculant le volume du cube.

12. **ESTIMATION D'UNE QUANTITÉ DE PEINTURE** On doit appliquer une couche de peinture uniforme de 0,05 cm d'épaisseur sur les faces d'un cube de 30 cm d'arête. À l'aide des différentielles, estimez la quantité de peinture nécessaire pour effectuer ce travail.

13. **VERSEMENTS HYPOTHÉCAIRES** Julie et Éric prévoient acheter une maison prochainement. Ils estiment qu'ils devront contracter une hypothèque à taux fixe de 120 000 $,

à échéance dans 25 ans. Le versement mensuel P (en dollars) se calcule au moyen de la formule

$$P = \frac{10\,000r}{1 - \left(1 + \dfrac{r}{12}\right)^{-300}}$$

où r désigne le taux d'intérêt annuel.

  a. Calculez la différentielle de P.

  b. Si le taux d'intérêt annuel passe du taux actuel de 4,75 % à 5,25 % d'ici la signature de l'hypothèque, quelle sera l'augmentation approximative des versements mensuels sur leur hypothèque ? Quelle sera l'augmentation approximative des versements si le taux d'intérêt annuel passe à 5,50 % ? À 5,75 % ? À 6 % ?

14. **RÉGIME ENREGISTRÉ D'ÉPARGNE RETRAITE** Stéphane, qui est un travailleur autonome, verse 500 $ par mois dans un régime enregistré d'épargne retraite dont le taux d'intérêt annuel est r, composé mensuellement. Au bout de 25 ans, il aura accumulé

$$S = \frac{6\,000\left[\left(1 + \dfrac{r}{12}\right)^{300} - 1\right]}{r}$$

dollars, intérêts compris.

  a. Calculez la différentielle de S.

  b. Estimez quelle serait l'augmentation de son épargne au bout de 25 ans si le taux d'intérêt annuel passait de 3 % à 3,1 %. De 3 % à 3,2 %. De 3 % à 3,3 %. De 3 % à 3,4 %.

15–16 Dites si l'énoncé est vrai ou faux. S'il est vrai, dites pourquoi. S'il est faux, trouvez un contre-exemple.

15. Si $y = ax + b$, où a et b sont des constantes, alors $\Delta y = dy$.

16. Si $A = f(x)$, alors le pourcentage d'erreur sur A est

$$\frac{100f'(x)}{f(x)}\,dx$$

▣ SOLUTIONS DES EXERCICES D'AUTOÉVALUATION **3.7**

1. On a

$$f'(x) = \frac{1}{2}x^{-1/2} = \frac{1}{2\sqrt{x}}$$

de sorte que la différentielle de f est

$$dy = \frac{1}{2\sqrt{x}}\,dx$$

2. Calculons d'abord la différentielle

$$dp = -\frac{250x}{(x^2+1)^2}dx$$

L'équation (11) où $x = 6$ et $dx = 0,2$ fournit le résultat

$$\Delta p \approx dp = -\frac{250(6)}{(36+1)^2}(0,2) = -0,22$$

soit une diminution de prix d'environ 0,22 $ par boisseau.

CHAPITRE **3** Résumé des principales formules

FORMULES

1. Dérivée d'une constante

$$\frac{d}{dx}(c) = 0 \qquad \text{(où } c \text{ est une constante)}$$

2. Dérivée d'une puissance

$$\frac{d}{dx}(x^n) = nx^{n-1}$$

3. Dérivée du produit par une constante

$$\frac{d}{dx}[cf(x)] = cf'(x)$$

4. Dérivée d'une somme ou d'une différence

$$\frac{d}{dx}[f(x) \pm g(x)] = f'(x) \pm g'(x)$$

5. Dérivée d'un produit

$$\frac{d}{dx}[f(x)g(x)] = f'(x)g(x) + f(x)g'(x)$$

6. Dérivée d'un quotient

$$\frac{d}{dx}\left[\frac{f(x)}{g(x)}\right] = \frac{f'(x)g(x) - f(x)g'(x)}{[g(x)]^2}$$

7. Dérivée des fonctions composées

$$\frac{d}{dx}g(f(x)) = g'(f(x))f'(x)$$

8. Généralisation de la dérivée d'une puissance

$$\frac{d}{dx}[f(x)]^n = n[f(x)]^{n-1}f'(x)$$

9. Fonction de coût moyen

$$\bar{C}(x) = \frac{C(x)}{x}$$

10. Fonction de revenu

$$R(x) = px$$

11. Fonction de profit

$$P(x) = R(x) - C(x)$$

12. Élasticité de la demande

$$E(p) = -\frac{pf'(p)}{f(p)}$$

13. Différentielle de y

$$dy = f'(x)dx$$

CHAPITRE 3 EXERCICES RÉCAPITULATIFS

1–30 Calculez la dérivée de la fonction.

1. $f(x) = 3x^5 - 2x^4 + 3x^2 - 2x + 1$

2. $f(x) = 4x^6 + 2x^4 + 3x^2 - 2$

3. $g(x) = -2x^{-3} + 3x^{-1} + 2$

4. $f(t) = 2t^2 - 3t^3 - t^{-1/2}$

5. $g(t) = 2t^{-1/2} + 4t^{-3/2} + 2$

6. $h(x) = x^2 + \dfrac{2}{x}$ **7.** $f(t) = t + \dfrac{2}{t} + \dfrac{3}{t^2}$

8. $g(s) = 2s^2 - \dfrac{4}{s} + \dfrac{2}{\sqrt{s}}$ **9.** $h(x) = x^2 - \dfrac{2}{x^{3/2}}$

10. $f(x) = \dfrac{x+1}{2x-1}$ **11.** $g(t) = \dfrac{t^2}{2t^2 + 1}$

12. $h(t) = \dfrac{\sqrt{t}}{\sqrt{t}+1}$ **13.** $f(x) = \dfrac{\sqrt{x}-1}{\sqrt{x}+1}$

14. $f(t) = \dfrac{t}{2t^2 + 1}$ **15.** $f(x) = \dfrac{x^2(x^2+1)}{x^2-1}$

16. $f(x) = (2x^2 + x)^3$ **17.** $f(x) = (3x^3 - 2)^8$

18. $h(x) = (\sqrt{x} + 2)^5$ **19.** $f(t) = \sqrt{2t^2 + 1}$

20. $g(t) = \sqrt[3]{1 - 2t^3}$ **21.** $s(t) = (3t^2 - 2t + 5)^{-2}$

22. $f(x) = (2x^3 - 3x^2 + 1)^{-3/2}$

23. $h(x) = \left(x + \dfrac{1}{x}\right)^2$ **24.** $h(x) = \dfrac{1+x}{(2x^2+1)^2}$

25. $h(t) = (t^2 + t)^4(2t^2)$ **26.** $f(x) = (2x+1)^3(x^2+x)^2$

27. $g(x) = \sqrt{x}(x^2 - 1)^3$ **28.** $f(x) = \dfrac{x}{\sqrt{x^3 + 2}}$

29. $h(x) = \dfrac{\sqrt{3x+2}}{4x-3}$ **30.** $f(t) = \dfrac{\sqrt{2t+1}}{(t+1)^3}$

31–36 Calculez la dérivée seconde de la fonction.

31. $f(x) = 2x^4 - 3x^3 + 2x^2 + x + 4$

32. $g(x) = \sqrt{x} + \dfrac{1}{\sqrt{x}}$ **33.** $h(t) = \dfrac{t}{t^2 + 4}$

34. $f(x) = (x^3 + x + 1)^2$ **35.** $f(x) = \sqrt{2x^2 + 1}$

36. $f(t) = t(t^2 + 1)^3$

37–42 Calculez dy/dx par dérivation implicite.

37. $6x^2 - 3y^2 = 9$ **38.** $2x^3 - 3xy = 4$

39. $y^3 + 3x^2 = 3y$ **40.** $x^2 + 2x^2y^2 + y^2 = 10$

41. $x^2 - 4xy - y^2 = 12$

42. $3x^2y - 4xy + x - 2y = 6$

43. Trouvez la différentielle de $f(x) = x^2 + \dfrac{1}{x^2}$.

44. Soit f la fonction définie par $f(x) = \sqrt{2x^2 + 4}$.

   a. Trouvez la différentielle de f.

   b. Utilisez le résultat obtenu en **a** pour estimer la variation de y résultant d'une variation de x de 4 à 4,1.

   c. Calculez la variation réelle de y lorsque x varie de 4 à 4,1 et comparez votre réponse avec celle que vous avez obtenue en **b**.

45. Soit $f(x) = 2x^3 - 3x^2 - 16x + 3$.

   a. Trouvez les points de la courbe de f où la tangente a pour pente -4.

   b. Trouvez une équation de ces tangentes.

46. Soit $f(x) = \frac{1}{3}x^3 + \frac{1}{2}x^2 - 4x + 1$.

   a. Trouvez les points de la courbe de f où la tangente a pour pente -2.

   b. Trouvez une équation de ces tangentes.

47. Trouvez une équation de la tangente à la courbe de la fonction $y = \sqrt{4 - x^2}$ au point $(1, \sqrt{3})$.

48. Trouvez une équation de la tangente à la courbe de la fonction $y = x(x + 1)^5$ au point $(1, 32)$.

49. Trouvez la dérivée troisième de la fonction

$$f(x) = \dfrac{1}{2x - 1}$$

Trouvez son domaine.

50. L'équation de demande d'un produit est $2x + 5p - 60 = 0$, où p désigne le prix unitaire et x est la quantité demandée. Calculez l'élasticité de la demande et dites si la demande est élastique, unitaire ou inélastique, aux prix indiqués.

   a. $p = 3$ **b.** $p = 6$ **c.** $p = 9$

51. L'équation de demande d'un produit est

$$x = \frac{25}{\sqrt{p}} - 1$$

où p désigne le prix unitaire et x est la quantité demandée. Calculez l'élasticité de la demande et déterminez les prix qui résulteront en une demande élastique, unitaire ou inélastique.

52. L'équation de demande pour un certain produit est $x = 100 - 0,01p^2$.

a. La demande est-elle élastique, unitaire ou inélastique lorsque $p = 40$?

b. Si le prix unitaire est de 40 $ et qu'on l'augmente légèrement, cela aura-t-il pour effet d'augmenter ou de diminuer le revenu?

53. L'équation de demande pour un certain produit est $p = 9\sqrt[3]{1000 - x}$.

a. La demande est-elle élastique, unitaire ou inélastique lorsque $p = 60$?

b. Si le prix unitaire est de 60 $ et qu'on l'augmente légèrement, cela aura-t-il pour effet d'augmenter ou de diminuer le revenu?

54. ESPÉRANCE DE VIE D'UN HOMME Supposons que l'espérance de vie d'un homme (mesurée en années) dans un certain pays soit modélisée par la fonction

$$f(t) = 46,9(1 + 1,09t)^{0,1} \qquad \text{(pour } 0 \le t \le 150)$$

où t est mesuré en années, la valeur $t = 0$ correspondant au début de 1900. Quelle est l'espérance de vie d'un homme de ce pays né au début de l'an 2000? Quelle est le taux de variation de l'espérance de vie d'un homme de ce pays né au début de l'an 2000?

4 Applications de la dérivée d'une fonction

Quelles sont l'altitude maximum et la vitesse maximum atteintes par une fusée? À l'exemple 7, page 282, vous verrez comment on peut répondre à ces questions grâce aux techniques du calcul différentiel.

Novastock/Stock Connection/PictureQuest

Dans le présent chapitre, nous approfondissons notre étude des applications de la dérivée, pour nous intéresser cette fois à l'analyse des propriétés des fonctions. L'information obtenue peut notamment servir à tracer les graphiques de fonctions avec précision. Nous verrons aussi comment utiliser la dérivée pour résoudre une grande variété de problèmes d'optimisation, par exemple le calcul du niveau de production d'une entreprise qui génère le maximum de profits ou le minimum de coûts, le calcul de l'altitude maximum atteinte par une fusée, le calcul de la vitesse maximum à laquelle l'air est rejeté lorsqu'une personne tousse, parmi tant d'autres problèmes.

4.1 Analyse d'une fonction à l'aide de la dérivée première

Intervalles de croissance et de décroissance d'une fonction

Selon une étude commandée conjointement par le ministère américain de l'Énergie et la compagnie Shell, la consommation d'essence moyenne des voitures en fonction de la vitesse est représentée par le graphique de la figure 4.1. On observe que la consommation $f(x)$ en litres/100 km diminue lorsque x, la vitesse du véhicule en km/h, augmente de 0 à 65, pour ensuite augmenter lorsque la vitesse dépasse 65 km/h. Nous disons qu'une fonction est *décroissante* ou *croissante* pour décrire le comportement d'une telle fonction lorsque nous nous déplaçons de gauche à droite.

FIGURE 4.1
La consommation moyenne d'une voiture diminue lorsque la vitesse passe de 0 à 65 km/h, pour ensuite augmenter lorsque la vitesse dépasse 65 km/h.

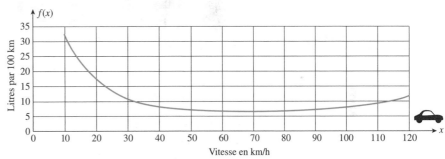
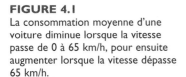

Source: Ministère américain de l'Énergie et compagnie Shell

Croissance ou décroissance d'une fonction

Une fonction f est dite **croissante** sur un intervalle $]a, b[$ si
$$f(x_1) < f(x_2) \text{ pour } x_1 < x_2 \text{ dans l'intervalle }]a, b[\text{ (figure 4.2a).}$$
Une fonction f est dite **décroissante** sur un intervalle $]a, b[$ si
$$f(x_1) > f(x_2) \text{ pour } x_1 < x_2 \text{ dans l'intervalle }]a, b[\text{ (figure 4.2b).}$$

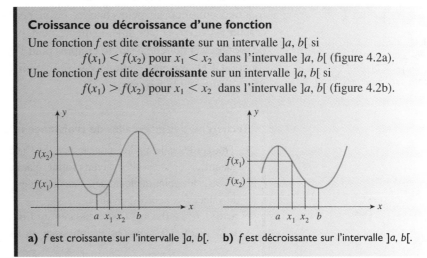

FIGURE 4.2 **a)** f est croissante sur l'intervalle $]a, b[$. **b)** f est décroissante sur l'intervalle $]a, b[$.

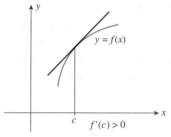

a) f est croissante en $x = c$.

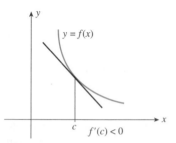

b) f est décroissante en $x = c$.

FIGURE 4.3

La fonction f est dite *croissante en un point* c s'il existe un intervalle $]a$, $b[$ contenant c tel que f est croissante dans cet intervalle. De même, la fonction f est dite *décroissante en un point* c s'il existe un intervalle $]a$, $b[$ contenant c tel que f est décroissante dans cet intervalle.

Comme la dérivée première d'une fonction en un point d'abscisse $x = c$ est la mesure du taux de variation de la fonction en ce point, elle est l'outil tout désigné pour la recherche des intervalles de croissance et de décroissance d'une fonction dérivable. En effet, comme nous l'avons vu au chapitre 2, la dérivée d'une fonction en un point mesure à la fois la pente de la tangente à la courbe de la fonction et le taux de variation de la fonction en ce point. Ainsi, en un point où la dérivée d'une fonction est positive, la pente de la tangente à la courbe est positive et la fonction est croissante. En un point où la dérivée d'une fonction est négative, la pente de la tangente à la courbe est négative et la fonction est décroissante (figure 4.3).

Voici un théorème qui reprend les observations ci-dessus et dont la démonstration dépasse le cadre du présent ouvrage.

THÉORÈME I

a. Si $f'(x) > 0$ pour tout x dans un intervalle $]a$, $b[$, alors f est croissante sur $]a$, $b[$.

b. Si $f'(x) < 0$ pour tout x dans un intervalle $]a$, $b[$, alors f est décroissante sur $]a$, $b[$.

c. Si $f'(x) = 0$ pour tout x dans un intervalle $]a$, $b[$, alors f est constante sur $]a$, $b[$.

EXEMPLE I

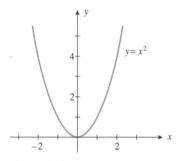

FIGURE 4.4

La courbe de f est décroissante sur l'intervalle $]-\infty$, $0[$, où $f'(x) < 0$, et croissante sur l'intervalle $]0$, $\infty[$, où $f'(x) > 0$.

Trouvez les intervalles de croissance et de décroissance de la fonction $f(x) = x^2$.

Solution   La dérivée de $f(x) = x^2$ est $f'(x) = 2x$. Puisque

$$f'(x) = 2x > 0 \quad \text{si } x > 0 \qquad \text{et} \qquad f'(x) = 2x < 0 \quad \text{si } x < 0$$

la fonction f est croissante sur l'intervalle $]0$, $\infty[$ et décroissante sur l'intervalle $]-\infty$, $0[$ (figure 4.4).

Rappelons qu'une fonction continue n'admet aucun saut. Par conséquent, une fonction continue ne peut changer de signe à moins qu'elle ne s'annule en un certain x. (Revoyez à ce sujet le théorème 5, page 111.) Il devient donc tout naturel de proposer la marche à suivre ci-après pour l'étude du signe de la dérivée f' d'une fonction f et, ensuite, pour la détermination des intervalles de croissance et de décroissance de la fonction.

Recherche des intervalles de croissance et de décroissance d'une fonction

1. Trouver les valeurs de x pour lesquelles $f'(x) = 0$ ou $f'(x)$ est discontinue et identifier les intervalles ouverts formés par ces points.

2. Choisir un point quelconque c dans chaque intervalle formé à l'étape 1 et calculer la valeur $f'(c)$ correspondante.

a. Si $f'(c) > 0$, alors f est croissante sur l'intervalle.

b. Si $f'(c) < 0$, alors f est décroissante sur l'intervalle.

EXEMPLE 2   Trouvez les intervalles de croissance et de décroissance de la fonction $f(x) = x^3 - 3x^2 - 24x + 32$.

Solution

1. La dérivée de f est

$$f'(x) = 3x^2 - 6x - 24 = 3(x + 2)(x - 4)$$

et elle est continue partout. Les zéros de $f'(x)$ sont $x = -2$ et $x = 4$, ces points divisant la droite numérique en trois intervalles, soit $]-\infty, -2[$, $]-2, 4[$ et $]4, \infty[$.

2. Pour déterminer le signe de $f'(x)$ dans les intervalles $]-\infty, -2[$, $]-2, 4[$ et $]4, \infty[$, il suffit de calculer $f'(c)$ pour une valeur quelconque c de chaque intervalle. Le tableau suivant résume la situation.

Intervalle	$]-\infty, -2[$	$]-2, 4[$	$]4, \infty[$
Point c	-3	0	5
$f'(c)$	21	-24	21
Signe de $f'(x)$	$+$	$-$	$+$

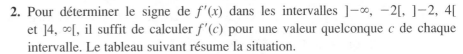

FIGURE 4.5
Diagramme de signes de f'.

Les résultats du tableau ci-dessus sont reportés sur le diagramme de signes de la figure 4.5. Il s'ensuit que f est croissante sur les intervalles $]-\infty, -2[$ et $]4, \infty[$, et décroissante sur l'intervalle $]-2, 4[$. Le graphique de f est représenté à lafigure 4.6.

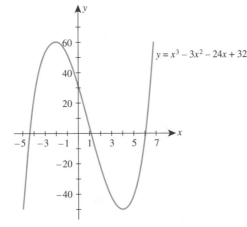

FIGURE 4.6
La fonction f est croissante sur l'intervalle $]-\infty, -2[$, décroissante sur l'intervalle $]-2, 4[$ et de nouveau croissante sur l'intervalle $]4, \infty[$.

REMARQUE   Il est inutile à ce stade-ci de chercher à savoir comment nous avons obtenu les graphiques de la présente section. Nous vous apprendrons à les tracer un peu plus loin. Toutefois, si vous avez une calculatrice graphique, rien ne vous empêche de vérifier chaque graphique !

TECHNOLOGIE ET INTUITION

Reportez-vous à l'exemple 2.

1. À l'aide d'une calculatrice graphique, tracez les graphiques de la fonction

$$f(x) = x^3 - 3x^2 - 24x + 32$$

et de sa dérivée

$$f'(x) = 3x^2 - 6x - 24$$

dans la fenêtre $[-10, 10] \times [-50, 70]$.

2. En examinant le graphique de f', trouvez les intervalles où $f'(x) > 0$ et les intervalles où $f'(x) < 0$. Examinez ensuite le graphique de f et trouvez les intervalles de croissance et de décroissance de la fonction. Y a-t-il une correspondance entre les deux séries d'intervalles ? Faut-il s'en étonner ?

EXEMPLE 3   Trouvez les intervalles de croissance et de décroissance de la fonction $f(x) = x^{2/3}$.

Solution

1. La dérivée de f est

$$f'(x) = \frac{2}{3}x^{-1/3} = \frac{2}{3x^{1/3}}$$

La fonction f' n'est pas définie en $x = 0$, de sorte que f' y est discontinue. Elle est continue partout ailleurs. De plus, f' ne s'annule en aucun point. Le point $x = 0$ divise la droite numérique (c'est-à-dire le domaine de f) en deux intervalles $]-\infty, 0[$ et $]0, \infty[$.

2. Choisissons un point quelconque (disons $x = -1$) de l'intervalle $]-\infty, 0[$. Nous obtenons

$$f'(-1) = -\frac{2}{3}$$

Puisque $f'(-1) < 0$, nous déduisons que $f'(x) < 0$ sur l'intervalle $]-\infty, 0[$. Choisissons maintenant un point quelconque (disons $x = 1$) de l'intervalle $]0, \infty[$. Nous obtenons cette fois

$$f'(1) = \frac{2}{3}$$

Puisque $f'(1) > 0$, nous déduisons que $f'(x) > 0$ sur l'intervalle $]0, \infty[$. Nous illustrons ces résultats au moyen d'un diagramme de signes (figure 4.7).

Nous pouvons conclure que f est décroissante sur l'intervalle $]-\infty, 0[$ et qu'elle est croissante sur l'intervalle $]0, \infty[$. Le graphique de f, représenté à la figure 4.8, confirme ces résultats.

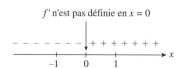

FIGURE 4.7
Diagramme de signes de f'.

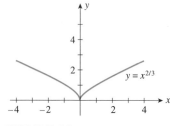

FIGURE 4.8
La fonction f est décroissante sur l'intervalle $]-\infty, 0[$ et croissante sur l'intervalle $]0, \infty[$.

EXEMPLE 4   Trouvez les intervalles de croissance et de décroissance de la fonction $f(x) = x + \dfrac{1}{x}$.

Solution

1. La dérivée de f est

$$f'(x) = 1 - \frac{1}{x^2} = \frac{x^2 - 1}{x^2}$$

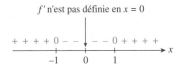

FIGURE 4.9
La fonction f' ne change pas de signe de part et d'autre de $x = 0$.

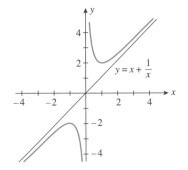

FIGURE 4.10
La fonction f est croissante sur l'intervalle $]-\infty, -1[$, décroissante sur les intervalles $]-1, 0[$ et $]0, 1[$, et de nouveau croissante sur l'intervalle $]1, \infty[$.

Comme f' n'est pas définie en $x = 0$, elle y est discontinue. De plus, $f'(x)$ s'annule lorsque $x^2 - 1 = 0$, c'est-à-dire pour $x = \pm 1$. Ces valeurs de x partagent le domaine de f' en quatre intervalles $]-\infty, -1[$, $]-1, 0[$, $]0, 1[$ et $]1, \infty[$, dans lesquels le signe de f' est différent de 0.

2. Pour trouver le signe de f' dans chacun de ces intervalles, il suffit de calculer $f'(x)$ aux points $x = -2$, $-\frac{1}{2}$, $\frac{1}{2}$ et 2, obtenant respectivement $f'(-2) = \frac{3}{4}$, $f'(-\frac{1}{2}) = -3$, $f'(\frac{1}{2}) = -3$ et $f'(2) = \frac{3}{4}$. Selon le diagramme de signes de f' (figure 4.9), la fonction f est croissante sur $]-\infty, -1[$ et $]1, \infty[$, et décroissante sur $]-1, 0[$ et $]0, 1[$.

Le graphique de f est représenté à la figure 4.10. On remarque que f' ne change pas de signe au point de discontinuité $x = 0$, contrairement à l'exemple 3.

 L'exemple 4 illustre bien qu'*il ne faut pas* conclure automatiquement à un changement de signe de la dérivée f' de part et d'autre d'une discontinuité ou d'un zéro de f'.

TRAVAIL EN ÉQUIPE

La fonction de profit P associée à la vente d'un produit est

$$P(x) = R(x) - C(x) \qquad (x \geq 0)$$

où R est la fonction de revenu, C est la fonction de coût total et x est le nombre d'unités produites et vendues.

1. Trouvez l'expression de $P'(x)$ en fonction des dérivées $R'(x)$ et $C'(x)$.
2. Trouvez les relations entre $R'(x)$ et $C'(x)$ si on sait que
   a. La fonction P est croissante en $x = a$.
   b. La fonction P est décroissante en $x = a$.
   c. La fonction P n'est ni croissante ni décroissante en $x = a$.

   Suggestion : On doit se rappeler que la dérivée d'une fonction en $x = a$ mesure le taux de variation de la fonction en ce point.
3. Justifiez les résultats de **2** à l'aide d'une argumentation de nature économique.

 ## TECHNOLOGIE ET INTUITION

1. À l'aide d'une calculatrice graphique, tracez le graphique de la famille de fonctions $f(x) = x^3 - ax$ pour $a = -2$, -1, 0, 1 et 2, dans la fenêtre $[-2, 2] \times [-2, 2]$.
2. En vous basant sur les graphiques tracés en **1**, établissez la (ou les) valeur(s) de a telle(s) que la fonction f est croissante sur $]-\infty, \infty[$.
3. Vérifiez les réponses de **2** par des méthodes analytiques.

Extremums relatifs

Si la dérivée première fournit un moyen de trouver les intervalles de croissance et de décroissance d'une fonction, elle permet aussi de repérer les « sommets » et les « creux » du graphique de la fonction. L'identification de ces points est indispensable lorsqu'on veut tracer le graphique d'une fonction par des méthodes analytiques, ou encore résoudre des problèmes d'optimisation. On appelle ces «sommets» et ces «creux» respectivement les *maximums relatifs* et les *minimums relatifs* de la fonction, parce qu'ils sont respectivement plus élevés ou moins élevés que les points de la fonction situés dans le voisinage.

La courbe illustrée à la figure 4.11 représente le déficit budgétaire d'un pays entre 1980 ($t = 0$) et 1991. Les maximums et les minimums relatifs de la fonction f sont indiqués sur le graphique.

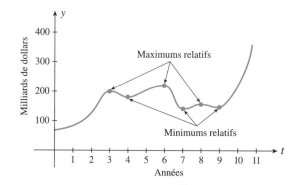

FIGURE 4.11
Déficit budgétaire d'un pays entre 1980 et 1991

On définit ainsi un maximum relatif:

Maximum relatif

Une fonction f admet un **maximum relatif** en $x = c$ s'il existe un intervalle ouvert $]a, b[$ contenant c tel que $f(x) \leq f(c)$ pour tout x dans l'intervalle $]a, b[$.

D'un point de vue géométrique, cela signifie qu'*il est possible* de trouver un intervalle contenant $x = c$ tel qu'aucun point du graphique de f ayant son abscisse dans cet intervalle ne sera plus élevé que $(c, f(c))$; autrement dit, $f(c)$ est la plus grande valeur de $f(x)$ dans un intervalle autour de $x = c$. La figure 4.12 représente le graphique d'une fonction f qui admet des maximums relatifs en $x = x_1$ et $x = x_3$.

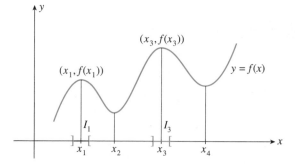

FIGURE 4.12
La fonction f admet un maximum relatif en $x = x_1$ et en $x = x_3$.

Observez que tous les points du graphique de f dont les abscisses sont dans l'intervalle I_1 (illustré en orange) sont, ou bien le point $(x_1, f(x_1))$ lui-même, ou bien situés au-dessous. C'est également vrai pour $(x_3, f(x_3))$ et l'intervalle I_3. Ainsi, même s'il y a des points du graphique de f qui sont plus élevés que les points

$(x_1, f(x_1))$ et $(x_3, f(x_3))$, ces derniers sont les plus élevés dans leurs voisinages (intervalles) respectifs. Le cas des points du graphique d'une fonction *f* qui sont *les plus hauts* ou *les plus bas* comparés à *tous* les points du domaine de la fonction sera étudié à la section 4.4.

Le minimum relatif d'une fonction se définit de façon analogue.

> **Minimum relatif**
>
> Une fonction *f* admet un **minimum relatif** en $x = c$ s'il existe un intervalle ouvert $]a, b[$ contenant *c* tel que $f(x) \geq f(c)$ pour tout *x* dans l'intervalle $]a, b[$.

Le graphique de la fonction *f* représenté à la figure 4.12 admet des minimums relatifs en $x = x_2$ et $x = x_4$.

Recherche des extremums relatifs d'une fonction

On désigne sous le nom global d'**extremums relatifs** d'une fonction les maximums et les minimums relatifs de la fonction. Nous allons maintenant établir une marche à suivre afin d'identifier les extremums relatifs d'une fonction. En premier lieu, considérons le cas où la fonction est dérivable en ces points. Ainsi, supposons que la fonction *f* soit dérivable dans un intervalle $]a, b[$ contenant un point $x = c$ et que *f* admette un maximum relatif en $x = c$ (figure 4.13a).

On constate que la pente de la tangente à la courbe de *f* doit passer du positif au négatif en *c*. Nous entendons par là que la pente de la tangente doit être positive en des points dont l'abscisse est dans le voisinage et à gauche de $x = c$, et négative en des points dont l'abscisse est dans le voisinage et à droite de $x = c$. Par conséquent, la tangente à la courbe de *f* au point $(c, f(c))$ doit être horizontale, de sorte que $f'(c) = 0$ (figure 4.13a).

Par un raisonnement analogue, on voit que la dérivée f' d'une fonction dérivable *f* doit aussi s'annuler en tout point où *f* admet un minimum relatif (figure 4.13b).

Nous en déduisons donc une propriété importante des extremums relatifs: *Si une fonction f admet un extremum relatif en un point c et si $f'(c)$ existe, alors $f'(c) = 0$.*

Avant de poursuivre, une mise en garde s'impose. Nous venons de voir que si une fonction *f* admet un extremum relatif en un point $x = c$ et qu'elle est dérivable en ce point, alors $f'(c) = 0$. La réciproque de cet énoncé—à savoir que si $f'(c) = 0$ pour un certain point $x = c$, alors *f* admet nécessairement un extremum relatif en ce point—est *fausse*. Considérons, par exemple, la fonction $f(x) = x^3$. Nous avons $f'(x) = 3x^2$, de sorte que $f'(0) = 0$. Pourtant, *f* n'admet, ni maximum relatif, ni minimum relatif en $x = 0$ (figure 4.14).

De plus, la propriété que nous avons énoncée plus haut repose sur l'hypothèse que la dérivée de la fonction existe au point $x = c$ où se retrouve l'extremum relatif. Or, les graphiques des fonctions $f(x) = |x|$ et $g(x) = x^{2/3}$ montrent bien qu'il est possible qu'une fonction admette un

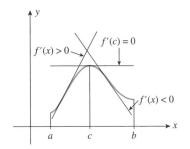

a) La fonction *f* admet un maximum relatif en $x = c$.

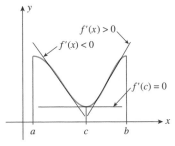

b) La fonction *f* admet un minimum relatif en $x = c$.

FIGURE 4.13

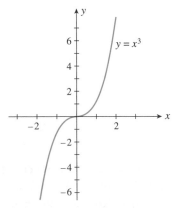

FIGURE 4.14
$f'(0) = 0$; pourtant, *f* n'admet pas d'extremum relatif en (0, 0).

extremum relatif en un point, même si la dérivée de la fonction n'existe pas en ce point. En effet, aucune des deux fonctions n'est dérivable en $x = 0$ et pourtant, chacune admet un minimum relatif en $x = 0$. Les fonctions sont représentées à la figure 4.15. Remarquez que les pentes des tangentes passent de négatives à positives en $x = 0$, tout comme dans le cas des fonctions qui admettent un minimum relatif en un point où la dérivée existe.

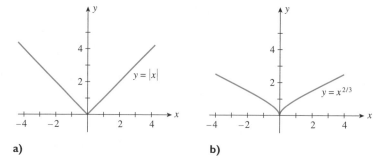

FIGURE 4.15
Les deux fonctions admettent un minimum relatif en (0, 0), même si les fonctions ne sont pas dérivables en (0, 0).

a)   b)

Les points du domaine de f où on peut éventuellement retrouver un extremum relatif sont appelés points critiques.

> **Point critique de f**
>
> On appelle **point critique** d'une fonction f un point x du domaine de f pour lequel $f'(x) = 0$ ou $f'(x)$ n'existe pas.

La figure 4.16 représente le graphique d'une fonction qui admet des points critiques en $x = a$, b, c, d et e. On observe que $f'(x) = 0$ en $x = a$, b et c. Par ailleurs, il y a un point anguleux en $x = d$, de sorte que $f'(d)$ n'existe pas. Finalement, $f'(x)$ n'existe pas non plus en $x = e$ parce que la tangente à la courbe y est verticale. On constate de plus que la fonction f admet des extremums relatifs aux points critiques $x = a$, b et d, mais pas en $x = c$ et en $x = e$.

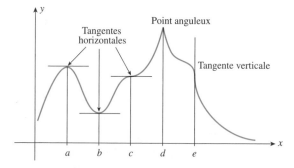

FIGURE 4.16
Points critiques de f

Nous vous présentons maintenant une marche à suivre pour rechercher les extremums relatifs d'une fonction continue dont la dérivée existe partout, sauf parfois en quelques valeurs isolées du domaine de la fonction. Nous y avons inclus le **test de la dérivée première**, qui permet de découvrir si une fonction f admet un maximum relatif ou un minimum relatif en un point critique.

Recherche des extremums relatifs d'une fonction (test de la dérivée première)

1. Trouver les points critiques de f.
2. Trouver le signe de $f'(x)$ à gauche et à droite de chaque point critique.
   a. Si le signe de $f'(x)$ passe de *positif* à *négatif* en un point critique $x = c$, alors f admet un maximum relatif en $x = c$.
   b. Si le signe de $f'(x)$ passe de *négatif* à *positif* en un point critique $x = c$, alors f admet un minimum relatif en $x = c$.
   c. Si le signe de $f'(x)$ ne change pas en un point critique $x = c$, alors f n'admet pas d'extremum relatif en $x = c$.

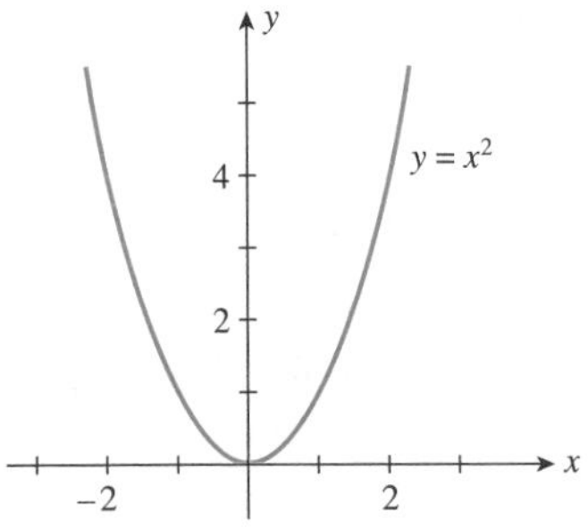

EXEMPLE 5   Trouvez les extremums relatifs de la fonction $f(x) = x^2$.

Solution

La dérivée de $f(x) = x^2$ est $f'(x) = 2x$. On pose $f'(x) = 0$, d'où on tire $x = 0$, qui est le seul point critique de f, puisque $f'(x)$ existe en tout point du domaine de f. Enfin,

$$f'(x) < 0 \quad \text{si } x < 0 \qquad \text{et} \qquad f'(x) > 0 \quad \text{si } x > 0$$

de sorte que le signe de $f'(x)$ passe de négatif à positif au point critique $x = 0$. Selon le test de la dérivée première, il s'ensuit que $f(0) = 0$ est un minimum relatif pour la fonction f (figure 4.17).

EXEMPLE 6   Trouvez les extremums relatifs de la fonction $f(x) = x^{2/3}$ (voir l'exemple 3).

Solution

La dérivée de f est $f'(x) = \frac{2}{3}x^{-1/3}$. Comme nous l'avons remarqué à l'exemple 3, f' n'est pas définie en $x = 0$, elle est continue partout ailleurs et ne s'annule en aucun point de son domaine. Il n'y a donc qu'un point critique : $x = 0$.

Le diagramme de signes obtenu à l'exemple 3 est reproduit à la figure 4.18. Nous y constatons que le signe de $f'(x)$ passe de négatif à positif en $x = 0$. Selon le test de la dérivée première, il s'ensuit que $f(0) = 0$ est un minimum relatif pour la fonction f (figure 4.19).

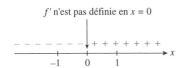

FIGURE 4.17
La fonction f admet un minimum relatif en $x = 0$.

f' n'est pas définie en $x = 0$

FIGURE 4.18
Diagramme de signes de f'.

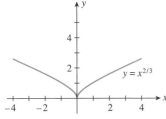

FIGURE 4.19
La fonction f admet un minimum relatif en $x = 0$.

TRAVAIL EN ÉQUIPE

Rappelons que la fonction de coût moyen $\overline{C}$ est définie par

$$\overline{C} = \frac{C(x)}{x}$$

où $C(x)$ est la fonction de coût total et x est le nombre d'unités fabriquées d'un produit (voir la section 3.4).

1. Démontrez que

$$\overline{C}'(x) = \frac{C'(x) - \overline{C}(x)}{x} \qquad \text{(pour } x > 0\text{)}$$

2. À l'aide de **1**, déduisez que la fonction $\overline{C}$ est décroissante pour les valeurs de x telles que $C'(x) < \overline{C}(x)$. Trouvez ensuite pour quelles valeurs de x la fonction $\overline{C}$ est croissante et pour quelles valeurs elle est constante.

3. Justifiez les résultats de **2** à l'aide d'une argumentation de nature économique.

EXEMPLE 7

Trouvez les extremums relatifs de la fonction

$$f(x) = x^3 - 3x^2 - 24x + 32$$

Solution La dérivée de f est

$$f'(x) = 3x^2 - 6x - 24 = 3(x + 2)(x - 4)$$

qui est continue partout. Les zéros de $f'(x)$, $x = -2$ et $x = 4$, sont les seuls points critiques de la fonction f. Le diagramme de signes de f' est représenté à la figure 4.20. À l'aide de ce diagramme et du test de la dérivée première, poursuivons notre étude des points critiques $x = -2$ et $x = 4$ afin de déterminer l'existence ou pas d'extremums relatifs.

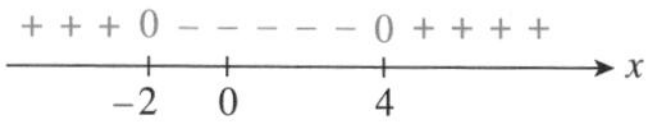

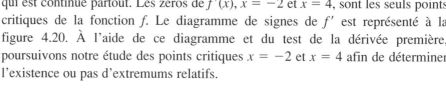

FIGURE 4.20
Diagramme de signes de f'.

1. *Le point critique $x = -2$:* Comme le signe de la fonction $f'(x)$ passe de positif à négatif en $x = -2$, il y a donc un maximum relatif de f en $x = -2$. La valeur de $f(x)$ en $x = -2$ est

$$f(-2) = (-2)^3 - 3(-2)^2 - 24(-2) + 32 = 60$$

2. *Le point critique $x = 4$:* le signe de $f'(x)$ passe de négatif à positif en $x = 4$, de sorte que $f(4) = -48$ est un minimum relatif de f. Le graphique de f est représenté à la figure 4.21.

FIGURE 4.21
La fonction f admet un maximum relatif en $x = -2$ et un minimum relatif en $x = 4$.

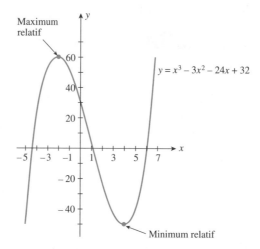

EXEMPLE 8

Trouvez les extremums relatifs de la fonction

$$f(x) = x + \frac{1}{x}$$

Solution La dérivée de f est

$$f'(x) = 1 - \frac{1}{x^2} = \frac{x^2 - 1}{x^2} = \frac{(x + 1)(x - 1)}{x^2}$$

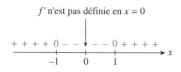

FIGURE 4.22
$x = 0$ n'est pas un point critique puisque f n'est pas définie en $x = 0$.

Puisque f' s'annule en $x = -1$ et $x = 1$, on a là deux points critiques de f. De plus, f' est discontinue en $x = 0$. Toutefois, comme la fonction f *n'est pas définie en ce point*, $x = 0$ n'est pas un point critique de f. Le diagramme de signes de f' est représenté à la figure 4.22.

Le signe de $f'(x)$ passe de positif à négatif en $x = -1$; il s'ensuit, selon le test de la dérivée première, que $f(-1) = -2$ est un maximum relatif pour la fonction f. Par ailleurs, le signe de $f'(x)$ passe de négatif à positif en $x = 1$, de sorte que $f(1) = 2$ est un minimum relatif pour la fonction f. Le graphique de f est représenté à la figure 4.23. Remarquez que le maximum relatif de la fonction est situé plus bas que son minimum relatif.

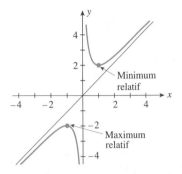

FIGURE 4.23

La fonction $f(x) = x + \dfrac{1}{x}$

TECHNOLOGIE ET INTUITION

Reportez-vous à l'exemple 8.

1. À l'aide d'une calculatrice graphique, tracez la fonction $f(x) = x + 1/x$ et sa dérivée $f'(x) = 1 - 1/x^2$ dans la fenêtre $[-4, 4] \times [-8, 8]$.

2. En examinant le graphique de f', trouvez les points critiques de f. Notez ensuite le signe de $f'(x)$ immédiatement à gauche et immédiatement à droite de chaque point critique. Que peut-on conclure de chaque point critique? Vos conclusions sont-elles confirmées par l'allure du graphique de f?

APPLICATIONS

EXEMPLE 9

Profit sur la vente de haut-parleurs

La fonction de profit de l'entreprise Acrosonic est

$$P(x) = -0{,}02x^2 + 300x - 200\,000$$

dollars, où x désigne le nombre de haut-parleurs que produit l'entreprise. Trouvez les intervalles de croissance et de décroissance de la fonction P.

Solution La dérivée P' de la fonction P est

$$P'(x) = -0{,}04x + 300 = -0{,}04(x - 7500)$$

de sorte que $P'(x) = 0$ lorsque $x = 7500$. De plus, $P'(x) > 0$ lorsque x est dans l'intervalle $]0, 7500[$ et $P'(x) < 0$ lorsque x est dans l'intervalle $]7500, \infty[$. Alors la fonction de profit P est croissante sur l'intervalle $]0, 7500[$ et décroissante sur l'intervalle $]7500, \infty[$ (figure 4.24).

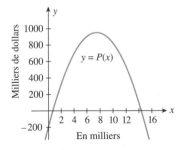

FIGURE 4.24

La fonction de profit est croissante sur l'intervalle $]0, 7500[$ et décroissante sur l'intervalle $]7500, \infty[$.

EXEMPLE 10

Criminalité Le nombre de crimes violents commis dans une grande ville américaine entre 1993 et 2000 est approximé par la fonction

$$N(t) = -0,1t^3 + 1,5t^2 + 100 \qquad \text{(pour } 0 \le t \le 7\text{)}$$

où $N(t)$ désigne le nombre de crimes commis au cours de l'année t, la valeur $t = 0$ correspondant au début de 1993. Trouvez les intervalles de croissance et de décroissance de la fonction N.

Solution La dérivée N' de la fonction N est

$$N'(t) = -0,3t^2 + 3t = -0,3t(t - 10)$$

Puisque $N'(t) > 0$ pour tout t dans l'intervalle $]0, 7[$, la fonction N est croissante partout dans cet intervalle (figure 4.25).

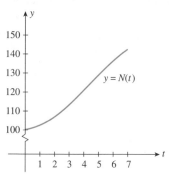

FIGURE 4.25
Le nombre de crimes, $N(t)$, n'a cessé de croître au cours des 7 années.

EXERCICES D'AUTOÉVALUATION 4.1

1. Trouvez les intervalles de croissance et de décroissance de la fonction $f(x) = \frac{2}{3}x^3 - x^2 - 12x + 3$.

2. Trouvez les extremums relatifs de la fonction $f(x) = \dfrac{x^2}{1 - x^2}$.

Les solutions des exercices d'autoévaluation 4.1 se trouvent à la page 244.

4.1 EXERCICES

**1–8 Voici le graphique d'une fonction f.
Déterminez les intervalles où la fonction
est croissante, décroissante ou constante.**

1.
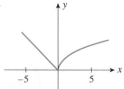

2.
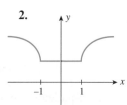

5.
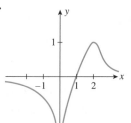

6.
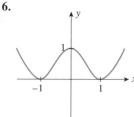

3.
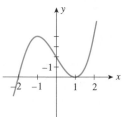

4.
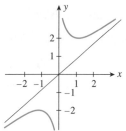

7.
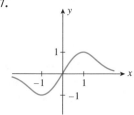

8.
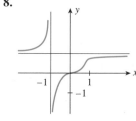

9. CIRCUIT D'UN MARATHON Le graphique de la fonction f illustré sur la figure ci-après représente l'élévation d'une étape particulièrement éprouvante du circuit d'un marathon. Déterminez les intervalles (sections du parcours) où la fonction f est croissante (le coureur gravit péniblement les côtes), où la fonction est constante (le coureur court d'un pas régulier) et où elle est décroissante (le coureur dévale les pentes).

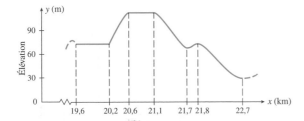

10. FIABILITÉ DE LA STRUCTURE D'UN AVION L'âge d'un avion est un facteur déterminant dans l'évaluation de la fiabilité de sa structure. Après un certain nombre d'années, la probabilité de fissures augmente. Le graphique de la fonction f, illustré sur la figure ci-après, est désigné dans le monde de l'aviation sous le nom de «baignoire» à cause de sa forme caractéristique. Il représente le taux de dommages (imputables à la corrosion, aux accidents et à la fatigue des métaux) d'un avion commercial en fonction du nombre de ses années de service.

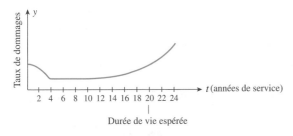

a. Trouvez l'intervalle de décroissance de f. Cet intervalle correspond à la période de rodage, pendant laquelle les problèmes initiaux sont identifiés et réglés, ce qui entraîne une diminution du taux de dommages.

b. Trouvez l'intervalle où f est constante. Pendant plusieurs années après la période de rodage, les avions connaissent peu de problèmes de structure, de sorte que le taux de dommages demeure constant et peu élevé au cours de cette période.

c. Trouvez l'intervalle de croissance de f. Au bout d'un certain nombre d'années, des défauts de structure, imputables notamment à la fatigue des métaux, commencent à se manifester et le taux de dommages augmente.

11–36 Trouvez les intervalles de croissance et de décroissance de la fonction.

11. $f(x) = 3x + 5$ **12.** $f(x) = 4 - 5x$

13. $f(x) = x^2 - 3x$ **14.** $f(x) = 2x^2 + x + 1$

15. $g(x) = x - x^3$ **16.** $f(x) = x^3 - 3x^2$

17. $g(x) = x^3 + 3x^2 + 1$ **18.** $f(x) = x^3 - 3x + 4$

19. $f(x) = \dfrac{1}{3}x^3 - 3x^2 + 9x + 20$

20. $f(x) = \dfrac{2}{3}x^3 - 2x^2 - 6x - 2$

21. $h(x) = x^4 - 4x^3 + 10$ **22.** $g(x) = x^4 - 2x^2 + 4$

23. $f(x) = \dfrac{1}{x - 2}$ **24.** $h(x) = \dfrac{1}{2x + 3}$

25. $h(t) = \dfrac{t}{t - 1}$ **26.** $g(t) = \dfrac{2t}{t^2 + 1}$

27. $f(x) = x^{3/5}$ **28.** $f(x) = x^{2/3} + 5$

29. $f(x) = \sqrt{x + 1}$ **30.** $f(x) = (x - 5)^{2/3}$

31. $f(x) = \sqrt{16 - x^2}$ **32.** $g(x) = x\sqrt{x + 1}$

33. $f(x) = \dfrac{x^2 - 1}{x}$ **34.** $h(x) = \dfrac{x^2}{x - 1}$

35. $f(x) = \dfrac{1}{(x - 1)^2}$ **36.** $g(x) = \dfrac{x}{(x + 1)^2}$

37–44 En vous basant sur le graphique, trouvez les extremums relatifs de la fonction.

37.

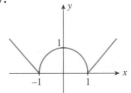

38.

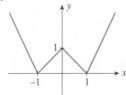

39.

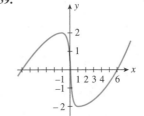

40.

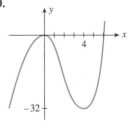

41.

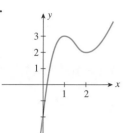

42.

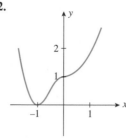

47.

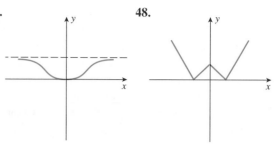

48.

43.

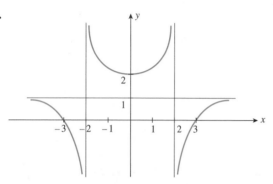

a)

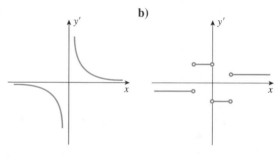

b)

c)

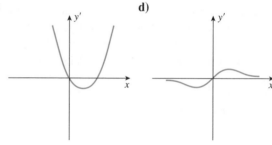

d)

44.

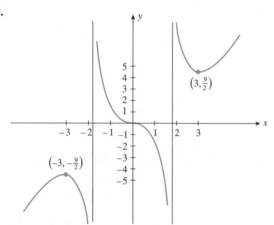

49–72 Trouvez, s'il en existe, les extremums relatifs de la fonction.

49. $f(x) = x^2 - 4x$ **50.** $g(x) = x^2 + 3x + 8$

51. $h(t) = -t^2 + 6t + 6$ **52.** $f(x) = \frac{1}{2}x^2 - 2x + 4$

53. $f(x) = x^{5/3}$ **54.** $f(x) = x^{2/3} + 2$

55. $g(x) = x^3 - 3x^2 + 4$ **56.** $f(x) = x^3 - 3x + 6$

57. $f(x) = \frac{1}{2}x^4 - x^2$

58. $h(x) = \frac{1}{2}x^4 - 3x^2 + 4x - 8$

59. $F(x) = \frac{1}{3}x^3 - x^2 - 3x + 4$

60. $F(t) = 3t^5 - 20t^3 + 20$

45–48 Parmi les graphiques a) à d), choisissez celui qui correspond à la dérivée de la fonction illustrée.

45.

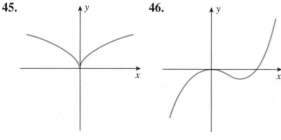

46.

61. $g(x) = x^4 - 4x^3 + 8$

62. $f(x) = 3x^4 - 2x^3 + 4$

63. $g(x) = \dfrac{x+1}{x}$ **64.** $h(x) = \dfrac{x}{x+1}$

65. $f(x) = x + \dfrac{9}{x} + 2$

66. $g(x) = 2x^2 + \dfrac{4000}{x} + 10$

67. $f(x) = \dfrac{x}{1+x^2}$ **68.** $g(x) = \dfrac{x}{x^2-1}$

69. $f(x) = \dfrac{x^2}{x^2-4}$ **70.** $g(t) = \dfrac{t^2}{1+t^2}$

71. $f(x) = (x-1)^{2/3}$ **72.** $g(x) = x\sqrt{x-4}$

73. On lance une pierre vers le haut à partir du toit d'un édifice de 25 m de hauteur. La hauteur (en mètres) de la pierre par rapport au sol à l'instant t (en secondes) est

$$h(t) = -4{,}9t^2 + 20t + 25$$

À quel moment la pierre monte-t-elle? À quel moment redescend-elle? Si la pierre rate la bordure du toit en redescendant, à quel moment touchera-t-elle le sol, 25 m plus bas? Tracez le graphique de h.

Suggestion: Au moment où la pierre touche le sol, $h(t) = 0$.

74. FONCTION DE PROFIT La direction de l'entreprise ThermoMaître, dont la filiale mexicaine fabrique des thermomètres pouvant être utilisés aussi bien à l'extérieur qu'à l'intérieur, estime que le profit hebdomadaire (en dollars) réalisé par l'entreprise pour la fabrication et la vente de x thermomètres est

$$P(x) = -0{,}001x^2 + 8x - 5000$$

Trouvez les intervalles de croissance et de décroissance de la fonction P.

75. PRÉVALENCE DE LA MALADIE D'ALZHEIMER Selon les statistiques fournies par la Société Alzheimer des États-Unis, le pourcentage de la population américaine souffrant de la maladie d'Alzheimer en fonction de l'âge suit la règle

$$P(x) = 0{,}0726x^2 + 0{,}7902x + 4{,}9623 \quad \text{(pour } 0 \le x \le 25)$$

où x est mesuré en années et $x = 0$ correspond à 65 ans. Montrez que P est une fonction croissante sur l'intervalle $]0, 25[$. Selon vos résultats, quel lien y a-t-il entre le pourcentage d'Américains souffrant de la maladie

d'Alzheimer et l'âge, pour la tranche de la population âgée de 65 ans et plus?

Source: Société Alzheimer des États-Unis

76. VOL D'UNE FUSÉE L'altitude (en mètres) atteinte par une fusée t s après le décollage est exprimée par la fonction

$$h(t) = -\dfrac{1}{10}t^3 + 4{,}9t^2 + 10t + 3$$

À quel moment la fusée monte-t-elle? À quel moment redescend-elle?

77. PRÉSERVATION DES FORÊTS Dans le cadre d'un programme de conservation parrainé par l'Agence canadienne de développement international (ACDI), un pays d'Amérique latine a mis au point un indice mesurant le progrès ou le recul de la qualité environnementale de ses forêts. La valeur de l'indice entre 1984 et 1994 est modélisée par la fonction

$$I(t) = \dfrac{1}{3}t^3 - \dfrac{5}{2}t^2 + 80 \quad \text{(pour } 0 \le t \le 10)$$

où $t = 0$ correspond à 1984. Trouvez les intervalles de croissance et de décroissance de la fonction I. Interprétez vos résultats.

78. COÛT MOYEN Le coût hebdomadaire moyen (en dollars) engagé par une entreprise pour presser x disques compacts est

$$\overline{C}(x) = -0{,}0001x + 2 + \dfrac{2000}{x} \quad \text{(pour } 0 < x \le 6000)$$

Montrez que la fonction $\overline{C}(x)$ est partout décroissante sur l'intervalle $]0, 6000[$.

79. CROISSANCE DES SERVICES DE GESTION Près de la moitié des entreprises confient à d'autres entreprises le soin de gérer une partie de leurs opérations sur le Web — une pratique connue sous le nom d'hébergement de site. De ces activités, ce sont les services de gestion et d'exploitation qui connaissent la croissance la plus rapide. On estime que le montant des transactions en services de gestion et d'exploitation est modélisé par la fonction

$$f(t) = 0{,}469t^2 + 0{,}758t + 0{,}44 \quad \text{(pour } 0 \le t \le 6)$$

où $f(t)$ est mesuré en milliards de dollars et t est mesuré en années, $t = 0$ correspondant à 1999.

a. Trouvez les intervalles de croissance et de décroissance de f.

b. Selon vos résultats, que pouvez-vous dire de l'évolution du montant des transactions en services de gestion et d'exploitation entre 1999 et 2005?

Source: International Data Corp.

(suite à la page 243)

TECHNOLOGIE EN APPLICATION

Analyse d'une fonction à l'aide de la dérivée première

Une calculatrice graphique peut se révéler un outil bien efficace pour analyser les propriétés des fonctions, et plus encore lorsqu'on fait appel à la puissance du calcul différentiel. Voyez plutôt.

EXEMPLE 1

Soit $f(x) = 2,4x^4 - 8,2x^3 + 2,7x^2 + 4x + 1$.

a. À l'aide d'une calculatrice graphique, tracez la courbe de f.
b. Trouvez les intervalles de croissance et de décroissance de f.
c. Trouvez les extremums relatifs de f.

Solution

a. La figure T1 représente le graphique de f dans la fenêtre $[-2, 4] \times [-10, 10]$.
b. Le calcul de la dérivée première $f'(x)$ donne

$$f'(x) = 9,6x^3 - 24,6x^2 + 5,4x + 4$$

de sorte que f' est continue partout et que les points critiques sont les valeurs de x qui annulent $f'(x)$. Or, $f'(x)$ est une fonction polynomiale de degré 3. La façon la plus simple de résoudre l'équation polynomiale

$$9,6x^3 - 24,6x^2 + 5,4x + 4 = 0$$

est d'utiliser l'option de résolution des équations polynomiales. (Cependant, cette option n'est pas présente sur toutes les calculatrices graphiques.) On y arrive aussi au moyen des menus **TRACE** et **ZOOM**, mais on n'obtient alors une précision comparable qu'au prix d'efforts beaucoup plus importants.

On obtient

$$x_1 \approx 2,22564943249, \qquad x_2 \approx 0,63272944121, \qquad x_3 \approx -0,295878873696$$

En nous reportant à la figure T1, nous trouvons que la fonction f est décroissante sur l'intervalle $]-\infty; -0,2959[$ et sur l'intervalle $]0,6327; 2,2256[$, et croissante sur l'intervalle $]-0,2959; 0,6327[$ et sur l'intervalle $]2,2256; \infty[$ (à quatre décimales de précision).

c. À l'aide de la fonction d'évaluation d'une calculatrice graphique, nous pouvons ensuite calculer f en chacun des points critiques trouvés en **b**. En nous reportant de nouveau à la figure T1, $f(x_3) \approx 0,2836$ et $f(x_1) \approx -8,2366$ sont des minimums relatifs de f, alors que $f(x_2) \approx 2,9194$ est un maximum relatif de f.

REMARQUE L'équation $f'(x) = 0$ de l'exemple 1 est une équation polynomiale dont les solutions s'obtiennent sans difficulté à l'aide de l'option de résolution des équations polynomiales. Nous pourrions aussi résoudre l'équation à l'aide de l'option de recherche des zéros d'une équation, mais cette façon de faire est plus laborieuse. Cependant, lorsqu'on a affaire à des équations qui ne sont pas polynomiales, seule cette méthode peut être utilisée.

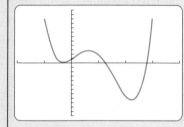

FIGURE T1
Graphique de f dans la fenêtre
$[-2, 4] \times [-10, 10]$

Si la dérivée d'une fonction est difficile à calculer ou à simplifier et que nous n'avons pas besoin d'obtenir une solution d'une grande précision, nous pouvons trouver les extremums de la fonction en n'utilisant que les menus ZOOM et TRACE. Voici une illustration de cette technique, qui ne requiert pas le calcul de la dérivée de f.

EXEMPLE 2

Soit $f(x) = x^{1/3}(x^2 + 1)^{-3/2}3^{-x}$.

a. À l'aide d'une calculatrice graphique, calculez la courbe de f.*
b. Trouvez les extremums relatifs de f.

Solution

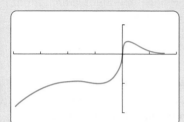

FIGURE T2
Graphique de f dans la fenêtre
$[-4, 2] \times [-2, 1]$

a. La figure T2 représente le graphique de f dans la fenêtre $[-4, 2] \times [-2, 1]$.
b. Sur le graphique de f, on observe que la fonction f admet des maximums relatifs en $x \approx -2$ et $x \approx 0,25$ et un minimum relatif en $x \approx -0,75$. Pour améliorer l'approximation du premier maximum relatif, il suffit d'utiliser l'option ZOOM-IN, après avoir placé le curseur sur le graphique approximativement au point $x = -2$. En utilisant l'option TRACE, le maximum relatif est situé au point de coordonnées $x \approx -1,76$ et $y \approx -1,01$. En procédant de même, on obtient, pour deuxième maximum relatif, le point de coordonnées $x \approx 0,20$ et $y \approx 0,44$. Finalement, le minimum relatif a pour coordonnées $x \approx -0,86$ et $y \approx -1,07$.

Il est aussi possible d'utiliser les options « minimum » et « maximum » d'une calculatrice graphique pour calculer les extremums d'une fonction.

Pour terminer, soulignons que si vous avez accès à une calculatrice symbolique comme la TI-92 ou encore à un ordinateur et à des logiciels symboliques comme Derive, Maple ou Mathematica, alors vous pourrez obtenir directement l'expression symbolique de $f'(x)$ pour toute fonction dérivable. Vous pourrez aussi obtenir sans difficulté les solutions de l'équation $f'(x) = 0$. Ces outils sont encore plus puissants, notamment pour l'analyse des fonctions.

EXERCICES AVEC LA CALCULATRICE GRAPHIQUE

1–4 Trouvez a) les intervalles de croissance et de décroissance de f et b) les extremums relatifs de f. Conservez quatre décimales de précision.

1. $f(x) = 3,4x^4 - 6,2x^3 + 1,8x^2 + 3x - 2$

2. $f(x) = 1,8x^4 - 9,1x^3 + 5x - 4$

3. $f(x) = 2x^5 - 5x^3 + 8x^2 - 3x + 2$

4. $f(x) = 3x^5 - 4x^2 + 3x - 1$

5–8 À l'aide des menus ZOOM et TRACE d'une calculatrice graphique, trouvez a) les intervalles de croissance et de décroissance de la fonction f et b) les extremums relatifs de f. Conservez quatre décimales de précision.

5. $f(x) = (2x + 1)^{1/3}(x^2 + 1)^{-2/3}$

6. $f(x) = [x^2(x^3 - 1)]^{1/3} + \dfrac{1}{x}$

7. $f(x) = x - \sqrt{1 - x^2}$ **8.** $f(x) = \dfrac{\sqrt{x}(x^2 - 1)^2}{x - 2}$

---

*Les fonctions qui ont la forme $f(x) = 3^{-x}$ sont désignées sous le nom de *fonctions exponentielles*. Nous les étudierons en détail au chapitre 5.

9. **Marché immobilier** Le nombre moyen de jours écoulés entre la mise en vente d'une maison unifamiliale et l'acceptation de l'offre d'achat dans une région du Québec est modélisé par la fonction

$$f(t) = 0,0171911t^4 - 0,662121t^3 + 6,18083t^2 - 8,97086t + 53,3357 \quad \text{(pour } 0 \le t \le 10)$$

où t est mesuré en années, la valeur $t = 0$ correspondant au début de 1984.

a. Tracez le graphique de f dans la fenêtre $[0, 12] \times [0, 120]$.

b. Utilisez le graphique de f pour estimer les intervalles de croissance et de décroissance de f. Que peut-on dire de l'évolution du marché des ventes de maisons unifamiliales entre 1984 et 1994 ?

10. **Interventions chirurgicales dans les bureaux de médecins** Grâce aux progrès technologiques et en raison de pressions financières, le nombre d'interventions chirurgicales réalisées dans les bureaux de médecins s'est accru considérablement au cours des dernières années. Le nombre d'interventions chirurgicales (en milliers) réalisées dans les bureaux de médecins à l'année t est modélisé par

$$f(t) = -0,447t^3 + 9,864t^2 + 5,192t + 80 \quad \text{(pour } 0 \le t \le 15)$$

où $t = 0$ correspond au début de 1986.

a. Tracez le graphique de f dans la fenêtre $[0, 15] \times [0, 1000]$.

b. Montrez que f est partout croissante sur l'intervalle $[0, 15]$.

Suggestion : Montrez que f' est positive partout sur l'intervalle.

11. **Heure de pointe matinale** La vitesse de la circulation automobile sur la portion de l'autoroute 30 reliant Brossard et Laprairie entre 6 h et 10 h, du lundi au vendredi, est modélisée par la fonction

$$f(t) = 32t - 64\sqrt{t} + 83 \quad \text{(pour } 0 \le t \le 4)$$

où $f(t)$ est mesuré en km/h et t est mesuré en heures, la valeur $t = 0$ correspondant à 6 h. Trouvez les intervalles de croissance et de décroissance de f, de même que ses extremums. Interprétez vos résultats.

80. Hébergement de site   Reportez-vous à l'exercice 79. On estime que le montant des transactions dans le domaine de l'hébergement de site devrait progresser selon le modèle

$$f(t) = -0{,}05t^3 + 0{,}56t^2 + 5{,}47t + 7{,}5 \quad \text{(pour } 0 \le t \le 6)$$

où $f(t)$ est mesuré en milliards de dollars et t est mesuré en années, la valeur $t = 0$ correspondant à 1999.

a. Trouvez les intervalles de croissance et de décroissance de f.

Suggestion: Utilisez la formule quadratique.

b. Que peut-on dire de l'évolution du montant des transactions dans le domaine de l'hébergement de site entre 1999 et 2005?

Source: International Data Corp.

81. Marché du téléphone cellulaire   Selon une étude américaine menée en 1997, le revenu (en millions de dollars) provenant du marché du téléphone cellulaire entre 1997 et 2003 est modélisé par la fonction

$$R(t) = 0{,}03056t^3 - 0{,}45357t^2 + 4{,}81111t + 31{,}7$$
$$\text{(pour } 0 \le t \le 6)$$

où t est mesuré en années, la valeur $t = 0$ correspondant à 1997.

a. Trouvez les intervalles de croissance et de décroissance de R.

b. Que peut-on dire de l'évolution du revenu provenant du marché américain du téléphone cellulaire entre 1997 et 2003?

Suggestion: Utilisez la formule quadratique.

Source: Paul Kagan et associés, Inc.

82. Marché du téléphone cellulaire   Selon une étude américaine menée en 1997, le nombre d'abonnés (en milliers) à un téléphone cellulaire entre 1997 et 2003 est modélisé par la fonction

$$N(t) = 0{,}09444t^3 - 1{,}44167t^2 + 10{,}65695t + 52$$
$$\text{(pour } 0 \le t \le 6)$$

où t est mesuré en années, la valeur $t = 0$ correspondant à 1997.

a. Trouvez les intervalles de croissance et de décroissance de N.

b. Que peut-on dire de l'évolution du nombre d'abonnés américains à un téléphone cellulaire entre 1997 et 2003?

Suggestion: Utilisez la formule quadratique.

Source: Paul Kagan et associés, Inc.

83. Ventes d'aliments énergétiques   La vente d'aliments énergétiques, dont les qualités sont censées surpasser celles de l'alimentation de base, a progressé de façon remarquable au cours des dernières années. Le montant des ventes (en millions de dollars) d'aliments et de boissons contenant des herbes ou d'autres additifs est modélisé par la fonction

$$V(t) = 46t^3 - 222t^2 + 621t + 1725 \quad \text{(pour } 0 \le t \le 4)$$

où t est mesuré en années, la valeur $t = 0$ correspondant au début de 1997. Montrez que la fonction V est croissante partout sur l'intervalle [0, 4].

Suggestion: Utilisez la formule quadratique.

84. Concentration d'un médicament dans le sang   La concentration (en mg/cm^3) d'un médicament dans le sang d'un patient t h après qu'il ait reçu une injection est

$$C(t) = \frac{t^2}{2t^3 + 1} \qquad \text{(pour } 0 \le t \le 4)$$

Trouvez les intervalles de croissance et de décroissance de la concentration de médicament dans le sang.

85. Pollution de l'air   Le dioxyde d'azote est un gaz irritant qui pénètre très profondément dans les voies respiratoires. Certaines grandes villes à forte densité de population – et donc, de véhicules automobiles – et entourées de montagnes, comme Santiago au Chili ou Mexico, souffrent particulièrement de ce type de pollution de l'air. Ainsi, la quantité de dioxyde d'azote présente dans l'atmosphère une journée de décembre à Santiago est modélisée par la fonction

$$A(t) = \frac{136}{1 + 0{,}25(t - 4{,}5)^2} + 28 \qquad \text{(pour } 0 \le t \le 11)$$

où $A(t)$ est mesuré en ISP (indice standard de polluant) et t est mesuré en heures, la valeur $t = 0$ correspondant à 7 h du matin. Trouvez les intervalles de croissance et de décroissance de A et interprétez vos résultats.

86. À l'aide du théorème 1, vérifiez que la fonction linéaire $f(x) = mx + b$ est a) partout croissante si $m > 0$; b) partout décroissante si $m < 0$; et c) constante si $m = 0$.

87. Trouvez les intervalles de croissance et de décroissance de la fonction quadratique

$$f(x) = ax^2 + bx + c \qquad \text{(pour } a \ne 0)$$

88–93 Dites si l'énoncé est vrai ou faux. S'il est vrai, dites pourquoi. S'il est faux, trouvez un contre-exemple.

88. Si f est décroissante sur l'intervalle $]a, b[$, alors $f'(x) < 0$ pour tout x dans l'intervalle $]a, b[$.

89. Si f et g sont deux fonctions croissantes sur l'intervalle $]a, b[$, alors $f + g$ est croissante sur l'intervalle $]a, b[$.

90. Si f et g sont deux fonctions décroissantes sur l'intervalle $]a, b[$, alors $f - g$ est décroissante sur l'intervalle $]a, b[$.

91. Si $f(x)$ et $g(x)$ sont deux fonctions positives et croissantes sur l'intervalle $]a, b[$, alors fg est croissante sur l'intervalle $]a, b[$.

92. Si $f'(c) = 0$, alors f admet un extremum relatif en $x = c$.

93. Si f admet un minimum relatif en $x = c$, alors $f'(c) = 0$.

94. Montrez que la fonction $f(x) = x^3 + x + 1$ n'admet aucun extremum relatif sur l'intervalle $]-\infty, \infty[$.

95. Soit
$$f(x) = \begin{cases} -3x & \text{si } x < 0 \\ 2x + 4 & \text{si } x \geq 0 \end{cases}$$

a. Calculez $f'(x)$ et montrez que le signe de $f'(x)$ passe de négatif à positif en $x = 0$.

b. Montrez que la fonction f n'admet pas de minimum relatif en $x = 0$. Ce résultat entre-t-il en contradiction avec le test de la dérivée première? Expliquez votre réponse.

96. Soit
$$f(x) = \begin{cases} -x^2 + 3 & \text{si } x \neq 0 \\ 2 & \text{si } x = 0 \end{cases}$$

a. Calculez $f'(x)$ et montrez que le signe de $f'(x)$ passe de positif à négatif en $x = 0$.

b. Montrez que la fonction f n'admet pas de maximum relatif en $x = 0$. Ce résultat entre-t-il en contradiction avec le test de la dérivée première? Expliquez votre réponse.

97. Soit
$$f(x) = \begin{cases} \dfrac{1}{x^2} & \text{si } x > 0 \\ x^2 & \text{si } x \leq 0 \end{cases}$$

a. Calculez $f'(x)$ et montrez que le signe de $f'(x)$ ne change pas en $x = 0$.

b. Montrez que la fonction f admet un minimum relatif en $x = 0$. Ce résultat entre-t-il en contradiction avec le test de la dérivée première? Expliquez votre réponse.

98. Montrez que la fonction quadratique
$$f(x) = ax^2 + bx + c \qquad (\text{pour } a \neq 0)$$
admet un extremum relatif en $x = -b/(2a)$. Montrez aussi que cet extremum relatif est un maximum relatif si $a < 0$ et un minimum relatif si $a > 0$.

99. Montrez que la fonction cubique
$$f(x) = ax^3 + bx^2 + cx + d \qquad (\text{pour } a \neq 0)$$
n'admet pas d'extremum relatif si et seulement si $b^2 - 3ac \leq 0$.

100. Reportez-vous à l'exemple 6, page 112.

a. Montrez que la fonction f est croissante sur l'intervalle $]0, 1[$.

b. Montrez que $f(0) = -1$ et $f(1) = 1$ et utilisez le résultat obtenu en **a**, de même que le théorème des valeurs intermédiaires, pour conclure à l'existence d'un et d'un seul zéro de $f(x)$ dans l'intervalle $]0, 1[$.

101. Montrez que la fonction
$$f(x) = \frac{ax + b}{cx + d}$$
n'admet pas d'extremum relatif si $ad - bc \neq 0$. Que peut-on dire de la fonction f lorsque $ad - bc = 0$?

▣ SOLUTIONS DES EXERCICES D'AUTOÉVALUATION 4.1

1. La dérivée de f est
$$f'(x) = 2x^2 - 2x - 12 = 2(x + 2)(x - 3)$$
qui est continue partout. Les zéros de $f'(x)$ sont $x = -2$ et $x = 3$. Le diagramme de signes de f' est représenté sur la figure ci-dessous. On en déduit que f est croissante sur les intervalles $]-\infty, -2[$ et $]3, \infty[$ et décroissante sur l'intervalle $]-2, 3[$.

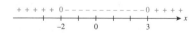

2. La dérivée de f est
$$f'(x) = \frac{\dfrac{d}{dx}(x^2)(1 - x^2) - x^2 \dfrac{d}{dx}(1 - x^2)}{(1 - x^2)^2}$$
$$= \frac{(2x)(1 - x^2) - x^2(-2x)}{(1 - x^2)^2} = \frac{2x}{(1 - x^2)^2}$$

qui est continue partout, sauf en $x = \pm 1$. Puisque $f'(x) = 0$ en $x = 0$, le point $x = 0$ est un point critique de la fonction f. On observe aussi que $f'(x)$ est discontinue en $x = \pm 1$, mais comme ces points ne font pas partie du domaine de f, ce ne sont pas des points critiques de f. Finalement, le diagramme de signes de f' représenté ci-dessous montre bien que $f(0) = 0$ est un minimum relatif de la fonction f.

4.2 Analyse d'une fonction à l'aide de la dérivée seconde

Concavité d'une fonction

Considérons les graphiques illustrés à la figure 4.26, qui représentent respectivement la population mondiale et la population canadienne entre 1950 et l'an 2000. Les deux graphiques sont croissants, ce qui montre que les populations mondiale et canadienne augmentaient toutes les deux entre 1950 et 2000. Toutefois, on remarque que le graphique de la figure 4.26a est orienté vers le haut, alors que celui de la figure 4.26b est orienté vers le bas. Tentons de comprendre ce que cela signifie en examinant les pentes de tangentes en différents points des graphiques (figure 4.27).

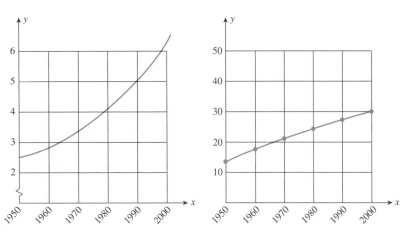

FIGURE 4.26   a) Population mondiale en milliards   **b)** Population canadienne en millions
Source: Statistique Canada et l'Institut Worldwatch

L'examen de la figure 4.27a démontre que les pentes des tangentes à la courbe de la fonction sont croissantes lorsqu'on se déplace de gauche à droite sur la courbe. Or, la pente de la tangente à une courbe en un point mesure le taux de variation de la fonction en ce point, de sorte qu'on en déduit que non seulement la population mondiale s'est-elle accrue entre 1950 et 2000, mais qu'elle s'est accrue à un *taux croissant*. L'examen de la figure 4.27b révèle au contraire que la population canadienne s'est accrue à un *taux décroissant*.

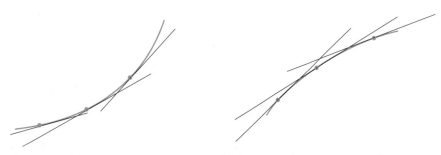

FIGURE 4.27   a) Les pentes des tangentes sont croissantes.   **b)** Les pentes des tangentes sont décroissantes.

Le concept de concavité, défini ci-après, sert à caractériser la forme d'une courbe.

> **Concavité d'une fonction f**
> Soit f une fonction dérivable sur un intervalle $]a, b[$. Alors,
> **1.** f est **concave vers le haut** sur $]a, b[$ si f' est croissante sur $]a, b[$.
> **2.** f est **concave vers le bas** sur $]a, b[$ si f' est décroissante sur $]a, b[$.

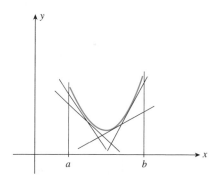

a) f est concave vers le haut sur $]a, b[$.

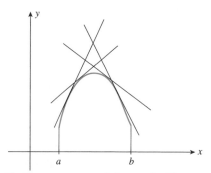

FIGURE 4.28　**b)** f est concave vers le bas sur $]a, b[$.

D'un point de vue géométrique, une courbe est concave vers le haut si elle est située au-dessus de ses tangentes (figure 4.28a); elle est concave vers le bas si elle est située au-dessous de ses tangentes (figure 4.28b).

On dit aussi qu'une fonction f est *concave vers le haut en un point $x = c$* s'il existe un intervalle $]a, b[$ contenant c dans lequel f est concave vers le haut. De même, f est *concave vers le bas en un point $x = c$* s'il existe un intervalle $]a, b[$ contenant c dans lequel f est concave vers le bas.

Si une fonction f admet une dérivée seconde f'', celle-ci peut être utilisée pour déterminer la concavité de la fonction. En effet, $f''(x)$ est la mesure du taux de variation de $f'(x)$, c'est-à-dire du taux de variation de la pente de la tangente à la courbe de f au point $(x, f(x))$. Par conséquent, si $f''(x) > 0$ sur un intervalle $]a, b[$, alors les pentes des tangentes à la courbe de f sont croissantes sur l'intervalle, de sorte que f est concave vers le haut sur $]a, b[$. De même, si $f''(x) < 0$ sur un intervalle $]a, b[$, alors f est concave vers le bas sur $]a, b[$. Le théorème suivant résume ces observations.

THÉORÈME 2

a. Si $f''(x) > 0$ pour tout x dans un intervalle $]a, b[$, alors f est concave vers le haut sur $]a, b[$.

b. Si $f''(x) < 0$ pour tout x dans un intervalle $]a, b[$, alors f est concave vers le bas sur $]a, b[$.

Voici une marche à suivre, basée sur le théorème 2, pour l'étude de la concavité d'une fonction.

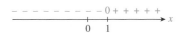

FIGURE 4.29
Diagramme de signes de f''.

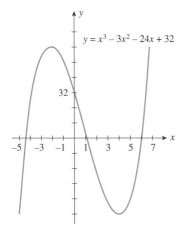

FIGURE 4.30
La fonction f est concave vers le bas sur l'intervalle $]-\infty, 1[$ et concave vers le haut sur l'intervalle $]1, \infty[$.

Étude de la concavité d'une fonction f

1. Trouver les valeurs de x pour lesquelles $f''(x) = 0$ ou $f''(x)$ n'est pas définie et identifier les intervalles ouverts formés par ces points.

2. Choisir un point quelconque c de chaque intervalle formé à l'étape 1 et calculer la valeur $f''(c)$ correspondante.
   a. Si $f''(c) > 0$, alors f est concave vers le haut sur l'intervalle.
   b. Si $f''(c) < 0$, alors f est concave vers le bas sur l'intervalle.

EXEMPLE 1

Étudiez la concavité de la fonction $f(x) = x^3 - 3x^2 - 24x + 32$.

Solution On a

$$f'(x) = 3x^2 - 6x - 24$$
$$f''(x) = 6x - 6 = 6(x - 1)$$

de sorte que f'' est définie partout. On pose $f''(x) = 0$, d'où $x = 1$. Le diagramme de signes de f'' est représenté à la figure 4.29. Donc f est concave vers le bas sur l'intervalle $]-\infty, 1[$ et concave vers le haut sur l'intervalle $]1, \infty[$. Le graphique de f est représenté à la figure 4.30.

TECHNOLOGIE ET INTUITION

Reportez-vous à l'exemple 1.

1. À l'aide d'une calculatrice graphique, tracez les courbes de la fonction $f(x) = x^3 - 3x^2 - 24x + 32$ et de sa dérivée seconde $f''(x) = 6x - 6$ dans la fenêtre $[-10, 10] \times [-80, 90]$.

2. Examinez le graphique de f'' pour déterminer les intervalles où $f''(x) > 0$ et les intervalles où $f''(x) < 0$. Examinez ensuite le graphique de f et déterminez les intervalles où la fonction f est concave vers le haut, de même que ceux où elle est concave vers le bas. Que concluez-vous? Êtes-vous étonné des résultats?

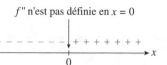

Étudiez la concavité de la fonction $f(x) = x + \dfrac{1}{x}$.

Solution On a

$$f'(x) = 1 - \frac{1}{x^2}$$

$$f''(x) = \frac{2}{x^3}$$

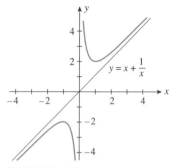

FIGURE 4.31
Diagramme de signes de f''.

Le diagramme de signes de f'' (figure 4.31) montre bien que la fonction f est concave vers le bas sur l'intervalle $]-\infty, 0[$ et concave vers le haut sur l'intervalle $]0, \infty[$. Le graphique de f est représenté à la figure 4.32.

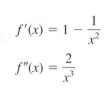

FIGURE 4.32
La fonction f est concave vers le bas sur l'intervalle $]-\infty, 0[$ et concave vers le haut sur l'intervalle $]0, \infty[$.

Points d'inflexion

La figure 4.33 représente le chiffre d'affaires S d'un fabricant de climatiseurs pour automobiles, en fonction du montant x investi en publicité. On remarque que le graphique de la fonction continue $y = S(x)$ change de concavité – il passe de concave vers le haut à concave vers le bas – au point (50, 2700). On désigne ce point sous le nom de point d'inflexion de S. Dans le contexte, ce point d'inflexion peut s'interpréter ainsi : le chiffre d'affaires du fabricant augmente d'abord lentement, puis de plus en plus rapidement à mesure que l'entreprise injecte plus d'argent en publicité, ce qui montre bien l'efficacité des annonces publicitaires. Toutefois, si l'entreprise continue d'augmenter son budget de publicité, on constate qu'à partir d'un certain point, le chiffre d'affaires continue à augmenter, mais de plus en plus lentement. Ce point, désigné sous le nom de *point de rendements décroissants,* est le point d'inflexion de S. Nous reviendrons à cet exemple plus loin.

Voici maintenant une définition formelle d'un point d'inflexion.

FIGURE 4.33
Le graphique de la fonction S a un point d'inflexion au point (50, 2700).

Point d'inflexion

On appelle **point d'inflexion** d'une fonction dérivable f un point où le graphique de la fonction change de concavité.

On observe qu'en un point d'inflexion, le graphique de la fonction traverse la tangente à la courbe (figure 4.34).

FIGURE 4.34
En chaque point d'inflexion, le graphique de la fonction traverse la tangente.

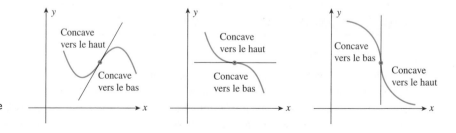

Voici la marche à suivre pour déterminer les points d'inflexion d'une fonction.

FIGURE 4.35
Diagramme de signes de f''.

> **Recherche des points d'inflexion d'une fonction**
> 1. Calculer $f''(x)$.
> 2. Trouver les points du domaine de f pour lesquels $f''(x) = 0$ ou $f''(x)$ n'existe pas.
> 3. Trouver le signe de $f''(x)$ à gauche et à droite de chaque point $x = c$ trouvé à l'étape 2. Si $f''(x)$ change de signe en $x = c$, alors $(c, f(c))$ est un point d'inflexion de f.

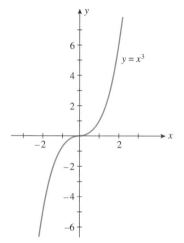

FIGURE 4.36
La fonction f admet un point d'inflexion en $(0, 0)$.

⚠ Tous les points obtenus à l'étape 2 ne sont pas *forcément* des points d'inflexion de la fonction : il faut qu'il y ait changement de concavité, c'est-à-dire changement de signe de $f''(x)$. Ainsi, pour la fonction $f(x) = x^4$, on a $f''(0) = 0$, mais le point $(0, 0)$ de la fonction n'*est pas* un point d'inflexion de f, ce qui est confirmé lorsqu'on trace le graphique de la fonction, puisque $f''(x) = 12x^2$ ne change pas de signe en $x = 0$.

EXEMPLE 3 Trouvez les points d'inflexion de la fonction $f(x) = x^3$.

Solution

$$f'(x) = 3x^2$$
$$f''(x) = 6x$$

On observe que f'' est continue partout et qu'elle s'annule en $x = 0$. Le diagramme de signes de f'' (figure 4.35) montre bien le changement de signe de $f''(x)$ en $x = 0$. Ainsi, le point $(0, 0)$ est un point d'inflexion de la fonction f (figure 4.36).

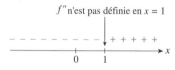

FIGURE 4.37
Diagramme de signes de f''.

EXEMPLE 4 Étudiez la concavité de la fonction $f(x) = (x - 1)^{5/3}$ et trouvez ses points d'inflexion.

Solution

On a

$$f'(x) = \frac{5}{3}(x - 1)^{2/3}$$

et

$$f''(x) = \frac{10}{9}(x - 1)^{-1/3} = \frac{10}{9(x - 1)^{1/3}}$$

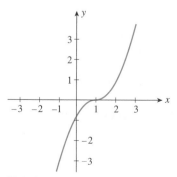

FIGURE 4.38
La fonction f admet un point d'inflexion au point $(1, 0)$.

Donc f'' n'est pas définie en $x = 1$ et elle ne s'annule jamais. Le diagramme de signes de f'' (figure 4.37) montre bien que f est concave vers le bas sur l'intervalle $]-\infty, 1[$ et concave vers le haut sur l'intervalle $]1, \infty[$. Finalement, puisque $x = 1$ fait partie du domaine de f, le point $(1, 0)$ est un point d'inflexion de f (figure 4.38).

EXEMPLE 5 Étudiez la concavité de la fonction

$$f(x) = \frac{1}{x^2 + 1}$$

et trouvez ses points d'inflexion.

Solution

La dérivée première de f est

$$f'(x) = \frac{d}{dx}(x^2 + 1)^{-1} = -(x^2 + 1)^{-2} \cdot 2x \qquad \text{Généralisation de la dérivée} \\ \text{d'une fonction puissance.}$$

$$= -\frac{2x}{(x^2 + 1)^2}$$

On obtient ensuite, en vertu de la dérivée du quotient de deux fonctions,

$$f''(x) = \frac{(-2)(x^2 + 1)^2 - (-2x)2(x^2 + 1)(2x)}{(x^2 + 1)^4}$$

$$= \frac{(x^2 + 1)[-2(x^2 + 1) + 8x^2]}{(x^2 + 1)^4} = \frac{(x^2 + 1)(6x^2 - 2)}{(x^2 + 1)^4}$$

$$= \frac{2(3x^2 - 1)}{(x^2 + 1)^3} \qquad \text{Simplification des facteurs communs.}$$

FIGURE 4.39
Diagramme de signes de f''.

On observe que f'' est continue partout et qu'elle s'annule lorsque

$$3x^2 - 1 = 0$$

$$x^2 = \frac{1}{3}$$

c'est-à-dire $x = \pm\sqrt{3}/3$. Le diagramme de signes de f'' (figure 4.39) montre bien que f est concave vers le haut sur les intervalles $]-\infty, -\sqrt{3}/3[$ et $]\sqrt{3}/3, \infty[$, et concave vers le bas sur l'intervalle $]-\sqrt{3}/3, \sqrt{3}/3[$. De plus, $f''(x)$ change de signe en $x = -\sqrt{3}/3$ et en $x = \sqrt{3}/3$. Puisque

$$f\left(-\frac{\sqrt{3}}{3}\right) = \frac{1}{\frac{1}{3} + 1} = \frac{3}{4} \qquad \text{et} \qquad f\left(\frac{\sqrt{3}}{3}\right) = \frac{3}{4}$$

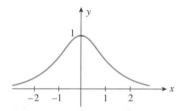

FIGURE 4.40
Le graphique de $f(x) = \dfrac{1}{x^2 + 1}$ est concave vers le haut sur les intervalles $]-\infty, -\sqrt{3}/3[$ et $]\sqrt{3}/3, \infty[$, et concave vers le bas sur l'intervalle $]-\sqrt{3}/3, \sqrt{3}/3[$.

les points $(-\sqrt{3}/3, 3/4)$ et $(\sqrt{3}/3, 3/4)$ sont des points d'inflexion de f. Le graphique de f est représenté à la figure 4.40.

TRAVAIL EN ÉQUIPE

1. Soit $(c, f(c))$ un point d'inflexion de f. Faut-il conclure que f n'admet pas d'extremum relatif en $x = c$? Expliquez votre réponse.

2. Vrai ou faux? Toute fonction polynomiale de degré 3 admet exactement un point d'inflexion.
Suggestion: Analysez la fonction $f(x) = ax^3 + bx^2 + cx + d$ (où $a \neq 0$).

APPLICATIONS

Dans les exemples 6 et 7, nous vous présentons deux interprétations courantes du concept de point d'inflexion d'une fonction.

EXEMPLE 6

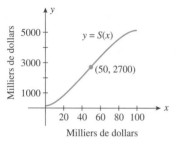

FIGURE 4.41
Le graphique de $S(x)$ admet un point d'inflexion au point (50, 2700).

Publicité et augmentation du chiffre d'affaires   Le chiffre d'affaires S (en milliers de dollars) d'un fabricant de climatiseurs est relié au montant x (en milliers de dollars) investi en publicité par la fonction

$$S = -0,01x^3 + 1,5x^2 + 200 \qquad (\text{pour } 0 \leq x \leq 100)$$

Trouvez le point d'inflexion de la fonction S.

Solution   Les deux premières dérivées de la fonction sont

$$S' = -0,03x^2 + 3x$$
$$S'' = -0,06x + 3$$

On pose $S'' = 0$, d'où $x = 50$, qui est la seule possibilité de point d'inflexion pour S. On vérifie que

$$S'' > 0 \quad \text{pour} \quad x < 50$$
$$\text{et} \qquad\qquad\qquad S'' < 0 \quad \text{pour} \quad x > 50$$

de sorte que le point (50, 2700) est bien un point d'inflexion de la fonction S. Le graphique de S est représenté à la figure 4.41. Vous aurez, bien sûr, reconnu le graphique de la fonction dont nous avions traité plus tôt.

EXEMPLE 7

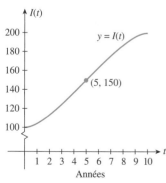

FIGURE 4.42
Le graphique de $I(t)$ admet un point d'inflexion au point (5, 150).

Indice des prix à la consommation   L'indice des prix à la consommation (IPC) d'une province canadienne est modélisé par la fonction

$$I(t) = -0,2t^3 + 3t^2 + 100 \qquad (\text{pour } 0 \leq t \leq 9)$$

où $t = 0$ correspond à l'année 1995. Trouvez le point d'inflexion de la fonction I et interprétez-le.

Solution   Les deux premières dérivées de la fonction sont

$$I'(t) = -0,6t^2 + 6t$$
$$I''(t) = -1,2t + 6 = -1,2(t - 5)$$

On pose $I''(t) = 0$, d'où $t = 5$, qui est la seule possibilité de point d'inflexion pour I. On vérifie que

$$I'' > 0 \quad \text{pour} \quad t < 5$$
$$I'' < 0 \quad \text{pour} \quad t > 5$$

de sorte que (5, 150) est bien un point d'inflexion de I. Le graphique de I est représenté à la figure 4.42.

Comme la dérivée seconde de I est la mesure du taux de variation du taux d'inflation, nos calculs révèlent que le taux d'inflation a atteint un sommet en $t = 5$. À partir du début de l'an 2000, il a ralenti quelque peu, accordant un léger répit aux consommateurs.

Test de la dérivée seconde

Voyons maintenant comment on peut utiliser la dérivée seconde d'une fonction f pour déterminer si un point critique est un extremum relatif de la fonction. Le graphique d'une fonction qui admet un maximum relatif en un point $x = c$ est représenté à la figure 4.43a : on observe que f est concave vers le bas en ce point. De même, la figure 4.43b montre bien que la fonction f est concave vers le haut au point où elle admet un minimum absolu. Mais nous savons également qu'une fonction f est concave vers le bas en $x = c$ si $f''(c) < 0$ et qu'elle est concave vers le haut si $f''(c) > 0$. De ces observations, nous pouvons tirer une seconde façon de déterminer si une fonction f admet un extremum relatif en un point critique. Cette procédure, désignée sous le nom de **test de la dérivée seconde**, peut être appliquée chaque fois que f'' existe.

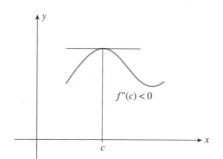

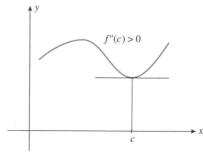

FIGURE 4.43

a) f admet un maximum relatif en $x = c$.   **b)** f admet un minimum relatif en $x = c$.

Test de la dérivée seconde

1. Calculer $f'(x)$ et $f''(x)$.

2. Trouver les points critiques de f pour lesquels $f'(x) = 0$.

3. Calculer $f''(c)$ pour chacun de ces points c.
    a. Si $f''(c) < 0$, alors f admet un maximum relatif au point c.
    b. Si $f''(c) > 0$, alors f admet un minimum relatif au point c.
    c. Si $f''(c) = 0$, on ne peut conclure.

REMARQUE Comme nous l'avons souligné à l'étape 3c, le test de la dérivée seconde n'est pas concluant lorsque $f''(c) = 0$ et lorsque $f''(c)$ n'existe pas. Autrement dit, la fonction pourrait très bien admettre un extremum relatif ou un point d'inflexion en $x = c$ (voir à ce sujet l'exercice 82, page 261). En pareil cas, mieux vaut appliquer le test de la dérivée première.

EXEMPLE 8   Utilisez le test de la dérivée seconde pour trouver les extremums relatifs de la fonction

$$f(x) = x^3 - 3x^2 - 24x + 32$$

(Voir l'exemple 7 de la section 4.1, p. 234.)

Solution   On a

$$f'(x) = 3x^2 - 6x - 24 = 3(x + 2)(x - 4)$$

Alors les zéros de $f'(x)$ sont $x = -2$ et $x = 4$, qui sont les points critiques de f, comme nous l'avions trouvé à l'exemple 7. Or, la dérivée seconde

$$f''(x) = 6x - 6 = 6(x - 1)$$

Comme

$$f''(-2) = 6(-2 - 1) = -18 < 0$$

nous obtenons, en vertu du test de la dérivée seconde, un maximum relatif de f au point $(-2, f(-2)) = (-2, 60)$. De plus,

$$f''(4) = 6(4 - 1) = 18 > 0$$

et, en vertu du test de la dérivée seconde, nous avons un minimum relatif de f au point $(4, f(4)) = (4, -48)$, ce qui confirme les résultats déjà obtenus.

Comparaison des tests des dérivées première et seconde

Le test de la dérivée première et le test de la dérivée seconde peuvent tous les deux être utilisés pour déterminer si des points critiques sont des extremums d'une fonction f. Il est donc normal de se demander quels sont les avantages et les inconvénients de chacun.

Comme le test de la dérivée seconde ne peut être utilisé que lorsque celle-ci existe, il est de portée plus limitée que le test de la dérivée première. Par exemple, on ne peut l'utiliser pour repérer le minimum relatif $f(0) = 0$ de la fonction $f(x) = x^{2/3}$. Le test de la dérivée seconde n'est pas concluant non plus lorsque f'' s'annule en un point critique de f, alors que le test de la dérivée première s'applique dans tous les cas. Finalement, il n'est pas très utile lorsque f'' est difficile à calculer. Par contre, le test est avantageux lorsque f'' peut s'obtenir facilement, puisqu'il suffit alors d'évaluer f'' aux points critiques de f pour repérer les extremums de la fonction. De plus, les conclusions du test de la dérivée seconde ont des ramifications théoriques importantes.

Pour terminer, rappelons que le signe de f' nous informe de la croissance ou de la décroissance de la fonction f, alors que celui de f'' indique si f est concave vers le haut ou vers le bas. Le tableau suivant résume les caractéristiques d'une fonction f selon les signes respectifs de f' et f'' dans un intervalle $]a, b[$.

Signes de f' et f''	Propriétés du graphique de f	Allure générale du graphique de f
$f'(x) > 0$ $f''(x) > 0$	f est croissante f est concave vers le haut	
$f'(x) > 0$ $f''(x) < 0$	f est croissante f est concave vers le bas	
$f'(x) < 0$ $f''(x) > 0$	f est décroissante f est concave vers le haut	
$f'(x) < 0$ $f''(x) < 0$	f est décroissante f est concave vers le bas	

◼ EXERCICES D'AUTOÉVALUATION **4.2**

1. Étudiez la concavité de la fonction $f(x) = 4x^3 - 3x^2 + 6$.

2. À l'aide du test de la dérivée seconde, trouvez, s'il y a lieu, les extremums relatifs de la fonction $f(x) = 2x^3 - \frac{1}{2}x^2 - 12x - 10$.

3. Le produit national brut (PNB), en millions of dollars, d'un pays au cours de l'année t est modélisé par la fonction

$$G(t) = -2t^3 + 45t^2 + 20t + 6000 \qquad \text{(pour } 0 \le t \le 11)$$

où $t = 0$ correspond au début de 1992. Trouvez le point d'inflexion de la fonction G et interprétez-le.

Les solutions des exercices d'autoévaluation 4.2 se trouvent à la page 261.

◼ **4.2** EXERCICES

1–8 Étudiez la concavité de la fonction f illustrée et trouvez, le cas échéant, ses points d'inflexion.

1.

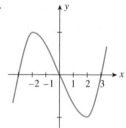

2.

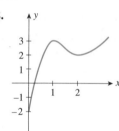

3.

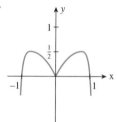

4.

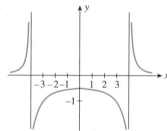

5.

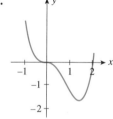

6.

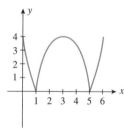

7.

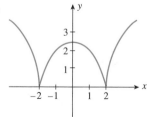

8.

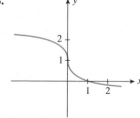

9–12 Parmi les graphiques a), b) ou c), choisissez celui qui correspond à la fonction décrite.

9. $f(2) = 1, f'(2) > 0$ et $f''(2) < 0$

a)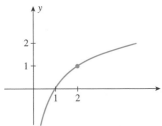

b)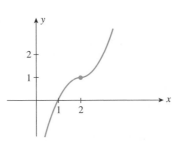

c)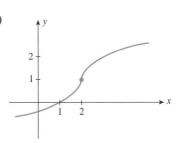

10. $f(1) = 2, f'(x) > 0$ sur les intervalles $]-\infty, 1[$ et $]1, \infty[$, et $f''(1) = 0$

a)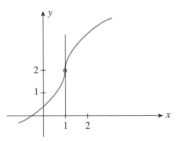

b)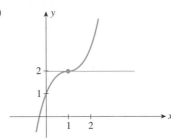

c)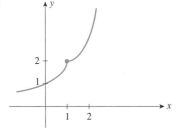

11. $f'(0)$ n'est pas définie, f est décroissante sur l'intervalle $]-\infty, 0[$, f est concave vers le bas sur l'intervalle $]0, 3[$ et f admet un point d'inflexion en $x = 3$.

a)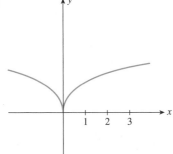

b)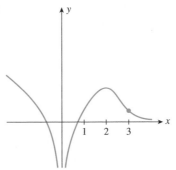

c)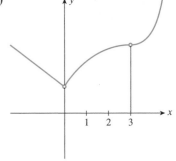

12. f est décroissante sur l'intervalle $]-\infty, 2[$ et croissante sur l'intervalle $]2, \infty[$, elle est concave vers le haut sur l'intervalle $]1, \infty[$ et admet des points d'inflexion en $x = 0$ et $x = 1$.

a)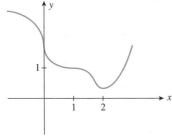

b)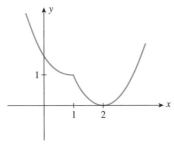

c)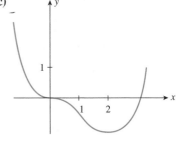

13. **ASSEMBLAGE DE TÉLÉPHONES** Le graphique ci-dessous représente le nombre $N(t)$ de téléphones cellulaires assemblés par un travailleur moyen au cours de la t^e heure de son quart de travail, où $t = 0$ correspond à 8 h du matin et $0 \leq t \leq 4$. Le point P est un point d'inflexion de la fonction N.

a. Quelle information peut-on tirer à propos du taux de variation du nombre de téléphones cellulaires assemblés par un travailleur moyen entre 8 h et 10 h? Entre 10 h et midi?

b. À quel moment le rythme auquel le travailleur moyen assemble les téléphones est-il le plus élevé?

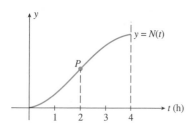

14. **POLLUTION DE L'EAU** Lorsqu'on jette des déchets organiques dans un étang, le phénomène d'oxydation qui en résulte absorbe une partie de l'oxygène qui y était initialement présent. Toutefois, après un certain temps, la teneur en oxygène retrouve son niveau habituel. Sur le graphique ci-dessous, $P(t)$ représente la teneur en oxygène d'un étang (en tant que pourcentage de son niveau habituel) t jours après le déversement de déchets organiques. Expliquez la signification du point d'inflexion Q.

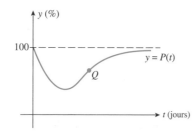

15. **PROPAGATION D'UNE RUMEUR** Une poignée d'étudiants d'un cégep a entendu une rumeur au sujet d'une hausse possible des frais afférents. La rumeur s'est répandue, de sorte qu'après t h, le nombre d'étudiants au courant de la rumeur était $N(t)$. Voici le graphique de la fonction N.

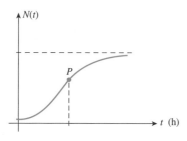

Analysez la vitesse de propagation de la rumeur. Expliquez notamment la signification dans le présent contexte du point d'inflexion P du graphique.

16–21 Montrez que la fonction est concave vers le haut partout sur son domaine de définition.

16. $f(x) = 4x^2 - 12x + 7$

17. $g(x) = x^4 + \dfrac{1}{2}x^2 + 6x + 10$

18. $f(x) = \dfrac{1}{x^4}$ 19. $h(x) = \dfrac{1}{x^2}$

20. $g(x) = -\sqrt{4 - x^2}$ 21. $h(x) = \sqrt{x^2 + 4}$

22–39 Étudiez la concavité de la fonction.

22. $f(x) = 2x^2 - 3x + 4$ 23. $g(x) = -x^2 + 3x + 4$

24. $f(x) = x^3 - 1$ 25. $g(x) = x^3 - x$

26. $f(x) = x^4 - 6x^3 + 2x + 8$

27. $f(x) = 3x^4 - 6x^3 + x - 8$

28. $f(x) = x^{4/7}$ 29. $f(x) = \sqrt[3]{x}$

30. $f(x) = \sqrt{4 - x}$ 31. $g(x) = \sqrt{x - 2}$

32. $f(x) = \dfrac{1}{x - 2}$ 33. $g(x) = \dfrac{x}{x + 1}$

34. $f(x) = \dfrac{1}{2 + x^2}$ 35. $g(x) = \dfrac{x}{1 + x^2}$

36. $g(x) = x + \dfrac{1}{x^2}$ 37. $h(r) = -\dfrac{1}{(r - 2)^2}$

38. $g(t) = (2t - 4)^{1/3}$ 39. $f(x) = (x - 2)^{2/3}$

40–49 Trouvez, le cas échéant, les points d'inflexion de la fonction.

40. $f(x) = x^3 - 2$ 41. $g(x) = x^3 - 6x$

42. $f(x) = 3x^4 - 4x^3 + 1$ 43. $f(x) = x^4 - 2x^3 + 6$

44. $g(t) = \sqrt[3]{t}$ 45. $f(x) = \sqrt[5]{x}$

46. $f(x) = (x - 1)^3 + 2$ 47. $f(x) = (x - 2)^{4/3}$

48. $f(x) = \dfrac{2}{1 + x^2}$ 49. $f(x) = 2 + \dfrac{3}{x}$

50–65 Trouvez, le cas échéant, les extremums relatifs de la fonction. Utilisez le test de la dérivée seconde chaque fois qu'il s'applique.

50. $f(x) = -x^2 + 2x + 4$ **51.** $g(x) = 2x^2 + 3x + 7$

52. $f(x) = 2x^3 + 1$ **53.** $g(x) = x^3 - 6x$

54. $f(x) = \dfrac{1}{3}x^3 - 2x^2 - 5x - 10$

55. $f(x) = 2x^3 + 3x^2 - 12x - 4$

56. $g(t) = t + \dfrac{9}{t}$ **57.** $f(t) = 2t + \dfrac{3}{t}$

58. $f(x) = \dfrac{x}{1-x}$ **59.** $f(x) = \dfrac{2x}{x^2+1}$

60. $f(t) = t^2 - \dfrac{16}{t}$ **61.** $g(x) = x^2 + \dfrac{2}{x}$

62. $g(s) = \dfrac{s}{1+s^2}$ **63.** $g(x) = \dfrac{1}{1+x^2}$

64. $f(x) = \dfrac{x^4}{x-1}$ **65.** $f(x) = \dfrac{x^2+4}{x^2-1}$

66. DEMANDE D'INFIRMIÈRES DIPLÔMÉES Le graphique ci-dessous représente le nombre de postes d'infirmières diplômées ouverts au cours des 12 derniers mois dans 22 villes du Québec et de l'Ontario, en fonction de t (mesuré en mois).

a. Expliquez ce que signifie le signe positif de $N'(t)$ sur l'intervalle $]0, 12[$.

b. Trouvez le signe de $N''(t)$ sur les intervalles $]0, 6[$ et $]6, 12[$.

c. Interprétez les résultats obtenus à la partie **b**.

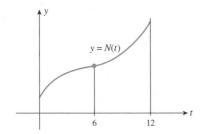

67. EFFET DES COUPURES BUDGÉTAIRES SUR LA CRIMINALITÉ Lors d'une commission d'enquête récente, le chef de police d'une ville québécoise s'est servi du graphique ci-dessous pour illustrer quels étaient les effets prévisibles de coupures budgétaires éventuelles sur la hausse de la criminalité dans la ville. La fonction $N_1(t)$ représente le nombre d'actes criminels prévus au cours des 12 prochains mois. La fonction $N_2(t)$ représente le nombre d'actes criminels prévus au cours de la même période si le budget de l'an prochain subit des coupures.

a. Expliquez ce que signifient les signes positifs de $N_1'(t)$ et $N_2'(t)$ sur l'intervalle $]0, 12[$.

b. Quels sont les signes de $N_1''(t)$ et $N_2''(t)$ sur l'intervalle $]0, 12[$?

c. Interprétez les résultats obtenus à la partie **b**.

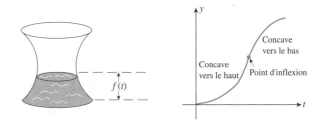

68. À la figure ci-dessous, on suppose que l'on verse de l'eau dans le récipient à un taux constant (exprimé dans les unités appropriées) et que le niveau de l'eau dans le récipient à l'instant t est $f(t)$. Le graphique de la fonction f est représenté ci-dessous. Examinez la concavité de la courbe et expliquez-la dans le contexte. Quelle est la signification du point d'inflexion?

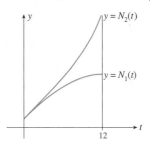

69. À la figure ci-dessous, on suppose que l'on verse de l'eau dans un bocal à un taux constant (exprimé dans les unités appropriées) et que le niveau de l'eau dans le récipient à l'instant t est $f(t)$. Tracez le graphique de f et justifiez sa forme, en indiquant clairement l'intervalle de concavité vers le haut et l'intervalle de concavité vers le bas. Indiquez où se trouve le point d'inflexion et expliquez-en la signification.

Suggestion : Reportez-vous à l'exercice 68.

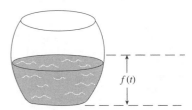

(suite à la page 260)

TECHNOLOGIE EN APPLICATION

■ Recherche des points d'inflexion d'une fonction

Certains modèles de calculatrices graphiques, comme les calculatrices TI-85 et TI-86, sont dotés d'une option qui permet d'obtenir directement les points d'inflexion d'une fonction pour ensuite étudier sa concavité. Voici un exemple et quelques exercices d'application de cette option.

EXEMPLE 1

Soit la fonction $f(x) = 2,5x^5 - 12,4x^3 + 4,2x^2 - 5,2x + 4$.

a. À l'aide d'une calculatrice graphique, tracez la courbe de f.

b. Trouvez les points d'inflexion de f.

c. Étudiez la concavité de la fonction f.

Solution

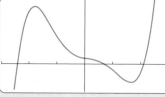

FIGURE T1
Graphique de f dans la fenêtre $[-3, 3] \times [-25, 60]$

a. La figure T1 représente le graphique de f dans la fenêtre $[-3, 3] \times [-25, 60]$.

b. Voici comment obtenir les points d'inflexion à l'aide du modèle TI-85. (Pour connaître le mode d'utilisation du modèle TI-86, reportez-vous au site Web). On voit sur la figure T1 que la fonction f admet trois points d'inflexion : un premier autour de $x = -1$, un deuxième autour de $x = 0$ et un dernier près de $x = 1$. Pour obtenir le premier point d'inflexion, on utilise l'option de recherche des points d'inflexion en déplaçant le curseur en un point du graphique voisin de $x = -1$, et on obtient le point $(-1,2728; 34,6395)$ (avec quatre décimales de précision). On répète l'opération en plaçant le curseur près de $x = 0$, et on obtient le point $(0,1139; 3,4440)$. Finalement, en plaçant le curseur près de $x = 1$, on obtient le dernier point d'inflexion $(1,1589; -10,4594)$. (figure T2a–c.)

c. Selon les résultats obtenus en **b** et le graphique de la fonction, la fonction f est concave vers le haut sur les intervalles $]-1,2728; 0,1139[$ et $]1,1589; \infty[$, et elle est concave vers le bas sur les intervalles $]-\infty; -1,2728[$ et $]0,1139; 1,1589[$.

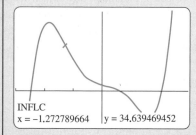

INFLC
x = −1.272789664   y = 34.639469452

a)

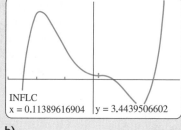

INFLC
x = 0.11389616904   y = 3.4439506602

b)

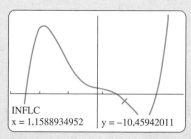

INFLC
x = 1.1588934952   y = −10.45942011

c)

FIGURE T2
Écran de recherche des points d'inflexion de la TI-85 illustrant les points a) $(-1,2728; 34,6395)$, b) $(0,1139; 3,4440)$ et c) $(1,1589; -10,4594)$

I–8 Étudiez la concavité de la fonction f et trouvez ses points d'inflexion. Conservez quatre décimales de précision.

1. $f(x) = 1,8x^4 - 4,2x^3 + 2,1x + 2$

2. $f(x) = -2,1x^4 + 3,1x^3 + 2x^2 - x + 1,2$

3. $f(x) = 1,2x^5 - 2x^4 + 3,2x^3 - 4x + 2$

4. $f(x) = -2,1x^5 + 3,2x^3 - 2,2x^2 + 4,2x - 4$

5. $f(x) = x^3(x^2 + 1)^{-1/3}$ **6.** $f(x) = x^2(x^3 - 1)^3$

7. $f(x) = \dfrac{x^2 - 1}{x^3}$ **8.** $f(x) = \dfrac{x + 1}{\sqrt{x}}$

9. MARCHÉ IMMOBILIER Le nombre moyen de jours écoulés entre la mise en vente d'une maison unifamiliale et l'acceptation de l'offre d'achat dans une région du Québec est modélisé par la fonction

$$f(t) = 0,0171911t^4 - 0,662121t^3 + 6,18083t^2 - 8,97086t + 53,3357 \quad \text{(pour } 0 \le t \le 10)$$

où t est mesuré en années, la valeur $t = 0$ correspondant au début de 1984.

a. Tracez le graphique de f dans la fenêtre $[0, 12] \times [0, 120]$.

b. Trouvez les points d'inflexion de la fonction et interprétez vos résultats.

10. MARCHÉ DU MULTIMÉDIA Le chiffre d'affaires du marché du multimédia (matériel et logiciel) est modélisé par

$$S(t) = -0,0094t^4 + 0,1204t^3 - 0,0868t^2 + 0,0195t + 3,3325 \quad \text{(pour } 0 \le t \le 10)$$

où $S(t)$ est mesuré en milliards de dollars et t est mesuré en années, la valeur $t = 0$ correspondant à 1990.

a. Tracez le graphique de S dans la fenêtre $[0, 12] \times [0, 25]$.

b. Trouvez le point d'inflexion de S et interprétez votre résultat.

Source: Electronic Industries Association

11. INTERVENTIONS CHIRURGICALES DANS LES BUREAUX DE MÉDECINS Grâce aux progrès technologiques et en raison de pressions financières, le nombre d'interventions chirurgicales dans les bureaux de médecins s'est accru considérablement au cours des dernières années. Le nombre d'interventions chirurgicales (en milliers) réalisées dans les bureaux de médecins à l'année t est modélisé par

$$f(t) = -0,447t^3 + 9,864t^2 + 5,192t + 80 \quad \text{(pour } 0 \le t \le 15)$$

où $t = 0$ correspond au début de 1986.

a. Tracez le graphique de f dans la fenêtre $[0, 15] \times [0, 1000]$.

b. À quel moment, au cours de cette période, le nombre d'interventions chirurgicales réalisées dans des bureaux de médecins s'accroissait-il le plus rapidement ?

70. EFFETS DE LA PUBLICITÉ SUR LES REVENUS Le revenu total R d'un hôtel cinq étoiles de la région de Charlevoix est relié au montant x investi en publicité par la fonction

$$R(x) = -0,003x^3 + 1,35x^2 + 2x + 8000$$
$$\text{(pour } 0 \leq x \leq 400)$$

où R et x sont mesurés en milliers de dollars.

a. Étudiez la concavité de la fonction R. Quel est le point d'inflexion de R?

b. Une légère augmentation du budget de publicité est-elle plus rentable lorsque le budget est de 140 000 $ ou lorsqu'il est de 160 000 $?

71. PRÉVISION DES PROFITS En raison des coûts toujours croissants des ressources énergétiques, le taux de croissance des profits du fabricant de verre soufflé Murano, installé à Baie Saint-Paul depuis quatre ans, a commencé à fléchir. Après avoir consulté des experts, la direction de l'entreprise a décidé de mettre en place un certain nombre de mesures d'économie d'énergie afin de réduire ses frais. Le directeur de l'entreprise a déclaré que selon les prévisions, le taux de croissance de l'entreprise devrait se remettre à croître d'ici quatre ans. Si les profits de l'entreprise (mesurés en centaines de dollars) pour les x prochaines années sont modélisés par la fonction

$$P(x) = x^3 - 9x^2 + 40x + 50$$
$$\text{(pour } 0 \leq x \leq 8)$$

dites si la prévision du directeur de Murano se concrétisera.

Suggestion: Trouvez le point d'inflexion de la fonction P et étudiez la concavité de P.

72. DÉCLIN DE LA POPULATION DU SAGUENAY-LAC-SAINT-JEAN
Selon des hypothèses fondées sur des tendances récentes, la population du Saguenay-Lac-Saint-Jean devrait diminuer sensiblement au cours des 25 prochaines années. La projection de la population $P(t)$ entre 2001 et 2026 est modélisée par la fonction

$$P(t) = -2,13t^3 + 85,09t^2 - 2119,13t + 283\,510$$
$$\text{(pour } 0 \leq t \leq 25)$$

où t est mesuré en années, la valeur $t = 0$ correspondant au début de 2001.

a. Montrez que la population du Saguenay-Lac-Saint-Jean devrait diminuer constamment au cours de cette période.

Suggestion: Montrez que $P'(t) < 0$ pour tout t dans l'intervalle $]0, 25[$.

b. Trouvez à quel moment la population de cette région devrait diminuer le plus lentement.

Suggestion: Trouvez le point d'inflexion P dans l'intervalle $]0, 25[$.

Source: Institut de la statistique du Québec, Perspectives démographiques

73. REVENUS DE GOOGLE Les revenus de l'entreprise Google entre 1999 ($t = 0$) et 2003 ($t = 4$) sont modélisés par la fonction

$$R(t) = 24,975t^3 - 49,81t^2 + 41,25t^2 + 0,2$$
$$\text{(pour } 0 \leq t \leq 4)$$

où $R(t)$ est mesuré en millions de dollars.

a. Calculez $R'(t)$ et $R''(t)$.

b. Montrez que $R'(t) > 0$ pour tout t dans l'intervalle $]0,4[$ et interprétez votre résultat dans le contexte.

Suggestion: Utilisez la formule quadratique.

c. Trouvez le point d'inflexion de R et interprétez votre résultat dans le contexte.

Source: Rapport de l'entreprise Google

74. RAPPORT DE DÉPENDANCE Le poids relatif de la population âgée de plus de 60 ans à la population des travailleurs, appelé rapport de dépendance, présente un intérêt particulier pour les économistes. En effet, lorsque le rapport de dépendance croît, cela signifie qu'il y a moins de travailleurs pour prendre en charge un plus grand nombre de personnes âgées. Au cours des 100 prochaines années, il est prévu que le rapport de dépendance dans le monde suivra le modèle

$$R(t) = 0,00731t^4 - 0,174t^3 + 1,528t^2 + 0,48t + 19,3$$
$$\text{(pour } 0 \leq t \leq 10)$$

où t est mesuré en décennies, la valeur $t = 0$ correspondant à l'an 2000.

a. Montrez que la croissance du rapport de dépendance sera à son maximum en l'an 2052.

Suggestion: Utilisez la formule quadratique.

b. Quel sera alors le rapport de dépendance?

Source: Institut international pour l'analyse appliquée de systèmes

75–78 Dites si l'énoncé est vrai ou faux. S'il est vrai, dites pourquoi. S'il est faux, trouvez un contre-exemple.

75. Si le graphique d'une fonction f est concave vers le haut sur un intervalle $]a, b[$, alors le graphique de la fonction $-f$ est concave vers le bas sur l'intervalle $]a, b[$.

76. Si le graphique d'une fonction f est concave vers le haut sur l'intervalle $]a, c[$ et concave vers le bas sur l'intervalle $]c, b[$, où $a < c < b$, alors f admet un point d'inflexion en $x = c$.

77. Si $x = c$ est un point critique d'une fonction f, si $f''(x) < 0$ sur l'intervalle $]a, b[$ et si $a < c < b$, alors f admet un maximum relatif en $x = c$.

78. Une fonction polynomiale de degré n (où $n \geq 3$) ne peut admettre plus de $(n - 2)$ points d'inflexion.

79. Montrez que la fonction quadratique

$$f(x) = ax^2 + bx + c \qquad (\text{où } a \neq 0)$$

est concave vers le haut lorsque $a > 0$ et concave vers le bas lorsque $a < 0$, c'est-à-dire qu'il suffit d'examiner le signe du coefficient de x^2 pour savoir si la fonction est concave vers le haut ou vers le bas.

80. Soit une fonction f qui admet un point d'inflexion au point $(a, f(a))$. Est-ce dire que la fonction f' admet nécessairement un extremum relatif en $x = a$? Expliquez votre réponse.

81. Montrez que la fonction cubique

$$f(x) = ax^3 + bx^2 + cx + d \qquad (a \neq 0)$$

admet un et un seul point d'inflexion et trouvez-en les coordonnées.

82. Soit les fonctions $f(x) = x^3$, $g(x) = x^4$ et $h(x) = -x^4$.

a. Montrez que $x = 0$ est un point critique de chacune des fonctions.

b. Montrez que la dérivée seconde de chaque fonction s'annule en $x = 0$.

c. Montrez que f n'admet pas d'extremum relatif en $x = 0$, que g admet un minimum relatif en $x = 0$ et que h admet un maximum relatif en $x = 0$.

■ SOLUTIONS DES EXERCICES D'AUTOÉVALUATION **4.2**

1. On calcule

$$f'(x) = 12x^2 - 6x$$
$$f''(x) = 24x - 6 = 6(4x - 1)$$

On observe que f'' est continue partout et s'annule en $x = \frac{1}{4}$. Le diagramme de signes de f'' est représenté ci-après.

$$- - - - - - 0 + + + + + +$$
$$\xrightarrow{\qquad\qquad\qquad\qquad} x$$
$$0 \qquad \frac{1}{4}$$

Le diagramme de signes de f'' montre bien que f est concave vers le haut sur l'intervalle $]\frac{1}{4}, \infty[$ et concave vers le bas sur l'intervalle $]-\infty, \frac{1}{4}[$.

2. On trouve les points critiques de f par la résolution de l'équation

$$f'(x) = 6x^2 - x - 12 = 0$$

On a

$$(3x + 4)(2x - 3) = 0$$

d'où $x = -\frac{4}{3}$ et $x = \frac{3}{2}$ sont les points critiques recherchés. On calcule ensuite

$$f''(x) = 12x - 1$$

Puisque

$$f''\left(-\frac{4}{3}\right) = 12\left(-\frac{4}{3}\right) - 1 = -17 < 0$$

on déduit, en vertu du test de la dérivée seconde, que $f\left(-\frac{4}{3}\right) = \frac{10}{27}$ est un maximum relatif de f. De plus,

$$f''\left(\frac{3}{2}\right) = 12\left(\frac{3}{2}\right) - 1 = 17 > 0$$

de sorte que $f\left(\frac{3}{2}\right) = -\frac{179}{8}$ est un minimum relatif de la fonction.

3. On calcule la dérivée seconde de G:

$$G'(t) = -6t^2 + 90t + 20$$
$$G''(t) = -12t + 90$$

On observe que G'' est partout continue et que $G''(t) = 0$ lorsque $t = \frac{15}{2}$, de sorte que $\left(\frac{15}{2}, \frac{15\,675}{2}\right)$ est la seule possibilité de point d'inflexion pour G. On a $G''(t) > 0$ pour $t < \frac{15}{2}$ et $G''(t) < 0$ pour $t > \frac{15}{2}$, donc $\left(\frac{15}{2}, \frac{15\,675}{2}\right)$ est effectivement un point d'inflexion de G. Nos calculs nous informent que c'est au début de juillet 1999 que le PNB du pays s'accroissait le plus rapidement.

4.3 Tracé de courbes

▢ Exemple tiré d'une situation réelle

Comme nous l'avons constaté à plusieurs reprises, le graphique d'une fonction se révèle très utile pour visualiser les propriétés d'une fonction. Dans le cas d'applications pratiques, le graphique d'une fonction présente aussi, en un simple coup d'oeil, un résumé complet des informations fournies par la fonction.

Considérons, par exemple, le graphique de la fonction représentant les fluctuations de l'indice Dow-Jones le 19 octobre 1987, jour connu sous le nom évocateur de « Lundi noir » (figure 4.44). La valeur $t = 0$ correspond à 8 h 30, soit l'heure d'ouverture du marché boursier, et $t = 7,5$ correspond à la fermeture à 16 h. Voici quelques informations résultant de l'examen du graphique.

Le graphique *décroît* rapidement de $t = 0$ à $t = 1$, ce qui reflète la baisse marquée de l'indice au cours de l'heure suivant l'ouverture. Le point $(1, 2047)$ est un *minimum relatif* de la fonction, qui coïncide avec le début de la tentative avortée de rétablissement du marché. Cette remontée, de courte durée, est illustrée par la portion *croissante* du graphique sur l'intervalle $]1, 2[$ et s'est brusquement arrêtée à $t = 2$ (10 h 30). Le *maximum relatif* $(2, 2150)$ représente le sommet atteint au cours de la remontée. La fonction est partout *décroissante* ensuite. Le point $(4, 2006)$ est un *point d'inflexion* de la fonction, qui indique un répit temporaire en $t = 4$ (12 h 30). Cependant, les détenteurs d'actions en Bourse ont continué de se débarrasser de leurs actions au cours de l'après-midi et l'indice Dow-Jones a poursuivi sa chute jusqu'à la fermeture. Le graphique indique également que l'indice a atteint sa valeur la plus élevée à l'ouverture de la séance [$f(0) = 2247$ est le *maximum absolu* de la fonction] et sa valeur la plus basse à la fermeture [$f\left(\frac{15}{2}\right) = 1739$ est le *minimum absolu* de la fonction], une chute de 508 points!*

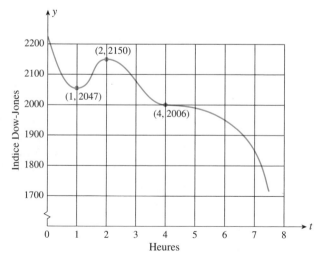

FIGURE 4.44
Fluctuations de l'indice Dow-Jones au cours du Lundi noir, le 19 octobre 1987

Source: Wall Street Journal

---

*L'étude des extremums absolus d'une fonction sera abordée à la section 4.4.

Nous allons bientôt élaborer une marche à suivre détaillée pour le tracé du graphique d'une fonction, mais voici d'abord quelques propriétés supplémentaires des graphiques.

▢ Asymptotes verticales

Avant de poursuivre avec l'étude des asymptotes, il pourrait être utile que vous revoyiez les notions de limites unilatérales et de limites à l'infini d'une fonction (sections 2.4 et 2.5).

Soit le graphique de la fonction

$$f(x) = \frac{x+1}{x-1}$$

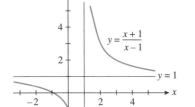

FIGURE 4.45
Le graphique de f admet une asymptote verticale en $x = 1$.

représenté à la figure 4.45. On observe que $f(x)$ prend des valeurs de plus en plus grandes (tend vers l'infini) lorsque x s'approche de $x = 1$ par la droite; autrement dit,

$$\lim_{x \to 1^+} \frac{x+1}{x-1} = \infty$$

On peut vérifier cette situation en prenant des valeurs de x s'approchant de plus en plus près de $x = 1$ par la droite et en examinant les valeurs correspondantes de $f(x)$.

On peut aborder la situation d'un autre point de vue: On remarque que si x est un nombre légèrement supérieur à 1, alors $(x + 1)$ et $(x - 1)$ sont tous les deux positifs, de sorte que le quotient $(x + 1)/(x - 1)$ est aussi positif. Lorsque x s'approche de $x = 1$, le numérateur $(x + 1)$ s'approche de 2, alors que le dénominateur $(x - 1)$ s'approche de zéro, de sorte que le quotient $(x + 1)/(x - 1)$ tend vers l'infini, comme nous l'avions signalé précédemment. La droite $x = 1$ s'appelle une asymptote verticale du graphique de f.

Nous pouvons aussi montrer que

$$\lim_{x \to 1^-} \frac{x+1}{x-1} = -\infty$$

ce qui nous indique de quelle façon $f(x)$ s'approche de l'asymptote $x = 1$ par la gauche.

Nous définirons donc le concept d'asymptote verticale ainsi:

Asymptote verticale

La droite $x = a$ est une **asymptote verticale** du graphique d'une fonction f si on a

$$\lim_{x \to a^+} f(x) = \infty \quad \text{ou} \quad -\infty$$

ou encore

$$\lim_{x \to a^-} f(x) = \infty \quad \text{ou} \quad -\infty$$

REMARQUE Même si une asymptote verticale ne fait pas partie du graphique d'une fonction, elle s'avère un très bon outil pour tracer le graphique de la fonction.

Il existe un critère simple pour déterminer si le graphique d'une fonction rationnelle

$$f(x) = \frac{P(x)}{Q(x)}$$

admet des asymptotes verticales.

> **Asymptotes verticales de fonctions rationnelles**
>
> Soit f une fonction rationnelle, c'est-à-dire une fonction de forme
>
> $$f(x) = \frac{P(x)}{Q(x)}$$
>
> où P et Q sont des fonctions polynomiales. Alors, la droite $x = a$ est une asymptote verticale du graphique de f si $Q(a) = 0$, mais $P(a) \neq 0$.

Reportons-nous à la fonction

$$f(x) = \frac{x + 1}{x - 1}$$

étudiée plus tôt. Nous avons $P(x) = x + 1$ et $Q(x) = x - 1$. Nous remarquons que $Q(1) = 0$, mais $P(1) = 2 \neq 0$, de sorte que $x = 1$ est une asymptote verticale du graphique de la fonction.

EXEMPLE 1   Trouvez les asymptotes verticales du graphique de la fonction

$$f(x) = \frac{x^2}{4 - x^2}$$

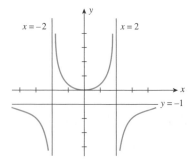

FIGURE 4.46
Les droites $x = -2$ et $x = 2$ sont des asymptotes verticales du graphique de f.

Solution   La fonction f est une fonction rationnelle avec $P(x) = x^2$ et $Q(x) = 4 - x^2$. Les zéros de Q s'obtiennent en résolvant l'équation

$$4 - x^2 = 0$$

c'est-à-dire

$$(2 - x)(2 + x) = 0$$

Les zéros sont donc $x = -2$ et $x = 2$, et il y a deux possibilités d'asymptotes du graphique de la fonction. Pour le cas de $x = -2$, le numérateur $P(-2) = (-2)^2 = 4 \neq 0$, de sorte que $x = -2$ est une asymptote verticale du graphique de f. De même, $P(2) = 2^2 = 4 \neq 0$ et $x = 2$ est également une asymptote verticale du graphique de f. Le graphique de f représenté à la figure 4.46 confirme d'ailleurs ces résultats.

 Rappelons que pour que la droite $x = a$ soit une asymptote verticale du graphique d'une fonction rationnelle f, *seul* le dénominateur de $f(x)$ doit s'annuler en $x = a$. Si $P(a)$ et $Q(a)$ s'annulent *tous les deux*, alors $x = a$ ne sera *pas nécessairement* une asymptote verticale. La fonction

$$f(x) = \frac{4(x^2 - 4)}{x - 2}$$

dont le graphique est représenté à la figure 2.29a, page 90, est un exemple typique de cette situation.

Asymptotes horizontales

Reportons-nous une fois encore à la fonction f définie par $f(x) = \dfrac{x+1}{x-1}$ (figure 4.47).

On observe que $f(x)$ s'approche de la droite horizontale $y = 1$ lorsque x tend vers l'infini et, dans le cas présent, aussi lorsque x tend vers moins l'infini. La droite $y = 1$ est donc une asymptote horizontale du graphique de f. Nous définirons donc le concept d'asymptote horizontale ainsi :

> **Asymptote horizontale**
> La droite $y = b$ est une **asymptote horizontale** du graphique de la fonction f si on a
> $$\lim_{x \to \infty} f(x) = b \qquad \text{ou} \qquad \lim_{x \to -\infty} f(x) = b$$

Dans le cas de la fonction

$$f(x) = \frac{x+1}{x-1}$$

on a

$$\lim_{x \to \infty} \frac{x+1}{x-1} = \lim_{x \to \infty} \frac{1 + \dfrac{1}{x}}{1 - \dfrac{1}{x}} \qquad \text{On divise le numérateur et le dénominateur par } x.$$

$$= 1$$

On a aussi

$$\lim_{x \to -\infty} \frac{x+1}{x-1} = \lim_{x \to -\infty} \frac{1 + \dfrac{1}{x}}{1 - \dfrac{1}{x}}$$

$$= 1$$

Pour chaque cas, on conclut que $y = 1$ est une asymptote horizontale du graphique de f, comme nous l'avons observé précédemment.

EXEMPLE 2 Trouvez la ou les asymptotes horizontales du graphique de la fonction

$$f(x) = \frac{x^2}{4 - x^2}$$

Solution On a

$$\lim_{x \to \infty} \frac{x^2}{4 - x^2} = \lim_{x \to \infty} \frac{1}{\dfrac{4}{x^2} - 1} \qquad \text{On divise le numérateur et le dénominateur par } x^2.$$

$$= -1$$

et

$$\lim_{x \to -\infty} \frac{x^2}{4 - x^2} = \lim_{x \to -\infty} \frac{1}{\dfrac{4}{x^2} - 1} \qquad \text{On divise le numérateur et le dénominateur par } x^2.$$

$$= -1$$

de sorte que $y = -1$ est une asymptote horizontale du graphique de la fonction. Le graphique de f tracé à la figure 4.48 illustre bien ce résultat.

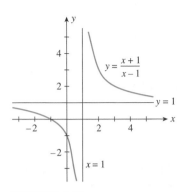

FIGURE 4.47
Le graphique de f a une asymptote horizontale en $y = 1$.

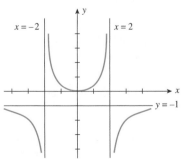

FIGURE 4.48
Le graphique de f a une asymptote horizontale en $y = -1$.

Voici maintenant une propriété importante des fonctions polynomiales.

> Une fonction polynomiale n'admet ni asymptote verticale,
> ni asymptote horizontale.

En effet, une fonction polynomiale $P(x)$ peut être récrite sous la forme d'une fonction rationnelle dont le dénominateur est 1. Ainsi,

$$P(x) = \frac{P(x)}{1}$$

Comme le dénominateur ne s'annule jamais, P n'admet pas d'asymptote verticale. De plus, si P est un polynôme de degré supérieur ou égal à 1, alors

$$\lim_{x \to \infty} P(x) \qquad \text{et} \qquad \lim_{x \to -\infty} P(x)$$

sont égales à l'infini ou à moins l'infini, c'est-à-dire qu'elles n'existent pas. Par conséquent, P n'admet pas d'asymptote horizontale.

Dans les deux premières sections du chapitre 4, nous avons vu les informations que la dérivée première et la dérivée seconde d'une fonction peuvent nous fournir au sujet des propriétés du graphique de la fonction. En particulier, le tableau du bas de la page 253 nous a montré comment, en combinant les informations sur les signes de $f'(x)$ et $f''(x)$, nous pouvons obtenir l'allure de la courbe de f. Nous allons maintenant voir comment utiliser ces informations pour tracer le graphique d'une fonction f. Voici d'abord une marche à suivre pour le tracé de courbes. Nous y verrons notamment comment on construit le tableau de variation d'une fonction.

Marche à suivre pour le tracé de courbes

1. Trouver le domaine de f.

2. Trouver les intersections de f avec les axes.*

3. Étudier le comportement de f lorsque x prend de grandes valeurs positives ou négatives.

4. Trouver, si elles existent, les asymptotes horizontales et verticales de f.

5. Calculer les dérivées première et seconde de f.

6. Trouver les points critiques de f, de même que les points pour lesquels $f''(x) = 0$ ou $f''(x)$ n'existe pas.

7. Construire le tableau de variation de f, en y indiquant la croissance et la décroissance de la fonction, sa concavité, ses extremums relatifs et ses points d'inflexion.

8. Situer, au besoin, quelques points supplémentaires de la fonction et tracer son graphique.

---

*L'équation $f(x) = 0$ est parfois difficile à résoudre; on choisira alors de ne pas rechercher les intersections de la courbe avec l'axe des x ou encore d'utiliser une calculatrice graphique.

Voici quelques exemples de tracés de courbes.

EXEMPLE 3   Tracez le graphique de la fonction

$$y = f(x) = x^3 - 6x^2 + 9x + 2$$

Solution

Voici les informations que nous devons obtenir sur le graphique de f.

1. Le domaine de f est l'intervalle $]-\infty, \infty[$.

2. On pose $x = 0$ et on obtient 2 pour ordonnée à l'origine de la fonction. L'abscisse à l'origine s'obtient en posant $y = 0$ et en résolvant l'équation cubique $x^3 - 6x^2 + 9x + 2 = 0$. Comme la solution n'est pas immédiate, nous n'allons pas rechercher cette information.

3. Puisque

$$\lim_{x \to -\infty} f(x) = \lim_{x \to -\infty} (x^3 - 6x^2 + 9x + 2) = -\infty$$

et

$$\lim_{x \to \infty} f(x) = \lim_{x \to \infty} (x^3 - 6x^2 + 9x + 2) = \infty$$

la fonction f prend des valeurs négatives de plus en plus grandes lorsque x tend vers moins l'infini et elle prend des valeurs positives de plus en plus grandes lorsque x tend vers plus l'infini.

4. Puisque f est une fonction polynomiale, elle n'admet pas d'asymptote.

5.
$$f'(x) = 3x^2 - 12x + 9 = 3(x^2 - 4x + 3)$$
$$= 3(x - 3)(x - 1)$$

$$f''(x) = 6x - 12 = 6(x - 2)$$

6. On pose $f'(x) = 0$, d'où $x = 1$ ou $x = 3$. Ce sont les deux seuls points critiques de f, puisque $f'(x)$ existe pour tout x. On pose $f''(x) = 0$, d'où $x = 2$. Par ailleurs, $f''(x)$ existe pour tout x.

7. Construisons maintenant le tableau de variation de f: on y indique sur la première ligne, par ordre croissant, les valeurs particulières de x que sont les points critiques de la fonction et les points qui annulent $f''(x)$ ou pour lesquels $f''(x)$ n'existe pas. (On laisse entre chacune de ces valeurs un espace pour l'étude des signes de $f'(x)$ et de $f''(x)$ entre ces valeurs particulières de x.) Sur la deuxième ligne, on indique le diagramme de signes de $f'(x)$, sur la troisième ligne le diagramme de signes de $f''(x)$ et finalement, sur la quatrième ligne, l'allure du graphique de f de même que les coordonnées des extremums relatifs et des points d'inflexion de la fonction.

Nous avons ici le tableau de variation suivant :

x		1		2		3	
$f'(x)$	+	0	−	−	−	0	+
$f''(x)$	−	−	−	0	+	+	+
$f(x)$	↗	Max. rel. (1, 6)	↘	Point d'infl. (2, 4)	↘	Min. rel. (3, 2)	↗

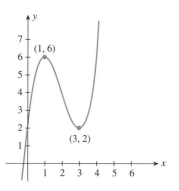

FIGURE 4.49
Graphique de $y = x^3 - 6x^2 + 9x + 2$

Pour $x < 1$, les signes de $f'(x)$ et $f''(x)$ nous indiquent que la fonction est croissante et concave vers le bas (voir p. 253). Pour $1 < x < 2$, la fonction est décroissante et concave vers le bas. Nous en déduisons que la fonction admet un maximum relatif au point $(1, f(1))$, soit $(1,6)$. Pour $2 < x < 3$, la fonction est décroissante et concave vers le haut. Ce changement de concavité au point d'abscisse $x = 2$, élément du domaine de f, indique un point d'inflexion. Finalement, la fonction est croissante et concave vers le haut pour $x > 3$, d'où un minimum relatif au point d'abscisse $x = 3$.

8. En général, il est avantageux de placer d'abord les intersections de la courbe avec les axes, les extremums relatifs, les points d'inflexion et les asymptotes, le cas échéant. On se base ensuite sur le reste du tableau de variation pour compléter le graphique (figure 4.49).

TRAVAIL EN ÉQUIPE

Le prix moyen payé par les automobilistes québécois pour l'essence, au cours d'une période de trois mois pendant laquelle les pays producteurs ont ralenti leur production, est modélisé par une fonction f définie sur l'intervalle $[0, 3]$. Au cours du premier mois, le prix a augmenté selon un taux d'augmentation croissant. Au début du deuxième mois, le prix a continué à augmenter, mais les consommateurs ont tout de même constaté que le taux d'augmentation du prix s'était mis à diminuer. Cette tendance s'est maintenue tout au long du deuxième mois. Le prix a connu un sommet à la fin du deuxième mois et s'est ensuite mis à baisser, de plus en plus rapidement, jusqu'à la fin du troisième mois.

1. Indiquez quels sont les signes respectifs de $f'(t)$ et $f''(t)$ dans les intervalles $]0, 1[$, $]1, 2[$ et $]2, 3[$.

2. Esquissez le graphique de f dans l'intervalle $[0, 3]$.

EXEMPLE 4 Tracez le graphique de la fonction

$$y = f(x) = \frac{x + 1}{x - 1}$$

Solution Voici les informations que nous devons obtenir sur le graphique de f.

1. f n'est pas définie en $x = 1$, de sorte que le domaine de f est l'ensemble des nombres réels autres que 1.

2. On pose $y = 0$ et on obtient -1 pour l'abscisse à l'origine de f. On pose $x = 0$ et on obtient -1 pour l'ordonnée à l'origine de f.

3. Nous avons déjà trouvé

$$\lim_{x \to \infty} \frac{x + 1}{x - 1} = 1 \qquad \text{et} \qquad \lim_{x \to -\infty} \frac{x + 1}{x - 1} = 1$$

(voir la page 265). Ainsi, $f(x)$ s'approche de $y = 1$ lorsque $|x|$ prend des valeurs de plus en plus grandes.

4. La droite $x = 1$ est une asymptote verticale du graphique de f. De plus, selon l'étape 3, $y = 1$ est une asymptote horizontale du graphique de f.

5.
$$f'(x) = \frac{(1)(x-1) - (x+1)(1)}{(x-1)^2} = -\frac{2}{(x-1)^2}$$

et

$$f''(x) = \frac{d}{dx}[-2(x-1)^{-2}] = 4(x-1)^{-3} = \frac{4}{(x-1)^3}$$

6. La dérivée $f'(x)$ ne s'annule jamais. Elle n'existe pas en $x = 1$. Ce point n'est pas un point critique de f puisqu'il ne fait pas partie du domaine de f. Cependant, nous allons le conserver pour le tableau de variation de la fonction puisqu'il pourrait y avoir changement de signe de $f'(x)$ de part et d'autre de ce point. Le même raisonnement s'applique à $f''(x)$.

7. Voici le tableau de variation de la fonction.

x		1	
$f'(x)$	$-$	/////	$-$
$f''(x)$	$-$	/////	$+$
$f(x)$	⤵	/////	⤵

Le tableau ne fait ressortir ni maximum relatif, ni minimum relatif. Par ailleurs, il n'y a pas non plus de point d'inflexion puisque le point $x = 1$, où on observe un changement de concavité, ne fait pas partie du domaine de f. (La région hachurée indique que $f(x)$, $f'(x)$ et $f''(x)$ ne sont pas définies en $x = 1$.)

8. Le graphique de la fonction f est représenté à la figure 4.50.

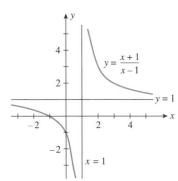

FIGURE 4.50
Le graphique de f admet une asymptote horizontale d'équation $y = 1$ et une asymptote verticale d'équation $x = 1$.

■ EXERCICES D'AUTOÉVALUATION **4.3**

1. Trouvez les asymptotes horizontales et verticales du graphique de la fonction

$$f(x) = \frac{2x^2}{x^2 - 1}$$

2. Tracez le graphique de la fonction

$$f(x) = \frac{2}{3}x^3 - 2x^2 - 6x + 4$$

Les solutions des exercices d'autoévaluation 4.3 se trouvent à la page 274.

▌**4.3** EXERCICES

1–9 Trouvez les asymptotes horizontales et verticales du graphique de la fonction.

1.

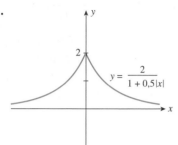

$$y = \frac{2}{1 + 0{,}5|x|}$$

2.

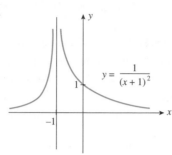

$$y = \frac{1}{(x + 1)^2}$$

3.

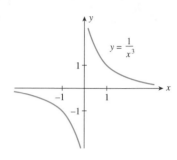

$$y = \frac{1}{x^3}$$

4.

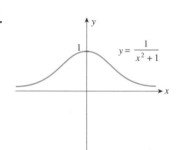

$$y = \frac{1}{x^2 + 1}$$

5.

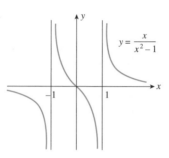

$$y = \frac{x}{x^2 - 1}$$

6.

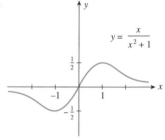

$$y = \frac{x}{x^2 + 1}$$

7.

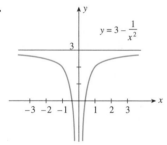

$$y = 3 - \frac{1}{x^2}$$

8.

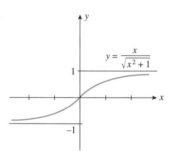

$$y = \frac{x}{\sqrt{x^2 + 1}}$$

9.

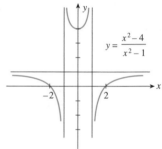

$$y = \frac{x^2 - 4}{x^2 - 1}$$

10–26 Trouvez les asymptotes horizontales et verticales du graphique de la fonction. (Il n'est pas nécessaire de tracer le graphique de la fonction.)

10. $f(x) = \dfrac{1}{x}$

11. $f(x) = \dfrac{1}{x + 2}$

12. $f(x) = -\dfrac{2}{x^2}$

13. $g(x) = \dfrac{1}{1 + 2x^2}$

14. $f(x) = \dfrac{x - 1}{x + 1}$

15. $g(t) = \dfrac{t + 1}{2t - 1}$

16. $h(x) = x^3 - 3x^2 + x + 1$

17. $g(x) = 2x^3 + x^2 + 1$

18. $f(t) = \dfrac{t^2}{t^2 - 9}$

19. $g(x) = \dfrac{x^3}{x^2 - 4}$

20. $f(x) = \dfrac{3x}{x^2 - x - 6}$

21. $g(t) = 2 + \dfrac{5}{(t - 2)^2}$

22. $f(x) = 1 + \dfrac{2}{x - 3}$

23. $f(x) = \dfrac{x^2 - 2}{x^2 - 4}$

24. $h(x) = \dfrac{2 - x^2}{x^2 + x}$

25. $g(x) = \dfrac{x^3 - x}{x(x + 1)}$

26. $f(x) = \dfrac{x^4 - x^2}{x(x - 1)(x + 2)}$

27–28 Voici le graphique de deux fonctions f et g. L'une d'entre elles est la dérivée de l'autre. Dites laquelle.

27.

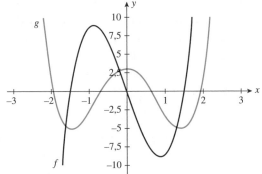

28.

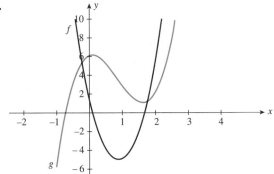

29. PROPAGATION DE LA GRIPPE En un premier temps, 10 étudiants d'un cégep ont attrapé la grippe. Le virus s'est propagé, de sorte que le nombre total d'étudiants atteints s'est approché de 200, sans jamais le dépasser. Soit $P(t)$ le nombre d'étudiants atteints de la grippe après t jours, où P est une fonction modélisant la situation.

  a. Esquissez le graphique de P. (La réponse n'est pas unique.)

  b. Sur quel intervalle la fonction P est-elle croissante?

  c. La fonction P admet-elle une asymptote horizontale? Si oui, quelle est son équation?

  d. Étudiez la concavité de P. Expliquez ce qu'elle signifie dans le contexte.

  e. Le graphique de P admet-il un point d'inflexion? Si oui, expliquez ce qu'il signifie dans le contexte.

30–32 À l'aide de l'information fournie, tracez le graphique de f.

30. $f(x) = x^3 - 3x^2 + 1$

Domaine: $]-\infty, \infty[$
Ordonnée à l'origine: 1
Asymptotes: Aucune
Croissance sur $]-\infty, 0[$ et $]2, \infty[$; décroissance sur $]0, 2[$
Max. rel. en $(0, 1)$; min. rel. en $(2, -3)$
Concavité vers le bas sur $]-\infty, 1[$; vers le haut sur $]1, \infty[$
Point d'inflexion: $(1, -1)$

31. $f(x) = \dfrac{4x - 4}{x^2}$

Domaine: $]-\infty, 0[\cup]0, \infty[$
Abscisse à l'origine: 1
Asymptotes: l'axe des x et l'axe des y
Croissance sur $]0, 2[$; décroissance sur $]-\infty, 0[$ et $]2, \infty[$
Max. rel. en $(2, 1)$
Concavité vers le bas sur $]-\infty, 0[$ et sur $]0, 3[$; vers le haut sur $]3, \infty[$
Point d'inflexion: $(3, \frac{8}{9})$

32. $f(x) = x - 3x^{1/3}$

Domaine: $]-\infty, \infty[$
Abscisses à l'origine: $\pm 3\sqrt{3}, 0$
Asymptotes: Aucune
Croissance sur $]-\infty, -1[$ et sur $]1, \infty[$; décroissance sur $]-1, 1[$
Max. rel. en $(-1, 2)$; min. rel. en $(1, -2)$
Concavité vers le bas sur $]-\infty, 0[$; vers le haut sur $]0, \infty[$
Point d'inflexion: $(0, 0)$

33–52 Tracez le graphique de la fonction, en utilisant la marche à suivre exposée à la page 266.

33. $g(x) = 4 - 3x - 2x^3$ **34.** $f(x) = x^2 - 2x + 3$

35. $h(x) = x^3 - 3x + 1$

36. $f(x) = -2x^3 + 3x^2 + 12x + 2$

37. $h(x) = \dfrac{3}{2}x^4 - 2x^3 - 6x^2 + 8$

38. $f(t) = 3t^4 + 4t^3$

39. $f(t) = \sqrt{t^2 - 4}$ **40.** $f(x) = \sqrt{x^2 + 5}$

41. $g(x) = \dfrac{1}{2}x - \sqrt{x}$ **42.** $f(x) = \sqrt[3]{x^2}$

43. $g(x) = \dfrac{2}{x - 1}$ **44.** $f(x) = \dfrac{1}{x + 1}$

45. $h(x) = \dfrac{x + 2}{x - 2}$ **46.** $g(x) = \dfrac{x}{x^2 - 4}$

47. $g(t) = -\dfrac{t^2 - 2}{t - 1}$ **48.** $f(x) = \dfrac{x^2 - 9}{x^2 - 4}$

49. $g(t) = \dfrac{t + 1}{t^2 - 2t - 1}$ **50.** $h(x) = \dfrac{1}{x^2 - x - 2}$

51. $h(x) = (x - 1)^{2/3} + 1$

52. $g(x) = (x + 2)^{3/2} + 1$

(suite à la page 274)

TECHNOLOGIE EN APPLICATION

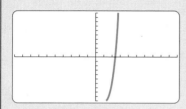

FIGURE T1
Graphique de *f* dans la fenêtre d'affichage standard

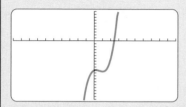

FIGURE T2
Graphique de *f* dans la fenêtre [−10, 10] × [−20, 10]

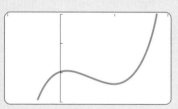

FIGURE T3
Graphique de *f* dans la fenêtre [−1, 2] × [−11, −9]

Analyse des propriétés d'une fonction

Nous avons vu à la présente section comment utiliser les concepts du calcul différentiel pour représenter la courbe d'une fonction. Les techniques de tracé de courbes sont aussi très utiles pour analyser le graphique d'une fonction tracée à l'aide d'une calculatrice graphique : elles font ressortir les principales caractéristiques de la fonction et permettent de voir si certains détails en sont absents.

EXEMPLE 1 Soit la fonction $f(x) = 2x^3 - 3,5x^2 + x - 10$. La figure T1 représente le tracé de la fonction dans la fenêtre d'affichage standard. Comme le domaine de *f* est l'intervalle $]-\infty, \infty[$, nous constatons que la portion du graphique située à gauche de l'axe des *y* est absente du graphique. Il semble donc souhaitable d'agrandir la fenêtre d'affichage. Le graphique de *f* dans la fenêtre $[-10, 10] \times [-20, 10]$ est représenté à la figure T2.

L'étude du comportement de *f* pour de grandes valeurs de *x*

$$\lim_{x \to -\infty} f(x) = -\infty \qquad \text{et} \qquad \lim_{x \to \infty} f(x) = \infty$$

donne à penser que cette fenêtre fournit une représentation assez fidèle de la fonction *f*. Le calcul de la dérivée première de *f*

$$f'(x) = 6x^2 - 7x + 1 = (6x - 1)(x - 1)$$

fait ressortir les points critiques $x = \frac{1}{6}$ et $x = 1$ de *f*. Le diagramme de signes de *f'* révèle de plus que *f* admet un maximum relatif en $x = \frac{1}{6}$ et un minimum relatif en $x = 1$, ce qui n'apparaît pas clairement dans le graphique de *f* représenté à la figure T2. Pour scruter cette portion du graphique de *f*, nous pouvons, par exemple, créer la nouvelle fenêtre $[-1, 2] \times [-11, -9]$ et y représenter le graphique de *f* (figure T3), où apparaissent cette fois avec clarté ces détails. Nous voyons donc comment, en combinant le calcul différentiel et l'usage de la calculatrice graphique, nous parvenons à obtenir une représentation juste des caractéristiques d'une fonction.

Recherche des intersections d'une courbe avec l'axe des *x*

Comme nous l'avons souligné à la section 4.3, la recherche des points d'intersection d'une courbe avec l'axe des *x* constitue parfois une tâche difficile. Pourtant, cette information est très importante dans de nombreux problèmes pratiques. L'option de résolution des équations polynomiales et l'option de recherche des zéros d'une équation sont deux moyens grâce auxquels nous pouvons résoudre facilement l'équation $f(x) = 0$ et ainsi trouver les points d'intersection du graphique d'une fonction avec l'axe des *x*.

EXEMPLE 2 Soit $f(x) = x^3 - 3x^2 + x + 1,5$.

a. Utilisez l'option de résolution des équations polynomiales d'une calculatrice graphique pour trouver les points d'intersection du graphique de *f* avec l'axe des *x*.

b. Utilisez l'option de recherche des zéros d'une équation pour trouver les points d'intersection du graphique de *f* avec l'axe des *x*.

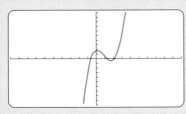

FIGURE T4
Graphique de
$f(x) = x^3 - 3x^2 + x + 1,5$

Solution

a. On observe que f est une fonction polynomiale de degré 3, de sorte que nous pouvons utiliser l'option de résolution des équations polynomiales pour résoudre l'équation $x^3 - 3x^2 + x + 1,5 = 0$ $[f(x) = 0]$. Les solutions de l'équation (ou intersections du graphique avec l'axe des x) sont

$$x_1 \approx -0,525687120865, \qquad x_2 \approx 1,2586520225 \quad \text{et} \quad x_3 \approx 2,26703509836$$

b. En examinant le graphique de f (figure T4), on observe que $x_1 \approx -0,5$, $x_2 \approx 1$ et $x_3 \approx 2$. L'option de recherche des zéros d'une équation sur une calculatrice graphique, utilisée à partir de ces valeurs initiales, fournit

$$x_1 \approx -0,5256871209, \qquad x_2 \approx 1,2586520225 \quad \text{et} \quad x_3 \approx 2.2670350984$$

REMARQUE L'option de résolution des équations polynomiales fournit les solutions d'une équation de forme $f(x) = 0$, où f est une fonction polynomiale. Par ailleurs, l'option de recherche des zéros d'une équation fournit les solutions de l'équation $f(x) = 0$, même si f n'est pas un polynôme.

EXEMPLE 3

Solvabilité d'un régime d'assistance sociale Décidément, l'ère des «États Providence» semble bien révolue. Ainsi, aux États-Unis, on a établi qu'à moins d'augmenter l'impôt sur le revenu de façon significative ou de réduire les prestations, les caisses du régime d'assistance sociale pourraient éventuellement se vider. Selon les données d'une étude récente, l'actif du régime peut être modélisé par la fonction

$$f(t) = -0,0129t^4 + 0,3087t^3 + 2,1760t^2 + 62,8466t + 506,2955 \quad \text{(pour } 0 \leq t \leq 35)$$

où le montant $f(t)$ est mesuré en millions de dollars et t est mesuré en années, la valeur $t = 0$ correspondant à 1995.

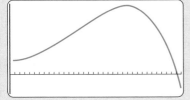

FIGURE T5
Graphique de $f(t)$

a. À l'aide d'une calculatrice graphique, tracez le graphique de f.

b. Selon ce modèle, en quelle année les caisses du régime seront-elles vides?

Source: Administration de la sécurité sociale des États-Unis

Solution

a. Le graphique de f dans la fenêtre $[0, 35] \times [-1000, 3500]$ est représenté à la figure T5.

b. En utilisant l'option de recherche des zéros d'une équation, on obtient $t \approx 34,1$. Les caisses du régime seront vides autour de 2029.

▮ EXERCICES AVEC LA CALCULATRICE GRAPHIQUE

1–4 Utilisez la méthode exposée à l'exemple 1 pour faire l'analyse de la fonction.
(N. B.: Il existe plus d'une réponse possible.)

1. $f(x) = 4x^3 - 4x^2 + x + 10$

2. $f(x) = x^3 + 2x^2 + x - 12$

3. $f(x) = \frac{1}{2}x^4 + x^3 + \frac{1}{2}x^2 - 10$

4. $f(x) = 2,25x^4 - 4x^3 + 2x^2 + 2$

5–10 Trouvez les intersections du graphique de la fonction f avec l'axe des x. Conservez quatre décimales de précision.

5. $f(x) = 0,2x^3 - 1,2x^2 + 0,8x + 2,1$

6. $f(x) = -0,5x^3 + 1,7x^2 - 1,2$

7. $f(x) = 0,3x^4 - 1,2x^3 + 0,8x^2 + 1,1x - 2$

8. $f(x) = -0,2x^4 + 0,8x^3 - 2,1x + 1,2$

9. $f(x) = 2x^2 - \sqrt{x + 1} - 3$

10. $f(x) = x - \sqrt{1 - x^2}$

53. Déchets toxiques   On a découvert récemment que la conduite d'eau principale d'une ville était contaminée au trichloréthylène, un produit chimique cancérigène. Une proposition d'assainissement des eaux soumise aux conseillers municipaux stipule que le coût, mesuré en millions de dollars, d'élimination de $x\%$ de la matière toxique est

$$C(x) = \frac{0,5x}{100 - x}$$

a. Trouvez l'asymptote verticale de $C(x)$.

b. Est-il possible d'éliminer 100 % de la matière toxique de l'eau ?

c. Tracez le graphique de la fonction C et interprétez vos résultats dans le contexte.

54. Concentration d'un médicament dans le sang   La concentration (en mg/cm³) d'un médicament dans le sang d'un patient t h après qu'il ait reçu une injection est

$$C(t) = \frac{0,2t}{t^2 + 1}$$

a. Trouvez l'asymptote horizontale de $C(t)$.

b. Interprétez le résultat dans le contexte.

c. Tracez le graphique de la fonction C et interprétez vos résultats dans le contexte.

55. PNB d'un pays en voie de développement   Le produit national brut (PNB) d'un pays en voie de développement entre 1992 et 2000 est modélisé par la fonction

$$P(t) = -0,2t^3 + 2,4t^2 + 60 \qquad \text{(pour } 0 \le t \le 8\text{)}$$

où $P(t)$ est mesuré en milliards de dollars, la valeur $t = 0$ correspondant à 1992. Tracez le graphique de la fonction P et interprétez vos résultats dans le contexte.

56. Teneur en oxygène d'un étang   Lorsqu'on jette des déchets organiques dans un étang, le phénomène d'oxydation qui en résulte absorbe une partie de l'oxygène qui y était initialement présent. Toutefois, après un certain temps, la teneur en oxygène retrouve son niveau habituel. Supposons que la teneur en oxygène de l'étang t jours après le déversement des déchets atteint

$$f(t) = 100\left(\frac{t^2 - 4t + 4}{t^2 + 4}\right) \qquad \text{(pour } 0 \le t < \infty\text{)}$$

pour cent de son niveau normal. Tracez le graphique de la fonction f et interprétez vos résultats dans le contexte.

57. Recettes au box-office   Les recettes au box-office international d'un film à succès sont modélisées par la fonction

$$T(x) = \frac{120x^2}{x^2 + 4}$$

où $T(x)$ est mesuré en millions de dollars et x désigne le nombre d'années écoulées depuis la sortie du film. Tracez le graphique de la fonction T et interprétez vos résultats dans le contexte.

◼ SOLUTIONS DES EXERCICES D'AUTOÉVALUATION 4.3

1. Puisque

$$\lim_{x \to \infty} \frac{2x^2}{x^2 - 1} = \lim_{x \to \infty} \frac{2}{1 - \dfrac{1}{x^2}}$$
On divise le numérateur et le dénominateur par x^2.

$$= 2$$

la droite $y = 2$ est une asymptote horizontale. De plus,

$$x^2 - 1 = (x + 1)(x - 1) = 0$$

entraîne $x = -1$ ou $x = 1$; et comme f ne s'annule pas en $x = -1$ et en $x = 1$, les droites $x = -1$ et $x = 1$ sont des asymptotes verticales du graphique de f.

2. Le graphique de f possède les caractéristiques suivantes:
1) Le domaine de f est l'intervalle $]-\infty, \infty[$.
2) En posant $x = 0$, on obtient une ordonnée à l'origine de 4.
3) Puisque

$$\lim_{x \to -\infty} f(x) = \lim_{x \to -\infty} \left(\frac{2}{3}x^3 - 2x^2 - 6x + 4\right) = -\infty$$

$$\lim_{x \to \infty} f(x) = \lim_{x \to \infty} \left(\frac{2}{3}x^3 - 2x^2 - 6x + 4\right) = \infty$$

la fonction f prend des valeurs négatives de plus en plus grandes lorsque x tend vers moins l'infini et elle prend des valeurs positives de plus en plus grandes lorsque x tend vers plus l'infini.

4. Comme f est une fonction polynomiale, elle n'admet pas d'asymptote.

5.
$$f'(x) = 2x^2 - 4x - 6 = 2(x^2 - 2x - 3)$$
$$= 2(x + 1)(x - 3)$$
et
$$f''(x) = 4x - 4 = 4(x - 1)$$

6. On pose $f'(x) = 0$, d'où $x = -1$ et $x = 3$. Ce sont les deux seuls points critiques de f, puisque $f'(x)$ existe pour tout x.

On pose $f''(x) = 0$, d'où $x = 1$. Par ailleurs, $f''(x)$ existe pour tout x.

7. Voici le tableau de variation de la fonction.

x		-1		1		3	
$f'(x)$	$+$	0	$-$	$-$	$-$	0	$+$
$f''(x)$	$-$	$-$	$-$	0	$+$	$+$	$+$
$f(x)$	↗	Max. rel. $\left(-1, \frac{22}{3}\right)$	↘	Point d'infl. $\left(1, -\frac{10}{3}\right)$	↘	Min. rel. $(3, -14)$	↗

Pour $x < -1$, les signes de $f'(x)$ et $f''(x)$ nous indiquent que la fonction est croissante et concave vers le bas. Pour $-1 < x < 1$, la fonction est décroissante et concave vers le bas. Nous en déduisons que la fonction admet un maximum relatif au point $(-1, f(-1))$, soit $\left(-1, \frac{22}{3}\right)$. Pour $1 < x < 3$, la fonction est décroissante et concave vers le haut. Ce changement de concavité au point

d'abscisse $x = 1$, élément du domaine de f, indique un point d'inflexion au point $(1, f(1))$, soit $\left(1, -\frac{10}{3}\right)$. Finalement, la fonction est croissante et concave vers le haut pour $x > 3$, d'où un minimum relatif au point $(3, f(3))$, soit $(3, -14)$.

8. Le graphique de la fonction est représenté à la figure ci-dessous.

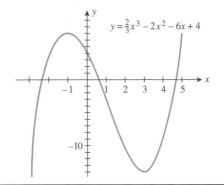

$y = \frac{2}{3}x^3 - 2x^2 - 6x + 4$

4.4 Problèmes d'optimisation – Première partie

Extremums absolus

Le graphique illustré à la figure 4.51 représente l'évolution du taux de natalité au Québec entre 1900 ($t = 0$) et 2000 ($t = 100$). On retrouve le taux le plus élevé (40,6 naissances vivantes pour 1000) en 1909 et le taux le plus bas (9,8 naissances vivantes pour 1000) en 2000. Le nombre 40,6, soit la plus grande valeur de $f(t)$ pour t dans l'intervalle [0, 100] — le domaine de f — est désigné sous le nom de *maximum absolu de f* sur cet intervalle. Le nombre 9,8, soit la plus petite valeur de $f(t)$ pour t dans l'intervalle [0, 100], est dit le *minimum absolu de f* sur cet intervalle. On remarque aussi que le maximum absolu de f est atteint en un point intérieur de l'intervalle ($t = 9$) et que le minimum absolu est atteint à une extrémité ($t = 100$) de l'intervalle.

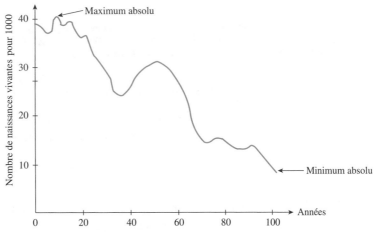

FIGURE 4.51
La fonction $f(t)$ représente le taux de natalité au Québec à l'année t, entre 1900 ($t = 0$) et 2000 ($t = 100$).

Source : Institut de la statistique, Québec

(En examinant le graphique, on reconnaît notamment l'effet sur la natalité du krach de 1929, le baby-boom amorcé vers la fin de la Seconde Guerre mondiale, de même que le léger redressement de la natalité amené par le programme des «bébés-bonis» instauré en 1988, bonifié en 1991 et finalement aboli en 1997.)

Voici comment sont définis les concepts d'**extremums absolus** (maximum absolu ou minimum absolu) d'une fonction.

> **Extremums absolus d'une fonction f**
> Si $f(x) \leq f(c)$ pour tout x dans le domaine de f, alors $f(c)$ est le **maximum absolu** de f.
> Si $f(x) \geq f(c)$ pour tout x dans le domaine de f, alors $f(c)$ est le **minimum absolu** de f.

À la figure 4.52, nous avons représenté les graphiques de différentes fonctions, de même que leurs extremums absolus, lorsqu'ils existent.

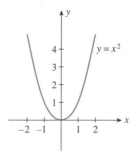

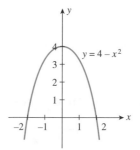

a) $f(0) = 0$ est le minimum absolu de f; f n'admet pas de maximum absolu.

b) $f(0) = 4$ est le maximum absolu de f; f n'admet pas de minimum absolu.

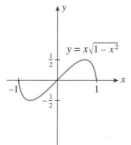

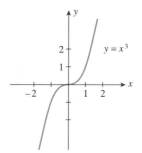

c) $f(\sqrt{2}/2) = 1/2$ est le maximum absolu de f; $f(-\sqrt{2}/2) = -1/2$ est le minimum absolu de f.

d) f n'admet pas d'extremum absolu.

FIGURE 4.52

Extremums absolus sur un intervalle fermé

Comme nous l'avons constaté dans les exemples précédents, une fonction continue n'admet pas toujours un maximum absolu ou un minimum absolu dans un intervalle. Cependant, il arrive fréquemment dans des applications pratiques que l'existence d'un maximum absolu et d'un minimum absolu de la fonction qui modélise la situation soit garantie : c'est le cas lorsque la fonction est continue et définie sur un intervalle *fermé*. Ce résultat important est énoncé au théorème suivant, dont la preuve dépasse le cadre du présent ouvrage.

THÉORÈME 3

Si une fonction f est continue sur un intervalle fermé $[a, b]$, alors f admet un maximum absolu et un minimum absolu sur $[a, b]$.

On remarque que si un extremum absolu d'une fonction continue f est situé dans l'intervalle ouvert $]a, b[$, alors il est aussi un extremum relatif de f et, par conséquent, son abscisse est un point critique de f. Sinon, l'extremum absolu de f doit être situé à l'une ou l'autre des extrémités de l'intervalle $[a, b]$ (figure 4.53).

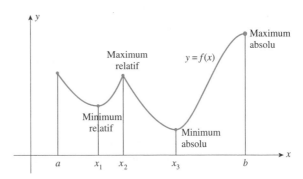

FIGURE 4.53
Le minimum relatif de f en x_3 est aussi le minimum absolu de f. Le maximum absolu $f(b)$ de la fonction est situé à l'extrémité droite de l'intervalle $[a, b]$.

Les points d'abscisse x_1, x_2 et x_3 sont des points critiques de f. Le minimum absolu de f est situé au point d'abscisse x_3, qui appartient à l'intervalle ouvert $]a, b[$ et est un point critique de f. Le maximum absolu de f est situé au point d'abscisse b, l'extrémité droite de l'intervalle. Ces observations suggèrent la procédure suivante pour rechercher les extremums absolus d'une fonction continue sur un intervalle fermé.

Recherche des extremums absolus d'une fonction f sur un intervalle fermé

1. Trouver les points critiques de f sur l'intervalle ouvert $]a, b[$.
2. Calculer la valeur de f en chaque point critique, de même que $f(a)$ et $f(b)$.
3. Le maximum absolu et le minimum absolu de f sont respectivement la plus grande et la plus petite valeur trouvées à l'étape 2.

EXEMPLE 1   Trouvez les extremums absolus de la fonction $F(x) = x^2$ définie sur l'intervalle $[-1, 2]$.

Solution   La fonction F est continue sur l'intervalle fermé $[-1, 2]$ et dérivable sur l'intervalle ouvert $]-1, 2[$. La dérivée de F est

$$F'(x) = 2x$$

de sorte que $x = 0$ est le seul point critique de F. On évalue $F(x)$ en $x = 0$, de même qu'aux extrémités $x = -1$ et $x = 2$, obtenant ainsi

$$F(0) = 0, \qquad F(-1) = 1 \quad \text{et} \quad F(2) = 4$$

Donc 0 est le minimum absolu de F et 4 est le maximum absolu de F. Le graphique de F, représenté à la figure 4.54, confirme ces résultats.

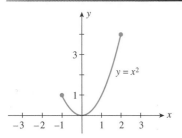

FIGURE 4.54
La fonction F admet un minimum absolu de 0 et un maximum absolu de 4.

EXEMPLE 2   Trouvez les extremums absolus de la fonction

$$f(x) = x^3 - 2x^2 - 4x + 4$$

définie sur l'intervalle $[0, 3]$.

Solution

La fonction f est continue sur l'intervalle fermé $[0, 3]$ et dérivable sur l'intervalle ouvert $]0, 3[$. La dérivée de f est

$$f'(x) = 3x^2 - 4x - 4 = (3x + 2)(x - 2)$$

et elle s'annule en $x = -\frac{2}{3}$ et $x = 2$. Le point $x = -\frac{2}{3}$ n'est pas retenu, puisqu'il ne fait pas partie de l'intervalle $]0, 3[$. Le point $x = 2$ est donc le seul point critique de f sur l'intervalle $]0, 3[$. On évalue $f(x)$ au point critique de f de même qu'aux extrémités de l'intervalle, obtenant

$$f(2) = -4, \quad f(0) = 4 \quad \text{et} \quad f(3) = 1$$

Il en résulte que -4 est le minimum absolu de f et que 4 en est le maximum absolu. Le graphique de f, représenté à la figure 4.55, confirme ces résultats. On observe que le maximum absolu de f est situé à l'extrémité gauche de l'intervalle $[0, 3]$, alors que le minimum absolu est situé en $x = 2$, un point intérieur de l'intervalle $]0, 3[$.

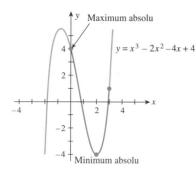

FIGURE 4.55
La fonction f admet un maximum absolu de 4 et un minimum absolu de -4.

🖩 TECHNOLOGIE ET INTUITION

Soit $f(x) = x^3 - 2x^2 - 4x + 4$ (reportez-vous à l'exemple 2).

1. À l'aide d'une calculatrice graphique, tracez le graphique de la fonction f dans la fenêtre $[0, 3] \times [-5, 5]$. Utilisez le menu TRACE pour trouver les extremums absolus de f sur l'intervalle $[0, 3]$. Vérifiez si ces résultats sont conformes à ceux que nous avons obtenus par des méthodes analytiques à l'exemple 2.

2. Tracez le graphique de f dans la fenêtre $[-2, 1] \times [-5, 6]$. Utilisez les menus ZOOM et TRACE pour trouver les extremums absolus de la fonction sur l'intervalle $[-2, 1]$. Vérifiez vos résultats par des méthodes analytiques.

EXEMPLE 3   Trouvez le maximum absolu et le minimum absolu de la fonction $f(x) = x^{2/3}$ sur l'intervalle $[-1, 8]$.

Solution   La dérivée de f est

$$f'(x) = \frac{2}{3}x^{-1/3} = \frac{2}{3x^{1/3}}$$

On remarque que f' n'est pas définie en $x = 0$, qu'elle est continue partout ailleurs et qu'elle ne s'annule jamais. Par conséquent, $x = 0$ est le seul point critique de f. On évalue $f(x)$ en $x = 0$, -1 et 8, obtenant ainsi

$$f(0) = 0, \quad f(-1) = 1 \quad \text{et} \quad f(8) = 4$$

Le minimum absolu de la fonction est donc 0, qui est atteint en $x = 0$, et le maximum absolu, atteint en $x = 8$, est 4 (figure 4.56).

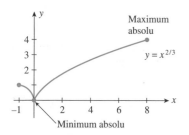

FIGURE 4.56
La fonction f admet un minimum absolu $f(0) = 0$ et un maximum absolu $f(8) = 4$.

APPLICATIONS

De nombreuses situations de la vie réelle font appel à la recherche du maximum absolu ou du minimum absolu d'une fonction. En voici quelques exemples : la direction d'une entreprise cherche à savoir quelles sont les quantités à produire de manière à obtenir le maximum de profit; un agriculteur cherche à savoir quelle quantité de fertilisant utiliser de manière à maximiser le rendement des récoltes; un médecin cherche à savoir à quel moment la concentration d'un médicament dans le sang d'un patient atteint un maximum; un ingénieur cherche à connaître les dimensions d'un contenant de forme et de volume donnés qui engendreront un coût minimal. Les quelques exemples qui suivent illustrent en détail comment traiter des situations de ce type.

EXEMPLE 4

Maximisation des profits d'une entreprise La fonction de profit de l'entreprise Acrosonic est

$$P(x) = -0{,}02x^2 + 300x - 200\,000 \qquad (\text{pour } 0 \le x \le 20\,000)$$

dollars, où x désigne le nombre de haut-parleurs fabriqués et vendus par l'entreprise. Combien de haut-parleurs l'entreprise doit-elle produire si elle désire maximiser ses profits?

Solution

Pour trouver le maximum absolu de P sur l'intervalle $[0, 20\,000]$, il faut d'abord trouver les points critiques de la fonction sur l'intervalle ouvert $]0, 20\,000[$. On calcule

$$P'(x) = -0{,}04x + 300$$

On pose $P'(x) = 0$ et on obtient $x = 7500$. On évalue $P(x)$ en $x = 7500$, de même qu'aux extrémités $x = 0$ et $x = 20\,000$ de l'intervalle $[0, 20\,000]$. Ainsi,

$$P(7500) = 925\,000, \quad P(0) = -200\,000 \quad \text{et} \quad P(20\,000) = -2\,200\,000$$

Donc le maximum absolu de la fonction P est $925\,000$. Ainsi, en produisant 7500 haut-parleurs, Acrosonic réalisera un profit maximum de $925\,000$ \$. Le graphique de P est représenté à la figure 4.57.

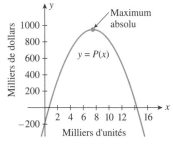

FIGURE 4.57
La fonction P admet un maximum absolu au point (7500, 925 000).

TRAVAIL EN ÉQUIPE

Rappelons que le profit total P est défini par $P(x) = R(x) - C(x)$, où R est la fonction de revenu total, C est la fonction de coût total et x est le nombre d'unités produites et vendues. (On suppose que toutes les fonctions sont dérivables.)

1. Montrez que si x_0 désigne le nombre d'unités pour lequel le profit atteint un maximum, alors, au point $x = x_0$, les deux conditions suivantes sont satisfaites :

$$R'(x_0) = C'(x_0) \qquad \text{et} \qquad R''(x_0) < C''(x_0)$$

2. Justifiez les deux conditions de la partie **1** à l'aide d'une argumentation économique.

EXEMPLE 5

Contraction de la trachée durant la toux   Lorsqu'une personne tousse, sa trachée se contracte, ce qui lui permet d'expulser l'air à une vitesse maximale. La vitesse v d'expulsion de l'air est modélisée par

$$v = f(r) = kr^2(R - r)$$

où r désigne le rayon de la trachée (en cm) durant la toux, R désigne le rayon normal de la trachée (en cm) et k est une constante positive qui dépend de la longueur de la trachée. Trouvez la valeur du rayon r qui maximise la vitesse d'expulsion de l'air.

Solution

Pour trouver le maximum absolu de f sur l'intervalle $[0, R]$, il faut d'abord trouver les points critiques de f sur l'intervalle ouvert $]0, R[$. On calcule

$$f'(r) = 2kr(R - r) - kr^2 \qquad \text{Dérivée du produit de fonctions.}$$
$$= -3kr^2 + 2kRr = kr(-3r + 2R)$$

On pose $f'(r) = 0$ et on obtient $r = 0$ ou $r = \frac{2}{3}R$, de sorte que $r = \frac{2}{3}R$ est le seul point critique de f (puisque $r = 0$ est une extrémité de l'intervalle). On évalue $f(r)$ en $r = \frac{2}{3}R$, de même qu'aux extrémités $r = 0$ et $r = R$ de l'intervalle $[0, R]$. Ainsi,

$$f\left(\frac{2}{3}R\right) = \frac{4k}{27}R^3, \quad f(0) = 0 \qquad \text{et} \qquad f(R) = 0$$

Donc la vitesse d'expulsion maximum de l'air est atteinte lorsque la trachée se contracte à $\frac{2}{3}R$, c'est-à-dire lorsque le rayon de la trachée est réduit d'environ 33 %. Le graphique de la fonction f est représenté à la figure 4.58.

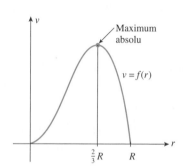

FIGURE 4.58
La vitesse d'expulsion de l'air est maximum lorsque la trachée se contracte à $\frac{2}{3}$ R.

TRAVAIL EN ÉQUIPE

Démontrez que si une fonction de coût $C(x)$ est concave vers le haut [c'est-à-dire si $C''(x) > 0$], alors le coût de production moyen atteint un minimum lorsque la quantité x d'unités produites vérifie l'équation

$$\overline{C}(x) = C'(x)$$

c'est-à-dire lorsque le coût moyen $\overline{C}(x)$ est égal au coût marginal $C'(x)$.

Suggestions:
1. Montrez que

$$\overline{C}'(x) = \frac{xC'(x) - C(x)}{x^2}$$

de sorte que le point critique de la fonction $\overline{C}$ vérifie l'équation

$$xC'(x) - C(x) = 0$$

2. Montrez qu'en un point critique de $\overline{C}$

$$\overline{C}''(x) = \frac{C''(x)}{x}$$

et utilisez le test de la dérivée seconde pour terminer votre argumentation.

EXEMPLE 6

Minimisation du coût moyen de production   Une filiale de Poltronique fabrique des calculatrices de poche programmables. Le coût moyen journalier (en dollars par unité) est modélisé par

$$\bar{C}(x) = 0{,}0001x^2 - 0{,}08x + 40 + \frac{5000}{x} \qquad \text{(pour } x > 0\text{)}$$

où x représente le nombre de calculatrices fabriquées. Montrez que lorsque la production quotidienne est de 500 calculatrices, le coût moyen de production atteint un minimum.

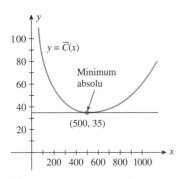

FIGURE 4.59
Le coût moyen minimum est de 35 $ par calculatrice.

Solution   Le domaine de la fonction $\bar{C}$ est l'intervalle ouvert $]0, \infty[$. Nous pouvons résoudre ce problème en nous aidant d'un graphique, tracé selon les techniques développées à la section précédente (figure 4.59).

Ainsi, nous avons

$$\bar{C}'(x) = 0{,}0002x - 0{,}08 - \frac{5000}{x^2}$$

Pour $x = 500$, on a $\bar{C}'(500) = 0$, de sorte que $x = 500$ est un point critique de $\bar{C}$. De plus,

$$\bar{C}''(x) = 0{,}0002 + \frac{10\,000}{x^3}$$

d'où

$$\bar{C}''(500) = 0{,}0002 + \frac{10\,000}{(500)^3} > 0$$

Donc en vertu du test de la dérivée seconde, la fonction $\bar{C}$ admet un minimum relatif au point d'abscisse $x = 500$. Finalement, $\bar{C}''(x) > 0$ pour tout $x > 0$, de sorte que le graphique de $\bar{C}$ est partout concave vers le haut et que le minimum relatif de $\bar{C}$ est donc également un minimum absolu de $\bar{C}$. Le coût moyen minimum est

$$\bar{C}(500) = 0{,}0001(500)^2 - 0{,}08(500) + 40 + \frac{5000}{500}$$

$$= 35$$

soit 35 $ par calculatrice.

TECHNOLOGIE ET INTUITION

Reportez-vous à la rubrique *Travail en équipe* de la page précédente et à l'exemple 6.

1. À l'aide d'une calculatrice graphique, tracez les graphiques des fonctions

$$\bar{C}(x) = 0{,}0001x^2 - 0{,}08x + 40 + \frac{5000}{x}$$

$$C'(x) = 0{,}0003x^2 - 0{,}16x + 40$$

dans la fenêtre $[0, 1000] \times [0, 150]$.
Note: $C(x) = 0{,}0001x^3 - 0{,}08x^2 + 40x + 5000$ (Justifiez.)

2. Trouvez le point d'intersection des graphiques de $\bar{C}$ et C', de manière à vérifier pour le cas particulier de l'exemple 6 l'assertion démontrée sous la rubrique *Travail en équipe* de la page précédente.

EXEMPLE 7

Vol d'une fusée L'altitude (en mètres) atteinte par une fusée t s après le décollage est exprimée par la fonction

$$s = f(t) = -\frac{1}{3}t^3 + 32t^2 + 65t + 2 \qquad \text{(pour } t \geq 0\text{)}$$

a. Calculez l'altitude maximum atteinte par la fusée.

b. Calculez la vitesse maximum atteinte par la fusée.

Solution

a. L'altitude maximum atteinte par la fusée est le maximum absolu de la fonction f sur l'intervalle fermé $[0, T]$, où T désigne le moment où la fusée revient au sol. Nous sommes assurés de l'existence d'un tel nombre puisque le terme dominant de la fonction continue f est $-\left(\frac{1}{3}\right)t^3$, de sorte que lorsque t est suffisamment grand, la valeur de $f(t)$ doit passer de positive à négative et, par conséquent, $f(t)$ doit s'annuler pour une certaine valeur $t = T$.

Pour trouver le maximum absolu de f, on calcule

$$f'(t) = -t^2 + 64t + 65$$
$$= -(t - 65)(t + 1)$$

et on résout l'équation $f'(t) = 0$, obtenant ainsi $t = -1$ et $t = 65$. On rejette la valeur $t = -1$, puisqu'elle n'est pas comprise dans l'intervalle $[0, T]$. L'unique point critique de f est donc $t = 65$. On calcule ensuite

$$f(0) = 2, \qquad f(65) = 47\ 885{,}33, \qquad f(T) = 0$$

Donc le maximum absolu est 47 885,33. L'altitude maximum atteinte par la fusée, 65 s après le décollage, est donc de 47 885,33 m, ou 47,885 km. Le graphique de f est représenté à la figure 4.60.

b. Pour trouver la vitesse maximum atteinte par la fusée, on doit trouver le maximum absolu de la fonction exprimant la vitesse de la fusée à l'instant t, soit

$$v = f'(t) = -t^2 + 64t + 65 \qquad \text{(pour } t \geq 0\text{)}$$

Le point critique de v est la solution de l'équation $v' = 0$. Or

$$v' = -2t + 64$$

et le point critique de v est donc $t = 32$. Puisque

$$v'' = -2 < 0$$

on déduit, en vertu du test de la dérivée seconde, que v atteint un maximum relatif en $t = 32$. Le calcul de la dérivée seconde de v fait ressortir une propriété intéressante de la courbe de la vitesse. En effet, puisque v'' est partout négative, la courbe de la vitesse est partout concave vers le bas. Il s'ensuit que le maximum relatif de la fonction v est aussi un maximum absolu de la fonction. La vitesse maximum de la fusée s'obtient en calculant v en $t = 32$,

$$f'(32) = -(32)^2 + 64(32) + 65$$

soit 1089 m/s. Le graphique de la fonction vitesse v est représenté à la figure 4.61.

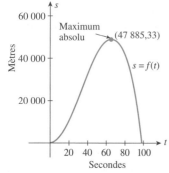

FIGURE 4.60
L'altitude maximum atteinte par la fusée est de 47,885 km.

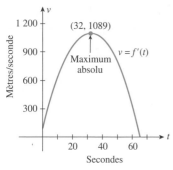

FIGURE 4.61
La vitesse maximum atteinte par la fusée est de 1089 m/s.

■ EXERCICES D'AUTOÉVALUATION 4.4

1. Soit $f(x) = x - 2\sqrt{x}$.

   a. Trouvez les extremums absolus de f sur l'intervalle $[0, 9]$.

   b. Trouvez les extremums absolus de f.

2. Trouvez les extremums absolus de la fonction $f(x) = 3x^4 + 4x^3 + 1$ sur l'intervalle $[-2, 1]$.

3. Le taux d'exploitation (exprimé en pourcentage) des usines, des mines et des entreprises de services publics d'une région du Québec à la t^e journée de l'an 2000 est modélisé par la fonction

$$f(t) = 80 + \frac{1200t}{t^2 + 40\,000} \qquad \text{(pour } 0 \le t \le 250\text{)}$$

En quel jour, parmi les 250 premiers jours de l'an 2000, le taux d'exploitation a-t-il atteint un maximum?

Les solutions des exercices d'autoévaluation 4.4 se trouvent à la page 287.

■ 4.4 EXERCICES

1–6 Étant donné le graphique de la fonction f définie sur l'intervalle indiqué, trouvez, s'ils existent, les extremums absolus de la fonction.

1.

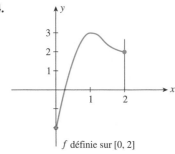

f définie sur $]-\infty, \infty[$

2.

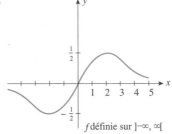

f définie sur $]-\infty, \infty[$

3.

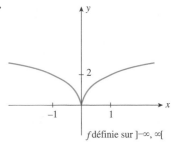

f définie sur $]-\infty, \infty[$

4.

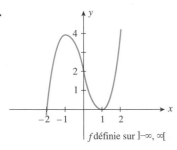

f définie sur $[0, 2]$

5.

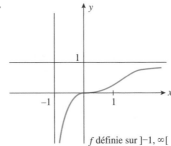

f définie sur $]-1, \infty[$

6.

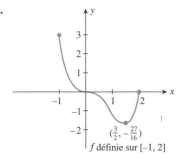

f définie sur $[-1, 2]$

7–36 Trouvez, s'ils existent, les extremums absolus de la fonction.

7. $f(x) = 2x^2 + 3x - 4$ **8.** $g(x) = -x^2 + 4x + 3$

9. $h(x) = x^{1/3}$ **10.** $f(x) = x^{2/3}$

11. $f(x) = \dfrac{1}{1 + x^2}$ **12.** $f(x) = \dfrac{x}{1 + x^2}$

13. $f(x) = x^2 - 2x - 3$ sur $[-2, 3]$

14. $g(x) = x^2 - 2x - 3$ sur $[0, 4]$

15. $f(x) = -x^2 + 4x + 6$ sur $[0, 5]$

16. $f(x) = -x^2 + 4x + 6$ sur $[3, 6]$

17. $f(x) = x^3 + 3x^2 - 1$ sur $[-3, 2]$

18. $g(x) = x^3 + 3x^2 - 1$ sur $[-3, 1]$

19. $g(x) = 3x^4 + 4x^3$ sur $[-2, 1]$

20. $f(x) = \dfrac{1}{2}x^4 - \dfrac{2}{3}x^3 - 2x^2 + 3$ sur $[-2, 3]$

21. $f(x) = \dfrac{x + 1}{x - 1}$ sur $[2, 4]$ **22.** $g(t) = \dfrac{t}{t - 1}$ sur $[2, 4]$

23. $f(x) = 4x + \dfrac{1}{x}$ sur $[1, 3]$

24. $f(x) = 9x - \dfrac{1}{x}$ sur $[1, 3]$

25. $f(x) = \dfrac{1}{2}x^2 - 2\sqrt{x}$ sur $[0, 3]$

26. $g(x) = \dfrac{1}{8}x^2 - 4\sqrt{x}$ sur $[0, 9]$

27. $f(x) = \dfrac{1}{x}$ sur $]0, \infty[$ **28.** $g(x) = \dfrac{1}{x + 1}$ sur $]0, \infty[$

29. $f(x) = 3x^{2/3} - 2x$ sur $[0, 3]$

30. $g(x) = x^2 + 2x^{2/3}$ sur $[-2, 2]$

31. $f(x) = x^{2/3}(x^2 - 4)$ sur $[-1, 2]$

32. $f(x) = x^{2/3}(x^2 - 4)$ sur $[-1, 3]$

33. $f(x) = \dfrac{x}{x^2 + 2}$ sur $[-1, 2]$

34. $f(x) = \dfrac{1}{x^2 + 2x + 5}$ sur $[-2, 1]$

35. $f(x) = \dfrac{x}{\sqrt{x^2 + 1}}$ sur $[-1, 1]$

36. $g(x) = x\sqrt{4 - x^2}$ sur $[0, 2]$

37. On lance une pierre vers le haut à partir du toit d'un édifice de 25 m de hauteur. La hauteur (en mètres) de la pierre par rapport au sol à l'instant t (en secondes) est

$$h(t) = -4,9t^2 + 20t + 25$$

Quelle hauteur maximum la pierre atteint-elle?

38. **VOL D'UNE FUSÉE** L'altitude (en mètres) atteinte par une fusée modèle réduit t s après le décollage est exprimée par la fonction

$$h(t) = -\frac{1}{9}t^3 + \frac{4}{3}t^2 + \frac{20}{3}t + \frac{2}{3}$$

Calculez l'altitude maximum atteinte par la fusée.

39. **JEUNES TRAVAILLEURS AUTONOMES** Même si, selon des données gouvernementales, le nombre d'emplois autonomes détenus par l'ensemble des Québécois de 15 à 64 ans n'a cessé d'augmenter entre 1976 et 2001, la tendance a été bien différente pour les Québécois situés dans la tranche d'âge des 15-29 ans. En effet, le nombre d'emplois dans cette catégorie d'âge suit le modèle

$$N(t) = 0{,}041t^3 - 3{,}624t^2 + 16{,}901t + 44{,}299$$
$$\text{(pour } 0 \le t \le 5)$$

où $N(t)$ est mesuré en milliers et t est mesuré en intervalles de 5 ans, la valeur $t = 0$ correspondant au début de 1976. Trouvez les extremums absolus de la fonction N sur l'intervalle $[0, 5]$. Interprétez vos résultats dans le contexte.

Source: Statistique Canada, *Enquête sur la population active*

40. **MAXIMISATION DES PROFITS** La demande mensuelle de l'enregistrement par le pianiste Rudolf Serkin de la *Sonate à la lune,* de Beethoven, sur étiquette Phonola, est reliée au prix unitaire du disque compact par l'équation

$$p = -0{,}00042x + 6 \qquad \text{(pour } 0 \le x \le 12\,000)$$

où p désigne le prix unitaire en dollars et x est le nombre de disques demandés. Le coût total mensuel (en dollars) pour le pressage et l'emballage de x exemplaires du disque est modélisé par

$$C(x) = 600 + 2x - 0{,}00002x^2 \quad \text{(pour } 0 \le x \le 20\,000)$$

Combien d'exemplaires du disque le fabricant de disques doit-il produire chaque mois, s'il veut maximiser ses profits?

Suggestion: Le revenu est $R(x) = px$ et le profit est $P(x) = R(x) - C(x)$.

41. **MAXIMISATION DES PROFITS** L'usine de Pointe-Claire d'un fabricant de calculatrices bien connu est spécialisée dans la production du modèle S300. Les coûts fixes hebdomadaires de l'usine s'élèvent à 20 000 $ et les coûts variables, à

$$V(x) = 0,000001x^3 - 0,01x^2 + 50x$$

dollars, où x désigne le nombre de calculatrices fabriquées chaque semaine. Le revenu provenant de la vente de x calculatrices par semaine est

$$R(x) = -0,02x^2 + 150x \qquad \text{(pour } 0 \le x \le 7500\text{)}$$

Trouvez le niveau de production qui résulte en un profit maximum pour le fabricant.

Suggestion : Utilisez la formule quadratique.

42. MINIMISATION DU COÛT MOYEN Supposons que le coût total de production d'un produit est modélisé par la fonction $C(x) = 0,2(0,01x^2 + 120)$ dollars, où x représente le nombre d'unités produites. Trouvez le niveau de production qui résulte en un coût moyen minimum pour le fabricant.

43. MINIMISATION DES COÛTS DE PRODUCTION Le coût total mensuel (en dollars) engagé par une entreprise d'instrumentation de précision pour fabriquer x unités de l'appareil photo M1 est modélisé par la fonction

$$C(x) = 0,0025x^2 + 80x + 10\,000$$

a. Trouvez la fonction de coût moyen $\overline{C}$.

b. Trouvez le niveau de production pour lequel le coût moyen de production est minimum.

c. Trouvez le niveau de production pour lequel le coût moyen est égal au coût marginal.

d. Comparez les résultats obtenus en **b** et en **c**.

44. MINIMISATION DES COÛTS DE PRODUCTION Le coût total quotidien (mesuré en dollars) engagé pour produire x boîtes de 24 bouteilles de sauce Tabasco est modélisé par

$$C(x) = 0,000002x^3 + 5x + 400$$

En utilisant cette fonction, répondez aux questions posées à l'exercice 43.

45. MAXIMISATION DU REVENU Supposons que la demande hebdomadaire d'un modèle de robe soit relié au prix unitaire p de la robe par l'équation de demande $p = \sqrt{800 - x}$, où p est mesuré en dollars et x désigne le nombre de robes fabriquées. Si on désire maximiser le revenu, combien de robes faudrait-il fabriquer et vendre chaque semaine ?
Suggestion : $R(x) = px$.

46. MAXIMISATION DU REVENU La demande de montres Sicard est modélisée par

$$p = \frac{50}{0,01x^2 + 1} \qquad \text{(pour } 0 \le x \le 20\text{)}$$

où p est mesuré en dollars et x (mesuré en milliers) est la quantité hebdomadaire demandée. Si on désire maximiser le revenu, combien de montres faut-il fabriquer et vendre chaque semaine ?

47. TENEUR EN OXYGÈNE D'UN ÉTANG Lorsqu'on jette des déchets organiques dans un étang, le phénomène d'oxydation qui en résulte absorbe une partie de l'oxygène qui y était initialement présent. Toutefois, après un certain temps, la teneur en oxygène retrouve son niveau habituel. Supposons que la teneur en oxygène de l'étang t jours après le déversement des déchets atteint

$$f(t) = 100\left[\frac{t^2 - 4t + 4}{t^2 + 4}\right] \qquad \text{(pour } 0 \le t < \infty\text{)}$$

pour cent de son niveau normal.

a. À quel moment le niveau d'oxygène est-il le plus bas ?

b. À quel moment le taux de restauration de l'oxygène est-il le plus élevé ?

48. MAXIMISATION DU REVENU Le revenu moyen est défini par

$$\overline{R}(x) = \frac{R(x)}{x} \qquad \text{(pour } x > 0\text{)}$$

Montrez que si la fonction de revenu $R(x)$ est concave vers le bas [c'est-à-dire si $R''(x) < 0$], alors le niveau de vente pour lequel le revenu moyen est maximum est atteint lorsque $\overline{R}(x) = R'(x)$.

49. PNB D'UN PAYS EN VOIE DE DÉVELOPPEMENT Le produit national brut (PNB) d'un pays en voie de développement entre 1992 et 2000 est modélisé par la fonction

$$P(t) = -0,2t^3 + 2,4t^2 + 60 \qquad \text{(pour } 0 \le t \le 8\text{)}$$

où $P(t)$ est mesuré en milliards de dollars, la valeur $t = 0$ correspondant à 1992. Montrez que le taux de croissance du PNB de ce pays a atteint son maximum en 1996.

50. CRIMINALITÉ Le nombre de crimes violents commis dans une grande ville américaine entre 1988 et 1995 est approximé par la fonction

$$N(t) = -0,1t^3 + 1,5t^2 + 100 \qquad \text{(pour } 0 \le t \le 7\text{)}$$

où $N(t)$ désigne le nombre de crimes commis au cours de l'année t, la valeur $t = 0$ correspondant à 1988. Exaspérés par la hausse de criminalité, les citoyens de la ville, de concert avec les forces policières locales, ont organisé, dès le début de 1992, un comité de surveillance de quartier pour contrer ce fléau social. Montrez que le taux de croissance maximal de la criminalité a été atteint en 1993, ce qui tend à démontrer l'efficacité à moyen terme du comité de surveillance de quartier.

(suite à la pag

TECHNOLOGIE EN APPLICATION

| **Recherche des extremums absolus d'une fonction** |

Certains modèles de calculatrices graphiques sont dotés d'une option de recherche du maximum absolu et du minimum absolu d'une fonction continue sur un intervalle fermé. Voici un exemple et quelques exercices d'application de cette option.

Soit la fonction $f(x) = \dfrac{2x + 4}{(x^2 + 1)^{3/2}}$.

a. À l'aide d'une calculatrice graphique, tracez la courbe de f dans la fenêtre $[-3, 3] \times [-1, 5]$.

b. Trouvez les extremums absolus de f sur l'intervalle $[-3, 3]$. Conservez quatre décimales de précision.

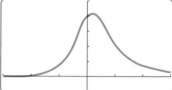

FIGURE T1
Graphique de f dans la fenêtre $[-3, 3] \times [-1, 5]$

Solution

a. Le graphique de f est représenté à la figure T1.

b. On utilise l'option de recherche du minimum absolu d'une fonction sur un intervalle fermé: la calculatrice graphique fournit la valeur $-0{,}0632$. De même, en utilisant l'option de recherche du maximum absolu, on obtient $4{,}1593$.

REMARQUE Certaines calculatrices graphiques fournissent les valeurs du maximum absolu et du minimum absolu d'une fonction continue sur un intervalle fermé sans qu'il soit nécessaire de faire tracer préalablement le graphique.

■ EXERCICES AVEC LA CALCULATRICE GRAPHIQUE

1–6 Utilisez la méthode exposée à l'exemple 1 pour trouver les extremums absolus de la fonction f dans l'intervalle donné. Conservez 4 décimales de précision.

1. $f(x) = 3x^4 - 4{,}2x^3 + 6{,}1x - 2$; l'intervalle $[-2, 3]$

2. $f(x) = 2{,}1x^4 - 3{,}2x^3 + 4{,}1x^2 + 3x - 4$; l'intervalle $[-1, 2]$

3. $f(x) = \dfrac{2x^3 - 3x^2 + 1}{x^2 + 2x - 8}$; l'intervalle $[-3, 1]$

4. $f(x) = \sqrt{x}(x^3 - 4)^2$; l'intervalle $[0{,}5; 1]$

5. $f(x) = \dfrac{x^3 - 1}{x^2}$; l'intervalle $[1, 3]$

6. $f(x) = \dfrac{x^3 - x^2 + 1}{x - 2}$; l'intervalle $[1, 3]$

7. MARCHÉ IMMOBILIER Le nombre moyen de jours écoulés entre la mise en vente d'une maison unifamiliale et l'acceptation de l'offre d'achat dans une région du Québec est modélisé par la fonction

$$f(t) = 0{,}0171911t^4 - 0{,}662121t^3 + 6{,}18083t^2 - 8{,}97086t + 53{,}3357 \quad \text{(pour } 0 \leq t \leq 10)$$

où t est mesuré en années, la valeur $t = 0$ correspondant au début de 1984.

a. Tracez la courbe de f dans la fenêtre $[0, 12] \times [0, 120]$.

b. Trouvez le maximum absolu et le minimum absolu de f dans l'intervalle $[0, 12]$. Interprétez vos résultats dans le contexte.

8. UTILISATION DE MOTEURS DIESELS Le prix de l'essence en Europe est plus élevé qu'en Amérique. C'est pourquoi un grand nombre d'automobiles de fabrication européenne sont munies de moteurs diesels. Le pourcentage de nouveaux véhicules équipés de moteurs diesels en Europe de l'Ouest est modélisé par la fonction

$$f(t) = 0{,}3t^4 - 2{,}58t^3 + 8{,}11t^2 - 7{,}71t + 23{,}75 \quad \text{(pour } 0 \leq t \leq 4)$$

où t est mesuré en années, la valeur $t = 0$ correspondant au début de 1996.

a. À l'aide d'une calculatrice graphique, tracez la courbe de f dans la fenêtre $[0, 4] \times [0, 40]$.

b. Quel a été le pourcentage minimum de véhicules équipés d'un moteur diesel au cours de la période indiquée?

Source: Association allemande de l'industrie automobile

51–54 Dites si l'énoncé est vrai ou faux. S'il est vrai, dites pourquoi. S'il est faux, trouvez un contre-exemple.

51. Si une fonction f est définie sur un intervalle fermé $[a, b]$, alors f admet un maximum absolu.

52. Si une fonction f est continue sur un intervalle ouvert $]a, b[$, alors f n'admet pas de minimum absolu.

53. Si une fonction f n'est pas continue sur un intervalle fermé $[a, b]$, alors f ne peut admettre de maximum absolu.

54. Si $f''(x) < 0$ sur un intervalle ouvert $]a, b[$ et si $f'(c) = 0$, où $a < c < b$, alors $f(c)$ est le maximum absolu de f sur l'intervalle fermé $[a, b]$.

55. Supposons que $f(x) = c$, où c est un nombre réel. Montrez que tout point $x = a$ est à la fois un maximum absolu et un minimum absolu de f.

56. Montrez qu'une fonction polynomiale définie sur l'intervalle $]-\infty, \infty[$ ne peut admettre à la fois un maximum absolu et un minimum absolu, sauf s'il s'agit d'une fonction constante.

57. Rappelons que le théorème d'existence des extremums absolus (théorème 3, page 277) d'une fonction f ne s'applique que si la fonction est continue sur l'intervalle fermé $[a, b]$. Soit f la fonction définie sur l'intervalle fermé $[-1, 1]$ par

$$f(x) = \begin{cases} \dfrac{1}{x} & \text{si } x \in [-1, 1] \qquad (x \neq 0) \\ 0 & \text{si } x = 0 \end{cases}$$

a. Montrez que la fonction f n'est pas continue en $x = 0$.

b. Montrez que $f(x)$ n'atteint ni maximum absolu ni minimum absolu sur l'intervalle $[-1, 1]$.

c. Tracez le graphique de la fonction f pour confirmer vos assertions.

58. Le théorème d'existence des extremums absolus (théorème 3, page 277) d'une fonction f ne s'applique que si la fonction est continue sur l'intervalle fermé $[a, b]$. Soit la fonction f définie sur l'intervalle *ouvert* $]-1, 1[$ par $f(x) = x$. Montrez que $f(x)$ n'atteint ni maximum absolu ni minimum absolu sur l'intervalle $]-1, 1[$.

Suggestion: Examinez le comportement de $f(x)$ lorsque x s'approche de $x = -1$; lorsque x s'approche de $x = 1$.

◼ SOLUTIONS DES EXERCICES D'AUTOÉVALUATION **4.4**

1. a. La fonction f est continue partout sur son domaine et dérivable sur l'intervalle $]0, 9[$. La dérivée de f est

$$f'(x) = 1 - x^{-1/2} = \frac{x^{1/2} - 1}{x^{1/2}}$$

qui s'annule pour $x = 1$. Le calcul de $f(x)$ aux extrémités $x = 0$ et $x = 9$ de l'intervalle fermé et au point critique $x = 1$ de f donne

$$f(0) = 0, \qquad f(1) = -1, \qquad f(9) = 3$$

de sorte que -1 est le minimum absolu de f et 3, son maximum absolu.

b. Cette fois, le domaine de f est l'intervalle semi-ouvert $[0, \infty[$. Nous pouvons résoudre ce problème en nous aidant du graphique de f, tracé selon les techniques développées à la section précédente et représenté ci-dessous.

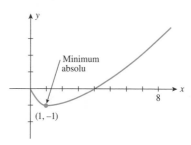

Le graphique de f montre bien que -1 est le minimum absolu de f, mais la fonction f n'admet pas de maximum absolu puisque $f(x)$ prend des valeurs positives de plus en plus grandes lorsque x tend vers plus l'infini.

2. La fonction f est continue sur l'intervalle fermé $[-2, 1]$ et dérivable sur l'intervalle ouvert $]-2, 1[$. La dérivée de f est

$$f'(x) = 12x^3 + 12x^2 = 12x^2(x + 1)$$

qui est continue sur l'intervalle $]-2, 1[$. On pose $f'(x) = 0$, d'où $x = -1$ et $x = 0$, qui sont les points critiques de f. Le calcul de $f(x)$ en ces points critiques de même qu'aux extrémités de l'intervalle fermé $[-2, 1]$ donne

$$f(-2) = 17, \quad f(-1) = 0, \quad f(0) = 1, \quad f(1) = 8$$

Alors 0 est le minimum absolu de f et 17 est son maximum absolu.

3. On résout le problème en calculant le maximum absolu de la fonction f sur l'intervalle $[0, 250]$.

La dérivée de $f(t)$ est

$$f'(t) = \frac{(1200)(t^2 + 40\,000) - 1200t(2t)}{(t^2 + 40\,000)^2}$$

$$= \frac{-1200(t^2 - 40\,000)}{(t^2 + 40\,000)^2}$$

On pose $f'(t) = 0$, d'où le numérateur de $f'(t)$ égale 0 et $t = -200$ ou 200. Comme -200 n'appartient pas à l'intervalle $[0, 250]$, on ne retient pour point critique de f que $t = 200$. Il ne reste plus qu'à calculer $f(t)$ en $t = 0$, $t = 200$ et $t = 250$, ce qui donne

$$f(0) = 80, \quad f(200) = 83, \quad f(250) = 82{,}93$$

Ainsi, le taux d'exploitation a atteint un maximum le 200e jour de l'an 2000, c'est-à-dire peu après la mi-juillet.

4.5 Problèmes d'optimisation – Deuxième partie

À la section 4.4, nous vous avons expliqué comment résoudre une certaine classe de problèmes d'optimisation, soit ceux pour lesquels la fonction à optimiser est connue. Nous allons maintenant traiter des problèmes où il faut construire la fonction à optimiser. Voici, en quelques étapes, la démarche que nous adopterons pour résoudre ces problèmes.

> **Marche à suivre pour la résolution de problèmes d'optimisation**
> **1.** Représenter chaque variable du problème au moyen d'une lettre. Dessiner un croquis chaque fois que c'est possible et y indiquer les informations pertinentes.
> **2.** Trouver une expression désignant la quantité à optimiser.
> **3.** Utiliser les contraintes énoncées dans le problème pour reformuler la quantité à optimiser en tant que fonction f d'*une seule* variable. Indiquer, s'il y a lieu, quelles sont les restrictions du domaine de f découlant du contexte du problème.
> **4.** Optimiser la fonction f dans son domaine à l'aide de la méthode décrite à la section 4.4.

REMARQUE À l'étape 4, il ne faut pas oublier que si la fonction f à optimiser est continue sur un intervalle fermé, alors le maximum absolu et le minimum absolu de f sont obtenus en calculant les valeurs de $f(x)$ aux extrémités de l'intervalle et aux points critiques et en choisissant, respectivement, la plus grande et la plus petite de ces valeurs. Si le domaine de f n'est pas un intervalle fermé, alors on a recours au graphique de la fonction.

Recherche de maximums

EXEMPLE 1

Construction d'un enclos   Un éleveur de chiens désire construire un enclos de forme rectangulaire derrière son chenil et dispose de 50 m de clôture pour l'entourer. Quelles sont les dimensions du plus grand enclos qu'il pourra construire s'il utilise toute la clôture ?

Solution

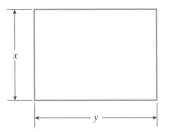

FIGURE 4.62
Quelles sont les dimensions de l'enclos rectangulaire d'aire maximum que l'on peut entourer de 50 m de clôture ?

Étape 1   Désignons par x et y les dimensions (en mètres) de deux côtés adjacents de l'enclos (figure 4.62) et par A, l'aire de l'enclos.

Étape 2   La quantité à maximiser est l'aire de l'enclos

$$A = xy \tag{1}$$

Étape 3   Le périmètre du rectangle, $(2x + 2y)$, doit être égal à 50 m. On a donc la contrainte

$$2x + 2y = 50$$

à l'aide de laquelle on exprime y en fonction de x

$$y = 25 - x \tag{2}$$

pour ensuite le substituer dans l'équation (1)

$$A = x(25 - x)$$
$$= -x^2 + 25x$$

(La fonction à optimiser ne doit comporter qu'*une* variable.) Comme les côtés du rectangle ne peuvent prendre de valeurs négatives, on a $x \geq 0$ et $y = 25 - x \geq 0$, d'où $0 \leq x \leq 25$. Le problème se réduit donc à la recherche du maximum absolu de la fonction $A = f(x) = -x^2 + 25x$ sur l'intervalle fermé $[0, 25]$.

Étape 4   La fonction f est continue sur l'intervalle $[0, 25]$, de sorte que le maximum absolu de f est atteint en une extrémité de l'intervalle ou en un point critique de f. La dérivée de la fonction A est

$$A' = f'(x) = -2x + 25$$

On pose $A' = 0$, d'où

$$-2x + 25 = 0$$

Il s'ensuit que $x = 12,5$ est le point critique de A. On évalue ensuite la fonction $A = f(x)$ en $x = 12,5$, de même qu'aux extrémités $x = 0$ et $x = 25$ de l'intervalle $[0, 25]$, ce qui donne

$$f(0) = 0, \qquad f(12,5) = 156,25, \qquad f(25) = 0$$

On en déduit que le maximum absolu de la fonction f est 156,25. Enfin, de l'équation (2), on déduit que $y = 12,5$ lorsque $x = 12,5$. Ainsi, l'enclos d'aire maximum (156,25 m^2) a la forme d'un carré de 12,5 m de côté.

EXEMPLE 2

Construction d'une boîte   On veut fabriquer une boîte ouverte à l'aide d'un morceau de carton rectangulaire en y découpant un même carré à chaque coin et en repliant les bords. Si le carton mesure 160 cm de longueur sur 100 cm de largeur, trouvez quelles seront les dimensions de la boîte de volume maximum.

Solution

Étape 1   Désignons par x la longueur (en cm) des côtés de chacun des carrés qui seront découpés (figure 4.63) et par V, le volume de la boîte.

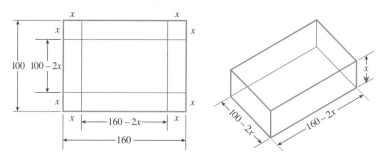

FIGURE 4.63
Les dimensions de la boîte ouverte sont $(160 - 2x)$ cm sur $(100 - 2x)$ cm sur x cm.

Étape 2   La boîte mesure $(160 - 2x)$ cm de longueur, $(100 - 2x)$ cm de largeur et x cm de hauteur. La quantité à maximiser est le volume (en cm^3) de la boîte

$$V = (160 - 2x)(100 - 2x)x$$
$$= 4(x^3 - 130x^2 + 4000x) \qquad \text{On développe l'expression.}$$

Étape 3   Comme les côtés de la boîte ne peuvent prendre de valeurs négatives, la variable x doit satisfaire aux inégalités $x \geq 0$, $160 - 2x \geq 0$ et $100 - 2x \geq 0$. Ce système d'inégalités est satisfait pour $0 \leq x \leq 50$. Le problème se réduit donc à la recherche du maximum absolu de la fonction

$$V = f(x) = 4(x^3 - 130x^2 + 4000x)$$

sur l'intervalle fermé $[0, 50]$.

Étape 4   La fonction f est continue sur l'intervalle $[0, 50]$, de sorte que le maximum absolu de f est atteint en une extrémité de l'intervalle ou en un point critique de f.
　　　　La dérivée de la fonction $f(x)$ est

$$f'(x) = 4(3x^2 - 260x + 4000)$$
$$= 4(3x - 200)(x - 20)$$

On pose $f'(x) = 0$ et on résout l'équation obtenue, d'où l'on obtient $x = \frac{200}{3}$ ou $x = 20$. Comme $\frac{200}{3}$ n'appartient pas à l'intervalle $[0, 50]$, on ne retient pour point critique de f que $x = 20$. Il ne reste plus qu'à calculer $f(x)$ en $x = 0$, $x = 50$ (les extrémités de l'intervalle $[0, 50]$) et $x = 20$, ce qui donne

$$f(0) = 0, \qquad f(20) = 144\,000, \qquad f(50) = 0$$

On obtient donc une boîte de volume maximum lorsque $x = 20$. Les dimensions de la boîte sont de 120 cm de longueur sur 60 cm de largeur et 20 cm de hauteur, pour un volume de 144 000 cm^3.

TECHNOLOGIE ET INTUITION

Reportez-vous à l'exemple 2.

1. À l'aide d'une calculatrice graphique, tracez la courbe de la fonction

$$f(x) = 4(x^3 - 130x^2 + 4000x)$$

dans la fenêtre $[0, 50] \times [0, 150\,000]$. Examinez le comportement de $f(x)$ lorsque x croît de $x = 0$ à $x = 50$ et donnez une interprétation physique du résultat.

2. À l'aide des options ZOOM et TRACE, trouvez le maximum absolu de la fonction f sur l'intervalle $[0, 50]$, vérifiant ainsi le résultat obtenu par des méthodes analytiques à l'exemple 2.

EXEMPLE 3   **Tarif optimal pour les transports en commun**   Une société ferroviaire offre un service de transport entre Roxboro et le centre-ville de Montréal, au tarif de 3 $ du billet aller simple. Actuellement, 6000 passagers par jour en moyenne prennent ce train. La société, qui envisage d'augmenter le tarif à 3,50 $ du billet pour accroître ses revenus, a embauché une firme de conseillers pour réaliser une étude de marché. Les résultats de l'étude révèlent que chaque augmentation de tarif de 0,50 $ risque de réduire le nombre quotidien de passagers de 1000. La firme recommande donc à la société ferroviaire de conserver le tarif actuel de 3 $, invoquant que son revenu est déjà à son maximum. Montrez que les affirmations des consultants sont exactes.

Solution

Étape 1   Désignons par x le nombre quotidien de passagers, par p le tarif d'un trajet, et par R le revenu de la compagnie ferroviaire.

Étape 2   Pour trouver la relation entre x et p, il suffit d'observer qu'à $x = 6000$ correspond $p = 3$ et qu'à $x = 5000$ correspond $p = 3,50$. De plus, les points $(6000, 3)$ et $(5000; 3,50)$ sont situés sur une droite. (Pourquoi?) Pour obtenir la relation linéaire entre p et x, on recherche la forme point-pente de l'équation d'une droite. La pente de la droite est

$$m = \frac{3,50 - 3}{5000 - 6000} = -0,0005$$

L'équation recherchée est

$$p - 3 = -0,0005(x - 6000)$$
$$= -0,0005x + 3$$
$$p = -0,0005x + 6$$

et le revenu de la société est

$$R = f(x) = xp = -0,0005x^2 + 6x \quad \text{Nombre de passagers} \times \text{tarif unitaire}$$

C'est cette fonction qu'il faut maximiser.

Étape 3   Comme p et x ne peuvent prendre de valeurs négatives, on a $0 \le x \le 12\,000$ et le problème se réduit à la recherche du maximum absolu de la fonction f sur l'intervalle fermé $[0, 12\,000]$.

Étape 4   On observe que f est continue sur l'intervalle [0, 12 000]. Pour trouver le point critique de R, on calcule

$$f'(x) = -0,001x + 6$$

et on pose $f'(x) = 0$, d'où l'on obtient $x = 6000$. Finalement, on évalue la fonction f en $x = 6000$, de même qu'aux extrémités $x = 0$ et $x = 12\ 000$ de l'intervalle fermé, ce qui donne

$$f(0) = 0$$
$$f(6000) = 18\ 000$$
$$f(12\ 000) = 0$$

    La société réalise donc un revenu maximum de 18 000 $ par jour pour une clientèle quotidienne de 6000 passagers. Le tarif optimum est donc de 3 $ par trajet, comme le recommande la firme de consultants. Le graphique de la fonction de revenu R est représenté à la figure 4.64.

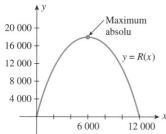

FIGURE 4.64
La fonction f atteint un maximum absolu de 18 000 en $x = 6000$.

▢ Recherche de minimums

EXEMPLE 4

Format d'une boîte de conserve   Les aériculteurs du Québec envisagent de modifier le format de leurs contenants de sirop d'érable de 540 ml. En effet, il semble que l'on puisse améliorer le format actuel, un cylindre de révolution en aluminium de 8 cm de diamètre sur 10,75 cm de hauteur, de manière à utiliser moins d'aluminium dans la fabrication de chaque boîte. Si on décide de conserver la forme cylindrique, trouvez quels doivent être le diamètre et la hauteur de la boîte pour minimiser la quantité d'aluminium nécessaire. (*N. B.* : 1 ml = 1 cm^3.)

Solution

Étape 1   Désignons respectivement par r et h le rayon et la hauteur du contenant, et par S, l'aire de sa surface (figure 4.65).

Étape 2   La quantité d'aluminium nécessaire à la fabrication du contenant correspond à l'aire totale de la surface du cylindre. Or, le dessous et le dessus du cylindre ont chacun une aire de πr^2 cm^2 alors que l'aire latérale du cylindre est $2\pi rh$ cm^2. Par conséquent, la fonction à minimiser est

$$S = 2\pi r^2 + 2\pi rh \tag{3}$$

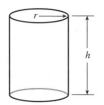

FIGURE 4.65
On cherche à minimiser la quantité de matériau nécessaire à la fabrication du contenant.

Étape 3   Puisque le contenant a un volume de 540 ml (ou 540 cm^3), on a

$$\pi r^2 h = 540 \tag{4}$$

d'où on obtient, en isolant h,

$$h = \frac{540}{\pi r^2} \tag{5}$$

L'équation (3), reformulée en tant que fonction d'une seule variable, devient

$$S = 2\pi r^2 + 2\pi r \left(\frac{540}{\pi r^2} \right)$$
$$= 2\pi r^2 + \frac{1080}{r}$$

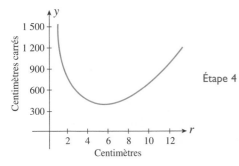

FIGURE 4.66
Graphique de l'aire totale de la surface du contenant cylindrique en fonction de r.

Le rayon r doit bien entendu satisfaire à l'inégalité $r > 0$. Le problème se réduit donc à la recherche du minimum absolu de la fonction $S = f(r)$ sur l'intervalle ouvert $]0, \infty[$.

Étape 4   En ayant recours aux techniques de tracé de courbes de la section 4.3, on obtient le graphique de f représenté à la figure 4.66.

Pour trouver le point critique de f, on calcule

$$S' = 4\pi r - \frac{1080}{r^2}$$

et on pose $S' = 0$, de sorte que

$$4\pi r - \frac{1080}{r^2} = 0$$

$$4\pi r^3 - 1080 = 0$$

$$r^3 = \frac{270}{\pi}$$

$$r = \frac{3\sqrt[3]{10}}{\sqrt[3]{\pi}} \approx 4,41 \qquad (6)$$

Montrons maintenant que la fonction f atteint bien un minimum absolu en cette valeur de r. Nous pouvons appliquer le test de la dérivée seconde. On a

$$S'' = 4\pi + \frac{2\,160}{r^3}$$

Comme $S'' > 0$ lorsque $r = (3\sqrt[3]{10})/\sqrt[3]{\pi}$, le test confirme l'existence d'un minimum relatif pour cette valeur de r. De plus, ce minimum relatif de la fonction f est aussi un minimum absolu de la fonction puisque f est partout concave vers le haut ($S'' > 0$ pour tout $r > 0$). Pour trouver la hauteur du cylindre, il suffit de substituer la valeur de r trouvée en (6) dans l'équation (5). Ainsi,

$$h = \frac{540}{\pi r^2} = \frac{540}{\pi \left(\dfrac{3\sqrt[3]{10}}{\pi^{1/3}}\right)^2}$$

$$= \frac{540\pi^{2/3}}{\pi \cdot 9 \cdot 10^{2/3}}$$

$$= \frac{6 \cdot 10^{1/3}}{\pi^{1/3}} = \frac{6\sqrt[3]{10}}{\sqrt[3]{\pi}}$$

$$= 2r \approx 8,83$$

On en conclut que le rayon du contenant doit mesurer environ 4,41 cm et la hauteur, environ 8,83 cm, de sorte que le contenant optimal a une hauteur égale au diamètre.

Problème de gestion des stocks

Pour bon nombre d'entreprises, le contrôle efficace des stocks est un objectif difficile à réaliser. D'une part, la Direction doit voir à ce que les stocks soient suffisants pour répondre à la demande en tout temps. D'autre part, il lui faut éviter d'avoir à conserver des quantités excédentaires (ce qui engendre des frais d'entreposage inutiles) sans pour autant passer des commandes d'approvisionnement trop souvent (ce qui engendre des frais de renouvellement).

EXEMPLE 5

Gestion des stocks L'agence CDM Import-Export est l'unique distributeur de la motocyclette Excalibur 250-cc en Amérique du Nord. On a estimé que la demande, distribuée à peu près uniformément au cours de l'année, se chiffre à 10 000 motos par an. Les frais de transport associés à chaque commande de motos s'élèvent à 10 000 $, alors qu'il en coûte 200 $ par an pour entreposer une moto dans les hangars de l'agence.

Or, la Direction de l'agence fait face au problème suivant: si elle commande trop de motos à la fois, elle devra prévoir une grande superficie d'entreposage entraînant des frais d'entreposage élevés; si, au contraire, elle commande peu de motos à la fois, se sont les frais de transport qui augmenteront. À quelle fréquence l'agence doit-elle passer ses commandes, et quel doit être le nombre de motos par commande, de manière à minimiser le total des coûts de transport et d'entreposage?

Solution

Désignons par x le nombre de motocyclettes par commande. Si on suppose que chaque commande arrive dès que les dernières motos de la commande précédente ont été vendues, le nombre moyen de motos entreposées au cours d'une année est $x/2$ (figure 4.67). Les coûts d'entreposage annuels s'élèvent donc à $200(x/2)$, c'est-à-dire $100x$ dollars.

Par ailleurs, comme la demande se chiffre à 10 000 motos par année et que l'on commande x motos à la fois, l'agence doit passer

$$\frac{10\,000}{x}$$

commandes par année.

Le coût des commandes s'élève donc à

$$10\,000 \left(\frac{10\,000}{x} \right) = \frac{100\,000\,000}{x}$$

dollars par année. Le coût total de transport et d'entreposage se chiffre donc à

$$C(x) = 100x + \frac{100\,000\,000}{x}$$

dollars par année.

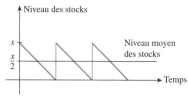

FIGURE 4.67
Dès que les stocks sont épuisés, une nouvelle commande arrive. Si on commande x motos à la fois, le niveau moyen des stocks est $x/2$.

Le problème se résume à rechercher le minimum absolu de la fonction C dans l'intervalle semi-ouvert $]0, 10\,000]$. On calcule

$$C'(x) = 100 - \frac{100\,000\,000}{x^2}$$

On pose ensuite $C'(x) = 0$, d'où l'on obtient $x = \pm 1000$. Comme le nombre -1000 n'appartient pas au domaine de la fonction C, on ne retient que la valeur $x = 1000$ pour point critique de C. On calcule finalement

$$C''(x) = \frac{200\,000\,000}{x^3}$$

Comme $C''(1000) > 0$, le test de la dérivée seconde confirme l'existence d'un minimum relatif de la fonction C au point critique $x = 1000$ (figure 4.68). De plus, comme $C''(x) > 0$ pour tout x dans l'intervalle $]0, 10\,000]$, la fonction C est partout concave vers le haut, de sorte que le point $x = 1000$ est aussi le minimum absolu de la fonction C. On en déduit que pour minimiser le total de ses coûts de transport et d'entreposage, l'agence CDM devra passer $10\,000/1000$, soit 10 commandes annuelles de 1000 motocyclettes.

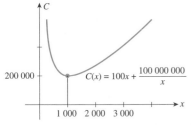

FIGURE 4.68
La fonction C admet un minimum absolu au point $(1000, 200\,000)$.

▣ EXERCICES D'AUTOÉVALUATION **4.5**

1. Un homme désire faire un jardin potager de forme rectangulaire, de 30 m^2 de superficie, et l'entourer d'une clôture. Quelles sont les dimensions qui minimiseront la longueur de clôture nécessaire ?

2. La demande de pneus Rouleau se chiffre à 1 000 000 pneus par an. Les coûts de mise en marche de la machinerie pour la production d'un lot de pneus s'élèvent à 4000 $ et les coûts de fabrication, à 20 $ du pneu. Le coût annuel d'entreposage d'un pneu est de 2 $. En supposant que la demande est répartie uniformément au cours de l'année et que la production est pratiquement instantanée, quelle doit être la taille de chaque lot produit pour maintenir les coûts de production au minimum ?

Les solutions des exercices d'autoévaluation 4.5 se trouvent à la page 298.

▣ **4.5** EXERCICES

1. **DIMENSIONS D'UN PÂTURAGE**   Un éleveur de la région de Charlevoix possède une terre sur le bord d'une rivière rectiligne. Il dispose de 3000 m de clôture pour entourer une partie de sa terre qu'il veut transformer en pâturage de forme rectangulaire pour ses moutons. S'il n'a pas besoin d'installer de clôture le long de la rivière, quelles sont les dimensions du plus grand pâturage qu'il peut entourer ? Quelle sera la superficie du pâturage ?

2. **DIMENSIONS D'UN PÂTURAGE**   Reportez-vous à l'exercice 1. L'éleveur envisage une autre possibilité : construire son pâturage rectangulaire le long de la rivière, mais le subdiviser en deux par une section de clôture parallèle aux deux côtés fermés. Si, de nouveau, il ne prévoit pas installer de clôture le long de la rivière, quelles sont les dimensions du plus grand pâturage qu'il peut entourer de ses 3000 m de clôture ? Quelle sera la superficie du pâturage ? (Voir la figure.)

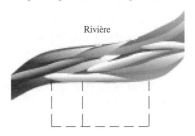

Rivière

3. **Aménagement d'un espace saisonnier** Chaque printemps, la Direction de la quincaillerie Landreville fait aménager à l'extérieur de son magasin un enclos destiné à la vente de plantes, d'arbustes et de fleurs. Cette année, on prévoit un espace de 80 m², dont l'un des côtés sera formé du mur extérieur du magasin, le côté opposé, d'acier galvanisé et les deux autres côtés de panneaux de pin traité. Si les panneaux de pin coûtent 18 $ le mètre linéaire et l'acier galvanisé 9 $ le mètre linéaire, trouvez les dimensions de l'enclos qui sera construit à coût minimum.

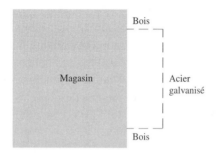

4. **Construction d'une boîte de carton** On veut fabriquer une boîte ouverte à l'aide d'un morceau de carton rectangulaire en y découpant un même carré à chaque coin et en repliant les bords. Si le carton mesure 38 cm sur 20 cm, trouvez quelles seront les dimensions de la boîte de volume maximum.

5. **Construction d'une boîte métallique** Si on fabrique une boîte ouverte à l'aide d'une feuille de tôle carrée de 20 cm de côté en y découpant un même carré à chaque coin et en repliant les bords, trouvez les dimensions de la boîte de plus grand volume que l'on puisse construire.

6. **Boîte métallique à coût minimum** On veut construire une boîte métallique ouverte, de base carrée, ayant un volume de 1 m³. Trouvez les dimensions de la boîte, si on veut utiliser un minimum de matériau.

7. **Boîte fermée à coût minimum** Quelles dimensions faut-il donner à une boîte fermée, de section carrée, si elle doit avoir un volume de 1024 cm³ et qu'on veut minimiser la quantité de matériau utilisée?

8. **Boîte fermée à coût minimum** On veut construire une boîte fermée, de base carrée, dont le volume sera 0,5 m³. Si le matériau utilisé pour la base coûte 3 $ le mètre carré, celui des côtés, 1 $ le mètre carré, et celui du dessus, 2 $ le mètre carré, quelles doivent être les dimensions de la boîte pour que les coûts soient maintenus au minimum?

9. **Livraison de colis par la poste** Des règlements stipulent que la somme de la longueur et du pourtour des colis livrés par la poste ne peut excéder 270 cm. Trouvez les dimensions du colis de section carrée et de volume maximum qui peut être livré par la poste. Quel est le volume de ce colis?

Suggestion: La somme de la longueur et du pourtour est $4x + h$ (voir la figure).

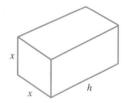

10. **Format d'un livre** Une typographe veut fixer le format des pages d'un livre selon les critères suivants: les marges supérieure et inférieure mesureront 2,5 cm et les marges latérales, 1,25 cm; de plus, chaque page devra mesurer 300 cm² de superficie (voir la figure). Trouvez le format de page que la typographe devrait choisir pour que la surface imprimée sur chaque page soit maximale.

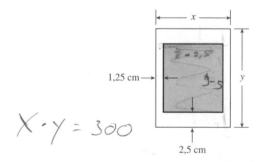

11. **Format d'une boîte de conserve** Le beurre d'érable est vendu dans des contenants d'aluminium cylindriques de 250 ml. Trouvez le rayon et la hauteur des contenants si on sait que leur fabrication nécessite une quantité minimum d'aluminium. (*N.B.*: 1 ml = 1 cm³.)

12. **Design d'un produit** Le coffret qui contiendra les haut-parleurs D-4 d'Acrosonique aura la forme d'un parallélépipède rectangle dont le volume intérieur sera 0,1 m³. Pour des raisons esthétiques, on a décidé que le coffret serait 1,5 fois plus haut que large. Si le dessus, le dessous et les côtés sont faits de bois de placage à 4 $ le mètre carré et si le devant (ne tenez pas compte des morceaux découpés dans le baffle) et l'arrière sont fait de panneaux de particules à 2 $ le mètre carré, quelles dimensions faut-il donner au coffret pour que le coût soit minimum?

13. DESIGN D'UNE FENÊTRE ROMANE
Une fenêtre romane a la forme d'un rectangle surmonté d'un demi-cercle (voir la figure). Sachant que le périmètre de la fenêtre doit mesurer 9 m, déterminez les dimensions qu'il faut donner à la fenêtre pour qu'elle laisse passer le maximum de lumière.

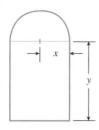

14. COÛT OPTIMAL D'UN BILLET DE CHARTER Lorsque 200 passagers réservent un vol par charter, l'agence de voyages Les aventuriers demande 300 $ par personne. Toutefois, lorsqu'il y a plus de 200 réservations (on suppose que c'est le cas ici), l'agence réduit le prix unitaire des billets de 1 $ par personne additionnelle. Trouvez combien de passagers assurent à l'agence un revenu maximum. Quel est ce revenu maximum? Quel est alors le prix unitaire du billet?

Suggestion: Désignez par x le nombre de passagers excédant 200. Montrez que la fonction de revenu R est $R(x) = (200 + x)(300 - x)$.

15. RENDEMENT MAXIMUM D'UN VERGER Un verger produit en moyenne 36 boisseaux de pommes par arbre pour une densité de 22 pommiers par acre. Chaque augmentation de 1 pommier par acre fait diminuer le rendement de 2 boisseaux. Combien de pommiers faut-il planter si on désire que le verger ait un rendement maximum?

16. REVENUS D'UN CHARTER Le propriétaire d'un yacht de croisière qui navigue dans les 4000 îles grecques demande à chaque passager 600 $ par jour lorsque la croisière compte exactement 20 passagers. Lorsqu'il y a plus de 20 passagers (la capacité maximale étant de 90), le coût du billet de tous les passagers est réduit de 4 $ par passager supplémentaire. En supposant que la croisière compte au moins 20 passagers, déterminez le nombre de passagers qui assure au propriétaire du yacht un revenu maximum. Quel est ce revenu maximum? Quel est alors le prix unitaire du billet?

17. RÉSISTANCE D'UNE POUTRE La section rectangulaire d'une poutre de bois mesure h cm de hauteur sur l cm de largeur (voir la figure). La résistance R de la poutre est directement proportionnelle au produit de sa largeur par le carré de sa hauteur. Trouvez les dimensions de la section rectangulaire de la poutre la plus résistante que l'on peut fabriquer avec une bille de bois de 60 cm de diamètre.

Suggestion: $R = kh^2l$, où k est une constante de proportionnalité.

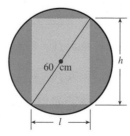

18. CONCEPTION D'UN SILO À CÉRÉALES
On veut fabriquer un silo en forme de cylindre surmonté d'un hémisphère (voir la figure), d'une capacité de 44 m³. Trouvez le rayon et la hauteur du silo dont la construction demandera le minimum de matériau.

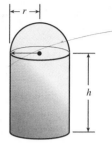

Suggestion: Le volume du silo est $\pi r^2 h + \frac{2}{3}\pi r^3$ et sa surface (y compris le plancher) est $\pi(3r^2 + 2rh)$.

19. OPTIMISATION DU COÛT D'INSTALLATION D'UN CÂBLE
On veut alimenter en électricité un centre de recherche en biologie marine (R) situé sur une île à partir d'une centrale électrique (E) construite sur le bord d'une autoroute longeant le littoral rectiligne (voir la figure). Si le coût d'installation du câble d'alimentation entre la centrale et le centre de recherche s'élève à 5 $ le mètre sur la terre ferme et à 9 $ le mètre sous l'eau, où faut-il situer le point P pour minimiser le coût d'installation du câble? (Résoudre pour x).

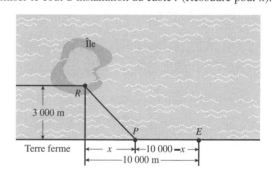

20. VOL DES OISEAUX Pendant les heures de clarté, certaines espèces d'oiseaux ont tendance à éviter de survoler de grandes étendues d'eau. En effet, il est connu que survoler l'eau requiert plus d'énergie que survoler les terres parce que généralement, l'air monté des terres retombe au-dessus de l'eau pendant la journée. Des ornithologues ont observé qu'un oiseau lâché d'une île située à 5 km du point M le plus proche du littoral vole jusqu'au point P situé à 5 km de M, après quoi il longe le littoral jusqu'à son nid, situé en N. Si on suppose que l'oiseau instinctivement économise son énergie, quel est le rapport entre l'énergie dépensée pour survoler l'eau et l'énergie dépensée pour survoler les terres?

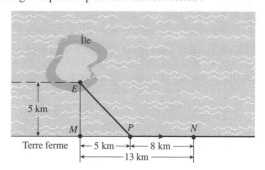

SOLUTIONS DES EXERCICES D'AUTOÉVALUATION **4.5**

1. Désignons respectivement par x et y (en mètres) la longueur et la largeur du jardin rectangulaire.

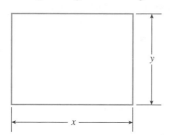

Comme l'aire doit mesurer 30 m², on a

$$xy = 30$$

Par ailleurs, la quantité de clôture utilisée correspond au périmètre du rectangle, que l'on désire minimiser. La fonction à minimiser est donc

$$f(x) = 2x + 2y$$

c'est-à-dire, puisque $y = 30/x$ (obtenu en isolant y dans la première équation),

$$f(x) = 2x + 2\left(\frac{30}{x}\right)$$

$$= 2x + \frac{60}{x}$$

pour x positif. De plus,

$$f'(x) = 2 - \frac{60}{x^2}$$

On pose $f'(x) = 0$, d'où $x = -\sqrt{30}$ ou $x = \sqrt{30}$. Comme $-\sqrt{30}$ n'appartient pas au domaine $]0, \infty[$ de la fonction, le seul point critique de la fonction est $x = \sqrt{30}$. On calcule ensuite

$$f''(x) = \frac{120}{x^3}$$

Comme

$$f''(30) > 0$$

le test de la dérivée seconde confirme l'existence d'un minimum relatif de f pour $x = \sqrt{30}$. En réalité, puisque

$f''(x) > 0$ pour tout x dans l'intervalle $]0, \infty[$, la fonction f est partout concave vers le haut et $x = \sqrt{30}$ est aussi un minimum absolu de la fonction. La valeur correspondante de y, obtenue en substituant x dans l'équation $xy = 30$, est $y = \sqrt{30}$. Par conséquent, le jardin sera un carré de 5,5 m de côté.

2. Soit x le nombre de pneus de chaque lot. Le nombre moyen de pneus entreposés est alors $x/2$, de sorte que le coût d'entreposage est $2(x/2)$, c'est-à-dire x, dollars. Par ailleurs, comme l'entreprise doit fabriquer 1 000 000 de pneus par an pour répondre à la demande, le nombre de lots produits est 1 000 000/x, de sorte que les coûts de mise en marche annuels s'élèvent à

$$4000\left(\frac{1\,000\,000}{x}\right) = \frac{4\,000\,000\,000}{x}$$

dollars. Le coût total de fabrication s'élève à 20 000 000 \$. Le coût total annuel engagé par la compagnie est donc

$$C(x) = x + \frac{4\,000\,000\,000}{x} + 20\,000\,000$$

On dérive $C(x)$, ce qui donne

$$C'(x) = 1 - \frac{4\,000\,000\,000}{x^2}$$

On pose $C'(x) = 0$, d'où l'on obtient le point critique $x = 63\,246$. De plus,

$$C''(x) = \frac{8\,000\,000\,000}{x^3}$$

On a $C''(63\,246) > 0$, de sorte que $x = 63\,246$ est un minimum relatif de C (en vertu du test de la dérivée seconde). De plus, $C''(x) > 0$ pour tout $x > 0$, de sorte que la fonction C est concave vers le haut pour tout $x > 0$ et que $x = 63\,246$ est aussi un minimum absolu de la fonction C. Le fabricant devrait donc produire 63 246 pneus par lot pour minimiser ses coûts.

CHAPITRE **4** EXERCICES RÉCAPITULATIFS

1–10 a) Trouvez les intervalles de croissance et de décroissance de la fonction; b) trouvez les extremums relatifs de la fonction; c) étudiez la concavité de la fonction; d) trouvez les points d'inflexion de la fonction, s'il y en a.

1. $f(x) = \frac{1}{3}x^3 - x^2 + x - 6$

2. $f(x) = (x - 2)^3$

3. $f(x) = x^4 - 2x^2$

4. $f(x) = x + \frac{4}{x}$

5. $f(x) = \frac{x^2}{x - 1}$

6. $f(x) = \sqrt{x - 1}$

7. $f(x) = (1 - x)^{1/3}$

8. $f(x) = x\sqrt{x - 1}$

9. $f(x) = \frac{2x}{x + 1}$

10. $f(x) = \frac{-1}{1 + x^2}$

11–18 Faites l'étude complète des fonctions selon la méthode exposée à la page 266.

11. $f(x) = x^2 - 5x + 5$ **12.** $f(x) = -2x^2 - x + 1$

13. $g(x) = 2x^3 - 6x^2 + 6x + 1$

14. $g(x) = \dfrac{1}{3}x^3 - x^2 + x - 3$

15. $h(x) = x\sqrt{x - 2}$ **16.** $h(x) = \dfrac{2x}{1 + x^2}$

17. $f(x) = \dfrac{x - 2}{x + 2}$ **18.** $f(x) = x - \dfrac{1}{x}$

19–22 Trouvez les asymptotes horizontales et verticales du graphique de la fonction. Il n'est pas nécessaire de tracer le graphique de la fonction.

19. $f(x) = \dfrac{1}{2x + 3}$ **20.** $f(x) = \dfrac{2x}{x + 1}$

21. $f(x) = \dfrac{5x}{x^2 - 2x - 8}$ **22.** $f(x) = \dfrac{x^2 + x}{x(x - 1)}$

23–32 Trouvez, s'ils existent, le maximum absolu et le minimum absolu de la fonction.

23. $f(x) = 2x^2 + 3x - 2$ **24.** $g(x) = x^{2/3}$

25. $g(t) = \sqrt{25 - t^2}$

26. $f(x) = \dfrac{1}{3}x^3 - x^2 + x + 1$ sur l'intervalle $[0, 2]$

27. $h(t) = t^3 - 6t^2$ sur l'intervalle $[2, 5]$

28. $g(x) = \dfrac{x}{x^2 + 1}$ sur l'intervalle $[0, 5]$

29. $f(x) = x - \dfrac{1}{x}$ sur l'intervalle $[1, 3]$

30. $h(t) = 8t - \dfrac{1}{t^2}$ sur l'intervalle $[1, 3]$

31. $f(s) = s\sqrt{1 - s^2}$ sur l'intervalle $[-1, 1]$

32. $f(x) = \dfrac{x^2}{x - 1}$ sur l'intervalle $[-1, 3]$

33. Profit maximum La relation entre le profit mensuel (en milliers de dollars) réalisé par l'agence de voyages Odyssée et le montant x (en milliers de dollars) consacré à la publicité est modélisée par la fonction

$$P(x) = -x^2 + 8x + 20$$

Si l'agence désire maximiser ses profits mensuels, quel montant doit-elle consacrer à la publicité?

34. Indice de qualité environnementale Le département de l'Intérieur d'un pays d'Afrique a mis au point un indice de qualité environnementale mesurant la progression ou le recul de ses réserves fauniques. L'indice de qualité environnementale entre 1984 et 1994 est modélisé par la fonction

$$I(t) = \dfrac{50t^2 + 600}{t^2 + 10} \qquad \text{(pour } 0 \leq t \leq 10)$$

a. Calculez $I'(t)$ et montrez que la fonction $I(t)$ est décroissante sur l'intervalle $]0, 10[$.

b. Calculez $I''(t)$ et étudiez la concavité du graphique de la fonction I.

c. Tracez le graphique de la fonction I.

d. Interprétez vos résultats dans le contexte.

35. Profit maximum La demande hebdomadaire de vidéodisques chez Minerva disques est modélisée par la fonction

$$p = -0{,}0005x^2 + 60$$

où p désigne le prix unitaire en dollars et x désigne la quantité demandée. La fonction de coût total hebdomadaire associée à la production de ces disques est

$$C(x) = -0{,}001x^2 + 18x + 4000$$

où x représente le nombre de disques produits. Trouvez le niveau de production hebdomadaire qui génère un profit maximum.

Suggestion: Utilisez la formule quadratique.

36. Coût minimum Le coût total mensuel de fabrication (en dollars) de x guitares acoustiques est modélisé par la fonction

$$C(x) = 0{,}001x^2 + 100x + 4000$$

a. Trouvez la fonction de coût moyen $\overline{C}$.

b. Trouvez le niveau de production qui génère le coût moyen de production minimum.

37. productivité d'un travailleur Le nombre d'avions téléguidés assemblés par un travailleur moyen chez Jouets miniatures inc., t h après son arrivée à 8 h est

$$N(t) = -2t^3 + 12t^2 + 2t \qquad \text{(pour } 0 \leq t \leq 4)$$

À quel moment de la matinée le travailleur moyen est-il le plus productif?

38. Propagation d'une maladie contagieuse L'incidence (c'est-à-dire le nombre quotidien de nouveaux cas) d'une maladie contagieuse dans une population de taille M est donnée par la fonction

$$R(x) = kx(M - x)$$

où k est une constante positive et x désigne le nombre de personnes déjà atteintes par la maladie. Montrez que l'incidence R atteint son maximum lorsque la moitié de la population est atteinte.

39. Volume maximum d'une boîte On veut fabriquer une boîte ouverte à l'aide d'un morceau carré de carton de 25 cm de côté en y découpant un même carré à chaque coin et en repliant les bords. Trouvez le volume maximum d'une telle boîte.

40. Coût de construction minimum Manuel désire construire un baril cylindrique d'une capacité de 2 500 litres. Le matériau utilisé pour la surface latérale du baril coûte moitié moins que le matériau utilisé pour le dessus et le dessous. Aidez Manuel à établir les dimensions du baril qui lui coûtera le moins cher à construire. (*N.B.* : 1 m³ = 1000 L)

41. Soit la fonction

$$f(x) = \begin{cases} x^3 + 1 & \text{si } x \neq 0 \\ 2 & \text{si } x = 0 \end{cases}$$

a. Calculez $f'(x)$ et montrez que la fonction ne change pas de signe de part et d'autre de $x = 0$.

b. Montrez que la fonction f admet un maximum relatif en $x = 0$. Faut-il voir là une contradiction avec le test de la dérivée première ? Justifiez votre réponse.

5 Fonctions exponentielles et fonctions logarithmes

Combien de bactéries y aura-t-il dans cette culture au bout d'une certaine période? À quelle vitesse la population de bactéries s'accroîtra-t-elle à cet instant? Vous trouverez des réponses à ces questions à l'exemple 1, page 347.

Geoff Tompkinson/Photo Researchers, Inc.

Les fonctions exponentielles sont, sans aucun doute, les fonctions les plus importantes dans le domaine des mathématiques et de leurs applications. Après une brève introduction aux fonctions exponentielles et à leurs *réciproques*, les fonctions logarithmes, nous vous montrerons comment calculer la dérivée de ces fonctions. Nous pourrons ensuite aborder quelques-unes des nombreuses applications modélisées par des fonctions exponentielles. Ainsi, nous étudierons le rôle joué par les fonctions exponentielles dans une variété d'exemples tels que le calcul de l'intérêt d'un placement, la croissance d'une population de bactéries en laboratoire, la désintégration radioactive, le rythme d'apprentissage d'un procédé industriel par un travailleur et le taux de propagation d'une maladie.

5.1 Fonctions exponentielles

Les fonctions exponentielles et leur graphique

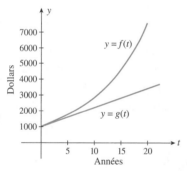

FIGURE 5.1
Une somme placée à intérêt composé croît exponentiellement.

Vous déposez une somme de 1 000 $ dans un compte bancaire à intérêt composé au taux d'intérêt annuel de 10 %. La somme accumulée au bout de t années (pour $0 \leq t \leq 20$), appelée *valeur acquise*, est alors décrite par la fonction f dont le graphique est représenté à la figure 5.1.* Ce type de fonction est désigné sous le nom de *fonction exponentielle*. Remarquez que le graphique de f croît lentement au début, pour ensuite croître de plus en plus rapidement. À titre de comparaison, nous avons également représenté le graphique de la fonction $y = g(t) = 1000(1 + 0,10t)$, qui illustre la valeur acquise par le même capital initial (1 000 $) placé cette fois à un taux d'intérêt *simple* de 10 % par année. Peut-être pouvez-vous tirer une morale de cette courte histoire : Il n'est jamais trop tôt pour commencer à épargner !

Comme nous le verrons à plusieurs reprises au cours de ce chapitre, les fonctions exponentielles jouent un rôle important dans plusieurs situations de la vie réelle.

Tout d'abord, on observe que lorsque b est un nombre positif et que n est un nombre réel, l'expression b^n est un nombre réel. Nous pouvons ainsi définir le concept de fonction exponentielle comme suit :

> **Fonction exponentielle**
> On appelle **fonction exponentielle de base b** la fonction définie par
> $$f(x) = b^x \qquad \text{(où } b > 0, b \neq 1)$$
> Le domaine de f est l'ensemble des nombres réels.

---

*Nous modéliserons cette situation sous forme de fonction à la section 5.3.

Par exemple, la fonction exponentielle de base 2 est la fonction

$$f(x) = 2^x$$

dont le domaine est $]-\infty, \infty[$. Voici des valeurs de $f(x)$ pour certaines valeurs de x:

$$f(3) = 2^3 = 8, \qquad f\left(\frac{3}{2}\right) = 2^{3/2} = 2 \cdot 2^{1/2} = 2\sqrt{2}, \qquad f(0) = 2^0 = 1,$$

$$f(-1) = 2^{-1} = \frac{1}{2}, \qquad f\left(-\frac{2}{3}\right) = 2^{-2/3} = \frac{1}{2^{2/3}} = \frac{1}{\sqrt[3]{4}}$$

À cause de leurs caractéristiques bien particulières, les fonctions exponentielles sont d'une grande utilité dans presque tous les domaines d'application des mathématiques. En voici quelques exemples: dans des conditions idéales, le nombre de bactéries présentes à l'instant t dans une culture peut être modélisé par une fonction exponentielle de t; les substances radioactives se désintègrent selon une loi « exponentielle »; une somme placée dans une banque à un taux d'intérêt composé croît exponentiellement; finalement, certaines des fonctions de distribution les plus importantes du domaine des statistiques sont exponentielles.

Nous allons débuter notre analyse des propriétés des fonctions exponentielles par l'étude de leur graphique.

EXEMPLE 1

Tracez le graphique de la fonction exponentielle $y = 2^x$.

Solution

Comme nous l'avons mentionné précédemment, le domaine de la fonction exponentielle $y = f(x) = 2^x$ est l'ensemble des nombres réels. On pose $x = 0$, d'où l'on tire $y = 2^0 = 1$, l'ordonnée à l'origine de f. La fonction n'a pas d'abscisse à l'origine, puisqu'il n'y a aucune valeur de x pour laquelle $y = 0$. Pour trouver l'image de f, on construit la table des valeurs suivante:

x	-5	-4	-3	-2	-1	0	1	2	3	4	5
y	1/32	1/16	1/8	1/4	1/2	1	2	4	8	16	32

On en déduit que 2^x tend vers 0 lorsque x tend vers moins l'infini et que 2^x tend vers l'infini lorsque x tend vers l'infini. L'image de la fonction f est donc l'intervalle $]0, \infty[$, c'est-à-dire l'ensemble des nombres réels positifs. Le graphique de la fonction $y = f(x) = 2^x$ est représenté à la figure 5.2.

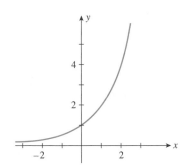

FIGURE 5.2
Graphique de $y = 2^x$

EXEMPLE 2 Tracez le graphique de la fonction exponentielle $y = (1/2)^x$.

Solution

Le domaine de la fonction exponentielle $y = (1/2)^x$ est l'ensemble des nombres réels. L'ordonnée à l'origine de la fonction est $(1/2)^0 = 1$; la fonction n'a pas d'abscisse à l'origine, puisqu'il n'y a aucune valeur de x pour laquelle $y = 0$. On construit la table des valeurs suivante :

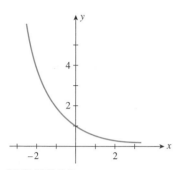

FIGURE 5.3
Graphique de $y = \left(\dfrac{1}{2}\right)^x$

x	-5	-4	-3	-2	-1	0	1	2	3	4	5
y	32	16	8	4	2	1	1/2	1/4	1/8	1/16	1/32

La fonction $(1/2)^x = 1/2^x$ tend vers l'infini lorsque x tend vers moins l'infini et elle tend vers 0 lorsque x tend vers l'infini. L'image de la fonction f est l'intervalle $]0, \infty[$. Le graphique de la fonction $y = f(x) = (1/2)^x$ est représenté à la figure 5.3.

Les fonctions $y = 2^x$ et $y = (1/2)^x$, dont nous avons tracé les graphiques aux exemples 1 et 2, sont des cas particuliers de la fonction exponentielle $y = f(x) = b^x$. De façon générale, le graphique de la fonction exponentielle $y = b^x$, où $b > 1$, est semblable à celui de $y = 2^x$, alors que le graphique de $y = b^x$, où $0 < b < 1$, est semblable à celui de $y = (1/2)^x$ (voir les exercices 1 et 2 de la page 306). Lorsque $b = 1$, la fonction $y = b^x$ n'est pas une fonction exponentielle, mais la fonction constante $y = 1$. Les graphiques des trois catégories de fonction sont représentés à la figure 5.4.

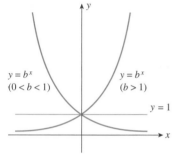

FIGURE 5.4
La fonction $y = b^x$ est croissante si $b > 1$, constante si $b = 1$ et décroissante si $0 < b < 1$.

Propriétés des fonctions exponentielles
Les fonctions exponentielles $y = b^x$ (où $b > 0$, $b \neq 1$) possèdent les propriétés communes suivantes :
1. Leur domaine est $]-\infty, \infty[$.
2. Leur image est $]0, \infty[$.
3. Leur graphique passe par le point $(0, 1)$.
4. Elles sont continues partout sur l'intervalle $]-\infty, \infty[$.
5. Elles sont croissantes sur l'intervalle $]-\infty, \infty[$ si $b > 1$ et décroissantes sur l'intervalle $]-\infty, \infty[$ si $0 < b < 1$.

La base e

Les fonctions exponentielles de base e, où e est un nombre irrationnel égal à $2{,}7182818\ldots$, jouent un rôle important aussi bien dans la théorie mathématique que dans les applications. On peut définir le nombre e au moyen d'une limite, comme suit :

$$e = \lim_{m \to \infty} \left(1 + \frac{1}{m}\right)^m \qquad \textbf{(1)}$$

Le tableau 5.1, construit à l'aide d'une calculatrice, fournit une illustration de cette définition.

TABLEAU 5.1	
m	$\left(1 + \dfrac{1}{m}\right)^m$
10	2,59374
100	2,70481
1000	2,71692
10 000	2,71815
100 000	2,71827
1 000 000	2,71828

TECHNOLOGIE ET INTUITION

Pour visualiser le comportement de l'expression $(1 + 1/m)^m$ lorsque m tend vers l'infini, tracez le graphique de la fonction $f(x) = (1 + 1/x)^x$ dans une fenêtre d'affichage appropriée. Vous remarquerez que $f(x)$ tend vers 2,71828... lorsque x tend vers l'infini. Utilisez les menus zoom et trace pour trouver les valeurs de $f(x)$ lorsque x devient grand.

EXEMPLE 3   Tracez le graphique de la fonction $y = e^x$.

Solution

Puisque $e > 1$, nous savons que le graphique de $y = e^x$ est semblable à celui de $y = 2^x$ (figure 5.2). À l'aide d'une calculatrice, on construit la table des valeurs suivante :

x	-3	-2	-1	0	1	2	3
y	0,05	0,14	0,37	1	2,72	7,39	20,09

Le graphique de la fonction $y = e^x$ est représenté à la figure 5.5.

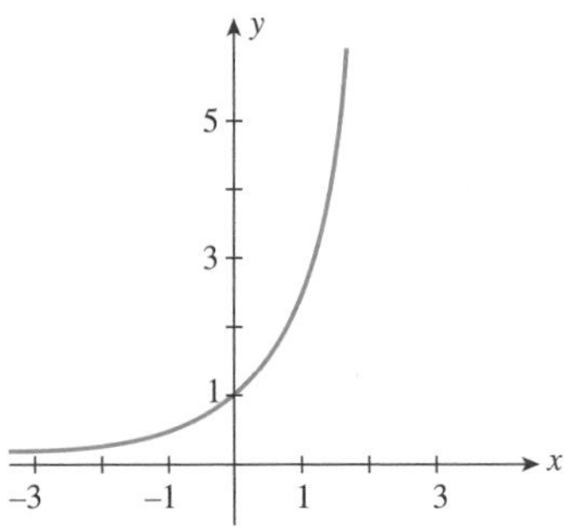

Examinons maintenant une autre fonction exponentielle de base e qui est étroitement liée à la fonction précédente et qui se révèle particulièrement utile pour modéliser des situations de décroissance exponentielle.

FIGURE 5.5
Graphique de $y = e^x$

EXEMPLE 4 Tracez le graphique de la fonction $y = e^{-x}$.

Solution

On a $e > 1$, de sorte que $0 < 1/e < 1$ et que $f(x) = e^{-x} = 1/e^x = (1/e)^x$ est une fonction exponentielle de base inférieure à 1. Son graphique est donc semblable à celui de la fonction exponentielle $y = (1/2)^x$. Voici une table des valeurs de la fonction $y = e^{-x}$:

x	-3	-2	-1	0	1	2	3
y	20,09	7,39	2,72	1	0,37	0,14	0,05

Le graphique de la fonction $y = e^{-x}$ est représenté à la figure 5.6.

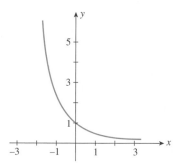

FIGURE 5.6
Graphique de $y = e^{-x}$

◻ EXERCICE D'AUTOÉVALUATION 5.1

1. Tracez le graphique des fonctions exponentielles $y = e^{0,4x}$ et $y = e^{-0,4x}$ sur un même système de coordonnées.

La solution de l'exercice d'autoévaluation 5.1 se trouve à la page 308.

◻ 5.1 EXERCICES

1-10 Tracez le graphique des fonctions données sur un même système de coordonnées. Une calculatrice graphique vous facilitera la tâche !

1. $y = 2^x$, $y = 3^x$ et $y = 4^x$

2. $y = \left(\dfrac{1}{2}\right)^x$, $y = \left(\dfrac{1}{3}\right)^x$ et $y = \left(\dfrac{1}{4}\right)^x$

3. $y = 2^{-x}$, $y = 3^{-x}$ et $y = 4^{-x}$

4. $y = 4^{0,5x}$ et $y = 4^{-0,5x}$

5. $y = 4^{0,5x}$, $y = 4^x$ et $y = 4^{2x}$

6. $y = e^x$, $y = 2e^x$ et $y = 3e^x$

7. $y = e^{0,5x}$, $y = e^x$ et $y = e^{1,5x}$

8. $y = e^{-0,5x}$, $y = e^{-x}$ et $y = e^{-1,5x}$

9. $y = 0,5e^{-x}$, $y = e^{-x}$ et $y = 2e^{-x}$

10. $y = 1 - e^{-x}$ et $y = 1 - e^{-0,5x}$

11. CROISSANCE DU NOMBRE DE SITES WEB Dans une étude réalisée en l'an 2000, on a construit la fonction

$$N(t) = 0,45e^{0,5696t} \qquad \text{(pour } 0 \le t \le 5\text{)}$$

(où t est mesuré en années, la valeur $t = 0$ correspondant à 1997) pour modéliser le nombre de sites Web (en milliards) entre 1997 et 2002.

a. Remplissez le tableau suivant en calculant le nombre de sites Web pour chaque année:

Année	0	1	2	3	4	5
Nombre de sites Web (en milliards)						

b. Tracez le graphique de N.

(suite à la page 308)

TECHNOLOGIE EN APPLICATION

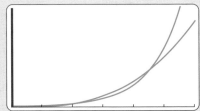

a) Graphiques des fonctions
$f(x) = e^x$ et $g(x) = x^3$ dans
la fenêtre [0, 6] × [0, 250]

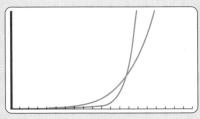

b) Graphiques des fonctions $f(x) = e^x$
et $g(x) = x^5$ dans la fenêtre
[0, 20] × [0, 1 000 000]

FIGURE T1

Lorsque x devient grand, la fonction exponentielle $f(x) = b^x$, où $b > 1$, croît plus vite que la fonction puissance $g(x) = x^n$, quel que soit n réel positif. Voici une illustration de cette propriété dans le cas particulier de la fonction exponentielle $f(x) = e^x$.

EXEMPLE 1

À l'aide d'une calculatrice graphique, tracez sur un même système de coordonnées a) les fonctions $f(x) = e^x$ et $g(x) = x^3$ dans la fenêtre [0, 6] × [0, 250] et b) $f(x) = e^x$ et $g(x) = x^5$ dans la fenêtre [0, 20] × [0, 1 000 000].

Solution

a. Les graphiques des fonctions $f(x) = e^x$ et $g(x) = x^3$ dans la fenêtre [0, 6] × [0, 250] sont représentés à la figure T1a.

b. Les graphiques des fonctions $f(x) = e^x$ et $g(x) = x^5$ dans la fenêtre [0, 20] × [0, 1 000 000] sont représentés à la figure T1b.

EXERCICES AVEC LA CALCULATRICE GRAPHIQUE

Dans les exercices suivants, nous vous demandons d'illustrer les propriétés des fonctions exponentielles à l'aide d'une calculatrice graphique.

1. Tracez les graphiques des fonctions $f(x) = 2^x$, $g(x) = 3^x$ et $h(x) = 4^x$ sur un même système de coordonnées dans la fenêtre [0, 5] × [0, 100]. Expliquez quel est le lien entre la valeur de b et la rapidité de la croissance de $f(x) = b^x$.

2. Tracez les graphiques des fonctions $f(x) = (1/2)^x$, $g(x) = (1/3)^x$ et $h(x) = (1/4)^x$ sur un même système de coordonnées dans la fenêtre [0, 4] × [0, 1]. Expliquez quel est le lien entre la valeur de b et la rapidité de la décroissance de $f(x) = b^x$.

3. Pour chacun des cas suivants, tracez les graphiques des fonctions données sur un même système de coordonnées dans la fenêtre donnée, puis expliquez quelle est l'influence de la constante k sur le graphique de la fonction $f(x) = ke^x$.

    a. $f(x) = e^x$, $g(x) = 2e^x$ et $h(x) = 3e^x$;
    [−3, 3] × [0, 10].

    b. $f(x) = -e^x$, $g(x) = -2e^x$ et $h(x) = -3e^x$;
    [−3, 3] × [−10, 0]

4. Pour chacun des cas suivants, tracez les graphiques des fonctions données sur un même système de coordonnées dans la fenêtre donnée, puis expliquez quelle est l'influence de la constante k sur le graphique de la fonction $f(x) = e^{kx}$.

    a. $f(x) = e^{0,5x}$, $g(x) = e^x$ et $h(x) = e^{1,5x}$;
    [−2, 2] × [0, 4].

    b. $f(x) = e^{-0,5x}$, $g(x) = e^{-x}$ et $h(x) = e^{-1,5x}$;
    [−2, 2] × [0, 4]

12. CONCENTRATION D'UN MÉDICAMENT   La concentration d'un médicament dans un organe à l'instant t (en secondes) est modélisée par la fonction

$$x(t) = 0,08(1 - e^{-0,02t})$$

où $x(t)$ est mesuré en g/cm³.

a. Quelle est la concentration initiale du médicament ?

b. Quelle est la concentration après 30 s ?

c. Quelle sera la concentration du médicament à long terme ?

d. Tracez le graphique de x.

13–14 Dites si l'énoncé est vrai ou faux. S'il est vrai, dites pourquoi. S'il est faux, trouvez un contre-exemple.

13. Si $x < y$, alors $e^x < e^y$.

14. Si $0 < b < 1$ et $x < y$, alors $b^x > b^y$.

◼ SOLUTION DE L'EXERCICE D'AUTOÉVALUATION 5.1

1. Voici les deux tables des valeurs des fonctions et le graphique correspondant aux fonctions :

x	-3	-2	-1	0	1	2	3	4
$y = e^{0,4x}$	0,3	0,4	0,7	1	1,5	2,2	3,3	5

x	-3	-2	-1	0	1	2	3	4
$y = e^{-0,4x}$	3,3	2,2	1,5	1	0,7	0,4	0,3	0,2

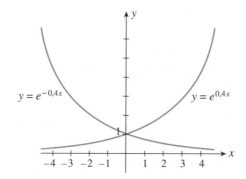

5.2 Fonctions logarithmes

Logarithmes

Nous savons comment résoudre pour x des équations exponentielles de forme

$$b^y = x \qquad (\text{où } b > 0 \text{ et } b \neq 1)$$

où la variable x est exprimée en fonction d'un nombre réel b et d'une variable y. Mais si, au contraire, nous voulons résoudre l'équation pour y? Dans ce contexte, l'exposant y est appelé le **logarithme en base b de x** et se note **$\log_b x$.** Autrement dit, $\log_b x$ est l'*exposant* qu'il faut donner à b pour obtenir x.

Logarithme en base b de x

$$y = \log_b x \quad \text{si et seulement si} \quad x = b^y \qquad (\text{pour } b > 0, b \neq 1 \text{ et } x > 0)$$

 On remarque que l'expression $\log_b x$ n'est définie que pour des valeurs positives de x.

EXEMPLE 1

a. $\log_{10} 100 = 2$, puisque $100 = 10^2$

b. $\log_5 125 = 3$, puisque $125 = 5^3$

c. $\log_3 \dfrac{1}{27} = -3$, puisque $\dfrac{1}{27} = \dfrac{1}{3^3} = 3^{-3}$

d. $\log_{20} 20 = 1$, puisque $20 = 20^1$

EXEMPLE 2

Trouvez x dans chacune des équations suivantes.

a. $\log_3 x = 4$ **b.** $\log_{16} 4 = x$ **c.** $\log_x 8 = 3$

Solution

a. Par définition, $\log_3 x = 4$ signifie que $x = 3^4 = 81$.

b. Puisque $\log_{16} 4 = x$, on en déduit que $4 = 16^x = (4^2)^x = 4^{2x}$, c'est-à-dire que $4^1 = 4^{2x}$, d'où

$$2x = 1 \qquad b^m = b^n \Rightarrow m = n$$

et

$$x = \frac{1}{2}$$

c. En se reportant de nouveau à la définition, on déduit de $\log_x 8 = 3$ que

$$8 = 2^3 = x^3$$

c'est-à-dire

$$x = 2 \qquad a^m = b^m \Rightarrow a = b$$

Les bases les plus utilisées dans l'étude des logarithmes sont la base 10 (on parle alors de **logarithme décimal** de x et on écrit simplement **log x**) et la base e, où e est le nombre irrationnel valant 2,71828... (on parle alors de **logarithme naturel** ou **népérien** et on écrit **ln x**).

Les logarithmes naturels sont utilisés couramment, car ils donnent lieu à des expressions plus simples que les logarithmes d'autres bases, notamment dans le calcul des dérivées.

Lois des logarithmes

Les lois énoncées ci-après facilitent grandement les calculs de logarithmes.

Lois des logarithmes

Si a, b, m et n sont des nombres positifs, et si $a \neq 1$ et $b \neq 1$, alors

1. $\log_b mn = \log_b m + \log_b n$

2. $\log_b \dfrac{m}{n} = \log_b m - \log_b n$

3. $\log_b m^n = n \log_b m$

4. $\log_b 1 = 0$

5. $\log_b b = 1$

6. Changement de base : $\log_b m = \dfrac{\log_a m}{\log_a b}$

 Prenez garde de confondre les expressions $\log_b (m/n)$ (Loi 2) et $\log_b m / \log_b n$. Par exemple,

$$\log \frac{100}{10} = \log 100 - \log 10 = 2 - 1 = 1 \neq \frac{\log 100}{\log 10} = \frac{2}{1} = 2$$

La démonstration des lois ci-dessus repose sur la définition des logarithmes et sur les lois des exposants (voir les exercices 47 à 49 de la page 315). Voici quelques illustrations des propriétés des logarithmes.

EXEMPLE 3

a. $\log(2 \cdot 3) = \log 2 + \log 3$

b. $\ln \dfrac{5}{3} = \ln 5 - \ln 3$

c. $\log \sqrt{7} = \log 7^{1/2} = \dfrac{1}{2} \log 7$

d. $\log_5 1 = 0$

e. $\log_{45} 45 = 1$

f. $\log_2 15 = \dfrac{\log 15}{\log 2} = \dfrac{\ln 15}{\ln 2}$

EXEMPLE 4   Simplifiez les expressions suivantes à l'aide des propriétés des logarithmes:

a. $\log_3 x^2 y^3$ **b.** $\log_2 \dfrac{x^2 + 1}{2^x}$ **c.** $\ln \dfrac{x^2 \sqrt{x^2 - 1}}{e^x}$

Solution

a.
$$\begin{aligned} \log_3 x^2 y^3 &= \log_3 x^2 + \log_3 y^3 &&\text{Loi 1} \\ &= 2 \log_3 x + 3 \log_3 y &&\text{Loi 3} \end{aligned}$$

b.
$$\begin{aligned} \log_2 \frac{x^2 + 1}{2^x} &= \log_2(x^2 + 1) - \log_2 2^x &&\text{Loi 2} \\ &= \log_2(x^2 + 1) - x \log_2 2 &&\text{Loi 3} \\ &= \log_2(x^2 + 1) - x &&\text{Loi 5} \end{aligned}$$

c.
$$\begin{aligned} \ln \frac{x^2 \sqrt{x^2 - 1}}{e^x} &= \ln \frac{x^2(x^2 - 1)^{1/2}}{e^x} &&\text{Reformulation avec des exposants} \\ &= \ln x^2 + \ln(x^2 - 1)^{1/2} - \ln e^x &&\text{Lois 1 et 2} \\ &= 2 \ln x + \frac{1}{2} \ln(x^2 - 1) - x \ln e &&\text{Loi 3} \\ &= 2 \ln x + \frac{1}{2} \ln(x^2 - 1) - x &&\text{Loi 5} \end{aligned}$$

Fonctions logarithmes et leur graphique

Selon la définition des logarithmes, si b et n sont des nombres positifs et que b est différent de 1, alors l'expression $\log_b n$ est un nombre réel. Nous pouvons donc définir une fonction logarithme ainsi:

> **Fonction logarithme**
>
> On appelle **fonction logarithme de base b** la fonction définie par
>
> $$f(x) = \log_b x \qquad (\text{où } b > 0 \text{ et } b \neq 1)$$
>
> Le domaine de f est l'ensemble des nombres réels positifs.

On peut tracer sans difficulté le graphique d'une fonction logarithme $y = \log_b x$ en construisant une table des valeurs de la fonction. Cependant, il existe une autre méthode, beaucoup plus instructive, qui repose sur la relation étroite entre les fonctions exponentielles et les fonctions logarithmes.

En effet, si un point (u, v) est situé sur le graphique de la fonction $y = \log_b x$, alors

$$v = \log_b u$$

Mais on peut aussi bien récrire l'équation sous forme exponentielle, comme suit:

$$u = b^v$$

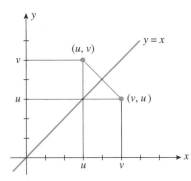

FIGURE 5.7
Les points (u, v) et (v, u) sont symétriques par rapport à la droite d'équation $y = x$.

Ainsi, le point (v, u) est situé sur le graphique de la fonction $y = b^x$. Examinons le lien entre les points (u, v) et (v, u), et la droite d'équation $y = x$ (figure 5.7).

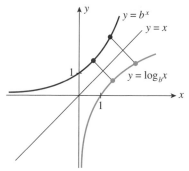

FIGURE 5.8
Les graphiques des fonctions
$y = b^x$ et $y = \log_b x$ (où $b > 1$) sont
symétriques par rapport à la droite
d'équation $y = x$.

Si on imagine la droite $y = x$ comme un miroir, alors le point (v, u) est la réflexion du point (u, v). De même, le point (u, v) est la réflexion du point (v, u). (On dit alors que la droite est un axe de symétrie.) Nous pouvons utiliser cette propriété de symétrie pour tracer le graphique des fonctions logarithmes. Par exemple, pour tracer le graphique de la fonction $y = \log_b x$, où $b > 1$, il suffit de tracer la fonction qui est symétrique au graphique de $y = b^x$ par rapport à la droite $y = x$ (figure 5.8).

Les propriétés suivantes des fonctions logarithmes s'obtiennent en examinant la symétrie de ces fonctions avec les fonctions exponentielles correspondantes (voir les exercices 25 et 26 à la page 314).

Propriétés des fonctions logarithmes

Les fonctions logarithmes $y = \log_b x$ (où $b > 0$, $b \neq 1$) possèdent les propriétés suivantes :

1. Leur domaine est $]0, \infty[$.
2. Leur image est $]-\infty, \infty[$.
3. Leur graphique passe par le point $(1, 0)$.
4. Elles sont continues partout sur l'intervalle $]0, \infty[$.
5. Elles sont croissantes sur l'intervalle $]0, \infty[$ si $b > 1$ et décroissantes sur l'intervalle $]0, \infty[$ si $0 < b < 1$.

EXEMPLE 5

Tracez le graphique de la fonction $y = \ln x$.

Solution

On trace d'abord le graphique de la fonction $y = e^x$, puis son symétrique par rapport à la droite $y = x$, qui est le graphique recherché (figure 5.9).

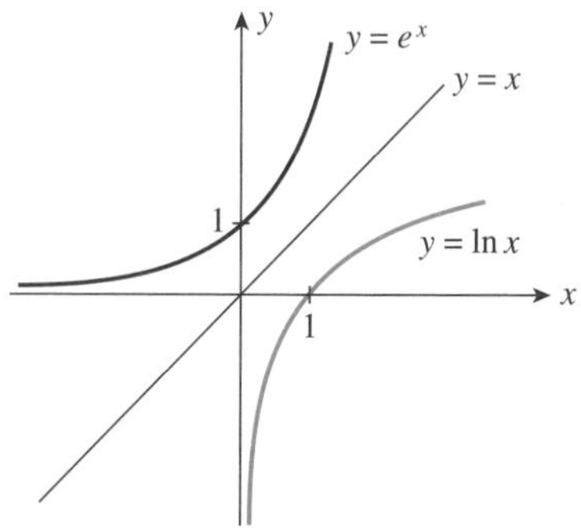

FIGURE 5.9
Les graphiques des fonctions
$y = \ln x$ et $y = e^x$ sont symétriques
par rapport à la droite $y = x$.

☐ Propriétés reliant les fonctions exponentielles et logarithmes

À l'exemple 5, nous avons fait appel au lien qui existe entre la fonction exponentielle $f(x) = e^x$ et la fonction logarithme $g(x) = \ln x$ pour tracer le graphique de cette dernière. Voici d'autres propriétés qui découlent directement de la définition de logarithme d'un nombre.

Propriétés reliant e^x et $\ln x$

$$e^{\ln x} = x \qquad \text{(pour } x > 0\text{)} \qquad (2)$$
$$\ln e^x = x \qquad \text{(pour tout nombre réel } x\text{)} \qquad (3)$$

(Vous pouvez vérifier ces propriétés par vous-même.)

En appliquant les propriétés 2 et 3, nous pouvons déduire que la fonction composée

$$(f \circ g)(x) = f[g(x)]$$
$$= e^{\ln x} = x$$

et que la fonction composée

$$(g \circ f)(x) = g[f(x)]$$
$$= \ln e^x = x$$

Ainsi,

$$f[g(x)] = g[f(x)]$$
$$= x$$

Deux fonctions f et g qui possèdent cette propriété sont dites **réciproques** ou **inverses**. On remarque que la fonction f «défait» ce que «fait» la fonction g, et vice versa, de sorte que la composée des deux fonctions, peu importe l'ordre de composition, donne la fonction identité $F(x) = x$.

 TECHNOLOGIE ET INTUITION

Démontrez la validité des propriétés 2 et 3, à savoir que la fonction exponentielle $f(x) = e^x$ et la fonction logarithme $g(x) = \ln x$ sont des fonctions réciproques, en procédant comme suit:

1. Tracez le graphique de $(f \circ g)(x) = e^{\ln x}$ dans la fenêtre $[0, 10] \times [0, 10]$ et interprétez vos résultats.

2. Tracez le graphique de $(g \circ f)(x) = \ln e^x$ dans la fenêtre d'affichage standard et interprétez vos résultats.

Les propriétés 2 et 3 se révèlent souvent utiles pour résoudre des équations comportant des exposants ou des logarithmes.

EXEMPLE 6 Résolvez l'équation $2e^{x+2} = 5$.

Solution

On divise d'abord les deux membres de l'équation par 2, obtenant ainsi

$$e^{x+2} = \frac{5}{2} = 2,5$$

On prend ensuite le logarithme naturel de chaque membre de l'équation, puis on utilise la propriété 3, ce qui donne

$$\ln e^{x+2} = \ln 2,5$$
$$x + 2 = \ln 2,5$$
$$x = -2 + \ln 2,5$$
$$\approx -1,08$$

TRAVAIL EN ÉQUIPE

Soit l'équation $y = y_0 b^{kx}$, où y_0 et k sont des constantes positives, et où $b > 0$, $b \neq 1$. Supposons que nous voulions exprimer y sous la forme $y = y_0 e^{px}$. À l'aide des lois des logarithmes, montrez que $p = k \ln b$ et que, par conséquent, on peut récrire $y = y_0 b^{kx}$ sous la forme exponentielle de base e : $y = y_0 e^{(k \ln b)x}$.

| EXEMPLE 7 | Résolvez l'équation $5 \ln x + 3 = 0$.

Solution

On ajoute -3 aux deux membres de l'équation :

$$5 \ln x = -3$$

$$\ln x = -\frac{3}{5} = -0,6$$

de sorte que

$$e^{\ln x} = e^{-0,6}$$

Selon la propriété 2, on obtient

$$x = e^{-0,6}$$

$$\approx 0,55$$

▣ EXERCICES D'AUTOÉVALUATION **5.2**

Les solutions des exercices d'autoévaluation 5.2 se trouvent à la page 316.

1. Tracez le graphique des fonctions $y = 3^x$ et $y = \log_3 x$ sur le même système de coordonnées.

2. Résolvez l'équation $3e^{x+1} - 2 = 4$.

▣ **5.2 EXERCICES**

1–10 Exprimez l'équation donnée sous forme logarithmique.

1. $2^6 = 64$

2. $3^5 = 243$

3. $3^{-2} = \dfrac{1}{9}$

4. $5^{-3} = \dfrac{1}{125}$

5. $\left(\dfrac{1}{3}\right)^1 = \dfrac{1}{3}$

6. $\left(\dfrac{1}{2}\right)^{-4} = 16$

7. $32^{3/5} = 8$

8. $81^{3/4} = 27$

9. $10^{-3} = 0,001$

10. $16^{-1/4} = 0,5$

11–20 Simplifiez l'expression à l'aide des lois des logarithmes.

11. $\log x(x + 1)^4$

12. $\log x(x^2 + 1)^{-1/2}$

13. $\log \dfrac{\sqrt{x + 1}}{x^2 + 1}$

14. $\ln \dfrac{e^x}{1 + e^x}$

15. $\ln xe^{-x^2}$

16. $\ln x(x + 1)(x + 2)$

17. $\ln \dfrac{x^{1/2}}{x^2 \sqrt{1 + x^2}}$

18. $\ln \dfrac{x^2}{\sqrt{x}(1 + x)^2}$

19. $\ln x^x$

20. $\ln x^{x^2+1}$

21–24 Tracez le graphique de la fonction donnée.

21. $y = \log_3 x$

22. $y = \log_{1/3} x$

23. $y = \ln 2x$

24. $y = \ln \dfrac{1}{2} x$

25–26 Tracez les graphiques des fonctions données sur un même système de coordonnées.

25. $y = 2^x$ et $y = \log_2 x$

26. $y = e^{3x}$ et $y = \ln 3x$

27–36 Résolvez l'équation à l'aide des logarithmes.

27. $e^{0,4t} = 8$

28. $\dfrac{1}{3} e^{-3t} = 0,9$

29. $5e^{-2t} = 6$

30. $4e^{t-1} = 4$

31. $2e^{-0,2t} - 4 = 6$

32. $12 - e^{0,4t} = 3$

33. $\dfrac{50}{1 + 4e^{0,2t}} = 20$

34. $\dfrac{200}{1 + 3e^{-0,3t}} = 100$

35. $A = Be^{-t/2}$

36. $\dfrac{A}{1 + Be^{t/2}} = C$

37. Puissance des tremblements de terre Sur l'échelle de Richter, on mesure la magnitude R d'un tremblement de terre au moyen de la formule

$$R = \log \frac{I}{I_0}$$

où I est une mesure d'intensité liée à l'amplitude maximale des ondes du tremblement de terre et I_0 représente une intensité de référence.

a. Si un tremblement de terre a une magnitude de $R = 5$, exprimez son intensité I en fonction de l'intensité de référence I_0.

b. Exprimez l'intensité I d'un tremblement de terre de magnitude $R = 8$ en fonction de l'intensité de référence I_0. Le tremblement de terre de magnitude $R = 8$ a une intensité de combien de fois plus forte que celui de magnitude 5?

c. D'une magnitude de 9,0 sur l'échelle de Richter, le séisme le plus meurtrier de notre époque s'est produit en décembre 2004 dans l'océan Indien. Le tsunami qui en a résulté a fait 280 000 victimes. Comparez l'intensité de ce tremblement de terre à celle d'un tremblement de terre de magnitude $R = 5$.

38. Intensité du son L'intensité relative D d'un son d'intensité I est mesurée en décibels (dB) par la formule

$$D = 10 \log \frac{I}{I_0}$$

où I_0 est le seuil présumé d'audibilité pour l'oreille humaine.

a. Exprimez l'intensité I d'un son de 30 dB (le niveau sonore d'une conversation normale) en fonction de I_0.

b. Une intensité sonore de 80 dB (musique rock) est de combien de fois plus forte que celle d'un son de 30 dB?

c. Une exposition prolongée à des sons d'intensité supérieure à 150 dB cause des dommages immédiats et permanents à l'ouïe. Comparez l'intensité d'un son de 150 dB à celle d'un son de 80 dB.

39. Température d'une tasse de café La température d'une tasse de café t min après qu'elle ait été versée est modélisée par

$$T = 21 + 56e^{-0,0446t}$$

où T est mesurée en degrés Celsius.

a. À quelle température a-t-on versé le café?

b. À quel moment le café aura-t-il suffisamment refroidi pour qu'il puisse être bu (environ 49°C)?

40. Concentration d'un médicament La concentration d'un médicament dans un organe à l'instant t (en secondes) est modélisée par la fonction

$$x(t) = 0,08(1 - e^{-0,02t})$$

où $x(t)$ est mesuré en g/cm^3.

a. Combien de temps faut-il pour que la concentration atteigne 0,02 g/cm^3?

b. Combien de temps faut-il pour que la concentration atteigne 0,04 g/cm^3?

41. Médecine légale Pour déterminer l'heure du décès des victimes d'accident ou de meurtre, les médecins légistes font appel à la loi suivante : Soit T la température d'un cadavre et t le nombre d'heures écoulées depuis le décès, alors

$$T = T_0 + (T_1 - T_0)(0,97)^t$$

où T_0 désigne la température ambiante et T_1 la température du corps au moment du décès. On a trouvé Jos Bleau assassiné dans son lit à midi. La température du corps était de 26,5°C et la température ambiante, de 21°C. Vers quelle heure a-t-il été assassiné? On suppose que la température normale d'un corps (en vie!) est de 37°C.

42–45 Dites si l'énoncé est vrai ou faux. S'il est vrai, dites pourquoi. S'il est faux, trouvez un contre-exemple.

42. $(\ln x)^3 = 3 \ln x$ pour tout x dans l'intervalle $]0, \infty[$.

43. $\ln a - \ln b = \ln(a - b)$ pour a et b réels positifs.

44. La fonction $f(x) = \dfrac{1}{\ln x}$ est continue sur l'intervalle $]1, \infty[$.

45. La fonction $f(x) = \ln|x|$ est continue pour tout $x \neq 0$.

46. a. Trouvez k, sachant que $2^x = e^{kx}$.

b. De façon générale, démontrez que si b est un nombre réel positif, alors toute équation de la forme $y = b^x$ peut être récrite sous la forme $y = e^{kx}$, où k est un nombre réel.

47. À l'aide de la définition des logarithmes, démontrez que

a. $\log_b mn = \log_b m + \log_b n$

b. $\log_b \dfrac{m}{n} = \log_b m - \log_b n$

Suggestion : Posez $\log_b m = p$ et $\log_b n = q$, de sorte que $b^p = m$ et $b^q = n$.

48. À l'aide de la définition des logarithmes, démontrez que

$$\log_b m^n = n \log_b m$$

49. À l'aide de la définition des logarithmes, démontrez que

a. $\log_b 1 = 0$

b. $\log_b b = 1$

SOLUTIONS DES EXERCICES D'AUTOÉVALUATION 5.2

1. On trace d'abord le graphique de la fonction $y = 3^x$ à partir de la table des valeurs suivante:

x	-3	-2	-1	0	1	2	3
$y = 3^x$	1/27	1/9	1/3	0	3	9	27

Pour tracer le graphique de la fonction $y = \log_3 x$, il ne reste plus qu'à tracer la courbe symétrique à la fonction $y = 3^x$ par rapport à la droite d'équation $y = x$.

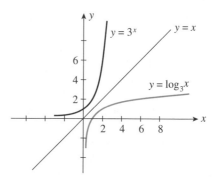

2.
$$3e^{x+1} - 2 = 4$$
$$3e^{x+1} = 6$$
$$e^{x+1} = 2$$
$$\ln e^{x+1} = \ln 2$$
$$(x + 1)\ln e = \ln 2 \qquad \text{Loi 3}$$
$$x + 1 = \ln 2 \qquad \text{Loi 5}$$
$$x = \ln 2 - 1$$
$$\approx -0{,}3069$$

5.3 Intérêt composé

▢ Intérêt composé

L'intérêt composé constitue un exemple immédiat d'application des fonctions exponentielles au monde des affaires. Rappelons d'abord qu'on désigne sous le nom d'*intérêt simple* l'intérêt qui ne s'applique qu'au capital (ou principal) initial. Si, par exemple, I désigne le montant de l'intérêt couru sur le capital P (en dollars) au taux d'intérêt annuel r pendant t années, alors

$$I = Prt$$

La **valeur acquise** A, c'est-à-dire la somme du capital et des intérêts après t années, est donnée par

$$A = P + I = P + Prt$$
$$= P(1 + rt) \qquad \text{Intérêt simple} \tag{4}$$

Lorsqu'on ajoute périodiquement l'intérêt couru au capital, de sorte que l'intérêt produit lui-même de l'intérêt au même taux que le capital initial, on dit que l'intérêt est **composé** ou **capitalisé**. Pour trouver comment calculer la valeur acquise du capital dans ce cas, considérons d'abord l'exemple suivant. Supposons qu'on dépose à la banque un montant de 1000 \$ (le capital) à **échéance** de 3 ans, au taux d'intérêt annuel de 8 % (appelé **taux nominal**) composé annuellement.

Selon la formule (4), où $P = 1000$, $r = 0,08$ et $t = 1$, nous obtenons, au bout de la première année, une valeur acquise de

$$A_1 = P(1 + rt)$$
$$= 1000[1 + 0,08(1)] = 1000(1,08) = 1080$$

soit 1080 \$.

Pour trouver la valeur acquise A_2 à la fin de la deuxième année, il suffit d'utiliser de nouveau la formule (4) avec, cette fois, $P = A_1$ (puisque, la deuxième année, l'intérêt est calculé *à la fois* sur le capital initial et sur l'intérêt couru la première année). Nous obtenons

$$A_2 = P(1 + rt) = A_1(1 + rt)$$
$$= 1000[1 + 0,08(1)][1 + 0,08(1)]$$
$$= 1000(1 + 0,08)^2 = 1000(1,08)^2 \approx 1166,40$$

soit approximativement 1166,40 \$.

Finalement, la valeur acquise A_3 au bout de trois ans s'obtient par une nouvelle application de la formule (4), où $P = A_2$:

$$A_3 = P(1 + rt) = A_2(1 + rt)$$
$$= 1000[1 + 0,08(1)]^2[1 + 0,08(1)]$$
$$= 1000(1 + 0,08)^3 = 1000(1,08)^3 \approx 1259,71$$

soit environ 1259,71 \$.

Voici, en résumé, les valeurs acquises à la fin de chaque année:

Première année: $A_1 = 1000(1 + 0,08)$ ou $A_1 = P(1 + r)$

Deuxième année: $A_2 = 1000(1 + 0,08)^2$ ou $A_2 = P(1 + r)^2$

Troisième année: $A_3 = 1000(1 + 0,08)^3$ ou $A_3 = P(1 + r)^3$

Nous pouvons déduire de ces résultats la règle générale suivante: Si on place un capital de P dollars pendant t années au taux d'intérêt annuel r composé annuellement, alors la valeur acquise est

$$A = P(1 + r)^t \qquad (5)$$

La formule (5) a été obtenue en supposant que l'intérêt était composé *annuellement*. En pratique, cependant, l'intérêt est habituellement composé (ou capitalisé) plus d'une fois par année. L'intervalle écoulé entre les calculs d'intérêt successifs s'appelle la **période de capitalisation.**

Si un capital de P dollars est placé à un taux nominal annuel r capitalisé m fois par année, alors le taux d'intérêt simple pour chaque période de capitalisation est

$$i = \frac{r}{m} \qquad \frac{\text{Taux d'intérêt annuel}}{\text{Nombre de périodes par année}}$$

Par exemple, si le taux nominal annuel est de 8% ($r = 0{,}08$) et que l'intérêt est capitalisé trimestriellement, c'est-à-dire 4 fois par an ($m = 4$), alors

$$i = \frac{r}{m} = \frac{0{,}08}{4} = 0{,}02$$

soit 2% par période de capitalisation.

La formule générale de la valeur acquise d'un capital de P dollars placé à échéance de t années au taux nominal annuel r composé m fois par année s'obtient par une utilisation répétée de la formule (5) avec un taux d'intérêt périodique $i = r/m$, comme suit :

Première période : $\quad A_1 = P(1 + i)$

Deuxième période : $\quad A_2 = A_1(1 + i) = [P(1 + i)](1 + i) = P(1 + i)^2$

Troisième période : $\quad A_3 = A_2(1 + i) = [P(1 + i)^2](1 + i) = P(1 + i)^3$

$\qquad\qquad\vdots\qquad\qquad\qquad\qquad\qquad\vdots$

n^e période : $\qquad A_n = A_{n-1}(1 + i) = [P(1 + i)^{n-1}](1 + i) = P(1 + i)^n$

Or, il y a $n = mt$ périodes au cours des t années (nombre de périodes de capitalisation chaque année × échéance en années). Ainsi, la valeur acquise du placement après t années s'obtient à l'aide de la formule suivante :

Intérêt composé

$$A = P\left(1 + \frac{r}{m}\right)^{mt} \tag{6}$$

où

A = Valeur acquise après t années

P = Principal ou capital initial

r = Taux d'intérêt nominal annuel

m = Nombre de périodes de capitalisation chaque année

t = Échéance (en années)

EXEMPLE 1

Trouvez la valeur acquise après 3 ans d'un placement de 1000 $ au taux nominal annuel de 8% lorsque les intérêts sont capitalisés a) annuellement, b) semestriellement, c) trimestriellement, d) mensuellement et e) quotidiennement.

Solution

a. Nous avons $P = 1000$, $r = 0{,}08$, $m = 1$ et $t = 3$. Selon la formule (6),

$$A = 1000(1 + 0{,}08)^3$$
$$= 1259{,}71$$

ou 1259,71 $

b. Ici, $P = 1000$, $r = 0,08$, $m = 2$ et $t = 3$ et l'on obtient

$$A = 1000\left(1 + \frac{0,08}{2}\right)^{(2)(3)}$$

$$= 1265,32$$

soit 1265,32 \$.

c. Cette fois, $P = 1000$, $r = 0,08$, $m = 4$ et $t = 3$, de sorte que

$$A = 1000\left(1 + \frac{0,08}{4}\right)^{(4)(3)}$$

$$= 1268,24$$

ou 1268,24 \$

d. Ici, $P = 1000$, $r = 0,08$, $m = 12$ et $t = 3$, et nous avons

$$A = 1000\left(1 + \frac{0,08}{12}\right)^{(12)(3)}$$

$$= 1270,24$$

c'est-à-dire 1270,24 \$.

e. Nous avons cette fois $P = 1000$, $r = 0,08$, $m = 365$ et $t = 3$, de sorte que

$$A = 1000\left(1 + \frac{0,08}{365}\right)^{(365)(3)}$$

$$= 1271,22$$

ou 1271,22 \$. Nous avons résumé ces résultats au tableau 5.2.

TABLEAU 5.2

Taux d'intérêt nominal r	Fréquence de capitalisation	Échéance en années	Capital initial	Valeur acquise
8 %	Annuelle ($m = 1$)	3	1000 \$	1259,71 \$
8 %	Semestrielle ($m = 2$)	3	1000 \$	1265,32 \$
8 %	Trimestrielle ($m = 4$)	3	1000 \$	1268,24 \$
8 %	Mensuelle ($m = 12$)	3	1000 \$	1270,24 \$
8 %	Quotidienne ($m = 365$)	3	1000 \$	1271,22 \$

▢ Taux d'intérêt effectif

Nous avons vu, dans le dernier exemple, que les intérêts générés par un placement dépendent de la fréquence de capitalisation. Par conséquent, un taux d'intérêt nominal annuel de 8 % ne nous renseigne pas véritablement sur le montant des intérêts courus au cours d'une année. Il s'avère donc souhaitable d'utiliser une base de comparaison commune des taux d'intérêt, qui nous est fournie par la notion de taux d'intérêt effectif. Le **taux d'intérêt effectif**, ou **taux réel,** est le taux d'intérêt *simple* qui donne la même valeur acquise au bout d'une année qu'un taux nominal capitalisé m fois par année.

Nous allons établir la relation entre le taux d'intérêt nominal annuel r, capitalisé m fois par année, et le taux d'intérêt effectif correspondant, r_{eff}, en calculant de deux façons différentes la valeur acquise par un capital initial de P dollars. D'une part, après un an, la valeur acquise de P au taux d'intérêt simple r_{eff} est de

$$A = P(1 + r_{\text{eff}})$$

D'autre part, la valeur acquise de P après un an au taux d'intérêt annuel r capitalisé m fois par année est de

$$A = P\left(1 + \frac{r}{m}\right)^m \qquad t = 1$$

Les deux expressions sont égales, de sorte que

$$P(1 + r_{\text{eff}}) = P\left(1 + \frac{r}{m}\right)^m$$

$$1 + r_{\text{eff}} = \left(1 + \frac{r}{m}\right)^m \qquad \text{On divise les deux membres par } P.$$

En isolant r_{eff} dans la dernière équation, on obtient l'expression suivante :

Taux d'intérêt effectif

$$r_{\text{eff}} = \left(1 + \frac{r}{m}\right)^m - 1 \qquad\qquad (7)$$

où

r_{eff} = Taux d'intérêt effectif

r = Taux d'intérêt nominal annuel

m = Nombre de périodes de capitalisation chaque année

EXEMPLE 2   Trouvez le taux d'intérêt effectif correspondant à un taux nominal annuel de 8 % capitalisé a) annuellement, b) semestriellement, c) trimestriellement, d) mensuellement et e) quotidiennement.

Solution

a. Le taux d'intérêt effectif correspondant à un taux nominal annuel de 8 % capitalisé annuellement est bien entendu 8 % par an. On obtient ce même résultat à l'aide de la formule (7), où $r = 0,08$ et $m = 1$. Ainsi,

$$r_{\text{eff}} = (1 + 0,08) - 1 = 0,08$$

b. Ici, $r = 0,08$ et $m = 2$. Selon la formule (7)

$$r_{\text{eff}} = \left(1 + \frac{0,08}{2}\right)^2 - 1$$

$$= 0,0816$$

Le taux effectif est donc de 8,16 % par année.

c. On a cette fois $r = 0,08$ et $m = 4$, de sorte que

$$r_{\text{eff}} = \left(1 + \frac{0,08}{4}\right)^4 - 1$$
$$= 0,08243$$

d'où le taux effectif correspondant est de 8,243 % par année.

d. Ici, $r = 0,08$ et $m = 12$. On obtient

$$r_{\text{eff}} = \left(1 + \frac{0,08}{12}\right)^{12} - 1$$
$$= 0,08300$$

soit un taux effectif de 8,3 % par année.

e. Cette fois $r = 0,08$ et $m = 365$. On obtient

$$r_{\text{eff}} = \left(1 + \frac{0,08}{365}\right)^{365} - 1$$
$$= 0,08328$$

soit un taux effectif de 8,328 % par année.

Si le taux d'intérêt effectif r_{eff} est connu, alors la valeur acquise d'un placement de P dollars après t années s'obtient directement à l'aide de la formule

$$A = P(1 + r_{\text{eff}})^t$$

Ainsi, si les taux effectifs correspondant à un taux nominal donné sont connus, alors le calcul des valeurs acquises, comme à l'exemple 1, s'obtient d'une manière immédiate (tableau 5.3).

TABLEAU 5.3

Taux d'intérêt nominal r	Fréquence de capitalisation	Taux effectif	Capital initial	Valeur acquise après 3 ans
8 %	Annuelle	8 %	1 000 $	$1\,000(1 + 0,08)^3$ $= 1\,259,71$ $
8 %	Semestrielle	8,16 %	1 000 $	$1\,000(1 + 0,0816)^3$ $= 1\,265,32$ $
8 %	Trimestrielle	8,243 %	1 000 $	$1\,000(1 + 0,08243)^3$ $= 1\,268,23$ $
8 %	Mensuelle	8,300 %	1 000 $	$1\,000(1 + 0,08300)^3$ $= 1\,270,24$ $
8 %	Quotidienne	8,328 %	1 000 $	$1\,000(1 + 0,08328)^3$ $= 1\,271,22$ $

Valeur actuelle

Reportons-nous à la formule (6), qui exprime la valeur acquise après t années d'un capital placé au taux nominal annuel r capitalisé m fois par année. Le capital P de la formule (6) est aussi désigné sous le nom de **valeur actuelle**, alors que la valeur acquise A s'appelle également **valeur future**, puisqu'elle se réalise à une date ultérieure. Par exemple, un investisseur veut savoir quel montant il devrait placer maintenant, à un taux d'intérêt fixé, de manière à obtenir un montant déterminé selon une échéance donnée. On résout ce problème sans difficulté en isolant P dans la formule (6):

Valeur actuelle

$$P = A\left(1 + \frac{r}{m}\right)^{-mt} \tag{8}$$

EXEMPLE 3 Quel montant faut-il déposer à la banque, au taux annuel de 6 % capitalisé mensuellement, pour obtenir 20 000 $ après 3 ans ?

Solution

On a $A = 20\,000$, $r = 0,06$, $m = 12$ et $t = 3$. Selon la formule (8), on obtient

$$P = 20\,000\left(1 + \frac{0,06}{12}\right)^{-(12)(3)}$$

$$\approx 16\,713$$

ou 16 713 $.

EXEMPLE 4 Calculez la valeur actuelle de 49 158,60 $ à recevoir dans 5 ans, au taux annuel de 10 % capitalisé trimestriellement.

Solution

Selon la formule (8), où $A = 49\,158,60$, $r = 0,1$, $m = 4$ et $t = 5$, nous obtenons

$$P = 49\,158,6\left(1 + \frac{0,1}{4}\right)^{-(4)(5)} \approx 30\,000$$

ou 30 000 $.

Capitalisation continue

Notre étude de l'intérêt composé nous amène à nous poser un certain nombre de questions. Ainsi, étant donné que la valeur acquise d'un capital, pour une échéance donnée, augmente avec la fréquence des périodes de capitalisation — revoir à ce sujet l'exemple 1 — que se passe-t-il lorsque les intérêts sont capitalisés de plus en plus souvent ? La valeur acquise augmente-t-elle indéfiniment ou s'approche-t-elle d'une valeur limite ?

Pour répondre à ces questions, il faut d'abord se reporter à la formule de l'intérêt composé :

$$A = P\left(1 + \frac{r}{m}\right)^{mt} \tag{9}$$

en rappelant que m désigne le nombre de capitalisations par année. Il s'agit donc d'examiner le comportement de la formule (9) lorsque m devient de plus en plus grand, c'est-à-dire lorsqu'il tend vers l'infini. On récrit d'abord l'équation sous la forme

$$A = P\left[\left(1 + \frac{r}{m}\right)^{m}\right]^{t} \qquad b^{xy} = (b^x)^y$$

Lorsque $m \to \infty$, on obtient

$$\lim_{m \to \infty} \left[P\left(1 + \frac{r}{m}\right)^m \right]^t = P\left[\lim_{m \to \infty} \left(1 + \frac{r}{m}\right)^m \right]^t \quad \text{Expliquez pourquoi.}$$

On effectue ensuite la substitution $u = m/r$ et on observe que $u \to \infty$ lorsque $m \to \infty$, obtenant ainsi

$$P\left[\lim_{u \to \infty} \left(1 + \frac{1}{u}\right)^{ur} \right]^t = P\left[\lim_{u \to \infty} \left(1 + \frac{1}{u}\right)^u \right]^{rt}$$

Or

$$\lim_{u \to \infty} \left(1 + \frac{1}{u}\right)^u = e \quad \text{Formule (1)}$$

de sorte que

$$\lim_{m \to \infty} P\left[\left(1 + \frac{r}{m}\right)^m \right]^t = Pe^{rt}$$

Il découle de nos calculs que lorsqu'on augmente indéfiniment la fréquence de capitalisation, la valeur acquise s'approche de Pe^{rt}. En pareil cas, nous parlons de *capitalisation continue*. En résumé,

Capitalisation continue

$$A = Pe^{rt} \tag{10}$$

où

P = Principal ou capital initial

r = Taux d'intérêt annuel à capitalisation continue

t = Échéance en années

A = Valeur acquise après t années

EXEMPLE 5

Calculez la valeur acquise après 3 ans d'un capital de 1000 $ placé au taux annuel de 8 % a) capitalisé quotidiennement (sur la base de 365 jours par année), b) à capitalisation continue.

Solution

a. Selon la formule (6), où $P = 1000$, $r = 0,08$, $m = 365$ et $t = 3$, nous obtenons

$$A = 1000\left(1 + \frac{0,08}{365}\right)^{(365)(3)} \approx 1271,22$$

soit 1271,22 $.

b. Cette fois, nous utilisons la formule (10), où $P = 1000$, $r = 0,08$ et $t = 3$, obtenant ainsi

$$A = 1000e^{(0,08)(3)}$$
$$\approx 1271,25$$

c'est-à-dire 1271,25 $.

On remarque que les valeurs acquises correspondant à une capitalisation quotidienne et à une capitalisation continue ne diffèrent que très peu. Cependant, la capitalisation continue se révèle un outil théorique important en analyse financière.

TECHNOLOGIE ET INTUITION

Dans le premier paragraphe de la section 5.1, nous avons souligné que la valeur acquise d'un placement à capitalisation continue dépasse grandement la valeur acquise d'un placement à intérêt simple au même taux d'intérêt nominal. L'exemple suivant en est une illustration.

Supposons que vous placez 1000 $ dans une banque B_1, qui paie un taux nominal annuel de 10 % à capitalisation continue, de sorte que la valeur acquise de votre placement après t années est de $A_1(t) = 1000e^{0,1t}$. Supposons que vous placez un autre montant de 1000 $ dans une banque B_2, qui paie un taux nominal annuel de 10 % à intérêt simple, la valeur acquise de votre placement après t années étant alors de $A_2(t) = 1000(1 + 0,1t)$. À l'aide d'une calculatrice graphique, tracez les fonctions A_1 et A_2 dans la fenêtre $[0, 20] \times [0, 10\,000]$ et examinez l'évolution des valeurs acquises $A_1(t)$ et $A_2(t)$ sur une période de 20 ans.

En isolant P dans la formule (10), nous obtenons

$$P = Ae^{-rt} \tag{11}$$

soit l'expression de la valeur actuelle en fonction de la valeur future (ou valeur acquise) en situation de capitalisation continue.

EXEMPLE 6

Placement dans l'immobilier   La société immobilière Unigesco est propriétaire d'un édifice à bureaux situé dans un arrondissement de la banlieue de Montréal. Grâce au succès du programme de développement urbain mis en place au cours des dernières années, les affaires de la municipalité sont florissantes. La valeur de l'édifice au prix du marché est de

$$V(t) = 300\,000e^{\sqrt{t}/2}$$

où $V(t)$ est mesurée en dollars et t est mesuré en années, la valeur $t = 0$ correspondant à cette année. Si on prévoit, pour les 10 prochaines années, un taux d'inflation de 9 % calculé à capitalisation continue, trouvez une expression de la valeur actuelle $P(t)$ de la valeur de l'édifice au prix du marché qui soit valable pour les 10 prochaines années. Calculez $P(7)$, $P(8)$ et $P(9)$ et interprétez vos résultats dans le contexte.

Solution

Selon la formule (11), où $A = V(t)$ et $r = 0,09$, la valeur actuelle de la valeur de l'édifice au prix du marché dans t années est de

$$P(t) = V(t)e^{-0,09t}$$
$$= 300\,000e^{-0,09t + \sqrt{t}/2} \quad \text{(pour } 0 \leq t \leq 10)$$

Pour $t = 7$, 8 et 9, respectivement, nous obtenons

$$P(7) = 300\ 000e^{-0,09(7) + \sqrt{7}/2} \approx 599\ 837 \quad \text{ou} \quad 599\ 837\ \$$$
$$P(8) = 300\ 000e^{-0,09(8) + \sqrt{8}/2} \approx 600\ 640 \quad \text{ou} \quad 600\ 640\ \$$$
$$P(9) = 300\ 000e^{-0,09(9) + \sqrt{9}/2} \approx 598\ 115 \quad \text{ou} \quad 598\ 115\ \$$$

Nos calculs montrent que la valeur actuelle de la valeur de l'édifice au prix du marché semble connaître une période de croissance suivie d'une période de décroissance. Il y aurait donc un moment optimal où les propriétaires pourraient être intéressés à le vendre. Nous verrons plus loin que l'édifice atteint une valeur actuelle maximum de 600 779 \$ au bout de 7,72 ans.

TECHNOLOGIE ET INTUITION

Le taux d'intérêt effectif est obtenu au moyen de la formule

$$r_{\text{eff}} = \left(1 + \frac{r}{m}\right)^m - 1$$

où m désigne le nombre de périodes de capitalisation annuelles. À l'exercice 34, on demande de démontrer que le taux d'intérêt effectif r_{eff} correspondant à un taux nominal annuel r à capitalisation continue est

$$\hat{r}_{\text{eff}} = e^r - 1$$

On peut visualiser ce résultat en considérant par exemple le cas où $r = 0,1$ (soit 10 % par an).

1. À l'aide d'une calculatrice graphique, tracez les fonctions

$$y_1 = \left(1 + \frac{0,1}{x}\right)^x - 1 \qquad \text{et} \qquad y_2 = e^{0,1} - 1$$

dans la fenêtre $[0, 3] \times [0; 0,12]$.

2. Selon les graphiques, diriez-vous que

$$\left(1 + \frac{r}{m}\right)^m - 1$$

semble tendre vers

$$\hat{r}_{\text{eff}} = e^r - 1$$

lorsque m tend vers l'infini dans ce cas particulier?

Voici, pour terminer la section, deux problèmes d'intérêt composé : le premier concernant le calcul de la durée d'un placement et le second, celui du taux d'intérêt.

EXEMPLE 7   Pendant combien de temps faut-il placer un capital de 10 000 \$ au taux d'intérêt annuel de 12 % capitalisé trimestriellement pour qu'il atteigne une valeur de 15 000 \$?

Solution

Selon la formule (6), où $A = 15\ 000$, $P = 10\ 000$, $r = 0,12$ et $m = 4$, nous obtenons

$$15\ 000 = 10\ 000\left(1 + \frac{0,12}{4}\right)^{4t}$$

$$(1,03)^{4t} = \frac{15\ 000}{10\ 000} = 1,5$$

Puisque l'inconnue est en exposant, nous prenons le logarithme de chaque membre de l'équation

$$\ln(1,03)^{4t} = \ln 1,5$$

$$4t \ln 1,03 = \ln 1,5 \qquad \log_b m^n = n \log_b m$$

$$4t = \frac{\ln 1,5}{\ln 1,03}$$

$$t = \frac{\ln 1,5}{4 \ln 1,03} \approx 3,43$$

La valeur acquise atteindra donc 15 000 $ au bout de 3,4 ans environ.

EXEMPLE 8 Calculez à quel taux d'intérêt il faut placer un capital de 10 000 $ pour que la valeur acquise soit de 18 000 $ après 5 ans, si les intérêts sont capitalisés mensuellement.

Solution

Selon la formule (6), où $A = 18\,000$, $P = 10\,000$, $m = 12$ et $t = 5$, nous obtenons

$$18\,000 = 10\,000 \left(1 + \frac{r}{12}\right)^{12(5)}$$

d'où

$$\frac{18\,000}{10\,000} = \left(1 + \frac{r}{12}\right)^{60}$$

et

$$\left(1 + \frac{r}{12}\right)^{60} = 1,8$$

En mettant chaque membre de l'équation à la puissance $\frac{1}{60}$, nous obtenons

$$\left[\left(1 + \frac{r}{12}\right)^{60}\right]^{\frac{1}{60}} = (1,8)^{\frac{1}{60}}$$

$$\left(1 + \frac{r}{12}\right)^{60 \times \frac{1}{60}} = (1,8)^{\frac{1}{60}} \qquad \text{Propriétés des exposants}$$

$$1 + \frac{r}{12} = (1,8)^{\frac{1}{60}}$$

$$\frac{r}{12} = (1,8)^{\frac{1}{60}} - 1$$

$$r = 12\left[(1,8)^{\frac{1}{60}} - 1\right]$$

$$r \approx 0,1181$$

ou environ 11,81% par an.

◼ EXERCICES D'AUTOÉVALUATION 5.3

1. Calculez la valeur actuelle de 20 000 $ à recevoir dans 3 ans, au taux d'intérêt nominal annuel de 12 % capitalisé mensuellement.

2. Roger est un retraité qui vit de ses prestations de retraite et de revenus de placement. Actuellement, son capital de 100 000 $ est placé pour un an dans un certificat de dépôt rapportant 11,6 % capitalisé quotidiennement. Si, au bout de l'année, il réinvestit le même montant de 100 000 $ dans un autre certificat de dépôt d'un an qui ne rapporte plus que 9,2 % capitalisé quotidiennement, quelle sera sa perte annuelle de revenu ?

3. **a.** Calculez la valeur acquise après 5 ans d'un placement de 10 000 $ au taux d'intérêt nominal annuel de 10 % à capitalisation continue.
   b. Calculez la valeur actuelle de 10 000 $ à recevoir dans 5 ans, au taux d'intérêt nominal annuel de 10 % à capitalisation continue.

Les solutions des exercices d'autoévaluation 5.3 se trouvent à la page 329.

◼ 5.3 EXERCICES

1–4 Calculez la valeur acquise *A* du capital initial *P* placé au taux nominal annuel *r* pendant *t* années.

1. $P = 2500\,$$, $r = 7\,\%$, $t = 10$, capitalisé semestriellement

2. $P = 12\,000\,$$, $r = 8\,\%$, $t = 10$, capitalisé trimestriellement

3. $P = 150\,000\,$$, $r = 10\,\%$, $t = 4$, capitalisé mensuellement

4. $P = 150\,000\,$$, $r = 9\,\%$, $t = 3$, capitalisé quotidiennement

5–6 Calculez le taux effectif correspondant au taux nominal indiqué.

5. **a.** 10 % par année, capitalisé semestriellement
   b. 9 % par année, capitalisé trimestriellement

6. **a.** 8 % par année, capitalisé mensuellement
   b. 8 % par année, capitalisé quotidiennement

7 et 8 Calculez la valeur actuelle de 40 000 $ à recevoir dans 4 ans au taux d'intérêt indiqué.

7. **a.** 8 % par année, capitalisé semestriellement
   b. 8 % par année, capitalisé trimestriellement

8. **a.** 7 % par année, capitalisé mensuellement
   b. 9 % par année, capitalisé quotidiennement

9. Calculez la valeur acquise après 4 ans d'un placement de 5000 $ au taux nominal annuel de 8 % à capitalisation continue.

10. Un client d'un banque dépose 25 000 $ au taux nominal annuel de 7 %, composé annuellement. Quel sera le montant accumulé dans 6 ans, si on suppose que le client n'effectue ni dépôt ni retrait au cours de cette période ? Quel sera le montant des intérêts courus au cours de la période ?

11. Calculez à quel taux il faut placer un capital de 5000 $ pour que la valeur acquise soit de 7500 $ après 3 ans

    a. si les intérêts sont capitalisés mensuellement ;
    b. si les intérêts sont capitalisés trimestriellement.

12. Calculez à quel taux il faut placer un capital de 5000 $ pour que la valeur acquise soit de 8000 $ après 4 ans si les intérêts sont capitalisés semestriellement.

13. Calculez à quel taux il faut placer un capital de 5000 $ pour que la valeur acquise soit de 5500 $ après 6 mois si les intérêts sont capitalisés mensuellement.

14. Calculez à quel taux il faut placer un capital *P* pour qu'il double après 5 ans si les intérêts sont capitalisés annuellement.

15. Calculez à quel taux il faut placer un capital P pour qu'il triple après 5 ans si les intérêts sont capitalisés mensuellement.

16. Pendant combien de temps faut-il placer un capital de 5000 \$ au taux d'intérêt annuel de 12 % capitalisé mensuellement pour qu'il atteigne une valeur de 6500 \$?

17. Pendant combien de temps faut-il placer un capital de 12 000 \$ au taux d'intérêt annuel de 8 % capitalisé mensuellement pour qu'il atteigne une valeur de 15 000 \$?

18. Pendant combien de temps faut-il placer un capital P au taux d'intérêt annuel de 9 % capitalisé quotidiennement pour qu'il double ?

19. Calculez à quel taux il faut placer un capital de 5 000 \$ en situation de capitalisation continue pour que la valeur acquise soit de 6 000 \$ après 3 ans.

20. Calculez à quel taux il faut placer un capital P en situation de capitalisation continue pour qu'il double après 5 ans.

21. Pendant combien de temps faut-il placer un capital de 6000 \$ au taux d'intérêt annuel de $7\frac{1}{2}$ % capitalisé continuellement pour qu'il atteigne une valeur de 7000 \$?

22. Pendant combien de temps faut-il placer un capital P au taux d'intérêt de 8 % capitalisé continuellement pour qu'il double ?

23. MARCHÉ IMMOBILIER Un jeune couple envisage d'acheter une maison dans 4 ans. Des courtiers immobiliers de leur région estiment que la valeur marchande des maisons devrait augmenter de 9 % par année au cours de cette période. Si leurs prévisions se réalisent, combien le couple devra-t-il débourser pour une maison qui vaut actuellement 120 000 \$?

24. COMPTE D'ÉPARGNE Bernard a déposé une somme d'argent il y a 5 ans dans un compte d'épargne au taux d'intérêt annuel de 3 % capitalisé trimestriellement. S'il n'a pas touché à son compte depuis et que le montant accumulé est de 17 417,76 \$, quelle somme avait-il déposée initialement ?

25. EMPRUNT CONSOLIDÉ Les propriétaires d'un motel de la Beauce ont contracté deux emprunts auprès d'une banque de leur région : le premier au montant de 8 000 \$ payable dans 3 ans et le deuxième au montant de 15 000 \$ payable dans 6 ans. Comme le même taux d'intérêt annuel de 10 % capitalisé semestriellement s'applique à chacun des prêts, la banque offre de consolider les deux emprunts en un seul, au même taux d'intérêt et payable dans 5 ans. Quelle somme les propriétaires devront-ils rembourser au bout des 5 ans ?

26. INDICE DES PRIX À LA CONSOMMATION Si le taux d'inflation annuel est stable à 7,5 %, dans combien de temps l'indice des prix à la consommation (IPC) aura-t-il doublé ?

27. RENDEMENT D'UN PLACEMENT IMMOBILIER Joëlle, qui avait payé sa maison 160 000 \$ il y a 6 ans, l'a vendue il y a quelques jours. Si elle a réalisé un profit net de 56 000 \$, calculez le taux de rendement effectif annuel de son placement.

28. OPTIONS DE PLACEMENTS Vous pouvez effectuer un placement A offrant un rendement annuel de 10 % capitalisé semestriellement ou encore un placement B offrant un rendement annuel de 9,75 % à capitalisation continue. Quel placement offre le meilleur rendement ?

29. VALEUR ACTUELLE Calculez la valeur actuelle de 59 673 \$ à recevoir dans 5 ans au taux annuel de 8 % capitalisé continuellement.

30. PLACEMENT DANS L'IMMOBILIER Un groupe d'investisseurs privés a acheté un immeuble de condominiums pour 1,4 million de dollars. Six ans plus tard, l'immeuble a été vendu 3,6 millions de dollars. Calculez le taux de rendement annuel (à capitalisation continue) de leur investissement.

31. ÉPARGNE ÉTUDES Les parents d'Antoine, qui viennent d'hériter d'une somme importante, désirent investir une partie de cette somme en prévision des études universitaires de leur fils. S'ils prévoient avoir besoin de 70 000 \$ dans 7 ans, combien devraient-ils placer aujourd'hui si le taux d'intérêt annuel est de 3,5 % a) composé trimestriellement ; b) à capitalisation continue ?

32. SALAIRES ET INFLATION Omar gagne présentement 35 000 \$ par an. Quel devra être son salaire dans 10 ans pour conserver son pouvoir d'achat actuel, si le taux d'inflation au cours de cette période est de 6 % par année (à capitalisation continue) ?

33. RÉGIMES DE RETRAITE Michèle, qui est âgée de 50 ans, prendra sa retraite à 65 ans avec un revenu de 40 000 \$ par an. Calculez la valeur actuelle de son revenu de retraite de la première année si le taux annuel d'inflation au cours des 15 prochaines années est de a) 6 % ? b) 8 % ? c) 12 % ? Supposez une situation de capitalisation continue.

34. Démontrez que le taux d'intérêt effectif $\hat{r}_{\text{eff}}$ correspondant à un taux nominal annuel r à capitalisation continue est

$$\hat{r}_{\text{eff}} = e^r - 1$$

Suggestion : Selon la formule (7), le taux d'intérêt effectif $\hat{r}_{\text{eff}}$ correspondant à un taux nominal annuel r capitalisé m fois par année est

$$\hat{r}_{\text{eff}} = \left(1 + \frac{r}{m}\right)^m - 1$$

Évaluez la limite de cette expression lorsque m tend vers l'infini.

35. Reportez-vous à l'exercice 34. Calculez le taux d'intérêt effectif correspondant à un taux nominal annuel de 10 % composé a) trimestriellement ; b) mensuellement ; c) continuellement.

36. **ANALYSE FINANCIÈRE** Reportez-vous à l'exercice 34. Si la banque A paie un taux nominal annuel de $7\frac{1}{8}$ % sur ses dépôts, avec capitalisation trimestrielle, et que la banque B paie un taux nominal annuel de 7 % avec capitalisation continue, laquelle des deux banques offre le taux effectif le plus élevé ?

37. **ANALYSE FINANCIÈRE** Calculez le taux d'intérêt nominal annuel à capitalisation mensuelle qui correspond à un taux effectif de 10 %.

Suggestion : Utilisez la formule (7).

38. **ANALYSE FINANCIÈRE** Calculez le taux d'intérêt nominal annuel à capitalisation continue qui correspond à un taux effectif de 10 %.

Suggestion : Reportez-vous à l'exercice 34.

39. **ANNUITÉS** Une annuité est une suite de versements effectués à intervalles réguliers, appelés périodes. La valeur future d'une annuité de n versements en fin de période, de R dollars chacun, dans un compte au taux d'intérêt i par période est donnée par l'expression

$$S = R\left[\frac{(1+i)^n - 1}{i}\right]$$

Trouvez

$$\lim_{i \to 0} R\left[\frac{(1+i)^n - 1}{i}\right]$$

et interprétez votre résultat.

Suggestion : Utilisez la définition de la dérivée.

◨ SOLUTIONS DES EXERCICES D'AUTOÉVALUATION **5.3**

1. Selon la formule (8), où $A = 20\,000$, $r = 0,12$, $m = 12$ et $t = 3$, la valeur actuelle recherchée est de

$$P = 20\,000\left(1 + \frac{0,12}{12}\right)^{-(12)(3)}$$
$$= 13\,978,50$$

ou 13 978,50 $.

2. La valeur acquise du certificat de dépôt actuel de Roger est obtenue au moyen de la formule (6), où $P = 100\,000$, $r = 0,116$ et $m = 365$. Ainsi,

$$A = 100\,000\left(1 + \frac{0,116}{365}\right)^{365}$$
$$= 112\,297,52$$

ou 112 297,52 $. Si on refait un calcul analogue avec le nouveau certificat de dépôt, où $P = 100\,000$, $r = 0,092$ et $m = 365$, on trouve cette fois

$$\overline{A} = 100\,000\left(1 + \frac{0,092}{365}\right)^{365}$$

ou 109 635,21. Par conséquent, Roger perdra

$$112\,297,52 - 109\,635,21$$

ou 2 662,31 $ de revenu annuel.

3. a. Selon la formule (10), où $P = 10\,000$, $r = 0,1$ et $t = 5$, la valeur acquise recherchée est de

$$A = 10\,000e^{(0,1)(5)}$$
$$= 16\,487,21$$

ou 16 487,21 $.

b. Selon la formule (11), où $A = 10\,000$, $r = 0,1$ et $t = 5$, la valeur acquise recherchée est de

$$P = 10\,000e^{-(0,1)(5)}$$
$$= 6065,31$$

ou 6065,31 $.

5.4 Dérivée des fonctions exponentielles

Dérivée de la fonction eˣ

Selon différents appareils de mesure de l'alcoolémie, le pourcentage d'alcool présent dans le sang d'une personne t h après qu'elle ait absorbé 250 ml de whisky suit le modèle représenté par la figure 5.10.

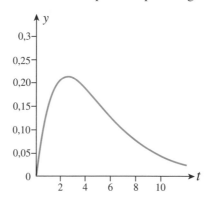

FIGURE 5.10
Graphique de la fonction f représentant le pourcentage d'alcool dans le sang d'une personne t heures après l'absorption de 250 ml de whisky.

Source : Encyclopédie Britannica

On observe que le graphique de la fonction f croît très rapidement, pour ensuite diminuer lentement. En particulier, le niveau d'intoxication maximal est atteint après 2,5 h environ et ce n'est qu'au bout de tout près de 8 h que le taux d'alcoolémie redescend sous le niveau toléré de 0,08. (Nous reprendrons cet exemple, qui fait appel aux fonctions exponentielles, à l'exercice 8 de la rubrique *Technologie en application* située à la fin de la présente section.)

Pour pousser plus loin notre étude des applications modélisées au moyen de fonctions exponentielles ou de fonctions logarithmes, il faut d'abord apprendre à calculer les dérivées de ces fonctions. Étudions d'abord la dérivée de la fonction exponentielle de base e.

Ire règle : Dérivée de la fonction eˣ

$$\frac{d}{dx}(e^x) = e^x$$

Ainsi, la dérivée de la fonction exponentielle de base e est la fonction elle-même. Nous pouvons justifier cette règle au moyen de la définition de la dérivée. Nous avons

$$f'(x) = \lim_{h \to 0} \frac{f(x+h) - f(x)}{h}$$

$$= \lim_{h \to 0} \frac{e^{x+h} - e^x}{h}$$

$$= \lim_{h \to 0} \frac{e^x(e^h - 1)}{h} \qquad \text{On écrit } e^{x+h} = e^x e^h, \text{ puis on factorise.}$$

$$= e^x \lim_{h \to 0} \frac{e^h - 1}{h} \qquad \text{Justifiez pourquoi.}$$

TABLEAU 5.4

h	$\dfrac{e^h - 1}{h}$
0,1	1,0517
0,01	1,0050
0,001	1,0005
−0,001	0,9995
−0,01	0,9950
−0,1	0,9516

Pour évaluer l'expression

$$\lim_{h \to 0} \frac{e^h - 1}{h}$$

reportons-nous au tableau 5.4, construit à l'aide d'une calculatrice. Nous observons que

$$\lim_{h \to 0} \frac{e^h - 1}{h} = 1$$

(La preuve rigoureuse de ce résultat dépasse le cadre du présent ouvrage. Toutefois, une illustration graphique vous est proposée à l'exemple 1 de la rubrique *Technologie en application*, page 337.)

En reportant ce résultat dans le calcul de $f'(x)$, nous obtenons finalement

$$f'(x) = e^x \cdot 1 = e^x$$

EXEMPLE 1   Calculez la dérivée des fonctions suivantes :

a. $f(x) = x^2 e^x$ **b.** $g(t) = (e^t + 2)^{3/2}$

Solution

a. Selon la règle de la dérivée du produit de deux fonctions,

$$f'(x) = \frac{d}{dx}(x^2 e^x) = \frac{d}{dx}(x^2)\, e^x + x^2 \frac{d}{dx}(e^x)$$

$$= (2x)\, e^x + x^2 e^x = xe^x(2 + x)$$

b. En vertu de la généralisation de la dérivée d'une fonction puissance, on obtient

$$g'(t) = \frac{3}{2}(e^t + 2)^{1/2} \frac{d}{dt}(e^t + 2) = \frac{3}{2}(e^t + 2)^{1/2} e^t = \frac{3}{2} e^t (e^t + 2)^{1/2}$$

TECHNOLOGIE ET INTUITION

Soit la fonction exponentielle $f(x) = b^x$ (où $b > 0$, $b \neq 1$).

1. Au moyen de la définition de la dérivée, démontrez que

$$f'(x) = b^x \cdot \lim_{h \to 0} \frac{b^h - 1}{h}$$

2. Utilisez le résultat **1** pour démontrer que

$$\frac{d}{dx}(2^x) = 2^x \cdot \lim_{h \to 0} \frac{2^h - 1}{h}$$

et que

$$\frac{d}{dx}(3^x) = 3^x \cdot \lim_{h \to 0} \frac{3^h - 1}{h}$$

3. En utilisant une technique similaire à celle de l'exemple 1 de la rubrique *Technologie en application*, page 337, montrez que

$$\lim_{h \to 0} \frac{2^h - 1}{h} = 0,69 \quad \text{et} \quad \lim_{h \to 0} \frac{3^h - 1}{h} = 1,10$$

(avec une précision de deux décimales).

4. En faisant appel aux résultats **2** et **3**, vous devriez pouvoir conclure que

$$\frac{d}{dx}(2^x) \approx (0,69)2^x \quad \text{et} \quad \frac{d}{dx}(3^x) \approx (1,10)3^x$$

et donc, plus généralement, que

$$\frac{d}{dx}(b^x) = k \cdot b^x$$

où k est une constante appropriée.

5. Selon le résultat **4**, il apparaît pertinent de choisir la base b pour laquelle $k = 1$. Selon **3**, nous aurons $2 < b < 3$. En fait, cette valeur de b n'est rien d'autre que $e \approx 2,718281828\ldots$ Ainsi,

$$\frac{d}{dx}(e^x) = e^x$$

C'est pourquoi la fonction exponentielle $f(x) = e^x$ est si fréquemment utilisée.

Dérivée des fonctions composées

Nous allons maintenant étendre l'ensemble des fonctions exponentielles à dériver aux fonctions de forme $h(x) = e^{f(x)}$, comme $h(x) = e^{x^2-2x}$, en utilisant la technique de dérivation des fonctions composées vue à la section 3.3.

2e règle: Dérivée d'une fonction exponentielle de forme $h(x) = e^{f(x)}$

Soit $f(x)$ une fonction dérivable. Alors

$$\frac{d}{dx}(e^{f(x)}) = e^{f(x)}f'(x)$$

Pour justifier cette deuxième règle, il suffit d'observer que si $h(x) = g[f(x)]$, où $g(x) = e^x$ alors, selon la règle de dérivation des fonctions composées,

$$h'(x) = g'(f(x))f'(x) = e^{f(x)}f'(x)$$

puisque $g'(x) = e^x$.

En bref, la dérivée d'une fonction de forme $e^{f(x)}$ est *la fonction elle-même* multipliée par *la dérivée de l'exposant*.

EXEMPLE 2   Calculez la dérivée des fonctions suivantes:

a. $f(x) = e^{2x}$ **b.** $y = e^{-3x}$ **c.** $g(t) = e^{2t^2+t}$

Solution

a. $f'(x) = e^{2x}\dfrac{d}{dx}(2x) = e^{2x} \cdot 2 = 2e^{2x}$

b. $\dfrac{dy}{dx} = e^{-3x}\dfrac{d}{dx}(-3x) = -3e^{-3x}$

c. $g'(t) = e^{2t^2+t} \cdot \dfrac{d}{dt}(2t^2 + t) = (4t + 1)e^{2t^2+t}$

EXEMPLE 3   Dérivez la fonction $y = xe^{-2x}$.

Solution

Nous utilisons la règle de la dérivée du produit de deux fonctions, puis celle de la dérivée des fonctions composées

$$\frac{dy}{dx} = \frac{d}{dx}(x)\, e^{-2x} + x\frac{d}{dx}e^{-2x}$$

$$= e^{-2x} + xe^{-2x}\frac{d}{dx}(-2x)$$

$$= e^{-2x} - 2xe^{-2x}$$

$$= e^{-2x}(1 - 2x)$$

EXEMPLE 4   Dérivez la fonction $g(t) = \dfrac{e^t}{e^t + e^{-t}}$.

Solution

Nous utilisons la règle de la dérivée du quotient de deux fonctions, puis celle de la dérivée des fonctions composées

$$g'(t) = \frac{\dfrac{d}{dt}(e^t)(e^t + e^{-t}) - e^t \dfrac{d}{dt}(e^t + e^{-t})}{(e^t + e^{-t})^2}$$

$$= \frac{e^t(e^t + e^{-t}) - e^t(e^t - e^{-t})}{(e^t + e^{-t})^2}$$

$$= \frac{e^{2t} + 1 - e^{2t} + 1}{(e^t + e^{-t})^2} \qquad\qquad e^0 = 1$$

$$= \frac{2}{(e^t + e^{-t})^2}$$

EXEMPLE 5   À la section 5.6, nous allons examiner des applications de la fonction exponentielle

$$Q(t) = Q_0 e^{kt}$$

où Q_0 et k sont des constantes positives et t est dans l'intervalle $[0, \infty[$. Lorsqu'une quantité $Q(t)$ est modélisée par une fonction de ce type, on dit qu'il y a croissance exponentielle. Montrez qu'en situation de croissance exponentielle, le taux de variation $Q'(t)$ de la fonction $Q(t)$, à tout instant t, est directement proportionnel à $Q(t)$.

Solution

Selon la règle de dérivation des fonctions composées, nous obtenons

$$Q'(t) = Q_0 e^{kt} \frac{d}{dt}(kt)$$

$$= Q_0 e^{kt}(k)$$

$$= kQ_0 e^{kt}$$

$$= kQ(t) \qquad Q(t) = Q_0 e^{kt}$$

ce qui démontre la propriété énoncée.

EXEMPLE 6   Trouvez les points d'inflexion de la fonction $f(x) = e^{-x^2}$.

Solution

Nous calculons la dérivée première de f

$$f'(x) = -2xe^{-x^2}$$

puis la dérivée deuxième

$$f''(x) = -2e^{-x^2} + (-2x)(-2xe^{-x^2})$$

$$= 2e^{-x^2}(2x^2 - 1)$$

Nous posons $f''(x) = 0$, soit

$$2e^{-x^2}(2x^2 - 1) = 0$$

Comme e^{-x^2} est non nul quel que soit x, les seules possibilités de points d'inflexion de f sont $x = \pm 1/\sqrt{2}$. Le diagramme de signes de f'', représenté à la figure 5.11, montre qu'on a bien deux points d'inflexion de f en $x = -1/\sqrt{2}$ et $x = 1/\sqrt{2}$.

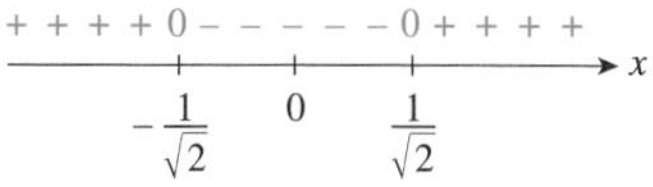

FIGURE 5.11
Diagramme de signes de f''

De plus,

$$f\left(-\frac{1}{\sqrt{2}}\right) = f\left(\frac{1}{\sqrt{2}}\right) = e^{-1/2}$$

de sorte que les points d'inflexion de f ont pour coordonnées $(-1/\sqrt{2},\ e^{-1/2})$ et $(1/\sqrt{2},\ e^{-1/2})$. Le graphique de f est représenté à la figure 5.12.

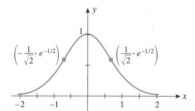

FIGURE 5.12
Graphique de $y = e^{-x^2}$ et ses deux points d'inflexion.

APPLICATION

Voici un exemple de recherche du maximum absolu d'une fonction exponentielle.

EXEMPLE 7

Placement dans l'immobilier　Reportez-vous à l'exemple 6 de la section 5.3. La valeur actuelle $P(t)$ de la valeur au prix du marché d'une propriété de la société immobilière Unigesco est modélisée par

$$P(t) = 300\,000e^{-0,09t\ +\ \sqrt{t}/2} \text{ (pour } 0 \geqq t \geqq 10)$$

Calculez la valeur actuelle maximum de la valeur au prix du marché de l'édifice.

Solution

Pour trouver le maximum de P sur l'intervalle $[0, 10]$, il faut d'abord calculer

$$P'(t) = 300\,000e^{-0,09t\ +\ \sqrt{t}/2}\frac{d}{dt}\left(-0,09t + \frac{1}{2}t^{1/2}\right)$$

$$= 300\,000e^{-0,09t\ +\ \sqrt{t}/2}\left(-0,09 + \frac{1}{4}t^{-1/2}\right)$$

puis trouver t tel que $P'(t) = 0$.

Puisque $e^{-0,09t + \sqrt{t}/2}$ ne s'annule pour aucune valeur de t, on a $P'(t) = 0$ lorsque

$$-0,09 + \frac{1}{4t^{1/2}} = 0$$

$$\frac{1}{4t^{1/2}} = 0,09$$

$$t^{1/2} = \frac{1}{4(0,09)}$$

$$= \frac{1}{0,36}$$

$$t \approx 7,72$$

qui est ainsi le seul point critique de P. Il ne reste plus qu'à calculer $P(t)$ au point critique de même qu'aux extrémités de l'intervalle [0, 10], ce qui nous donne

t	0	7,72	10
$P(t)$	300 000	600 779	592 838

Il s'ensuit que la valeur actuelle maximum de la valeur au prix du marché de la propriété est de 600 779 $, valeur qui sera atteinte dans 7,72 ans.

◪ EXERCICES D'AUTOÉVALUATION 5.4

1. Soit $f(x) = xe^{-x}$.
   a. Calculez les deux premières dérivées de la fonction f.
   b. Trouvez les extremums relatifs de la fonction.
   c. Trouvez les points d'inflexion de la fonction.

2. La valeur comptable $V(t)$ de la machinerie d'une usine suit le modèle

$$V(t) = 50\ 000e^{-0,4t}$$

Les solutions des exercices d'autoévaluation 5.4 se trouvent à la page 339.

où t est mesuré en années et $V(t)$, en dollars. Quel sera le taux de variation de la valeur comptable de la machinerie dans 3 ans?

◪ 5.4 EXERCICES

1–20 Calculez la dérivée de la fonction donnée.

1. $f(x) = e^{3x}$

2. $f(x) = 3e^x$

3. $g(t) = e^{-t}$

4. $f(x) = e^{-2x}$

5. $f(x) = e^x + x$

6. $f(x) = 2e^x - x^2$

7. $f(x) = x^3 e^x$

8. $f(u) = u^2 e^{-u}$

9. $f(x) = \dfrac{2e^x}{x}$

10. $f(x) = \dfrac{x}{e^x}$

11. $f(x) = 3(e^x + e^{-x})$

12. $f(x) = \dfrac{e^x + e^{-x}}{2}$

13. $f(w) = \dfrac{e^w + 1}{e^w}$

14. $f(x) = 2e^{3x-1}$

15. $h(x) = e^{-x^2}$

16. $f(x) = 3e^{-1/x}$

17. $f(x) = (e^x + 1)^{25}$

18. $f(x) = e^{\sqrt{x}}$

19. $f(x) = (x - 1)e^{3x+2}$

20. $f(x) = \dfrac{e^x - 1}{e^x + 1}$

21–24 Trouvez la dérivée seconde de la fonction.

21. $f(x) = e^{-4x} + 2e^{3x}$ **22.** $f(t) = 3e^{-2t} - 5e^{-t}$

23. $f(x) = 2xe^{3x}$ **24.** $f(t) = t^2 e^{-2t}$

25. Trouvez une équation de la tangente au graphique de la fonction $y = e^{2x-3}$ au point $(\frac{3}{2}, 1)$.

26. Trouvez une équation de la tangente au graphique de la fonction $y = e^{-x^2}$ au point $(1, 1/e)$.

27. Trouvez les intervalles de croissance et de décroissance de la fonction $f(x) = e^{-x^2/2}$.

28. Trouvez les intervalles de croissance et de décroissance de la fonction $f(x) = x^2 e^{-x}$.

29. Étudiez la concavité de la fonction $f(x) = \dfrac{e^x - e^{-x}}{2}$.

30. Étudiez la concavité de la fonction $f(x) = xe^x$.

31. Trouvez le point d'inflexion de la fonction $f(x) = xe^{-2x}$.

32. Trouvez les points d'inflexion de la fonction $f(x) = 2e^{-x^2}$.

33–36 Trouvez les extremums absolus de la fonction donnée.

33. $f(x) = e^{-x^2}$ sur l'intervalle $[-1, 1]$

34. $h(x) = e^{x^2-4}$ sur l'intervalle $[-2, 2]$

35. $g(x) = (2x - 1)e^{-x}$ sur l'intervalle $[0, \infty[$

36. $f(x) = xe^{-x^2}$ sur l'intervalle $[0, 2]$

37–40 Tracez le graphique de la fonction, en utilisant la marche à suivre exposée à la section 4.3.

37. $f(t) = e^t - t$ **38.** $h(x) = \dfrac{e^x + e^{-x}}{2}$

39. $f(x) = 2 - e^{-x}$ **40.** $f(x) = \dfrac{3}{1 + e^{-x}}$

41. MOBILITÉ DE LA POPULATION Selon des données gouvernementales, le pourcentage de la population canadienne qui a déménagé à l'année t ($t = 0$ correspondant à 1960) est modélisé par la fonction

$$P(t) = 20{,}6e^{-0{,}009t} \qquad \text{(pour } 0 \le t \le 35\text{)}$$

Calculez $P'(10)$, $P'(20)$ et $P'(30)$, et interprétez vos résultats dans le contexte.

42. TRANSACTIONS BANCAIRES EN LIGNE Une étude réalisée en l'an 2000 prévoyait que le pourcentage des ménages nord-américains effectuant des transactions bancaires en ligne allait suivre le modèle

$$f(t) = 1{,}5e^{0{,}78t} \qquad \text{(pour } 0 \le t \le 4\text{)}$$

où t est mesuré en années, la valeur $t = 0$ correspondant au début de l'an 2000.

a. Quel était le pourcentage projeté des ménages effectuant des transactions bancaires en ligne au début de 2003?

b. Quel était le taux de variation projeté du pourcentage des ménages effectuant des transactions bancaires en ligne au début de 2003?

c. Quel était le taux de variation projeté du taux de variation du pourcentage des ménages effectuant des transactions bancaires en ligne au début de 2003?

    Suggestion: Il s'agit de calculer $f''(3)$. Expliquez pourquoi.

d. En 2003, une nouvelle étude démontrait que 18 % des ménages nord-américains effectuaient des transactions bancaires en ligne. Comparez cette statistique aux prévisions et commentez.

43. CONSOMMATION D'ÉNERGIE Entre 1972 et 1992, la consommation annuelle moyenne d'énergie des réfrigérateurs de marque Polaire a suivi le modèle

$$C(t) = 1486e^{-0{,}073t} + 500 \qquad \text{(pour } 0 \le t \le 20\text{)}$$

kilowattheures (kWh), où t est mesuré en années, la valeur $t = 0$ correspondant à 1972.

a. Quelle était la consommation annuelle moyenne d'énergie des réfrigérateurs de marque Polaire au début de 1972?

b. Démontrez que la consommation annuelle moyenne d'énergie des réfrigérateurs de marque Polaire était décroissante pendant toute la période indiquée.

c. Depuis le 1er janvier 1990, les réfrigérateurs doivent satisfaire une norme gouvernementale fixant à 950 kWh la consommation énergétique annuelle maximum tolérée. Montrez qu'en moyenne les réfrigérateurs de marque Polaire fabriqués depuis cette date satisfont la norme.

(suite à la page 338)

TECHNOLOGIE EN APPLICATION

Au début de la section 5.4, nous avons illustré le résultat

$$\lim_{h \to 0} \frac{e^h - 1}{h} = 1$$

en construisant un tableau des valeurs de $(e^h - 1)/h$ pour des valeurs de h voisines de 0.

Nous pouvons arriver au même résultat en représentant graphiquement la fonction

$$f(x) = \frac{e^x - 1}{x}$$

FIGURE T1
Graphique de f dans la fenêtre
$[-1, 1] \times [0, 2]$

dans la fenêtre $[-1, 1] \times [0, 2]$ (figure T1). Le graphique montre bien que $f(x)$ semble tendre vers 1 lorsque x tend vers 0.

Comme pour le cas des fonctions algébriques, l'option de dérivation numérique d'une calculatrice graphique fournit une valeur approximative de la dérivée d'une fonction exponentielle ou d'une fonction logarithme pour une valeur donnée de x.*

*Les règles de dérivation des fonctions logarithmes sont exposées à la section 5.5. Cependant, il n'est pas nécessaire de faire appel à ces règles pour résoudre les exercices ci-après.

■ EXERCICES AVEC LA CALCULATRICE GRAPHIQUE

1–6 Utilisez l'option de dérivation numérique pour trouver le taux de variation de $f(x)$ pour la valeur de x donnée. Conservez quatre décimales de précision.

1. $f(x) = x^3 e^{-1/x}$; $x = -1$

2. $f(x) = (\sqrt{x} + 1)^{3/2} e^{-x}$; $x = 0,5$

3. $f(x) = x^3 \sqrt{\ln x}$; $x = 2$

4. $f(x) = \dfrac{\sqrt{x} \ln x}{x + 1}$; $x = 3,2$

5. $f(x) = e^{-x} \ln(2x + 1)$; $x = 0,5$

6. $f(x) = \dfrac{e^{-\sqrt{x}}}{\ln(x^2 + 1)}$; $x = 1$

7. SITUATION D'EXTINCTION Le nombre de crocodiles marins d'Australie est modélisé par la fonction

$$P(t) = \frac{300e^{-0,024t}}{5e^{-0,024t} + 1}$$

a. Combien de crocodiles la population comptait-elle initialement?

b. Démontrez que $\lim_{t \to \infty} P(t) = 0$.

c. Tracez le graphique de P dans la fenêtre $[0, 200] \times [0, 70]$.

(Le phénomène ci-dessus est connu sous le nom de *situation d'extinction*.)

8. TAUX D'ALCOOL DANS LE SANG Le pourcentage d'alcool présent dans le sang d'une personne t h après qu'elle ait absorbé 250 ml de whisky est modélisé par

$$A(t) = 0,23te^{-0,4t} \qquad \text{(pour } 0 \le t \le 12\text{)}$$

a. Tracez le graphique de $A(t)$ dans la fenêtre $[0, 12] \times [0; 0,3]$.

b. Quel est le taux d'alcool dans le sang après 30 min? Après 8 h? Interprétez vos résultats dans le contexte.

c. À quel taux le pourcentage d'alcool dans le sang d'une personne varie-t-il après 30 min? Après 8 h? Interprétez vos résultats dans le contexte.

d. À quel moment le taux d'alcool dans le sang atteint-il un maximum? Quel est le taux d'alcool à ce moment-là?

Source: Encyclopédie Britannica

9. CROISSANCE DE LA POPULATION MONDIALE Selon une étude réalisée par l'ONU, l'évolution de la population mondiale (en milliards) d'ici 2150 est modélisée par

$$f(t) = \frac{12}{1 + 3,74914e^{-1,42804t}} \qquad \text{(pour } 0 \le t \le 4\text{)}$$

où t est mesuré en tranches de 50 ans, la valeur $t = 0$ correspondant à 1950.

a. Tracez le graphique de f dans la fenêtre $[0, 5] \times [0, 14]$.

b. Selon ce modèle, quel était le taux de variation de la population mondiale en l'an 2000?

Source: ONU — Division de la population

44. REVENU MARGINAL Le prix de vente unitaire p (en dollars) et la quantité demandée (en nombre de paires) d'une marque de gants pour femmes sont liés par l'équation

$$p = 100e^{-0,0001x} \qquad \text{(pour } 0 \leq x \leq 20\,000\text{)}$$

a. Trouvez la fonction de revenu R.

    Suggestion: $R(x) = px$.

b. Trouvez la fonction de revenu marginal R'.

c. Calculez le revenu marginal lorsque $x = 10$.

45. MAXIMISATION DU REVENU Reportez-vous à l'exercice 44. Combien de paires de gants faut-il vendre pour obtenir un revenu maximum? Quel est ce revenu maximum?

46. PRIX DU VIN La demande mensuelle d'un vin d'appellation contrôlée est modélisée par la fonction

$$p = 240\left(1 - \frac{3}{3 + e^{-0,0005x}}\right)$$

où p désigne le prix de détail d'une caisse (en dollars) et x, le nombre de caisses demandées.

a. Trouvez le taux de variation du prix d'une caisse lorsque $x = 1000$.

b. Combien coûte une caisse lorsque $x = 1000$?

47. PROPAGATION D'UNE ÉPIDÉMIE Lors d'une épidémie de grippe qui a frappé le Québec l'hiver dernier, le nombre total d'étudiants d'un cégep atteints du virus était modélisé par la fonction

$$N(x) = \frac{300}{1 + 99e^{-x}} \qquad \text{(pour } x \geq 0\text{)}$$

où x représente le nombre de jours écoulés depuis l'apparition du premier cas.

a. Combien de cas de grippe a-t-on détecté initialement?

b. Trouvez le taux de propagation de la grippe en fonction de x et montrez que la fonction $N(x)$ est partout croissante sur l'intervalle $]0, \infty[$.

c. Tracez le graphique de la fonction $N(x)$. Quel est le nombre total d'étudiants touchés par le virus de la grippe lors de cette épidémie?

48. MAXIMISATION DE LA PRODUCTION Selon des estimations récentes, la production totale d'un puits de pétrole de l'Alberta t années après le début de la production suit le modèle

$$T(t) = -1000(t + 10)e^{-0,1t} + 10\,000$$

où $T(t)$ est mesuré en milliers de barils. Calculez après combien d'années le puits atteint sa capacité maximum de production.

49. UTILISATION DU PÉTROLE POUR LES ACTIVITÉS DE PRODUCTION Selon une étude sur l'utilisation mondiale du pétrole, la quantité de pétrole utilisée par un pays de l'hémisphère nord pour les activités de production est modélisée par

$$f(t) = 1,5 + 1,8te^{-1,2t} \qquad \text{(pour } 0 \leq t \leq 4\text{)}$$

où $f(t)$ désigne le nombre de barils par tranche de 1000 $ d'activité économique et t est mesuré en décennies ($t = 0$ correspondant à 1965). Calculez $f'(0)$, $f'(1)$, $f'(2)$ et $f'(3)$, et interprétez vos résultats dans le contexte.

50. PRIX D'UN BIEN Le prix unitaire d'un bien en dollars à l'instant t (mesuré en semaines) est donné par la fonction $p = 8 + 4e^{-2t} + te^{-2t}$.

a. Quel est le prix initial du bien?

b. Quel est le taux de variation du prix en $t = 0$?

c. Calculez le prix à l'équilibre du bien.

Suggestion: Il faut calculer $\lim_{t \to \infty} p$, sachant que $\lim_{t \to \infty} te^{-2t} = 0$.

51. CONCENTRATION D'UN MÉDICAMENT DANS LE SANG La concentration d'un médicament dans le sang t s après son injection dans un muscle est exprimée par la fonction

$$y = c(e^{-bt} - e^{-at}) \qquad \text{(pour } t \geq 0\text{)}$$

où a, b et c sont des constantes positives et $a > b$.

a. Trouvez à quel moment la concentration est maximale.

b. Trouvez à quel moment la concentration du médicament dans le sang décroît le plus rapidement.

52-55 Dites si l'énoncé est vrai ou faux. S'il est vrai, dites pourquoi. S'il est faux, trouvez un contre-exemple.

52. Si $f(x) = 3^x$, alors $f'(x) = x \cdot 3^{x-1}$.

53. Si $f(x) = e^{\pi}$, alors $f'(x) = e^{\pi}$.

54. Si $f(x) = \pi^x$, alors $f'(x) = \pi^x$.

55. Si $x^2 + e^y = 10$, alors $y' = \dfrac{-2x}{e^y}$.

SOLUTIONS DES EXERCICES D'AUTOÉVALUATION 5.4

1. a. Selon la règle de la dérivée du produit de deux fonctions, nous obtenons

$$f'(x) = \frac{d}{dx}(x)\, e^{-x} + x\, \frac{d}{dx}\, e^{-x}$$

$$= e^{-x} - xe^{-x} = (1 - x)e^{-x}$$

Nous utilisons de nouveau la règle de la dérivée du produit de deux fonctions, pour obtenir

$$f''(x) = \frac{d}{dx}(1 - x)\, e^{-x} + (1 - x)\, \frac{d}{dx}\, e^{-x}$$

$$= (-1)e^{-x} + (1 - x)(-e^{-x})$$

$$= -e^{-x} - e^{-x} + xe^{-x} = (x - 2)e^{-x}$$

b. On pose $f'(x) = 0$, d'où

$$(1 - x)e^{-x} = 0$$

Comme $e^{-x} \neq 0$, on a $1 - x = 0$ et $x = 1$ est le seul point critique de f. Selon le diagramme de signes de f' représenté ci-après, le point $(1, e^{-1})$ est un maximum relatif de f.

c. On pose $f''(x) = 0$, de sorte que $x - 2 = 0$ et que la seule possibilité de point d'inflexion de la fonction f est $x = 2$. Le diagramme de signes de f'', représenté ci-après, montre bien que $(2, 2e^{-2})$ est un point d'inflexion de f.

2. Le taux de variation de la valeur comptable de la machinerie dans t année est

$$V'(t) = 50\,000\, \frac{d}{dt}\, e^{-0,4t}$$

$$= 50\,000(-0,4)e^{-0,4t} = -20\,000e^{-0,4t}$$

Par conséquent, le taux de variation dans 3 ans sera

$$V'(3) = -20\,000e^{-0,4(3)} = -20\,000e^{-1,2} \approx -6023,88$$

et, à ce moment, la machinerie subira une dépréciation de 6024 \$ par année.

5.5 Dérivée des fonctions logarithmes

Dérivée de la fonction ln x

Nous étudions maintenant la dérivée de la fonction logarithme naturel.

> **3ᵉ règle: Dérivée de la fonction ln x**
>
> $$\frac{d}{dx} \ln |x| = \frac{1}{x} \qquad (\text{pour } x \neq 0)$$

Pour justifier cette troisième règle, supposons d'abord $x > 0$ et récrivons l'expression $f(x) = \ln x$ sous la forme équivalente

$$x = e^{f(x)}$$

Dérivons ensuite chaque membre de l'équation par rapport à x, d'où

$$1 = e^{f(x)} \cdot f'(x) \qquad \text{Dérivée des fonctions composées}$$

et

$$f'(x) = \frac{1}{e^{f(x)}}$$

Or, puisque $e^{f(x)} = x$, nous obtenons finalement

$$f'(x) = \frac{1}{x}$$

La démonstration de la règle pour $x < 0$ vous est suggérée à titre d'exercice (p. 345, exercice 59).

EXEMPLE 1 Calculez la dérivée des fonctions suivantes :

a. $f(x) = x \ln x$ **b.** $g(x) = \dfrac{\ln x}{x}$

Solution

a. Selon la règle de la dérivée du produit de deux fonctions,

$$f'(x) = \frac{d}{dx}(x \ln x) = \frac{d}{dx}(x)(\ln x) + x \frac{d}{dx}(\ln x)$$

$$= \ln x + x\left(\frac{1}{x}\right) = \ln x + 1$$

b. Selon la règle de la dérivée du quotient de deux fonctions,

$$g'(x) = \frac{\dfrac{d}{dx}(\ln x)\, x - (\ln x)\dfrac{d}{dx}(x)}{x^2} = \frac{\left(\dfrac{1}{x}\right)x - \ln x}{x^2} = \frac{1 - \ln x}{x^2}$$

TRAVAIL EN ÉQUIPE

La règle de dérivation de la fonction $f(x) = \ln x$ peut aussi s'obtenir directement de la définition de la dérivée. Voici comment.

1. Démontrez d'abord que

$$f'(x) = \lim_{h \to 0} \frac{f(x + h) - f(x)}{h} = \lim_{h \to 0} \ln\left(1 + \frac{h}{x}\right)^{1/h}$$

2. Posez $m = x/h$; vous aurez $m \to \infty$ lorsque $h \to 0$. Montrez que $f'(x)$ peut se récrire sous la forme

$$f'(x) = \lim_{m \to \infty} \ln\left(1 + \frac{1}{m}\right)^{m/x}$$

3. Finalement, utilisez la propriété de continuité de la fonction logarithme naturel, de même que la définition du nombre e, pour conclure que

$$f'(x) = \frac{1}{x} \ln\left[\lim_{m \to \infty}\left(1 + \frac{1}{m}\right)^{m}\right] = \frac{1}{x}$$

▢ Dérivée des fonctions composées

Nous faisons de nouveau appel à la technique de dérivation des fonctions composées pour étendre l'ensemble des fonctions logarithmes à dériver aux fonctions de forme $h(x) = \ln f(x)$, où $f(x)$ est une fonction dérivable et positive.

4ᵉ règle : Dérivée d'une fonction logarithme de forme $h(x) = \ln f(x)$

Soit $f(x)$ une fonction dérivable et positive. Alors

$$\frac{d}{dx}[\ln f(x)] = \frac{f'(x)}{f(x)}$$

Pour justifier cette quatrième règle, il suffit d'observer que $h(x) = g[f(x)]$, où $g(x) = \ln x$ et $x > 0$. Puisque $g'(x) = 1/x$, on obtient, selon la règle de dérivation des fonctions composées,

$$h'(x) = g'(f(x))f'(x)$$
$$= \frac{1}{f(x)}f'(x) = \frac{f'(x)}{f(x)}$$

EXEMPLE 2   Calculez la dérivée de la fonction $f(x) = \ln(x^2 + 1)$.

Solution   Selon la quatrième règle, nous obtenons directement

$$f'(x) = \frac{\dfrac{d}{dx}(x^2 + 1)}{x^2 + 1} = \frac{2x}{x^2 + 1}$$

Pour dériver une fonction comportant des logarithmes, il est parfois avantageux d'utiliser les lois des logarithmes avant de dériver, comme le montre l'exemple suivant.

EXEMPLE 3   Calculez la dérivée de la fonction $g(t) = \ln(t^2 e^{-t^2})$.

Solution

On récrit d'abord la fonction sous une forme équivalente, en utilisant les propriétés des logarithmes. Ainsi,

$$g(t) = \ln(t^2 e^{-t^2})$$
$$= \ln t^2 + \ln e^{-t^2} \qquad \ln mn = \ln m + \ln n$$
$$= 2 \ln t - t^2 \qquad \ln m^n = n \ln m \quad \text{et} \quad \ln e = 1$$

Il ne reste plus qu'à dériver cette dernière expression, pour obtenir

$$g'(t) = \frac{2}{t} - 2t = \frac{2(1 - t^2)}{t}$$

TECHNOLOGIE ET INTUITION

À l'aide d'une calculatrice graphique, tracez les courbes de la fonction $f(x) = \ln x$, de sa dérivée première $f'(x) = 1/x$ et de sa dérivée seconde $f''(x) = -1/x^2$ dans la fenêtre $[0, 4] \times [-3, 3]$.

1. Décrivez les propriétés de la fonction f révélées par le graphique de sa dérivée première $f'(x)$. Quelles observations peut-on faire au sujet du taux de variation de f lorsque x devient grand ?

2. Décrivez les propriétés de la fonction f révélées par le graphique de sa dérivée seconde $f''(x)$. Quelles observations peut-on faire au sujet de la concavité de f lorsque x devient grand ?

⬜ Dérivation logarithmique

Comme nous l'avons vu à l'exemple 3, nous pouvons simplifier le processus de dérivation d'une fonction logarithme en y appliquant d'abord les lois des logarithmes. Voici maintenant une technique de dérivation, la **dérivation logarithmique**, que l'on pourra utiliser tantôt pour simplifier les calculs de dérivée de fonctions comportant des produits, des quotients ou des puissances de fonctions, tantôt pour calculer les dérivées d'une classe de fonctions, les fonctions de forme $h(x) = f(x)^{g(x)}$, que nos méthodes actuelles ne nous permettent pas de dériver.

EXEMPLE 4

Dérivez la fonction $y = x^2(x - 1)(x^2 + 4)^3$.

Solution

On prend d'abord le logarithme naturel des deux membres de l'équation :

$$\ln y = \ln [x^2(x - 1)(x^2 + 4)^3]$$

On utilise ensuite les lois des logarithmes pour décomposer le membre de droite :

$$\ln y = \ln x^2 + \ln(x - 1) + \ln(x^2 + 4)^3$$
$$= 2 \ln x + \ln(x - 1) + 3 \ln(x^2 + 4)$$

Puis on dérive les deux membres de l'équation par rapport à x, obtenant ainsi

$$\frac{d}{dx} \ln y = \frac{2}{x} + \frac{1}{x - 1} + 3 \cdot \frac{2x}{x^2 + 4} \qquad \text{4}^\text{e} \text{ règle}$$

Puisque, dans le membre de gauche, y est une fonction de x, on peut remplacer y par $f(x)$, de sorte que

$$\frac{d}{dx} \ln y = \frac{d}{dx} \ln[f(x)] \qquad y = f(x)$$
$$= \frac{f'(x)}{f(x)} \qquad \text{4}^\text{e} \text{ règle}$$
$$= \frac{y'}{y} \qquad f(x) = y$$

On obtient ainsi

$$\frac{y'}{y} = \frac{2}{x} + \frac{1}{x - 1} + 3 \cdot \frac{2x}{x^2 + 4}$$

Finalement, on isole y', d'où

$$y' = y\left(\frac{2}{x} + \frac{1}{x - 1} + \frac{6x}{x^2 + 4}\right)$$
$$= x^2(x - 1)(x^2 + 4)^3\left(\frac{2}{x} + \frac{1}{x - 1} + \frac{6x}{x^2 + 4}\right)$$

Voici, sous forme résumée, les étapes de la dérivation logarithmique.

> **Dérivation logarithmique**
>
> **1.** Prendre le logarithme naturel des deux membres de l'équation et utiliser les propriétés des logarithmes pour décomposer les «expressions compliquées».
> **2.** Dériver les deux membres de l'équation par rapport à x.
> **3.** Isoler $\dfrac{dy}{dx}$ dans l'équation résultante.

EXEMPLE 5   Trouvez la dérivée de la fonction $f(x) = x^x$ (pour $x > 0$).

Solution

Attention! La fonction $f(x) = x^x$ est ni une fonction puissance, ni une fonction exponentielle. Il est donc indispensable ici de procéder par dérivation logarithmique. On prend le logarithme naturel des deux membres de l'équation :

$$\ln f(x) = \ln x^x = x \ln x$$

puis on dérive les deux membres par rapport à x :

$$\frac{f'(x)}{f(x)} = \frac{d}{dx}(x) \ln x + x \frac{d}{dx} \ln x$$

$$= \ln x + x\left(\frac{1}{x}\right)$$

$$= \ln x + 1$$

Par conséquent,

$$f'(x) = f(x)(\ln x + 1) = x^x(\ln x + 1)$$

TECHNOLOGIE ET INTUITION

Reportez-vous à l'exemple 5.

1. À l'aide d'une calculatrice graphique, tracez la courbe de $f(x) = x^x$ dans la fenêtre $[0, 2] \times [0, 2]$. Utilisez les menus ZOOM et TRACE pour montrer que

$$\lim_{x \to 0^+} f(x) = 1$$

2. En utilisant les résultats de la partie **1** et de l'exemple 5, montrez que $\lim\limits_{x \to 0^+} f'(x) = -\infty$.

◼ EXERCICES D'AUTOÉVALUATION **5.5**

Les solutions des exercices d'autoévaluation 5.5 se trouvent à la page 345.

1. Trouvez une équation de la tangente au graphique de la fonction $f(x) = x \ln(2x + 3)$ au point $(-1, 0)$.

2. Soit $y = (2x + 1)^3(3x + 4)^5$. Calculez y' par dérivation logarithmique.

◼ **5.5** EXERCICES

1–30 **Calculez la dérivée de la fonction donnée.**

1. $f(x) = 5 \ln x$

2. $f(x) = \ln 5x$

3. $f(x) = \ln(x + 1)$

4. $g(x) = \ln(2x + 1)$

5. $f(x) = \ln x^8$

6. $h(t) = 2 \ln t^5$

7. $f(x) = \ln \sqrt{x}$

8. $f(x) = \ln(\sqrt{x} + 1)$

9. $f(x) = \ln \dfrac{1}{x^2}$

10. $f(x) = \ln \dfrac{1}{2x^3}$

11. $f(x) = \ln \dfrac{2x}{x + 1}$

12. $f(x) = \ln \dfrac{x + 1}{x - 1}$

13. $f(x) = x^2 \ln x$

14. $f(x) = 3x^2 \ln 2x$

15. $f(x) = \dfrac{2 \ln x}{x}$

16. $f(x) = \dfrac{3 \ln x}{x^2}$

17. $f(u) = \ln(u - 2)^3$

18. $f(x) = \ln(x^3 - 3)^4$

19. $f(x) = \sqrt{\ln x}$

20. $f(x) = \sqrt{\ln x + x}$

21. $f(x) = (\ln x)^3$

22. $f(x) = 2(\ln x)^{3/2}$

23. $f(x) = \ln(x^3 + 1)$

24. $f(x) = \ln\sqrt{x^2 - 4}$

25. $f(x) = e^x \ln x$

26. $f(x) = e^x \ln\sqrt{x + 3}$

27. $f(t) = e^{2t} \ln(t + 1)$

28. $g(t) = t^2 \ln(e^{2t} + 1)$

29. $f(x) = \dfrac{\ln x}{x}$

30. $g(t) = \dfrac{t}{\ln t}$

31–34 **Trouvez la dérivée seconde de la fonction.**

31. $f(x) = \ln 2x$

32. $f(x) = \ln(x + 5)$

33. $f(x) = \ln(x^2 + 2)$

34. $f(x) = (\ln x)^2$

35–42 **Calculez la dérivée de la fonction au moyen de la technique de dérivation logarithmique.**

35. $y = (3x + 2)^4 (5x - 1)^2$

36. $y = (x - 1)^2 (x + 1)^3 (x + 3)^4$

37. $y = \sqrt{3x + 5}(2x - 3)^4$ **38.** $y = \dfrac{(2x^2 - 1)^5}{\sqrt{x + 1}}$

39. $y = 3^x$

40. $y = x^{x+2}$

41. $y = (x^2 + 1)^x$

42. $y = x^{\ln x}$

43. Trouvez une équation de la tangente au graphique de la fonction $y = x \ln x$ au point $(1, 0)$.

44. Trouvez une équation de la tangente au graphique de la fonction $y = \ln x^2$ au point $(2, \ln 4)$.

45. Trouvez les intervalles de croissance et de décroissance de la fonction $f(x) = \ln x^2$.

46. Trouvez les intervalles de croissance et de décroissance de la fonction $f(x) = \dfrac{\ln x}{x}$.

47. Étudiez la concavité de la fonction $f(x) = x^2 + \ln x^2$.

48. Étudiez la concavité de la fonction $f(x) = \dfrac{\ln x}{x}$.

49. Trouvez les points d'inflexion de la fonction $f(x) = \ln(x^2 + 1)$.

50. Trouvez les points d'inflexion de la fonction $f(x) = x^2 \ln x$.

51. Trouvez les extremums absolus de la fonction $f(x) = x - \ln x$ sur l'intervalle $\left[\frac{1}{2}, 3\right]$.

52. Trouvez les extremums absolus de la fonction $g(x) = \dfrac{x}{\ln x}$ sur l'intervalle $[2, 5]$.

53. **CROISSANCE DE YAHOO! EN EUROPE** L'entreprise Yahoo! étend ses activités en Europe de l'Ouest, où le nombre de ménages en ligne ne cesse de s'accroître. Selon une étude menée en 2004, le nombre (en millions) de ménages en ligne en Europe de l'Ouest entre 2004 et 2006 peut être modélisé par la fonction

$$N(t) = 34{,}68 + 23{,}88 \ln(1{,}05t + 5{,}3)$$
$$\text{(pour } 0 \le t \le 2)$$

où $t = 0$ correspond au début de 2004.

a. Combien y avait-il de ménages en ligne en Europe de l'Ouest au début de 2005 ?

b. Quel était le taux de croissance du nombre de ménages en ligne en Europe de l'Ouest au début de 2005 ?

Source: Institut de recherche Jupiter

54. **PUISSANCE DES TREMBLEMENTS DE TERRE** Sur l'échelle de Richter, on mesure la magnitude R d'un tremblement de terre au moyen de la formule

$$R = \log \dfrac{I}{I_0}$$

où I est une mesure d'intensité liée à l'amplitude maximale des ondes du tremblement de terre et I_0 représente une intensité de référence.

a. Trouvez la magnitude d'un tremblement de terre dont l'intensité est 1 million de fois supérieure à I_0.

b. La magnitude d'un tremblement de terre a été établie à 6 sur l'échelle de Richter, avec une erreur relative maximale de 2 %. À l'aide des différentielles, calculez l'erreur maximale commise sur la mesure de l'intensité du tremblement de terre.

Suggestion : Montrez que $I = I_0 10^R$ et utilisez la technique de dérivation logarithmique.

55. **LOI DE WEBER–FECHNER** Selon la loi de Weber-Fechner, qui décrit la perception humaine à un stimulus, la sensation varie comme le logarithme de l'excitation. Formulé mathématiquement, l'énoncé prend la forme

$$R = k \ln \frac{S}{S_0}$$

où k est une constante positive, S représente un stimulus et R, la réaction. La constante positive S_0 désigne le seuil de perception.

a. Montrez que pour un stimulus au seuil de perception S_0, la réaction R est nulle.

b. La dérivée dR/dS est la *sensibilité* qui correspond au niveau de stimulation S : elle mesure la capacité de détecter de petites variations de stimulus. Montrez que dR/dS est inversement proportionnelle à S et interprétez votre résultat dans le contexte.

56–57 Tracez le graphique de la fonction, en utilisant la marche à suivre exposée à la section 4.3.

56. $f(x) = 2x - \ln x$ **57.** $f(x) = \ln(x - 1)$

58–59 Dites si l'énoncé est vrai ou faux. S'il est vrai, dites pourquoi. S'il est faux, trouvez un contre-exemple.

58. Si $f(x) = \ln 5$, alors $f'(x) = \dfrac{1}{5}$.

59. Si $f(x) = \ln a^x$, alors $f'(x) = \ln a$.

60. Démontrez que $\dfrac{d}{dx} \ln|x| = \dfrac{1}{x}$ pour $x < 0$.

61. Au moyen de la définition de la dérivée, démontrez que

$$\lim_{x \to 0} \frac{\ln(x + 1)}{x} = 1$$

◪ SOLUTIONS DES EXERCICES D'AUTOÉVALUATION 5.5

1. La pente de la tangente à la courbe de f en un point quelconque $(x, f(x))$ de la courbe est obtenue en calculant $f'(x)$. Selon la règle de la dérivée du produit de deux fonctions,

$$f'(x) = \frac{d}{dx}[x \ln(2x + 3)]$$

$$= \frac{d}{dx}(x) \cdot \ln(2x + 3) + x \frac{d}{dx} \ln(2x + 3)$$

$$= 1 \cdot \ln(2x + 3) + x\left(\frac{2}{2x + 3}\right)$$

$$= \ln(2x + 3) + \frac{2x}{2x + 3}$$

En particulier, la pente de la tangente à la courbe de f au point $(-1, 0)$ est donnée par

$$f'(-1) = \ln 1 + \frac{-2}{-2 + 3} = -2$$

En appliquant la forme point-pente de l'équation d'une droite, on obtient

$$y - 0 = -2(x + 1)$$
$$y = -2x - 2$$

2. On prend le logarithme des deux membres de l'équation, de sorte que

$$\ln y = \ln[(2x + 1)^3(3x + 4)^5]$$
$$= \ln(2x + 1)^3 + \ln(3x + 4)^5$$
$$= 3 \ln(2x + 1) + 5 \ln(3x + 4)$$

On dérive ensuite les deux membres de l'équation par rapport à x et, puisque y est une fonction de x, on obtient

$$\frac{d}{dx}(\ln y) = \frac{y'}{y} = 3 \cdot \frac{2}{2x + 1} + 5 \cdot \frac{3}{3x + 4}$$

$$= 3\left(\frac{2}{2x + 1} + \frac{5}{3x + 4}\right)$$

d'où

$$y' = 3(2x + 1)^3(3x + 4)^5\left(\frac{2}{2x + 1} + \frac{5}{3x + 4}\right)$$

5.6 Modélisation à l'aide de fonctions exponentielles

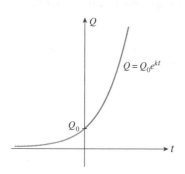

FIGURE 5.13
Croissance exponentielle

☐ Croissance exponentielle

De nombreuses applications concrètes sont décrites mathématiquement au moyen de fonctions exponentielles ou de fonctions qui y sont apparentées. Nous allons, dans la présente section, traiter des applications des fonctions exponentielles au domaine des sciences biologiques et des sciences sociales.

À la section 5.1, nous avons vu que la fonction $f(x) = b^x$, où $b > 1$, est une fonction croissante. C'est le cas, en particulier, de la fonction $f(x) = e^x$. Il en résulte que la fonction $Q(t) = Q_0 e^{kt}$, où Q_0 et k sont des constantes positives, possède les deux propriétés suivantes :

1. $Q(0) = Q_0$
2. $Q(t)$ croît de plus en plus rapidement au fur et à mesure que t croît (Voir la figure 5.13. Remarquez que nous avons tracé la partie de la courbe correspondant à des valeurs négatives de t au moyen d'un trait plus pâle puisque, en pratique, le domaine est habituellement restreint à l'intervalle $[0, \infty[$.

La propriété 1 est immédiate, puisque

$$Q(0) = Q_0 e^0 = Q_0$$

Par ailleurs, nous pouvons examiner le taux de variation de la fonction $Q(t)$ en calculant sa dérivée par rapport à t. Ainsi

$$\begin{aligned} Q'(t) &= \frac{d}{dt}(Q_0 e^{kt}) \\ &= Q_0 \frac{d}{dt}(e^{kt}) \\ &= k Q_0 e^{kt} \\ &= k Q(t) \end{aligned} \qquad \textbf{(12)}$$

Comme $Q(t) > 0$ (en effet, Q_0 est une constante positive par hypothèse) et que $k > 0$, il s'ensuit que $Q'(t) > 0$, de sorte que $Q(t)$ est une fonction croissante de t. Mais le calcul de $Q'(t)$ est encore plus révélateur puisque l'équation (12) indique que le taux de variation $Q'(t)$ est directement proportionnel à la valeur de $Q(t)$ à l'instant t. Il en découle que lorsque $Q(t)$ croît, le *taux de variation* de $Q(t)$ croît également, ce qui se traduit par une croissance de plus en plus rapide de $Q(t)$ lorsque t prend des valeurs de plus en plus grandes.

Ainsi, la fonction exponentielle

$$Q(t) = Q_0 e^{kt} \qquad (\text{pour } 0 \leq t < \infty) \qquad \textbf{(13)}$$

décrit le modèle mathématique d'une quantité Q dont la valeur initiale est $Q(0) = Q_0$ et dont le taux de variation à tout instant t est directement proportionnel à la quantité présente à cet instant. On dit qu'une telle quantité présente un modèle de **croissance exponentielle** et la constante k s'appelle la **constante de croissance**. Par exemple, la valeur acquise d'une somme placée à capitalisation continue est un modèle de croissance exponentielle. En voici d'autres exemples.

<table>
<tr><td>EXEMPLE I</td></tr>
</table>

Croissance d'une population de bactéries Dans des conditions idéales d'expérimentation, le nombre de bactéries d'une culture croît selon le modèle $Q(t) = Q_0 e^{kt}$, où Q_0 désigne le nombre de bactéries initialement présentes, k est une constante qui dépend de la souche de bactéries et t désigne le temps écoulé, mesuré en heures. Supposons qu'une culture comporte 10 000 bactéries initialement et 60 000 bactéries 2 heures plus tard.

a. Combien de bactéries y aura-t-il dans la culture après 4 heures ?

b. Quel sera le taux de croissance de la population après 4 heures ?

Solution

a. Nous savons que $Q(0) = Q_0 = 10\,000$, de sorte que $Q(t) = 10\,000 e^{kt}$. De plus, la population comporte 60 000 bactéries après 2 heures, d'où $Q(2) = 60\,000$. Ainsi,

$$60\,000 = 10\,000 e^{2k}$$
$$e^{2k} = 6$$

En prenant le logarithme naturel des deux membres de l'équation, on obtient

$$\ln e^{2k} = \ln 6$$
$$2k = \ln 6 \qquad \text{Puisque } \ln e = 1$$
$$k \approx 0{,}8959$$

et le nombre de bactéries à l'instant t est donné par la fonction

$$Q(t) = 10\,000 e^{0{,}8959 t}$$

En particulier, le nombre de bactéries dans la culture après 4 h est de

$$Q(4) = 10\,000 e^{0{,}8959(4)}$$
$$= 360\,029$$

b. Le taux de croissance de la population de bactéries à l'instant t est

$$Q'(t) = kQ(t)$$

Selon les résultats obtenus en **a**, le taux de croissance de la population après 4 h est de

$$Q'(4) = kQ(4)$$
$$\approx (0{,}8959)(360\,029)$$
$$\approx 322\,550$$

soit approximativement 322 550 bactéries par heure.

▢ Décroissance exponentielle

À l'opposé de la croissance exponentielle, la **décroissance exponentielle** désigne la situation d'une quantité qui *décroît* à un taux directement proportionnel à sa valeur. Le modèle qui convient à cette situation est la fonction exponentielle

$$Q(t) = Q_0 e^{-kt} \qquad \text{(pour } 0 \le t < \infty) \tag{14}$$

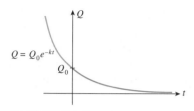

FIGURE 5.14
Décroissance exponentielle

où la constante positive Q_0 désigne la valeur initiale de Q et k est une constante positive appropriée, désignée sous le nom de **constante de décroissance**. Le choix de cette constante dépend de la nature de la substance considérée. (Voir la figure 5.14.)

Les propriétés du modèle de décroissance exponentielle s'obtiennent en calculant $Q(0)$ et $Q'(t)$. Ainsi,

$$Q(0) = Q_0 e^0 = Q_0$$

$$Q'(t) = \frac{d}{dt}(Q_0 e^{-kt})$$

$$= Q_0 \frac{d}{dt}(e^{-kt})$$

$$= -kQ_0 e^{-kt} = -kQ(t)$$

EXEMPLE 2

Désintégration radioactive Les substances radioactives décroissent exponentiellement. Par exemple, la quantité de radium présente à l'instant t suit le modèle $Q(t) = Q_0 e^{-kt}$, où Q_0 est la quantité initiale et k est une constante positive appropriée. On désigne sous le nom de **demi-vie d'une substance radioactive** le temps que met la substance pour diminuer de moitié. Ainsi, la demi-vie du radium est approximativement de 1600 ans. Supposons qu'initialement il y ait 200 milligrammes de radium pur. Calculez combien il reste de radium après t années. Combien en reste-t-il après 800 ans?

Solution

Il y a initialement 200 mg de radium, d'où $Q(0) = Q_0 = 200$ et $Q(t) = 200 e^{-kt}$. De plus, puisque la demi-vie du radium est 1600 ans, $Q(1600) = 100$, de sorte que

$$100 = 200 e^{-1600k}$$

$$e^{-1600k} = \frac{1}{2}$$

En prenant le logarithme naturel des deux membres de l'équation, on obtient

$$-1600k \ln e = \ln \frac{1}{2}$$

$$-1600k = \ln \frac{1}{2} \qquad \text{Puisque } \ln e = 1$$

$$k = -\frac{1}{1600} \ln \left(\frac{1}{2}\right) = 0{,}0004332$$

et la quantité de radium présente après t années est donnée par la fonction

$$Q(t) = 200 e^{-0{,}0004332t}$$

En particulier, la quantité de radium présente après 800 ans est

$$Q(800) = 200 e^{-0{,}0004332(800)} \approx 141{,}42$$

soit approximativement 141 mg.

⬜ Courbes d'apprentissage

Les fonctions exponentielles servent également à modéliser certaines formes d'apprentissage. Par exemple, soit la fonction

$$Q(t) = C - Ae^{-kt}$$

où C, A et k sont des constantes positives. Nous pouvons obtenir l'allure générale du graphique de cette fonction en faisant ressortir quelques-unes de ses propriétés. Ainsi, la courbe coupe l'axe des y en $Q(0) = C - A$. Ensuite, puisque

$$Q'(t) = kAe^{-kt}$$

et

$$Q''(t) = -k^2Ae^{-kt}$$

et que, de plus, k et A sont des constantes positives, il s'ensuit que $Q'(t) > 0$ et que $Q''(t) < 0$ pour tout t, de sorte que $Q(t)$ est une fonction croissante et concave vers le bas. Finalement,

$$\lim_{t \to \infty} Q(t) = \lim_{t \to \infty} (C - Ae^{-kt})$$
$$= \lim_{t \to \infty} C - \lim_{t \to \infty} Ae^{-kt}$$
$$= C$$

d'où l'on déduit que la droite $y = C$ est une asymptote horizontale de la fonction Q. Ainsi, $Q(t)$ est partout croissante et concave vers le bas, et elle s'approche de C lorsque t prend des valeurs de plus en plus grandes. Ces propriétés se traduisent par le graphique représenté à la figure 5.15.

On remarque que $Q(t)$ croît rapidement au début, puis de plus en plus lentement. Notre observation est d'ailleurs confirmée par le calcul

$$\lim_{t \to \infty} Q'(t) = \lim_{t \to \infty} kAe^{-kt} = 0$$

L'allure du graphique de la fonction Q correspond d'assez près à la courbe d'apprentissage de travailleurs ayant à réaliser des tâches répétitives. Par exemple, la productivité d'un travailleur sur une chaîne de montage augmente très rapidement au cours des premiers stades de sa formation, puis de plus en plus lentement, pour finalement s'approcher d'un maximum qui dépend à la fois de la limite des capacités du travailleur et de celle de la machine. C'est en raison de cette similitude qu'on désigne souvent le graphique de fonction $Q(t) = C - Ae^{-kt}$ sous le nom de **courbe d'apprentissage**.

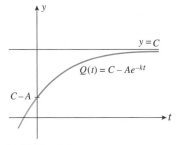

FIGURE 5.15
Exemple de courbe d'apprentissage

EXEMPLE 3

Temps d'assemblage Une entreprise de produits électroniques produit un éventail d'appareils photo numériques. Le service des ressources humaines de l'entreprise a déterminé qu'un nouvel employé ayant reçu une formation de base peut assembler

$$Q(t) = 50 - 30e^{-0,5t}$$

appareils de modèle F par jour, t mois après avoir débuté son travail sur la chaîne de montage.

a. Combien d'appareils de ce modèle un nouvel employé peut-il assembler par jour immédiatement après sa formation ?

b. Combien d'appareils de ce modèle un employé peut-il assembler par jour au bout de 1 mois d'expérience ? De 2 mois ? De 6 mois ?

c. Combien d'appareils de ce modèle un employé expérimenté moyen peut-il assembler par jour ?

Solution

a. Le nombre d'appareils de modèle F assemblés chaque jour par un nouvel employé est de

$$Q(0) = 50 - 30 = 20$$

b. Le nombre d'appareils de modèle F assemblés chaque jour par des employés ayant respectivement 1 mois, 2 mois et 6 mois d'expérience est

$$Q(1) = 50 - 30e^{-0,5} \approx 31,80$$
$$Q(2) = 50 - 30e^{-1} \approx 38,96$$
$$Q(6) = 50 - 30e^{-3} \approx 48,51$$

soit approximativement 32, 39 et 49, respectivement.

c. Lorsque t devient de plus en plus grand, $Q(t)$ tend vers 50. Par conséquent, on peut s'attendre à ce qu'un employé expérimenté moyen assemble 50 appareils photo de modèle F par jour.

On peut trouver d'autres applications de la courbe d'apprentissage dans des modèles décrivant la diffusion de l'information sur un nouveau produit ou encore la vitesse d'un objet tombant dans un fluide visqueux.

Fonctions de croissance logistique

Nous terminons cette section consacrée aux applications des fonctions exponentielles à des phénomènes naturels par l'étude des **courbes logistiques** (aussi désignées sous le nom de **courbes sigmoïdes**), qui sont les représentations graphiques de la fonction

$$Q(t) = \frac{A}{1 + Be^{-kt}}$$

où A, B et k sont des constantes positives. La fonction Q s'appelle **fonction de croissance logistique** et son graphique est représenté à la figure 5.16.

On remarque que $Q(t)$ croît rapidement lorsque t est petit. De ce point de vue, la courbe logistique ressemble à une courbe de croissance exponentielle pour de petites valeurs de t. Cependant, le *taux de variation* de $Q(t)$ diminue très rapidement lorsque t augmente et $Q(t)$ tend vers le nombre A lorsque t devient de plus en plus grand.

Ainsi, la courbe logistique présente à la fois la caractéristique de croissance rapide de la courbe de croissance exponentielle et la caractéristique de « saturation » de la courbe d'apprentissage. En raison de ces propriétés, la courbe logistique se

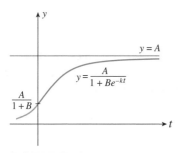

FIGURE 5.16
Exemple de courbe logistique

révèle le modèle mathématique approprié pour décrire bon nombre de phénomènes naturels. Par exemple, si on emportait quelques lapins sur un îlot du Pacifique pour en faire l'élevage, la population connaîtrait d'abord une croissance rapide, mais le taux de croissance diminuerait ensuite en raison de divers facteurs environnementaux comme le manque d'espace ou la pénurie d'aliments. La population finirait par se stabiliser à un niveau compatible avec la survie de l'espèce. Enfin, d'autres situations comme la propagation d'une rumeur ou d'une épidémie peuvent aussi être modélisées par la courbe logistique.

EXEMPLE 4

Propagation de la grippe Le nombre total d'élèves d'une école primaire de l'Estrie atteints du virus de la grippe l'hiver dernier était modélisé par la fonction logistique

$$Q(t) = \frac{500}{1 + 490e^{-kt}}$$

où t représente le nombre de jours écoulés depuis l'apparition du premier cas. Si 10 élèves avaient la grippe le 7e jour, combien d'élèves étaient touchés par le virus le 15e jour?

Solution

Selon les données du problème,

$$Q(7) = 10 \quad \text{et} \quad Q(7) = \frac{500}{1 + 490e^{-7k}} = 10$$

Ainsi,

$$10(1 + 490^{-7k}) = 500$$

$$1 + 490^{-7k} = \frac{500}{10} = 50$$

$$e^{-7k} = \frac{49}{490}$$

$$-7k = \ln\frac{49}{490}$$

$$k = -\frac{\ln\dfrac{49}{490}}{7} \approx 0{,}33$$

Par conséquent, le nombre d'élèves atteints de la grippe après t jours est donné par

$$Q(t) = \frac{500}{1 + 490e^{-0{,}33t}}$$

En particulier, le nombre d'élèves atteints de la grippe le 15e jour était

$$Q(15) = \frac{500}{1 + 490e^{-15(0{,}33)}}$$

$$\approx 112$$

ou approximativement 112 élèves.

TECHNOLOGIE ET INTUITION

Reportez-vous à l'exemple 4.

1. À l'aide d'une calculatrice graphique, tracez la courbe de la fonction Q dans la fenêtre $[0, 40] \times [0, 500]$.

2. Trouvez après combien de jours l'épidémie aura touché 225 élèves.

Suggestion : Tracez les graphiques de $y_1 = Q(t)$ et $y_2 = 225$ et trouvez le point d'intersection des deux graphiques.

EXERCICE D'AUTOÉVALUATION 5.6

On suppose que la population (en millions) d'un pays à l'année t croît selon le modèle

$$P = \left(P_0 + \frac{I}{k}\right)e^{kt} - \frac{I}{k}$$

où P désigne la population à l'année t, k est une constante reflétant le taux de croissance naturel annuel de la population, I désigne l'immigration nette annuelle (mesurée en millions et supposée constante) et P_0 désigne la population totale du pays à l'année $t = 0$. La population du Canada en 2000 ($t = 0$) était de 30,7 millions. Si le taux de croissance naturel annuel est de 0,8 % ($k = 0,008$) et que l'immigration annuelle nette se maintient à son niveau actuel de 160 000 personnes ($I = 0,16$) jusqu'à l'an 2010, quelle devrait être la population canadienne en 2010 ?

La solution de l'exercice d'autoévaluation 5.6 se trouve à la page 355.

5.6 EXERCICES

1. CROISSANCE EXPONENTIELLE Une quantité $Q(t)$ suit le modèle de croissance exponentielle

$$Q(t) = 400e^{0,05t}$$

où t est mesuré en minutes.

a. Quelle est la constante de croissance ?

b. Quelle est la quantité initiale ?

c. Complétez le tableau des valeurs suivant :

t	0	10	20	100	1000
Q					

2. DÉCROISSANCE EXPONENTIELLE Une quantité $Q(t)$ suit le modèle de décroissance exponentielle

$$Q(t) = 2000e^{-0,06t}$$

où t est mesuré en années.

a. Quelle est la constante de décroissance ?

b. Quelle est la quantité initiale ?

c. Complétez le tableau des valeurs suivant :

t	0	10	20	100	1000
Q					

3. POPULATION MONDIALE Au début de 1990, la population mondiale était de 5,3 milliards. Si on suppose que la population continue de s'accroître au taux actuel d'environ 2 % par an, alors la population mondiale (en milliards) peut s'exprimer en fonction du temps t (en années) selon le modèle $Q(t) = Q_0e^{kt}$, la valeur $t = 0$ correspondant au début de 1990.

a. Trouvez la valeur des constantes Q_0 et k de ce modèle.

b. Utilisez la fonction que vous avez trouvée en **a** pour compléter le tableau des valeurs suivant, puis tracez le graphique de $Q(t)$.

Année	1990	1995	2000	2005
Population mondiale				

Année	2010	2015	2020	2025
Population mondiale				

c. Calculez le taux de croissance estimé de la population en l'an 2005.

4. POPULATION MONDIALE   Reportez-vous à l'exercice 3.

  a. Si la population mondiale continue de s'accroître au taux actuel d'environ 2 % par an, trouvez l'intervalle de temps t_0 requis pour que la population atteigne le triple de sa valeur en 1990.

  b. Au bout de l'intervalle de temps t_0 trouvé en **a**, quelle serait la population mondiale si le taux d'accroissement de population n'était plus que de 1,8 % par an ?

5. VALEUR DE REVENTE   Une entreprise a acheté une pièce de machinerie au montant de 500 000 $ il y a 3 ans. La valeur de revente actuelle est de 320 000 $. En supposant que la valeur de revente de la pièce décroît exponentiellement, combien la pièce vaudra-t-elle dans 4 ans ?

6. RETOMBÉES RADIOACTIVES   Un isotope radioactif du strontium, le strontium 90, fait partie des substances qui retombent dans les basses couches de l'atmosphère après une explosion atomique. Il présente de graves dangers pour la vie animale, incluant la vie humaine, puisque lorsqu'il est ingéré par le biais de nourriture contaminée, il a tendance à se fixer sur les parois osseuses. La demi-vie du strontium est de 27 ans. Si la quantité de strontium 90 dans une région s'élève à quatre fois le niveau admissible, combien d'années faudra-t-il avant que ce niveau admissible ne soit atteint ?

7. COURBES D'APPRENTISSAGE   Un collège privé de secrétariat a évalué que le nombre de mots par minute qu'un étudiant moyen inscrit à un cours de sténographie de 20 semaines peut noter après t semaines de cours suit le modèle

$$Q(t) = 120(1 - e^{-0,05t}) + 60 \qquad \text{(pour } 0 \le t \le 20\text{)}$$

Tracez le graphique de la fonction Q puis répondez aux questions suivantes :

  a. Quelle est la vitesse initiale (en mots/min) d'un étudiant moyen inscrit au cours ?

  b. Quelle est la vitesse d'un étudiant moyen au bout de 10 semaines de formation ?

  c. Quelle est la vitesse d'un étudiant moyen à la fin de la formation ?

8. FIABILITÉ DES PUCES D'ORDINATEURS   La proportion des puces d'ordinateurs de marque Mitel qui sont défectueuses après t années d'utilisation est modélisée par

$$P(t) = 100(1 - e^{-0,1t})$$

où $P(t)$ est mesuré en pour cent.

  a. Selon ce modèle, quel pourcentage des puces Mitel est encore utilisable après 3 ans ?

  b. Calculez $\lim_{t \to \infty} P(t)$ et expliquez pourquoi ce résultat était prévisible.

9. CROISSANCE D'UNE POPULATION DE MOUCHES   À partir de données recueillies en laboratoire, un biologiste a trouvé que la croissance des drosophiles (ou mouches à fruits), dans un environnement où la disponibilité des aliments est limitée, pouvait être approximée par le modèle exponentiel

$$N(t) = \frac{400}{1 + 39e^{-0,16t}}$$

où t désigne le nombre de jours écoulés depuis le début de l'expérience.

  a. Quelle était la population initiale de mouches à fruits ?

  b. À quelle population maximale pouvait-on s'attendre dans les conditions d'expérimentation fixées ?

  c. Quelle était la population de mouches à fruits le 20e jour de l'expérimentation ?

  d. Quel était le taux de variation de la population de mouches à fruits le 20e jour de l'expérimentation ?

10. PROPAGATION D'UNE RUMEUR   Trois cents étudiants d'une université montréalaise ont assisté à la cérémonie d'inauguration d'un nouvel édifice logeant les divers départements de sciences humaines du campus. Le doyen de la faculté a annoncé l'instauration d'un régime de bourses à l'intention des étudiants âgés de plus de 25 ans. Le nombre d'étudiants qui étaient au courant de cette nouvelle après t h est modélisé par la fonction

$$f(t) = \frac{3000}{1 + Be^{-kt}}$$

Si 600 étudiants connaissaient la nouvelle 2 h après la cérémonie, combien d'étudiants étaient au courant après 4 h ? À quelle vitesse la nouvelle se propageait-elle 4 h après la cérémonie ?

11. PRIX D'UN BIEN   Le prix unitaire d'un bien est modélisé par la fonction

$$p = f(t) = 6 + 4e^{-2t}$$

où p est mesuré en dollars et t, en mois.

  a. Démontrez que la fonction f est décroissante sur l'intervalle $]0, \infty[$.

  b. Démontrez que le graphique de la fonction f est concave vers le haut sur l'intervalle $]0, \infty[$.

  c. Calculez $\lim_{t \to \infty} f(t)$. (*Remarque* : Cette valeur est désignée sous le nom de *prix à l'équilibre* du bien et on a alors une situation de *stabilité des prix*).

  d. Tracez le graphique de la fonction f.

(suite à la page 355)

TECHNOLOGIE EN APPLICATION

 Analyse de modèles mathématiques

La calculatrice graphique se révèle un outil important dans l'analyse des modèles mathématiques abordés dans la présente section.

EXEMPLE 1

Ménages dotés d'un four à micro-ondes   Le pourcentage de ménages nord-américains dotés d'un four à micro-ondes a augmenté considérablement depuis 1980. Ainsi, entre 1981 et 1999, ce pourcentage était modélisé par

$$f(t) = \frac{87}{1 + 4{,}209e^{-0{,}3727t}} \qquad \text{(pour } 0 \le t \le 18)$$

où t est mesuré en années, la valeur $t = 0$ correspondant au début de 1981.

a. À l'aide d'une calculatrice graphique, tracez la courbe de f sur l'intervalle [0, 18].

b. Quel pourcentage des ménages nord-américains possédaient un four à micro-ondes au début de 1984 ? Au début de 1994 ?

c. À quel taux le pourcentage de propriétaires de fours à micro-ondes augmentait-il au début de 1984 ? Au début de 1994 ?

d. À quel moment le taux d'accroissement du pourcentage de propriétaires de fours à micro-ondes était-il le plus élevé ?

Source : Agence américaine d'information sur l'énergie

Solution

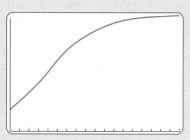

FIGURE T1
Graphique de f dans la fenêtre
[0, 18] × [0, 100]

a. Le graphique de f dans la fenêtre [0, 18] × [0, 100] est représenté à la figure T1.

b. À l'aide de la fonction d'évaluation de la calculatrice, nous obtenons $f(3) \approx 36{,}6$ et $f(13) \approx 84{,}2$, de sorte que 36,6 % des ménages nord-américains possédaient un four à micro-ondes en 1984 et 84,2 % en 1994.

c. L'option de dérivation numérique de la calculatrice nous donne $f'(3) \approx 7{,}9$ et $f'(13) \approx 1{,}0$. Ainsi, le pourcentage de propriétaires de fours à micro-ondes augmentait de 7,9 % par an en 1984 et de 1 % par an en 1994.

d. Le point d'inflexion de la fonction f a pour coordonnées (3,9 ; 43,5). Par conséquent, le taux d'accroissement du pourcentage de propriétaires de fours à micro-ondes était le plus élevé pour $t \approx 3{,}9$, c'est-à-dire vers la fin de 1984.

EXERCICE AVEC LA CALCULATRICE GRAPHIQUE

1. Annuités   Lorsqu'elle prendra sa retraite, Christine prévoit avoir amassé 500 000 $ en REER. En supposant que ce montant sera alors placé dans un compte à capitalisation continue au taux nominal de 5% par année, le comptable de Christine a calculé que si, à partir de sa retraite, elle se prend une rente de x dollars par année (pour $x > 25\,000$), alors elle pourra bénéfier de cette rente pendant T années, où

$$T = f(x) = 20 \ln\left(\frac{x}{x - 25\,000}\right) \qquad \text{(pour } x > 25\,000)$$

a. Tracez le graphique de f dans la fenêtre [25 000, 50 000] × [0, 100].

b. Quelle rente Christine pourra-t-elle se verser chaque année si elle désire que sa rente lui dure 25 ans ?

c. Calculez $\lim\limits_{x \to 25\,000^+} f(x)$ et expliquez pourquoi ce résultat était prévisible.

d. Calculez $\lim\limits_{x \to \infty} f(x)$ et expliquez pourquoi ce résultat était prévisible.

12. COURBE DE CROISSANCE DE GOMPERTZ Soit la fonction

$$Q(t) = Ce^{-Ae^{-kt}}$$

où $Q(t)$ est la taille d'une population à l'instant t et A, C et k sont des constantes positives. Le graphique de cette fonction, appelé *courbe de croissance de Gompertz*, est fréquemment utilisé par les biologistes pour représenter une croissance restreinte de population.

a. Démontrez que la fonction Q est croissante quel que soit t.

b. Trouvez à quel instant t le taux de croissance $Q'(t)$ de la fonction est le plus élevé.

   Suggestion : Trouvez le point d'inflexion de Q.

c. Démontrez que $\lim_{t \to \infty} Q(t) = C$ et interprétez ce résultat dans le contexte.

◰ SOLUTION DE L'EXERCICE D'AUTOÉVALUATION **5.6**

Nous avons $P_0 = 30,7$, $k = 0,008$ et $I = 0,16$, de sorte que

$$P = \left(30,7 + \frac{0,16}{0,008}\right)e^{0,008t} - \frac{0,16}{0,008}$$

$$= 50,7e^{0,008t} - 20$$

Par conséquent, selon le modèle fourni, la population canadienne en 2010 devrait être de

$$P(10) = 50,7e^{0,08} - 20$$

$$\approx 34,92$$

soit approximativement 34,92 millions.

◰ CHAPITRE **5** Résumé des principales formules

FORMULES

1. Fonction exponentielle de base b — $y = b^x$

2. Le nombre e — $e = \lim_{m \to \infty}\left(1 + \frac{1}{m}\right)^m = 2,71828\dots$

3. Fonction exponentielle de base e — $y = e^x$

4. Fonction logarithme de base b — $y = \log_b x$

5. Fonction logarithme de base e — $y = \ln x$

6. Propriétés reliant $\ln x$ et e^x — $\ln e^x = x$ et $e^{\ln x} = x$

7. Intérêt composé (valeur acquise) — $A = P\left(1 + \frac{r}{m}\right)^{mt}$

8. Taux d'intérêt effectif — $r_{\text{eff}} = \left(1 + \frac{r}{m}\right)^m - 1$

9. Intérêt composé (valeur actuelle) — $P = A\left(1 + \frac{r}{m}\right)^{-mt}$

10. Capitalisation continue — $A = Pe^{rt}$

11. Dérivée de la fonction exponentielle de base e — $\dfrac{d}{dx}(e^x) = e^x$

12. Dérivée de e^u où $u = f(x)$ — $\dfrac{d}{dx}(e^u) = e^u \dfrac{du}{dx}$

13. Dérivée de la fonction logarithme de base e — $\dfrac{d}{dx}\ln|x| = \dfrac{1}{x}$

14. Dérivée de $\ln u$ où $u = f(x)$ — $\dfrac{d}{dx}(\ln u) = \dfrac{1}{u}\dfrac{du}{dx}$

CHAPITRE **5** EXERCICES RÉCAPITULATIFS

1. Tracez, sur le même système de coordonnées, les graphiques des deux fonctions exponentielles suivantes :

a. $y = 2^{-x}$ **b.** $y = \left(\dfrac{1}{2}\right)^x$

2. Tracez, sur le même système de coordonnées, les graphiques des deux fonctions exponentielles suivantes :

a. $y = e^{-x}$ **b.** $y = e^x$

3–20 Calculez la dérivée de la fonction donnée.

3. $f(x) = xe^{2x}$

4. $f(t) = \sqrt{te^t + t}$

5. $g(t) = \sqrt{te^{-2t}}$

6. $g(x) = e^x\sqrt{1 + x^2}$

7. $y = \dfrac{e^{2x}}{1 + e^{-2x}}$

8. $f(x) = e^{2x^2 - 1}$

9. $f(x) = xe^{-x^2}$

10. $g(x) = (1 + e^{2x})^{3/2}$

11. $f(x) = x^2 e^x + e^x$

12. $g(t) = t \ln t$

13. $f(x) = \ln(e^{x^2} + 1)$

14. $f(x) = \dfrac{x}{\ln x}$

15. $f(x) = \dfrac{\ln x}{x + 1}$

16. $y = (x + 1)e^x$

17. $y = \ln(e^{4x} + 3)$

18. $f(r) = \dfrac{re^r}{1 + r^2}$

19. $f(x) = \dfrac{\ln x}{1 + e^x}$

20. $g(x) = \dfrac{e^{x^2}}{1 + \ln x}$

21. Calculez la dérivée seconde de la fonction $y = \ln(3x + 1)$.

22. Calculez la dérivée seconde de la fonction $y = x \ln x$.

23. À l'aide de la technique de dérivation logarithmique, calculez la dérivée de la fonction $f(x) = (2x^3 + 1)(x^2 + 2)^3$.

24. À l'aide de la technique de dérivation logarithmique, calculez la dérivée de la fonction $f(x) = \dfrac{x(x^2 - 2)^2}{(x - 1)}$.

25. Trouvez une équation de la tangente au graphique de la fonction $y = e^{-2x}$ au point $(1, e^{-2})$.

26. Trouvez une équation de la tangente au graphique de la fonction $y = xe^{-x}$ au point $(1, e^{-1})$.

27. Tracez le graphique de la fonction $f(x) = xe^{-2x}$ en utilisant la marche à suivre exposée à la section 4.3.

28. Tracez le graphique de la fonction $f(x) = x^2 - \ln x$ en utilisant la marche à suivre exposée à la section 4.3.

29. Trouvez les extremums absolus de la fonction $f(t) = te^{-t}$.

30. Trouvez les extremums absolus de la fonction

$$g(t) = \frac{\ln t}{t}$$

sur l'intervalle $[1, 2]$.

31. **Placement dans l'immobilier** Un groupe d'investisseurs a acheté un hôtel pour 4,5 millions de dollars. Cinq ans plus tard, l'hôtel a été vendu pour 8,2 millions de dollars. Calculez le taux de rendement annuel (à capitalisation continue) de l'investissement.

32. **Valeur actuelle** Calculez la valeur actuelle de 119 346 \$ à recevoir dans 4 ans au taux annuel de 10 % capitalisé continuellement.

33. **Demande de lecteurs de DVD** Le fabricant de lecteurs de DVD Pulsar a établi que la demande mensuelle pour la nouvelle marque de lecteurs MX3 t mois après leur apparition sur le marché était modélisée par la fonction

$$D(t) = 4000 - 3000e^{-0{,}06t} \qquad \text{(pour } t \geq 0\text{)}$$

Tracez la fonction D puis répondez aux questions suivantes :
a. À combien se chiffrait la demande après 1 mois ? Après 1 an ? Après 2 ans ?
b. À quel niveau la demande devrait-elle se stabiliser ?

6 Intégration

VisionQuest Windelectric

Quelle devra être la production totale d'électricité? La consommation d'électricité connaît un taux de croissance exponentielle, d'où l'importance de rechercher des sources d'énergie alternatives. À l'exemple 8, page 391, vous verrez comment on peut calculer les besoins énergétiques d'une municipalité pour les prochaines années.

Le calcul différentiel, comme nous l'avons vu, concerne la recherche du taux de variation d'une quantité par rapport à une autre. Dans ce chapitre, nous abordons brièvement le calcul intégral. Cette branche des mathématiques s'intéresse au problème tout à fait opposé, à savoir: Supposons que nous connaissions le taux de variation d'une quantité par rapport à une autre, est-il possible de trouver la relation entre les deux quantités? L'objet principal du calcul intégral est la *primitive* d'une fonction; nous allons donc présenter quelques-unes des propriétés de la recherche de primitives ou de l'*intégration*. Nous terminerons le chapitre par le théorème fondamental du calcul différentiel et intégral, qui établit le lien entre le calcul différentiel et le calcul intégral.

6.1 Primitives et propriétés de l'intégrale indéfinie

Primitives

Reportons-nous à l'exemple du Maglev se déplaçant sur un monorail (figure 6.1).

FIGURE 6.1
Déplacement du Maglev

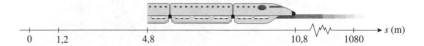

Au chapitre 2, nous avons établi comment trouver la vitesse du Maglev à l'instant t, sa position en n'importe quel instant t étant connue: il suffisait de calculer la dérivée $f'(t)$ de la fonction position $f(t)$.

Nous allons maintenant aborder le problème inverse, à savoir:

Si nous connaissons la vitesse du Maglev à n'importe quel instant t, est-il possible de repérer sa position en tout instant?

Autrement dit, si la fonction vitesse $f'(t)$ du Maglev est connue, est-il possible de trouver la fonction position $f(t)$?

Pour résoudre ce problème, il faut d'abord définir le concept de primitive d'une fonction.

Primitive
Une fonction F est appelée une **primitive** de f sur un intervalle I si $F'(x) = f(x)$ pour tout x dans l'intervalle.

Ainsi, une primitive d'une fonction f est une fonction F dont la dérivée est f. Par exemple, $F(x) = x^2$ est une primitive de $f(x) = 2x$ puisque

$$F'(x) = \frac{d}{dx}(x^2) = 2x = f(x)$$

et $F(x) = x^3 + 2x + 1$ est une primitive de $f(x) = 3x^2 + 2$ puisque

$$F'(x) = \frac{d}{dx}(x^3 + 2x + 1) = 3x^2 + 2 = f(x)$$

EXEMPLE 1 Soit $F(x) = \frac{1}{3}x^3 - 2x^2 + x - 1$. Montrez que F est une primitive de la fonction $f(x) = x^2 - 4x + 1$.

Solution

Lorsqu'on dérive la fonction F, on obtient

$$F'(x) = x^2 - 4x + 1 = f(x)$$

ce qui montre bien que F est une primitive de f.

EXEMPLE 2 Soit $F(x) = x^2$, $G(x) = x^2 + 1$ et $H(x) = x^2 - \frac{1}{2}$.

a. Montrez que F, G et H sont trois primitives de la fonction $f(x) = 2x$.

b. Trouvez la forme générale des primitives de $f(x) = 2x$.

Solution

a. Puisque

$$F'(x) = \frac{d}{dx}(x^2) = 2x = f(x)$$

$$G'(x) = \frac{d}{dx}(x^2 + 1) = 2x = f(x)$$

$$H'(x) = \frac{d}{dx}(x^2 - \frac{1}{2}) = 2x = f(x)$$

nous pouvons conclure que F, G et H sont effectivement trois primitives de la fonction f. Les graphiques de ces trois primitives sont représentés à la figure 6.2.

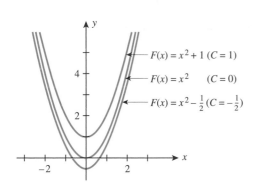

FIGURE 6.2
Graphiques de quelques membres de la famille des primitives de la fonction $f(x) = 2x$

b. D'après **a**, nous voyons que lorsque nous ajoutons une constante quelconque, positive ou négative, à la primitive $F(x) = x^2$ de $f(x) = 2x$, nous obtenons une nouvelle primitive de $f(x)$. Il s'ensuit que $x^2 + C$ est la forme générale des primitives de $f(x) = 2x$. La figure 6.2 montre que lorsque nous attribuons des valeurs particulières à la constante C, nous obtenons une *famille* de fonctions dont les courbes représentatives sont des translations les unes des autres et qui ont donc toutes la même pente (c'est-à-dire la même dérivée) pour une valeur de x donnée.

Nous avons vu à l'exemple 2 que si nous connaissons une primitive $F(x)$ d'une fonction $f(x)$, alors toute fonction de la forme $F(x) + C$, où C est une constante arbitraire, est aussi une primitive de la fonction $f(x)$. En fait, comme le stipule le théorème ci-après, la fonction $f(x)$ n'admet pas d'autre primitive que les fonctions de cette forme. (Ce théorème est énoncé sans preuve.)

> ### THÉORÈME I
>
> Soit F une primitive de la fonction f. Alors la forme générale d'une primitive de f est $F(x) + C$, où C est une constante arbitraire.

Intégrale indéfinie

L'opération qui consiste à trouver les primitives d'une fonction s'appelle l'**intégration.** On utilise le symbole $\int$, appelé **symbole d'intégration**, devant la fonction f pour indiquer qu'on veut **intégrer** la fonction. Ainsi,

$$\int f(x)\, dx = F(x) + C$$

[qui se lit : « l'intégrale indéfinie de $f(x)$ par rapport à x est égale à $F(x)$ plus C »] nous indique que l'**intégrale indéfinie** de f est la famille de fonctions $F(x) + C$, où $F'(x) = f(x)$. La fonction $f(x)$ à intégrer s'appelle l'**intégrande** et la constante C est dite **constante d'intégration.** La différentielle dx placée à droite de l'intégrande $f(x)$ sert à rappeler que l'opération d'intégration s'effectue par rapport à x. Si la variable indépendante de la fonction est t, on écrira plutôt $\int f(t)\, dt$.

Avec cette notation, le résultat de l'exemple 2 devient

$$\int 2x\, dx = x^2 + C$$

où C est une constante arbitraire.

Propriétés de l'intégrale indéfinie

Nous allons maintenant dresser une liste des propriétés de base de l'intégrale indéfinie, à l'aide de laquelle nous pourrons calculer l'intégrale indéfinie d'un bon nombre de fonctions. Puisque l'intégration et la dérivation sont deux processus inverses, nous pouvons en quelque sorte découvrir ces propriétés « au pif », pour ensuite les démontrer à l'aide des propriétés correspondantes de la dérivée, qui sont déjà connues.

Liste des propriétés de l'intégrale indéfinie

1) $\displaystyle\int cf(x)\, dx = c \int f(x)\, dx$ (où c est une constante)

2) $\displaystyle\int [f(x) + g(x)]\, dx = \int f(x)\, dx + \int g(x)\, dx$

3) $\displaystyle\int [f(x) - g(x)]\, dx = \int f(x)\, dx - \int g(x)\, dx$

4) $\displaystyle\int k\, dx = kx + C$ (où k est une constante)

5) $\displaystyle\int x^n\, dx = \frac{1}{n+1} x^{n+1} + C$ (où $n \neq -1$)

6) $\displaystyle\int x^{-1}\, dx = \int \frac{1}{x}\, dx = \ln|x| + C$ (pour $x \neq 0$)

7) $\displaystyle\int e^x\, dx = e^x + C$

Nous allons démontrer quelques-uns de ces résultats plus loin, mais voici d'abord quelques exemples d'illustration de ces propriétés.

EXEMPLE 3

Calculez les intégrales indéfinies suivantes :

a. $\int 2\, dx$ **b.** $\int x^3\, dx$ **c.** $\int x^{3/2}\, dx$ **d.** $\int \dfrac{1}{x^{3/2}}\, dx$

Solution

a. Selon la propriété 4, nous avons

$$\int 2\, dx = 2x + C$$

b. Selon la propriété 5,

$$\int x^3\, dx = \frac{1}{4}x^4 + C$$

c. Nous appliquons de nouveau la propriété 5,

$$\int x^{3/2}\, dx = \frac{1}{\frac{5}{2}}x^{5/2} + C = \frac{2}{5}x^{5/2} + C$$

d. Cette fois encore, la propriété 5 nous fournit le résultat recherché

$$\int \frac{1}{x^{3/2}}\, dx = \int x^{-3/2}\, dx = \frac{1}{-\frac{1}{2}}x^{-1/2} + C = -2x^{-1/2} + C = -\frac{2}{x^{1/2}} + C$$

EXEMPLE 4

Calculez les intégrales indéfinies suivantes :

a. $\int -3x^{-2}\, dx$ **b.** $\int (3x^5 + 4x^{3/2} - 2x^{-1/2})\, dx$

c. $\int (2e^x - x^3)\, dx$ **d.** $\int \left(2x + \dfrac{3}{x} + \dfrac{4}{x^2}\right) dx$

Solution

a. Nous appliquons la propriété 1, puis la propriété 5, ce qui donne

$$\int -3x^{-2}\, dx = -3 \int x^{-2}\, dx = (-3)\left[\frac{1}{-1}x^{-1} + K\right] = \frac{3}{x} - 3K = \frac{3}{x} + C$$

où $C = -3K$. Remarquez que nous avons remplacé la constante $-3K$ par la constante C, puisque tout multiple non nul d'une constante arbitraire est encore une constante arbitraire.

b. $\int (3x^5 + 4x^{3/2} - 2x^{-1/2})\, dx$

$$= \int 3x^5\, dx + \int 4x^{3/2}\, dx - \int 2x^{-1/2}\, dx \qquad \text{Propriétés 2 et 3}$$

$$= 3 \int x^5\, dx + 4 \int x^{3/2}\, dx - 2 \int x^{-1/2}\, dx \qquad \text{Propriété 1}$$

$$= (3)\left(\frac{1}{6}\right)x^6 + (4)\left(\frac{2}{5}\right)x^{5/2} - (2)(2)x^{1/2} + C \qquad \text{Propriété 5}$$

$$= \frac{1}{2}x^6 + \frac{8}{5}x^{5/2} - 4x^{1/2} + C$$

Remarquez que, cette fois, nous avons combiné les trois constantes d'intégration provenant des trois applications de la propriété 5 en une seule constante C, puisque la somme de trois constantes arbitraires est aussi une constante arbitraire. Dorénavant, pour abréger, nous n'écrirons la constante d'intégration C qu'à la toute fin des opérations d'intégration.

c. $\displaystyle\int (2e^x - x^3)\, dx = \int 2e^x\, dx - \int x^3\, dx$ \qquad Propriété 3

$\displaystyle = 2 \int e^x\, dx - \int x^3\, dx$ \qquad Propriété 1

$\displaystyle = 2e^x - \frac{1}{4}x^4 + C$ \qquad Propriétés 7 et 5

d. $\displaystyle\int \left(2x + \frac{3}{x} + \frac{4}{x^2}\right) dx = \int 2x\, dx + \int \frac{3}{x}\, dx + \int \frac{4}{x^2}\, dx$ \qquad Propriété 2

$\displaystyle = 2 \int x\, dx + 3 \int \frac{1}{x}\, dx + 4 \int x^{-2}\, dx$ \qquad Propriété 1

$\displaystyle = 2\left(\frac{1}{2}\right)x^2 + 3 \ln|x| + 4(-1)x^{-1} + C$ \qquad Propriétés 5 et 6

$\displaystyle = x^2 + 3 \ln|x| - \frac{4}{x} + C$

Démonstration des propriétés de l'intégrale indéfinie

La validité des trois premières propriétés de l'intégrale indéfinie découle directement des propriétés similaires de la dérivée qui nous avons vues à la section 3.1 (voir les règles 3 et 4).

Pour démontrer la 4e propriété, il suffit de vérifier que

$$F'(x) = \frac{d}{dx}(kx + C) = k$$

Pour démontrer la 5e propriété, on vérifie que

$$F'(x) = \frac{d}{dx}\left[\frac{1}{n+1}x^{n+1} + C\right]$$
$$= \frac{n+1}{n+1}x^n$$
$$= x^n$$
$$= f(x)$$

Pour démontrer la 6e propriété, il suffit de se rappeler que

$$\frac{d}{dx}\ln|x| = \frac{1}{x} \qquad \text{Règle 3, section 5.5.}$$

Finalement, la 7e propriété découle directement de la règle 1, section 5.4 :

$$\frac{d}{dx}e^x = e^x$$

Équations différentielles

Nous pouvons maintenant nous reporter au problème du début de la section, à savoir : *À partir de la dérivée f' d'une fonction, est-il possible de trouver la fonction f?* Par exemple, supposons que $f'(x)$ soit la fonction

$$f'(x) = 2x - 1 \qquad\qquad\qquad \textbf{(1)}$$

et que nous désirions trouver la fonction $f(x)$. Nous savons maintenant que nous pouvons trouver $f(x)$ en intégrant l'équation (1), de sorte que

$$f(x) = \int f'(x)\, dx = \int (2x - 1)\, dx = x^2 - x + C \qquad \textbf{(2)}$$

où C est une constante arbitraire. Ainsi, une infinité de fonctions ont pour dérivée f', et elles ne diffèrent l'une de l'autre que par une constante.

On appelle l'équation (1) une équation différentielle. De façon générale, une **équation différentielle** est une équation qui comporte des dérivées ou des différentielles d'une fonction inconnue. [Dans l'équation (1), la fonction inconnue est f.] Une **solution** d'une équation différentielle est une fonction qui satisfait l'équation différentielle. Ainsi, l'équation (2) fournit *toutes* les solutions de l'équation (1). On l'appelle donc la **solution générale** de l'équation différentielle $f'(x) = 2x - 1$.

Nous avons représenté à la figure 6.3 les graphiques de $f(x) = x^2 - x + C$ pour des valeurs entières de C entre -1 et 3. On observe que, pour toute valeur de x, les tangentes à chacune des courbes ont la même pente. Cela résulte, bien entendu, du fait que tous les membres de la famille $f(x) = x^2 - x + C$ ont la même dérivée au point x, soit $2x - 1$!

Bien que l'équation différentielle $f'(x) = 2x - 1$ admette une infinité de solutions, nous pourrons obtenir une **solution particulière** de l'équation si nous connaissons la valeur que prend la fonction pour une valeur précise de x. Par exemple, si nous supposons que la fonction f recherchée doit satisfaire à la condition $f(1) = 3$, c'est-à-dire que la courbe de f doit passer par le point $(1, 3)$, la solution générale $f(x) = x^2 - x + C$ pourra se récrire sous la forme

$$f(1) = 1 - 1 + C = 3$$

de sorte que nous obtiendrons $C = 3$. La solution particulière recherchée sera alors $f(x) = x^2 - x + 3$ (figure 6.3).

La condition $f(1) = 3$ s'appelle une condition initiale. De façon générale, une **condition initiale** est une condition imposée à la fonction f en un point $x = a$.

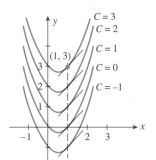

FIGURE 6.3
Graphiques de quelques-unes des fonctions dont la dérivée est $f'(x) = 2x - 1$. On remarque que les tangentes aux graphiques pour une même valeur de l'abscisse x ont toutes la même pente.

Problème de Cauchy

Un **problème de Cauchy** est un problème qui consiste à trouver une solution d'une équation différentielle satisfaisant à une ou plusieurs conditions initiales. En voici quelques exemples.

EXEMPLE 5 Trouvez la fonction f, sachant que

$$f'(x) = 3x^2 - 4x + 8 \qquad \text{et} \qquad f(1) = 9$$

Solution

Il s'agit de résoudre le problème de Cauchy

$$\left.\begin{array}{l} f'(x) = 3x^2 - 4x + 8 \\ f(1) = 9 \end{array}\right\}$$

Intégrons d'abord la fonction f'; on obtient

$$\begin{aligned} f(x) &= \int f'(x)\, dx \\ &= \int (3x^2 - 4x + 8)\, dx \\ &= x^3 - 2x^2 + 8x + C \end{aligned}$$

En appliquant la condition initiale $f(1) = 9$, on obtient de plus

$$9 = f(1) = 1^3 - 2(1)^2 + 8(1) + C = 7 + C$$

c'est-à-dire $\qquad C = 2$

La solution du problème de Cauchy est donc $f(x) = x^3 - 2x^2 + 8x + 2$.

APPLICATIONS

EXEMPLE 6 **Déplacement d'un Maglev**   Lors d'un test mené sur un prototype de Maglev, la vitesse de celui-ci à l'instant t suivait le modèle

$$v(t) = 2{,}4t \qquad (\text{pour } 0 \le t \le 30)$$

où $v(t)$ est mesuré en m/s. Trouvez la fonction position du Maglev. Supposez que la position initiale du Maglev est à l'origine du système de coordonnées.

Solution

Soit $s(t)$ la position du Maglev à l'instant t (pour $0 \le t \le 30$). Alors $s'(t) = v(t)$ et le problème de Cauchy peut se formuler ainsi :

$$\left.\begin{array}{l} s'(t) = 2{,}4t \\ s(0) = 0 \end{array}\right\}$$

En intégrant chaque membre de l'équation différentielle $s'(t) = 2{,}4t$, on obtient

$$s(t) = \int s'(t)\, dt = \int 2{,}4t\, dt = 1{,}2t^2 + C$$

où C est une constante arbitraire. La constante C s'obtient au moyen de la condition initiale $s(0) = 0$:

$$s(0) = 1{,}2(0)^2 + C = 0 \qquad \text{de sorte que} \qquad C = 0$$

La fonction position du Maglev est donc $s(t) = 1{,}2t^2$ (pour $0 \le t \le 30$).

EXEMPLE 7

Tirage d'un magazine   L'hebdomadaire *La mode en bref* tire actuellement à 3000 exemplaires. L'éditrice du magazine prévoit que le tirage devrait s'accroître à raison de

$$4 + 5t^{2/3}$$

exemplaires par semaine au cours des 3 prochaines années, où t désigne le nombre de semaines écoulées à compter de maintenant. Selon ses prévisions, quel sera le tirage du magazine dans 125 semaines ?

Solution

Désignons par $V(t)$ la fonction exprimant le tirage du magazine dans t semaines. Alors $V'(t)$, soit le taux de variation du tirage à la t^e semaine, est donné par

$$V'(t) = 4 + 5t^{2/3}$$

De plus, le tirage actuel de 3000 exemplaires par semaine correspond à la condition initiale $V(0) = 3000$. En intégrant l'équation différentielle par rapport à t, nous obtenons

$$V(t) = \int V'(t)\, dt = \int (4 + 5t^{2/3})\, dt$$

$$= 4t + 5\left(\frac{t^{5/3}}{\frac{5}{3}}\right) + C = 4t + 3t^{5/3} + C$$

La valeur de C s'obtient à partir de la condition initiale $V(0) = 3000$. Ainsi,

$$V(0) = 4(0) + 3(0) + C = 3000$$

d'où $C = 3000$. Par conséquent, le tirage du magazine dans t semaines est modélisé par

$$V(t) = 4t + 3t^{5/3} + 3000$$

de sorte que dans 125 semaines, le magazine tirera à

$$V(125) = 4(125) + 3(125)^{5/3} + 3000 = 12\,875$$

exemplaires.

◼ EXERCICES D'AUTOÉVALUATION **6.1**

1. Calculez l'intégrale $\int \left(\dfrac{1}{\sqrt{x}} - \dfrac{2}{x} + 3e^x\right) dx$.

2. Déterminez la fonction f telle que la pente de la tangente à la courbe de f en tout point $P(x, f(x))$ soit donnée par la fonction $3x^2 - 6x + 3$ et que la courbe de f passe par le point $(2, 9)$.

3. On suppose que la proportion de motomarines vendues au Canada par une entreprise québécoise de Valcourt varie au taux de

$$f(t) = -0{,}01875t^2 + 0{,}15t - 1{,}2 \qquad (\text{où } 0 \le t \le 12)$$

pour cent/année à l'année t (la valeur $t = 0$ correspondant au début de l'année 1998). Si la part de marché de l'entreprise s'élevait à 48,4 % au début de 1998, quelle était sa part de marché au début de 2004 ?

Les solutions des exercices d'autoévaluation 6.1 se trouvent à la page 368.

▩ **6.1** EXERCICES

1–4 Vérifiez par dérivation que la fonction F est une primitive de la fonction f.

1. $F(x) = \dfrac{1}{3}x^3 + 2x^2 - x + 2; f(x) = x^2 + 4x - 1$

2. $F(x) = xe^x + 275; f(x) = e^x(1 + x)$

3. $F(x) = \sqrt{2x^2 - 1}; f(x) = \dfrac{2x}{\sqrt{2x^2 - 1}}$

4. $F(x) = x \ln x - x; f(x) = \ln x$

5–8 a) Vérifiez que la fonction G est une primitive de la fonction f; b) trouvez la famille des primitives de f et c) tracez le graphique de quelques membres de la famille trouvée en b).

5. $G(x) = 2x; f(x) = 2$ **6.** $G(x) = 2x^2; f(x) = 4x$

7. $G(x) = \dfrac{1}{3}x^3; f(x) = x^2$ **8.** $G(x) = e^x; f(x) = e^x$

9–44 Calculez l'intégrale indéfinie.

9. $\displaystyle\int 6\, dx$ **10.** $\displaystyle\int \sqrt{2}\, dx$

11. $\displaystyle\int x^3\, dx$ **12.** $\displaystyle\int 2x^5\, dx$

13. $\displaystyle\int x^{-4}\, dx$ **14.** $\displaystyle\int 3t^{-7}\, dt$

15. $\displaystyle\int x^{2/3}\, dx$ **16.** $\displaystyle\int 2u^{3/4}\, du$

17. $\displaystyle\int x^{-5/4}\, dx$ **18.** $\displaystyle\int 3x^{-2/3}\, dx$

19. $\displaystyle\int \dfrac{2}{x^2}\, dx$ **20.** $\displaystyle\int \dfrac{1}{3x^5}\, dx$

21. $\displaystyle\int 12\sqrt{t}\, dt$ **22.** $\displaystyle\int \dfrac{3}{\sqrt{t}}\, dt$

23. $\displaystyle\int (3 - 2x)\, dx$ **24.** $\displaystyle\int (1 + u + u^2)\, du$

25. $\displaystyle\int (x^2 + x + x^{-3})\, dx$ **26.** $\displaystyle\int (0{,}3t^2 + 0{,}02t + 2)\, dt$

27. $\displaystyle\int 4e^x\, dx$ **28.** $\displaystyle\int (2 + x + e^x)\, dx$

29. $\displaystyle\int \left(4x^3 - \dfrac{2}{x^2} - 1\right) dx$ **30.** $\displaystyle\int (x^{5/2} + 2x^{3/2} - x)\, dx$

31. $\displaystyle\int \left(\sqrt{x} + \dfrac{3}{\sqrt{x}}\right) dx$ **32.** $\displaystyle\int \left(\sqrt[3]{x^2} - \dfrac{1}{x^2}\right) dx$

33. $\displaystyle\int \left(\dfrac{u^3 + 2u^2 - u}{3u}\right) du$

Suggestion: $\dfrac{u^3 + 2u^2 - u}{3u} = \dfrac{1}{3}u^2 + \dfrac{2}{3}u - \dfrac{1}{3}$

34. $\displaystyle\int \dfrac{x^4 - 1}{x^2}\, dx$

Suggestion: $\dfrac{x^4 - 1}{x^2} = x^2 - x^{-2}$

35. $\displaystyle\int (2t + 1)(t - 2)\, dt$ **36.** $\displaystyle\int \dfrac{1}{x^2}(x^4 - 2x^2 + 1)\, dx$

37. $\displaystyle\int \sqrt{t}(t^2 + t - 1)\, dt$ **38.** $\displaystyle\int \left(\sqrt{x} + \dfrac{3}{x} - 2e^x\right) dx$

39. $\displaystyle\int (e^t + t^e)\, dt$ **40.** $\displaystyle\int \left(\dfrac{1}{x^2} - \dfrac{1}{\sqrt[3]{x^2}} + \dfrac{1}{\sqrt{x}}\right) dx$

41. $\displaystyle\int \left(\dfrac{x^3 + x^2 - x + 1}{x^2}\right) dx$

Suggestion: Commencez par simplifier l'intégrande.

42. $\displaystyle\int \dfrac{t^3 + \sqrt[3]{t}}{t^2}\, dt$

Suggestion: Commencez par simplifier l'intégrande.

43. $\displaystyle\int \dfrac{(\sqrt{x} - 1)^2}{x^2}\, dx$

Suggestion: Commencez par simplifier l'intégrande.

44. $\displaystyle\int (x + 1)^2\left(1 - \dfrac{1}{x}\right) dx$

Suggestion: Commencez par simplifier l'intégrande.

45–50 Trouvez la solution du problème de Cauchy.

45. $f'(x) = 3x^2 + 4x - 1; f(2) = 9$

46. $f'(x) = 3x^2 - 6x; f(2) = 4$

47. $f'(x) = 1 + \dfrac{1}{x^2}; f(1) = 2$

48. $f'(x) = \dfrac{1}{\sqrt{x}}; f(4) = 2$

49. $f'(x) = \dfrac{x + 1}{x}; f(1) = 1$

50. $f'(x) = e^x - 2x; f(0) = 2$

51–54 Déterminez la fonction f telle que la pente de la tangente à la courbe de f en tout point $(x, f(x))$ soit donnée par la fonction f' et que la courbe de f passe par le point donné.

51. $f'(x) = \dfrac{1}{2}x^{-1/2}; (2, \sqrt{2})$

52. $f'(t) = t^2 - 2t + 3; (1, 2)$

53. $f'(x) = e^x + x; (0, 3)$ **54.** $f'(x) = \dfrac{2}{x} + 1; (1, 2)$

55. Contrôle de qualité La dernière étape du programme de contrôle de qualité d'un fabricant de jeux d'échecs consiste en une inspection visuelle préalable à l'emballage. Le taux de variation du nombre de jeux d'échecs vérifiés à chaque heure par un inspecteur t heures après le début de son quart de travail à 8 h est approximativement

$$N'(t) = -3t^2 + 12t + 45 \qquad \text{(pour } 0 \leq t \leq 4)$$

a. Trouvez l'expression $N(t)$ du nombre approximatif de jeux d'échecs inspectés au bout de t heures.
Suggestion: $N(0) = 0$.

b. Combien de jeux d'échecs un inspecteur moyen parvient-il à inspecter entre 8 h et midi?

56. Organismes génétiquement modifiés Entre 1997 et 2003, le taux de variation du nombre d'acres consacrés modialement à des cultures d'organismes génétiquement modifiée (OGM) était modélisé par la fonction

$$R(t) = 2,718t^2 - 19,86t + 50,18 \qquad \text{(pour } 0 \leq t \leq 6)$$

où $R(t)$ est mesuré en millions d'acres par an. L'étendue des cultures en 1997 se chiffrait à 27,2 millions d'acres. Combien d'acres étaient consacrés mondialement à la culture d'OGM en 2003?

57. Publicité en ligne Selon une étude menée en l'an 2000, la proportion du marché mondial de la publicité occupée par la publicité en ligne devrait augmenter au taux de

$$R(t) = -0,033t^2 + 0,3428t + 0,07 \qquad \text{(pour } 0 \leq t \leq 6)$$

pour cent/année au moment t (mesuré en années), la valeur $t = 0$ correspondant au début de l'an 2000. Or, en l'an 2000, la publicité en ligne occupait 2,9 % du marché total de la publicité.

a. Trouvez une expression de la proportion du marché total occupée par la publicité en ligne au moment t.

b. Quelle proportion est prévue pour le début de l'année 2006?

Source: Jupiter Media Metrix, Inc.

58. Vol d'une fusée La vitesse (en m/s) d'une fusée t s après le décollage est exprimée par la fonction

$$v(t) = -t^2 + 64t + 40$$

Trouvez l'expression $h(t)$ de l'altitude (en m) atteinte par la fusée, t s après le décollage. Quelle est l'altitude de la fusée 30 s après le décollage?
Suggestion: $h'(t) = v(t)$; $h(0) = 0$.

59. Accélération d'une automobile Une automobile se déplaçant en ligne droite à la vitesse de 21 m/s accélère jusqu'à 28 m/s sur une distance de 140 m. Si on suppose que l'automobile a subi une accélération constante, calculez la valeur de celle-ci.

60. Décélération d'une automobile Quelle décélération constante faut-il appliquer à une automobile se déplaçant en ligne droite à la vitesse de 28 m/s pour qu'elle s'arrête en 9 s? Quelle sera la distance de freinage?

61. Décollage d'un avion de combat On veut faire décoller un avion de combat du pont d'un porte-avions à l'aide d'une catapulte. Si l'avion doit atteindre une vitesse minimum de 72 m/s après avoir parcouru une distance de 240 m sur le pont d'envol, trouvez quelle doit être l'accélération minimum à laquelle il faut soumettre l'avion. (On suppose l'accélération constante.)

62. Dépôts bancaires La banque Montérégienne a ouvert deux nouvelles succursales le 1er septembre ($t = 0$). La succursale A est située dans un parc industriel et la succursale B, dans un nouveau secteur résidentiel. Le taux de variation des sommes nettes déposées dans les deux succursales au cours des 180 premiers jours d'activité est représenté respectivement par les courbes des fonctions f et g (voir la figure ci-après). Dans laquelle des deux succursales le montant des dépôts au bout de 180 jours est-il le plus élevé? Justifiez votre réponse.

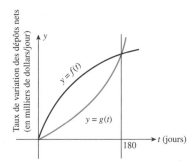

63. Vitesse d'une automobile Deux automobiles, A et B, sont placées côte à côte sur une route en ligne droite et démarrent au même instant. La vitesse de A est $v = f(t)$ et celle de B, $v = g(t)$. Les courbes de f et de g sont représentées sur le graphique ci-après. Les automobiles sont-elles encore l'une à côté de l'autre au bout de T s? Sinon, laquelle des deux automobiles devance l'autre? Justifiez votre réponse.

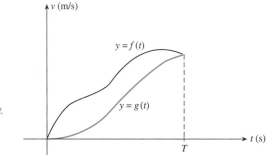

64–67 Dites si l'énoncé est vrai ou faux. S'il est vrai, dites pourquoi. S'il est faux, trouvez un contre-exemple.

64. Si F et G sont deux primitives de f sur un intervalle I, alors $F(x) = G(x) + C$ sur l'intervalle.

65. Si F est une primitive de f sur un intervalle I, alors $\int f(x)\,dx = F(x)$.

66. Si $\int f(x)\,dx$ et $\int g(x)\,dx$ existent, alors $\int [2f(x) - 3g(x)]\,dx = 2\int f(x)\,dx - 3\int g(x)\,dx$.

67. Si $\int f(x)\,dx$ et $\int g(x)\,dx$ existent, alors $\int f(x)g(x)\,dx = [\int f(x)\,dx][\int g(x)\,dx]$.

■ SOLUTIONS DES EXERCICES D'AUTOÉVALUATION **6.1**

1.
$$\int \left(\frac{1}{\sqrt{x}} - \frac{2}{x} + 3e^x\right) dx = \int \left(x^{-1/2} - \frac{2}{x} + 3e^x\right) dx$$
$$= \int x^{-1/2}\,dx - 2\int \frac{1}{x}\,dx + 3\int e^x\,dx$$
$$= 2x^{1/2} - 2\ln|x| + 3e^x + C$$
$$= 2\sqrt{x} - 2\ln|x| + 3e^x + C$$

2. La pente de la tangente à la courbe de la fonction f en tout point $P(x, f(x))$ est la dérivée f' de f, de sorte que
$$f'(x) = 3x^2 - 6x + 3$$

et que
$$f(x) = \int (3x^2 - 6x + 3)\,dx$$
$$= x^3 - 3x^2 + 3x + k$$

où k est la constante d'intégration.

La valeur de k s'obtient au moyen de la condition initiale, soit $f(2) = 9$. On obtient donc
$$9 = f(2) = 2^3 - 3(2)^2 + 3(2) + k$$

d'où $k = 7$. La fonction f recherchée est donc
$$f(x) = x^3 - 3x^2 + 3x + 7$$

3. Soit $M(t)$ la proportion de motomarines vendues au Canada par l'entreprise à l'année t. Alors,
$$M(t) = \int f(t)\,dt$$
$$= \int (-0{,}01875t^2 + 0{,}15t - 1{,}2)\,dt$$
$$= -0{,}00625t^3 + 0{,}075t^2 - 1{,}2t + C$$

La valeur de la constante C s'obtient au moyen de la condition initiale $M(0) = 48{,}4$, de sorte que $C = 48{,}4$. Par conséquent,
$$M(t) = -0{,}00625t^3 + 0{,}075t^2 - 1{,}2t + 48{,}4$$

et la proportion de motomarines vendues au Canada en 2004 par l'entreprise est
$$M(6) = -0{,}00625(6)^3 + 0{,}075(6)^2$$
$$-1{,}2(6) + 48{,}4 = 42{,}55$$

ou 42,55 %.

6.2 Intégration par substitution

À la section 6.1, nous vous avons présenté des propriétés de l'intégrale qui découlaient directement de règles de dérivation établies aux chapitres 3 et 5. Les catégories d'intégrales que nous pouvons trouver de cette manière sont toutefois limitées. Par exemple, l'intégrale

$$\int 6x(3x^2 + 4)^5\,dx$$

n'est pas facile à obtenir par les moyens que nous connaissons présentement. C'est pourquoi, dans la présente section, nous allons présenter une méthode d'intégration, la **méthode de substitution**, dont la validité repose sur la dérivée de composées de fonctions.

⬜ Exemple d'application de la méthode de substitution

Soit l'intégrale indéfinie

$$\int 6x(3x^2 + 4)^5 \, dx \qquad \textbf{(3)}$$

Nous pourrions, bien entendu, calculer cette intégrale en développant le binôme $(3x^2 + 4)^5$, en multipliant le résultat par $6x$ puis en intégrant le polynôme résultant terme à terme. Avouons que cette façon de faire serait pour le moins fastidieuse! Par ailleurs, en examinant de plus près l'intégrande, nous constatons que le terme $6x$ est la dérivée du binôme $(3x^2 + 4)$. Ainsi, un changement de variable pourrait peut-être simplifier l'intégrale à calculer. Posons

$$u = 3x^2 + 4$$

de sorte que

$$\frac{du}{dx} = 6x$$

et que la différentielle

$$du = 6x \, dx$$

En substituant la variable u et sa différentielle dans l'équation (3), on obtient

$$\int 6x(3x^2 + 4)^5 \, dx = \int (3x^2 + 4)^5 (6x \, dx) = \int u^5 \, du$$
$$\begin{cases} u = 3x^2 + 4 \\ du = 6x \, dx \end{cases}$$

L'intégrande a maintenant la forme d'une puissance, ce qui rend l'intégrale facile à calculer lorsqu'on se reporte à la propriété 5 vue à la section 6.1. Ainsi,

$$\int u^5 \, du = \frac{1}{6} u^6 + C$$

Il ne reste plus qu'à remettre $(3x^2 + 4)$ à la place de u, pour obtenir

$$\int 6x(3x^2 + 4)^5 dx = \frac{1}{6}(3x^2 + 4)^6 + C$$

L'exactitude de notre résultat se vérifie sans difficulté par dérivation:

$$\frac{d}{dx}\left[\frac{1}{6}(3x^2 + 4)^6 + C\right] = \frac{1}{6} \cdot 6(3x^2 + 4)^5(6x) \qquad \text{Dérivée d'une fonction composée}$$
$$= 6x(3x^2 + 4)^5$$

c'est-à-dire l'intégrande que nous avions au départ.

⬜ Justification de la méthode de substitution

Voyons maintenant ce qui justifie la méthode de substitution. Reportons-nous à l'exemple précédent et posons

$$f(x) = x^5 \qquad \text{et} \qquad g(x) = 3x^2 + 4$$

On obtient alors $g'(x) = 6x$. Or, l'intégrande de l'intégrale (3) est le produit de $6x$ par l'expression $(3x^2 + 4)^5$, qui est la composée des fonctions f et g. En effet,

$$(f \circ g)(x) = f(g(x))$$
$$= f(3x^2 + 4) = (3x^2 + 4)^5$$

Par conséquent, nous pouvons récrire l'intégrale (3) sous la forme

$$\int f(g(x))g'(x)\, dx \qquad \qquad \textbf{(4)}$$

Nous pouvons maintenant montrer qu'il est toujours possible de récrire l'intégrale (4) sous la forme

$$\int f(u)\, du \qquad \qquad \textbf{(5)}$$

En effet, soit F une primitive de f. Selon la règle de dérivation des fonctions composées,

$$\frac{d}{dx}[F(g(x))] = F'(g(x))g'(x)$$

de sorte que

$$\int F'(g(x))g'(x)dx = F(g(x)) + C$$

Or, si nous effectuons la substitution $u = g(x)$, nous aurons $\dfrac{du}{dx} = g'(x)$ ou, selon l'écriture différentielle, $du = g'(x)dx$. Puisque $F' = f$, nous aurons

$$\int f(g(x))g'(x)dx = F(u) + C = \int F'(u)\, du = \int f(u)\, du$$

soit le résultat recherché. C'est ainsi que lorsque l'intégrale $\int f(u)\, du$ est facile à calculer la méthode de substitution se révèle un outil puissant.

Voici une marche à suivre pour le calcul d'une intégrale par substitution.

Méthode d'intégration par substitution

Étape 1   Poser $u = g(x)$, où $g(x)$ est une partie de l'intégrande qui correspond généralement à la «fonction intérieure» de la fonction composée $f(g(x))$.

Étape 2   Calculer $du = g'(x)\, dx$.

Étape 3   Substituer $g(x)$ par u et $g'(x)dx$ par du de manière à convertir la *totalité* de l'intégrale en termes de u.

Étape 4   Calculer l'intégrale ainsi obtenue.

Étape 5   Remplacer u par $g(x)$ pour exprimer la réponse en termes de x.

EXEMPLE 1   Calculez $\int 3\sqrt{3x + 1}\, dx$.

Solution

Étape 1   L'intégrande comporte la fonction composée $\sqrt{3x + 1}$, où la «fonction intérieure» est $g(x) = 3x + 1$. On posera donc $u = 3x + 1$.

Étape 2   On calcule $du = 3\, dx$.

Étape 3   On effectue la substitution $u = 3x + 1$ et $du = 3\ dx$, de sorte que l'on obtient

$$\int 3\sqrt{3x + 1}\ dx = \int \sqrt{3x + 1}(3\ dx) = \int \sqrt{u}\ du$$

soit une intégrale qui ne comporte que la variable u.

Étape 4   On calcule

$$\int \sqrt{u}\ du = \int u^{1/2}\ du = \frac{2}{3}\ u^{3/2} + C$$

Étape 5   On remplace u par $3x + 1$ et l'on obtient

$$\int 3\sqrt{3x + 1}\ dx = \frac{2}{3}\ (3x + 1)^{3/2} + C$$

EXEMPLE 2   Calculez $\int x^2(x^3 + 1)^{3/2}\ dx$.

Solution

Étape 1   L'intégrande comporte la fonction composée $(x^3 + 1)^{3/2}$, où la fonction intérieure est $g(x) = x^3 + 1$. On posera donc $u = x^3 + 1$.

Étape 2   On calcule $du = 3x^2\ dx$.

Étape 3   On effectue la substitution $u = x^3 + 1$ et $du = 3x^2\ dx$, de sorte que $x^2\ dx = \frac{1}{3}\ du$ et que

$$\int x^2(x^3 + 1)^{3/2}\ dx = \int (x^3 + 1)^{3/2}(x^2\ dx)$$
$$= \int u^{3/2}\left(\frac{1}{3}\ du\right) = \frac{1}{3}\int u^{3/2}\ du$$

soit une intégrale qui ne comporte que la variable u.

Étape 4   On calcule

$$\frac{1}{3}\int u^{3/2}\ du = \frac{1}{3}\cdot\frac{2}{5}\ u^{5/2} + C = \frac{2}{15}\ u^{5/2} + C$$

Étape 5   On remplace u par $x^3 + 1$ pour obtenir finalement

$$\int x^2(x^3 + 1)^{3/2}\ dx = \frac{2}{15}\ (x^3 + 1)^{5/2} + C$$

REMARQUES

1. L'exemple 2 montre que même si le choix de u fait en sorte que du diffère par une constante de l'expression recherchée dans l'intégrande, l'intégrale peut se calculer sans difficulté grâce à la propriété 1 des intégrales définies, qui permet de «sortir» une constante d'une intégrale.

2. Il arrive que nous ayons à considérer plusieurs possibilités avant d'arrêter notre choix sur la substitution à effectuer. Malgré tout, le secret de la réussite demeure toujours de rechercher s'il y a une partie de l'intégrande qui, *à une constante près*, est la dérivée d'une autre partie de l'intégrande. L'exemple 3 illustre bien ce cas. (À compter de maintenant, nous omettons la numérotation des étapes de la marche à suivre.)

EXEMPLE 3

Calculez $\int \dfrac{x}{3x^2 + 1} \, dx$.

Solution

Globalement, nous avons deux expressions dans l'intégrande, soit x et $3x^2 + 1$. Or, la dérivée de $3x^2 + 1$ est $6x$, de sorte que x est, *à une constante près*, la dérivée de $3x^2 + 1$. Nous allons donc poser $u = 3x^2 + 1$ et $du = 6x \, dx$, de sorte que $x \, dx = \frac{1}{6} \, du$. En effectuant les substitutions appropriées, nous obtenons

$$\int \frac{x}{3x^2 + 1} \, dx = \int \frac{\frac{1}{6}}{u} \, du$$

$$= \frac{1}{6} \int \frac{1}{u} \, du$$

$$= \frac{1}{6} \ln|u| + C$$

$$= \frac{1}{6} \ln(3x^2 + 1) + C \quad \text{Puisque } 3x^2 + 1 > 0$$

EXEMPLE 4

Calculez $\int e^{-3x} \, dx$.

Solution

Soit $u = -3x$, de sorte que $du = -3 \, dx$ et $dx = -\frac{1}{3} \, du$. Nous avons alors

$$\int e^{-3x} \, dx = \int e^u \left(-\frac{1}{3} du \right) = -\frac{1}{3} \int e^u \, du$$

$$= -\frac{1}{3} e^u + C = -\frac{1}{3} e^{-3x} + C$$

EXEMPLE 5

Calculez $\int \dfrac{(\ln x)^2}{2x} \, dx$.

Solution

Soit $u = \ln x$. Alors

$$du = \frac{1}{x} \, dx$$

et

$$\int \frac{(\ln x)^2}{2x} \, dx = \frac{1}{2} \int (\ln x)^2 \cdot \frac{1}{x} \, dx$$

$$= \frac{1}{2} \int u^2 du$$

$$= \frac{1}{6} u^3 + C$$

$$= \frac{1}{6} (\ln x)^3 + C$$

APPLICATION

EXEMPLE 6

Augmentation des ventes d'ordinateurs   Selon une étude préparée par le service de commercialisation d'un fabricant d'ordinateurs, les ventes de leur nouveau modèle d'ordinateur personnel OP5 devraient s'accroître au rythme de

$$2000 - 1500e^{-0,05t} \qquad \text{(pour } 0 \le t \le 60\text{)}$$

unités par mois à compter du lancement sur le marché. Trouvez une expression du nombre total d'ordinateurs vendus t mois après leur lancement. Combien d'ordinateurs du modèle OP5 l'entreprise devrait-elle vendre au cours de la première année?

Solution

Soit $N(t)$ le nombre total d'ordinateurs que le fabricant prévoit avoir vendus t mois après leur lancement sur le marché. Le taux d'accroissement des ventes est alors de $N'(t)$ unités par mois. Ainsi,

$$N'(t) = 2000 - 1500e^{-0,05t}$$

d'où

$$N(t) = \int (2000 - 1500e^{-0,05t}) \, dt$$
$$= \int 2000 \, dt - 1500 \int e^{-0,05t} \, dt$$

Nous appliquons la méthode de substitution au calcul de la seconde intégrale, de sorte que

$$N(t) = 2000t + \frac{1500}{0,05} e^{-0,05t} + C \qquad \text{Soit } u = -0,05t, \\ \text{alors } du = -0,05 \, dt.$$
$$= 2000t + 30\,000e^{-0,05t} + C$$

Pour évaluer C, nous utilisons la condition initiale $N(0) = 0$, puisque nous savons que le nombre d'ordinateurs vendus après 0 mois est de 0. Nous obtenons ainsi

$$N(0) = 30\,000 + C = 0 \qquad e^0 = 1$$

soit $C = -30\,000$. Par conséquent, l'expression recherchée est

$$N(t) = 2000t + 30\,000e^{-0,05t} - 30\,000$$
$$= 2000t + 30\,000(e^{-0,05t} - 1)$$

et le nombre d'ordinateurs que l'entreprise peut s'attendre de vendre au cours de la première année est obtenu par

$$N(12) = 2000(12) + 30\,000(e^{-0,05(12)} - 1)$$
$$\approx 10\,464$$

soit environ 10 464 ordinateurs.

■ EXERCICES D'AUTOÉVALUATION **6.2**

1. Calculez $\int \sqrt{2x + 5} \, dx$.

2. Calculez $\int \dfrac{x^2}{(2x^3 + 1)^{3/2}} \, dx$.

3. Calculez $\int xe^{2x^2 - 1} \, dx$.

4. Selon une étude menée conjointement par la société de gestion de l'environnement Purifac et le ministère de l'Environnement, la concentration de monoxyde de carbone (CO) dans l'air imputable aux gaz d'échappement des automobiles s'accroît au taux de

$$f(t) = \frac{8(0,1t + 1)}{300(0,2t^2 + 4t + 64)^{1/3}}$$

Les solutions des exercices d'autoévaluation 6.2 se trouvent à la page 375.

parties par million (ppm) par année t. On évalue à 0,16 ppm la concentration actuelle de CO dans l'air imputable aux gaz d'échappement des automobiles. Trouvez une expression de la concentration de CO d'ici t ans.

■ **6.2** EXERCICES

1–44 Calculez l'intégrale indéfinie.

1. $\int 4(4x + 3)^4 \, dx$

2. $\int 4x(2x^2 + 1)^7 \, dx$

3. $\int (x^3 - 2x)^2(3x^2 - 2) \, dx$

4. $\int (3x^2 - 2x + 1)(x^3 - x^2 + x)^4 \, dx$

5. $\int \dfrac{4x}{(2x^2 + 3)^3} \, dx$

6. $\int 3t^2 \sqrt{t^3 + 2} \, dt$

7. $\int (x^2 - 1)^9 x \, dx$

8. $\int x^2(2x^3 + 3)^4 \, dx$

9. $\int \dfrac{x^4}{1 - x^5} \, dx$

10. $\int \dfrac{x^2}{\sqrt{x^3 - 1}} \, dx$

11. $\int \dfrac{2}{x - 2} \, dx$

12. $\int \dfrac{x^2}{x^3 - 3} \, dx$

13. $\int \dfrac{x}{3x^2 - 1} \, dx$

14. $\int \dfrac{x^2 - 1}{x^3 - 3x + 1} \, dx$

15. $\int e^{-2x} \, dx$

16. $\int e^{-0,02x} \, dx$

17. $\int e^{2-x} \, dx$

18. $\int x^2 e^{x^3 - 1} \, dx$

19. $\int xe^{-x^2} \, dx$

20. $\int (e^{2x} + e^{-3x}) \, dx$

21. $\int (e^x - e^{-x}) \, dx$

22. $\int \dfrac{e^{2x}}{1 + e^{2x}} \, dx$

23. $\int \dfrac{e^x}{1 + e^x} \, dx$

24. $\int \dfrac{e^{-1/x}}{x^2} \, dx$

25. $\int \dfrac{e^{\sqrt{x}}}{\sqrt{x}} \, dx$

26. $\int \dfrac{e^x - e^{-x}}{(e^x + e^{-x})^{3/2}} \, dx$

27. $\int \dfrac{e^{3x} + x^2}{(e^{3x} + x^3)^3} \, dx$

28. $\int e^{2x}(e^{2x} + 1)^3 \, dx$

29. $\int \dfrac{\ln 5x}{x} \, dx$

30. $\int \dfrac{(\ln u)^3}{u} \, du$

31. $\int \dfrac{1}{x \ln x} \, dx$

32. $\int \dfrac{1}{x(\ln x)^2} \, dx$

33. $\int \dfrac{\sqrt{\ln x}}{x} \, dx$

34. $\int \dfrac{(\ln x)^{7/2}}{x} \, dx$

35. $\int \left(xe^{x^2} - \dfrac{x}{x^2 + 2}\right) dx$

36. $\int \left(xe^{-x^2} + \dfrac{e^x}{e^x + 3}\right) dx$

37. $\int \dfrac{x + 1}{\sqrt{x} - 1} \, dx$ **Suggestion:** Posez $u = \sqrt{x} - 1$.

38. $\int \dfrac{e^{-u} - 1}{e^{-u} + u} \, du$ **Suggestion:** Posez $v = e^{-u} + u$.

39. $\int x(x - 1)^5 \, dx$ **Suggestion:** $u = x - 1$ entraîne $x = u + 1$.

40. $\int \dfrac{t}{t + 1} \, dt$ **Suggestion:** $\dfrac{t}{t + 1} = 1 - \dfrac{1}{t + 1}$.

41. $\int \dfrac{1 - \sqrt{x}}{1 + \sqrt{x}}\, dx$ **Suggestion:** Posez $u = 1 + \sqrt{x}$.

42. $\int \dfrac{1 + \sqrt{x}}{1 - \sqrt{x}}\, dx$ **Suggestion:** Posez $u = 1 - \sqrt{x}$.

43. $\int v^2(1 - v)^6\, dv$ **Suggestion:** Posez $u = 1 - v$.

44. $\int x^3(x^2 + 1)^{3/2}\, dx$ **Suggestion:** Posez $u = x^2 + 1$.

45–48 Déterminez la fonction f telle que la pente de la tangente à la courbe de f en tout point $(x, f(x))$ soit donnée par la fonction f' et que la courbe de f passe par le point donné.

45. $f'(x) = 5(2x - 1)^4$; $(1, 3)$

46. $f'(x) = \dfrac{3x^2}{2\sqrt{x^3 - 1}}$; $(1, 1)$

47. $f'(x) = -2xe^{-x^2+1}$; $(1, 0)$

48. $f'(x) = 1 - \dfrac{2x}{x^2 + 1}$; $(0, 2)$

49. NOMBRE D'INSCRIPTIONS À LA FORMATION CONTINUE La registraire d'une université québécoise estime que le nombre total d'inscriptions à la Formation continue s'accroîtra au rythme de

$$N'(t) = 2000(1 + 0{,}2t)^{-3/2}$$

étudiants/année à l'année t, mesurée à compter de maintenant. S'il y a présentement 1000 étudiants inscrits, trouvez une expression du nombre total d'inscriptions dans t ans. Combien y aura-t-il d'inscriptions dans 5 ans?

50. ÉMISSIONS DE TÉLÉRÉALITÉ Le nombre de téléspectateurs d'une émission de téléréalité en ondes depuis 2001 s'est accru au rythme de

$$0{,}3\Big(2 + \frac{1}{2}t\Big)^{-1/3} \qquad \text{(pour } 1 \leq t \leq 3\text{)}$$

million de téléspectateurs/année au cours de la t^{e} année de diffusion. Le nombre de téléspectateurs au cours de la première année de diffusion était de $0{,}9(5/2)^{2/3}$ million. Si le modèle continue de s'appliquer au cours des prochaines années, à combien de téléspectateurs peut-on s'attendre en 2006?

51. CROISSANCE DE POPULATION Selon une étude commandée par le conseil de ville d'une municipalité, le taux d'accroissement de la population au cours des 5 prochaines années est modélisé par la fonction

$$r(t) = 400\Big(1 + \frac{2t}{24 + t^2}\Big) \qquad \text{(pour } 0 \leq t \leq 5\text{)}$$

habitants/année. La municipalité compte présentement 60 000 habitants. Quelle sera la population de la municipalité dans 5 ans?

52. COURBES D'APPRENTISSAGE Un collège privé de secrétariat a évalué que le taux de variation du nombre de mots par minute qu'un étudiant inscrit à un cours de sténographie de 20 semaines peut noter est modélisé par la fonction

$$N'(t) = 6e^{-0{,}05t} \qquad \text{(pour } 0 \leq t \leq 20\text{)}$$

où t désigne le nombre de semaines de cours suivies. Si on suppose que, lorsqu'il commence le cours, un étudiant moyen peut déjà noter 60 mots/minute, trouvez une expression de la vitesse $N(t)$ de l'étudiant après t semaines de cours.

■ SOLUTIONS DES EXERCICES D'AUTOÉVALUATION 6.2

1. Posons $u = 2x + 5$. Alors $du = 2\, dx$, de sorte que $dx = \frac{1}{2}\, du$. En effectuant les substitutions appropriées, nous obtenons

$$\int \sqrt{2x + 5}\, dx = \int \sqrt{u}\,\Big(\frac{1}{2}\, du\Big) = \frac{1}{2}\int u^{1/2}\, du$$

$$= \frac{1}{2}\Big(\frac{2}{3}\Big)u^{3/2} + C$$

$$= \frac{1}{3}(2x + 5)^{3/2} + C$$

2. Posons $u = 2x^3 + 1$. Alors $du = 6x^2\, dx$, de sorte que $x^2\, dx = \frac{1}{6}\, du$. En effectuant les substitutions appropriées, nous obtenons

$$\int \frac{x^2}{(2x^3 + 1)^{3/2}}\, dx = \int \frac{\big(\frac{1}{6}\big)\, du}{u^{3/2}} = \frac{1}{6}\int u^{-3/2}\, du$$

$$= \Big(\frac{1}{6}\Big)(-2)u^{-1/2} + C$$

$$= -\frac{1}{3}(2x^3 + 1)^{-1/2} + C$$

$$= -\frac{1}{3\sqrt{2x^3 + 1}} + C$$

3. Posons $u = 2x^2 - 1$. Alors $du = 4x\,dx$, de sorte que $x\,dx = \frac{1}{4}\,du$. Il s'ensuit que

$$\int xe^{2x^2-1}\,dx = \frac{1}{4}\int e^u\,du$$

$$= \frac{1}{4}e^u + C$$

$$= \frac{1}{4}e^{2x^2-1} + C$$

4. Désignons par $C(t)$ la concentration de monoxyde de carbone dans l'air imputable aux gaz d'échappement des automobiles dans t ans. Alors

$$C'(t) = f(t) = \frac{8(0,1t + 1)}{300(0,2t^2 + 4t + 64)^{1/3}}$$

$$= \frac{8}{300}(0,1t + 1)(0,2t^2 + 4t + 64)^{-1/3}$$

En intégrant $C'(t)$, on obtient

$$C(t) = \int \frac{8}{300}(0,1t + 1)(0,2t^2 + 4t + 64)^{-1/3}\,dt$$

$$= \frac{8}{300}\int (0,1t + 1)(0,2t^2 + 4t + 64)^{-1/3}\,dt$$

Posons $u = 0,2t^2 + 4t + 64$. Alors $du = (0,4t + 4)\,dt = 4(0,1t + 1)\,dt$, d'où

$$(0,1t + 1)\,dt = \frac{1}{4}\,du$$

Nous avons donc,

$$C(t) = \frac{8}{300}\left(\frac{1}{4}\right)\int u^{-1/3}\,du$$

$$= \frac{1}{150}\left(\frac{3}{2}u^{2/3}\right) + k$$

$$= 0,01(0,2t^2 + 4t + 64)^{2/3} + k$$

où k est une constante arbitraire. Pour évaluer k, nous utilisons la condition initiale $C(0) = 0,16$, de sorte que

$$C(0) = 0,16 = 0,01(64)^{2/3} + k$$
$$0,16 = 0,16 + k$$
$$k = 0$$

Il s'ensuit que

$$C(t) = 0,01(0,2t^2 + 4t + 64)^{2/3}$$

6.3 Calcul d'aires et intégrale définie

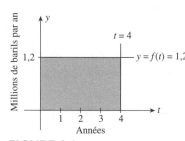

FIGURE 6.4
La consommation totale de pétrole correspond à l'aire du rectangle tramé.

☐ Introduction

Supposons que la consommation annuelle en pétrole d'une province canadienne sur une période de 4 ans soit constante et qu'elle s'exprime par la fonction

$$f(t) = 1,2 \qquad (\text{pour } 0 \le t \le 4)$$

où t est mesuré en années et $f(t)$ en millions de barils par an. La consommation totale au cours des quatre années est alors donnée par

$$(1,2)(4 - 0) \qquad \text{Consommation annuelle} \times \text{Temps écoulé}$$

soit 4,8 millions de barils. Lorsqu'on examine le graphique de f représenté à la figure 6.4, on constate que la consommation totale correspond à l'aire du rectangle limité supérieurement par le graphique de f, inférieurement par l'axe des t, et à gauche et à droite par les droites verticales $t = 0$ (c'est-à-dire l'axe des y) et $t = 4$, respectivement.

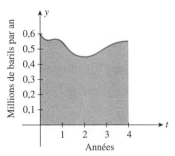

FIGURE 6.5
La consommation totale de pétrole correspond à l'aire de la région tramée.

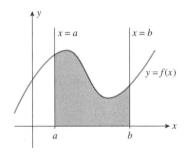

FIGURE 6.6
Aire sous la courbe de f entre a et b

Par contre, si la consommation n'est pas constante, comme à la figure 6.5, c'est-à-dire si la fonction f n'est pas constante, comment pouvons-nous calculer la consommation sur une période de 4 ans? On peut présumer qu'il suffirait encore une fois de calculer l'aire de la région limitée supérieurement par le graphique de f, inférieurement par l'axe des t, et à gauche et à droite par les droites verticales $t = 0$ et $t = 4$, respectivement. Seulement voilà, comment pouvons-nous calculer cette aire?

Calcul d'aires

L'exemple précédent décrit le problème à la base du calcul intégral, à savoir: la recherche de l'aire d'une région délimitée par une fonction f (où $f(x) \geq 0$), l'axe des x et deux droites verticales $x = a$ et $x = b$ (figure 6.6). Cette aire est désignée sous le nom d'**aire sous la courbe de f** entre a et b (ou sur l'intervalle $[a, b]$).

Deux exemples

Pour calculer la pente de la tangente à la courbe d'une fonction en un point donné, nous avons utilisé des pentes de sécantes successives (des quantités faciles à calculer) pour ensuite obtenir la pente de la tangente en passant à la limite. Nous allons adopter une démarche analogue et calculer des aires de rectangles (des quantités faciles à calculer) pour nous aider à définir le concept d'aire sous la courbe d'une fonction. L'exemple suivant illustre le procédé.

EXEMPLE 1

Soit $f(x) = x^2$ et soit R la région sous la courbe de f entre 0 et 1 (figure 6.7a). Pour estimer l'aire de la région R, nous subdivisons l'intervalle $[0, 1]$ en quatre intervalles partiels de longueur égale

$$\left[0, \frac{1}{4}\right], \quad \left[\frac{1}{4}, \frac{1}{2}\right], \quad \left[\frac{1}{2}, \frac{3}{4}\right] \quad \text{et} \quad \left[\frac{3}{4}, 1\right]$$

FIGURE 6.7
L'aire de la région sous la courbe de f entre 0 et 1 illustrée à la partie a est estimée par la somme des aires des quatre rectangles représentés en b.

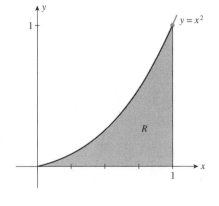

a)

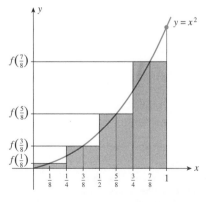

b)

Nous construisons ensuite quatre rectangles qui auront pour bases respectives ces intervalles partiels et pour hauteurs respectives la valeur de la fonction aux points milieux de ces intervalles, soit

$$\frac{1}{8}, \quad \frac{3}{8}, \quad \frac{5}{8} \quad \text{et} \quad \frac{7}{8}$$

Chaque rectangle aura donc pour base $\frac{1}{4}$ et les hauteurs respectives seront

$$f\left(\frac{1}{8}\right), \quad f\left(\frac{3}{8}\right), \quad f\left(\frac{5}{8}\right) \quad \text{et} \quad f\left(\frac{7}{8}\right)$$

(figure 6.7b).

Nous pouvons estimer l'aire A de R en faisant la somme des aires des quatre rectangles, comme suit:

$$A \approx \frac{1}{4}f\left(\frac{1}{8}\right) + \frac{1}{4}f\left(\frac{3}{8}\right) + \frac{1}{4}f\left(\frac{5}{8}\right) + \frac{1}{4}f\left(\frac{7}{8}\right)$$

$$= \frac{1}{4}\left[f\left(\frac{1}{8}\right) + f\left(\frac{3}{8}\right) + f\left(\frac{5}{8}\right) + f\left(\frac{7}{8}\right)\right]$$

$$= \frac{1}{4}\left[\left(\frac{1}{8}\right)^2 + \left(\frac{3}{8}\right)^2 + \left(\frac{5}{8}\right)^2 + \left(\frac{7}{8}\right)^2\right] \qquad \text{Puisque } f(x) = x^2.$$

$$= \frac{1}{4}\left(\frac{1}{64} + \frac{9}{64} + \frac{25}{64} + \frac{49}{64}\right) = \frac{21}{64}$$

soit environ 0,328125 unité d'aire.

En répétant le procédé utilisé à l'exemple 1, nous pouvons obtenir différentes estimations de l'aire de la région R selon le nombre n de rectangles utilisés ($n = 4$ dans l'exemple 1). Les figures 6.8a et 6.8b illustrent des estimations de l'aire A de R au moyen de 8 rectangles et de 16 rectangles respectivement.

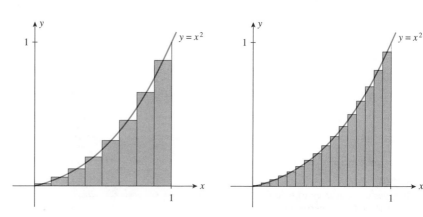

FIGURE 6.8
Lorsque *n* augmente, c'est-à-dire lorsque le nombre de rectangles s'accroît, l'estimation de l'aire recherchée s'améliore.

a) $n = 8$ **b)** $n = 16$

L'examen de la figure 6.8 nous porte à croire que les estimations de l'aire recherchée s'améliorent au fur et à mesure que n augmente. Cette assertion semble d'autant plus vraie lorsque nous observons les résultats inscrits au tableau 6.1 et obtenus par ordinateur.

TABLEAU 6.1

Nombre de rectangles, n	4	8	16	32	64	100	200
Estimation de A	0,328125	0,332031	0,333008	0,333252	0,333313	0,333325	0,333331

Selon nos calculs, il semble que les approximations tendent vers le nombre $\frac{1}{3}$ lorsque n devient de plus en plus grand. Ce résultat nous suggère de *définir* l'aire de la région sous la courbe de $f(x) = x^2$ entre 0 et 1 comme ayant $\frac{1}{3}$ d'unité d'aire.

À l'exemple 1, nous avons choisi d'évaluer $f(x)$ au *point milieu* de chaque intervalle partiel et de faire de cette valeur la hauteur de chaque rectangle construit pour estimer l'aire de la région. Considérons maintenant un autre exemple, dans lequel la hauteur des rectangles correspondra cette fois à la valeur de la fonction en l'*extrémité gauche* de chaque intervalle partiel.

EXEMPLE 2

Soit R la région sous la courbe de $f(x) = 16 - x^2$ entre 1 et 3. Estimez l'aire A de R en subdivisant l'intervalle $[1, 3]$ en quatre intervalles partiels d'égale longueur et en choisissant pour hauteur des rectangles construits la valeur de la fonction en l'*extrémité gauche* de chaque intervalle partiel.

Solution

La courbe de f est représentée à la figure 6.9a. L'intervalle $[1, 3]$ a pour longueur 2, de sorte que chaque intervalle partiel a pour longueur $\frac{2}{4}$, ou $\frac{1}{2}$. Les quatre intervalles partiels sont donc

$$\left[1, \frac{3}{2}\right], \quad \left[\frac{3}{2}, 2\right], \quad \left[2, \frac{5}{2}\right] \quad \text{et} \quad \left[\frac{5}{2}, 3\right]$$

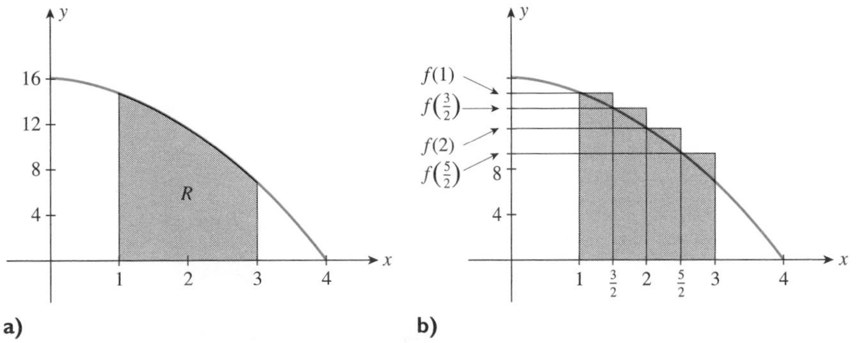

FIGURE 6.9
L'aire de la région R illustrée à la partie a est estimée par la somme des aires des quatre rectangles représentés en b.

a)

b)

Les extrémités gauches des intervalles partiels sont $1, \frac{3}{2}, 2$ et $\frac{5}{2}$, respectivement, et les hauteurs des rectangles sont donc $f(1), f(\frac{3}{2}), f(2)$ et $f(\frac{5}{2})$, respectivement (figure 6.9b).

Ainsi, l'estimation recherchée est

$$A \approx \frac{1}{2}f(1) + \frac{1}{2}f\left(\frac{3}{2}\right) + \frac{1}{2}f(2) + \frac{1}{2}f\left(\frac{5}{2}\right)$$

$$= \frac{1}{2}\left[f(1) + f\left(\frac{3}{2}\right) + f(2) + f\left(\frac{5}{2}\right)\right]$$

$$= \frac{1}{2}\left\{[16 - (1)^2] + \left[16 - \left(\frac{3}{2}\right)^2\right]\right.$$

$$\left. + [16 - (2)^2] + \left[16 - \left(\frac{5}{2}\right)^2\right]\right\} \qquad \text{Puisque } f(x) = 16 - x^2.$$

$$= \frac{1}{2}\left(15 + \frac{55}{4} + 12 + \frac{39}{4}\right) = \frac{101}{4}$$

soit environ 25,25 unités d'aire.

Nous avons inscrit au tableau 6.2 les estimations de l'aire A de la région R de l'exemple 2 pour un nombre n de rectangles et pour des hauteurs calculées à partir des extrémités gauches des intervalles partiels.

TABLEAU 6.2

Nombre de rectangles, n	4	10	100	1000	10 000	50 000	100 000
Estimation de A	25,2500	24,1200	23,4132	23,3413	23,3341	23,3335	23,3334

Cette fois encore, les approximations semblent s'approcher d'un nombre unique lorsque n devient de plus en plus grand—le nombre étant cette fois $23\frac{1}{3}$. Ce résultat nous suggère de *définir* l'aire de la région sous la courbe de la fonction $f(x) = 16 - x^2$ entre 1 et 3 comme ayant $23\frac{1}{3}$ unités d'aire.

◻ Somme de Riemann

Basons-nous sur les exemples 1 et 2 pour définir l'aire A sous la courbe d'une fonction f continue et telle que $f(x) \geq 0$ sur un intervalle $[a, b]$ (figure 6.10a).

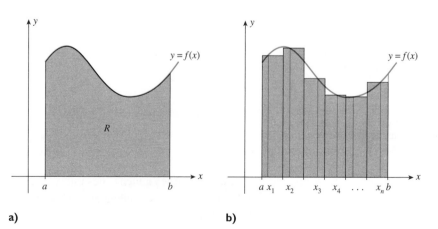

FIGURE 6.10
L'aire de la région sous la courbe de f entre a et b illustrée en 6.10a est estimée par la somme des n rectangles représentés en 6.10b.

a)

b)

On subdivise l'intervalle $[a, b]$ en n intervalles partiels d'égale longueur $\Delta x = (b - a)/n$. On choisit ensuite un point arbitraire x_1 dans le premier intervalle partiel, un point x_2 dans le deuxième et ainsi de suite jusqu'à x_n (figure 6.10b). On estime l'aire A de la région R par la somme des aires des n rectangles de base Δx et de hauteurs respectives $f(x_1), f(x_2), \ldots, f(x_n)$. On obtient ainsi

$$A \approx f(x_1)\Delta x + f(x_2)\Delta x + \cdots + f(x_n)\Delta x$$

La somme présente dans le membre de droite de l'expression porte le nom de **somme de Riemann**, d'après le mathématicien allemand Bernhard Riemann (1826–1866). Comme nous l'avons illustré dans les exemples 1 et 2, la somme de Riemann tend vers un nombre unique, c'est-à-dire une limite, lorsque n devient de plus en plus grand.* C'est cette limite que l'on définit comme l'aire A de la région R.

Aire sous la courbe d'une fonction

Soit f une fonction continue et telle que $f(x) \geq 0$ sur un intervalle $[a, b]$. Alors l'aire de la région sous la courbe de f entre a et b est

$$A = \lim_{n\to\infty} [f(x_1) + f(x_2) + \cdots + f(x_n)]\Delta x \tag{6}$$

où $x_1, x_2, \ldots, x_n$ sont des points arbitraires des n intervalles partiels d'égale longueur $\Delta x = (b - a)/n$ formés à partir de l'intervalle $[a, b]$.

Intégrale définie

Comme nous venons de le voir, l'aire sous la courbe d'une fonction continue f telle que $f(x) \geq 0$ entre a et b est définie par la limite de la somme de Riemann

$$\lim_{n\to\infty} [f(x_1)\Delta x + f(x_2)\Delta x + \cdots + f(x_n)\Delta x]$$

Voyons maintenant ce qui se produit lorsque nous traitons de limites de sommes de Riemann construites à partir de fonctions qui peuvent prendre des valeurs négatives. En fait, cette considération n'est pas que théorique, puisqu'on rencontre fréquemment de telles limites dans des situations réelles.

Par exemple, le calcul de la distance parcourue par un mobile se déplaçant le long d'une droite fait appel à une limite de cette forme. De même, le calcul du revenu total d'une entreprise au cours d'une période, le calcul de la consommation totale d'électricité d'un ménage sur une période de 24 heures, la concentration moyenne de médicament dans le sang entre deux doses et le volume d'un solide sont autant d'exemples faisant intervenir de telles limites.

Commençons par définir la notion d'intégrale définie.

*Même si les hauteurs $f(x_1), f(x_2), \ldots, f(x_n)$ des rectangles ont été obtenues à partir des points milieux des intervalles partiels dans l'exemple 1 et des extrémités gauches dans l'exemple 2, on peut montrer que chaque somme de Riemann tend vers une même limite lorsque n tend vers l'infini, peu importe le choix des $x_1, x_2, \ldots, x_n$.

Intégrale définie

Soit f une fonction continue sur un intervalle $[a, b]$. Si l'expression

$$\lim_{n\to\infty} [f(x_1)\Delta x + f(x_2)\Delta x + \cdots + f(x_n)\Delta x]$$

existe quels que soient les points arbitraires $x_1, x_2, \ldots, x_n$ choisis respectivement dans les n intervalles partiels d'égale longueur $\Delta x = (b - a)/n$ formés à partir de l'intervalle $[a, b]$, alors cette limite porte le nom d'**intégrale définie** de f entre a et b, notée $\int_a^b f(x)\, dx$. Ainsi,

$$\int_a^b f(x)\, dx = \lim_{n\to\infty} [f(x_1)\Delta x + f(x_2)\Delta x + \cdots + f(x_n)\Delta x] \tag{7}$$

Le nombre a s'appelle la **borne inférieure d'intégration** et le nombre b, la **borne supérieure d'intégration**.

REMARQUES

1. Si f ne prend que des valeurs positives ou nulles, alors les expressions (6) et (7) sont identiques, de sorte que l'intégrale définie représente alors l'aire sous la courbe de la fonction f sur l'intervalle $[a, b]$.
2. Pour décrire la limite (7), on utilise le même symbole $\int$ que pour les primitives puisque, comme nous le verrons à la section 6.4, les notions d'intégrale définie d'une fonction et de primitive sont étroitement liées.
3. Par ailleurs, l'intégrale définie $\int_a^b f(x)\, dx$ est un nombre, alors que l'intégrale indéfinie $\int f(x)\, dx$ représente une famille de fonctions (les primitives de f).
4. Si la limite (7) existe, alors la fonction f est dite **intégrable** sur l'intervalle $[a, b]$.

Existence de l'intégrale d'une fonction

Le théorème suivant, dont la preuve dépasse le cadre de cet ouvrage, nous assure que toute fonction continue est intégrable.

Existence de l'intégrale d'une fonction

Soit f une fonction continue sur l'intervalle $[a, b]$. Alors f est intégrable sur $[a, b]$, c'est-à-dire que $\int_a^b f(x)\, dx$ existe.

Interprétation géométrique de l'intégrale définie

Comme nous l'avons remarqué plus haut, si f est continue sur un intervalle $[a, b]$ et que $f(x) \geq 0$ pour tout x dans l'intervalle, alors nous avons le résultat suivant :

Interprétation géométrique de $\int_a^b f(x)\, dx$ pour $f(x) \geq 0$ sur $[a, b]$

Si f est continue sur un intervalle $[a, b]$ et si $f(x) \geq 0$ pour tout x dans l'intervalle, alors

$$\int_a^b f(x)\, dx \tag{8}$$

est égale à l'aire de la région sous la courbe de f sur l'intervalle $[a, b]$ (figure 6.11).

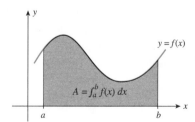

FIGURE 6.11
Si $f(x) \geq 0$ sur $[a, b]$ et si f est continue sur l'intervalle, alors $\int_a^b f(x)\, dx =$ aire sous la courbe de f sur $[a, b]$.

Poursuivons notre interprétation géométrique de l'intégrale définie, pour inclure les cas où f prend des valeurs aussi bien positives que négatives sur l'intervalle $[a, b]$. Soit une somme de Riemann de la fonction f,

$$f(x_1)\Delta x + f(x_2)\Delta x + \cdots + f(x_n)\Delta x$$

associée à la subdivision de l'intervalle $[a, b]$ en n intervalles partiels d'égale longueur $(b - a)/n$, où $x_1, x_2, \ldots, x_n$ sont des points arbitraires choisis respectivement dans les n intervalles partiels. Alors pour chacune des n valeurs $f(x_k)$ (où $1 \leq k \leq n$), la valeur $f(x_k)$ est tantôt positive, et correspond alors à la hauteur du rectangle construit sur le k^e intervalle partiel et situé au-dessus de l'axe des x, tantôt négative, correspondant alors au signe opposé de la hauteur du rectangle construit sur le k^e intervalle et situé sous l'axe des x. (Voir la figure 6.12, où $n = 6$.)

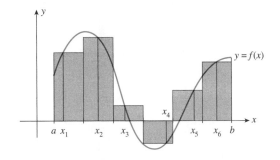

FIGURE 6.12
Les termes positifs de la somme de Riemann sont associés aux aires des rectangles situés au-dessus de l'axe des x, alors que les termes négatifs sont associés aux aires des rectangles situés sous l'axe des x.

Lorsque n devient de plus en plus grand, la somme des aires des rectangles situés au-dessus de l'axe des x semble donner une estimation de plus en plus près de l'aire de la région située au-dessus de l'axe des x (figure 6.13). De même, la somme des aires des rectangles situés sous l'axe des x semble donner une estimation de plus en plus près de l'aire de la région située sous l'axe des x.

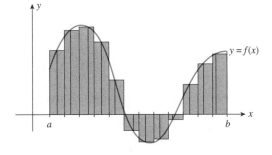

FIGURE 6.13
Lorsque n devient de plus en plus grand, les estimations se rapprochent de l'aire réelle. Ici, nous avons pris $n = 12$, de sorte qu'il y a deux fois plus de rectangles que dans la figure 6.12.

Ces observations fournissent une justification intuitive à l'interprétation géométrique suivante de l'intégrale définie d'une fonction continue sur un intervalle $[a, b]$.

Interprétation géométrique de $\int_a^b f(x)\,dx$ sur un intervalle $[a, b]$

Si f est continue sur un intervalle $[a, b]$, alors

$$\int_a^b f(x)\,dx$$

est égale à l'aire des portions de la région situées au-dessus de l'axe des x moins l'aire des portions situées sous l'axe des x (figure 6.14).

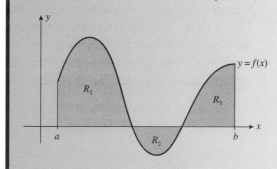

FIGURE 6.14
$\int_a^b f(x)\,dx$ = Aire de R_1
   $-$ Aire de R_2 + Aire de R_3

■ EXERCICE D'AUTOÉVALUATION **6.3**

La solution de l'exercice d'autoévaluation 6.3 se trouve à la page 386.

1. Estimez l'aire de la région R sous la courbe de $f(x) = 2x^2 + 1$ entre 0 et 3, en subdivisant l'intervalle [0, 3] en quatre intervalles partiels d'égale longueur et en choisissant les points milieux des intervalles partiels comme valeurs respectives x_1, x_2, x_3, x_4.

■ **6.3** EXERCICES

1–2 Estimez l'aire de la région R sous la courbe de f en calculant la somme de Riemann de f correspondant à la subdivision de l'intervalle selon les intervalles partiels représentés sur les figures. Les $f(x_1)$, $f(x_2)$, ..., $f(x_n)$ indiqués correspondent aux points milieux des intervalles partiels.

1.

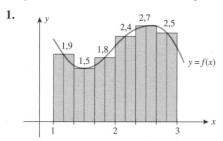

2.

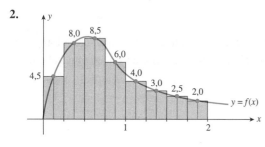

3. Soit $f(x) = 3x$.

a. Dessinez la région R sous la courbe de f sur l'intervalle [0, 2] et calculez-en l'aire exacte à l'aide d'une formule géométrique élémentaire.

b. Estimez l'aire de la région R à l'aide d'une somme de Riemann construite à partir de 4 intervalles partiels d'égale longueur. Choisissez les extrémités gauches des intervalles partiels comme valeurs $x_1, x_2, ..., x_n$.

c. Refaites la partie **b** avec 8 intervalles partiels d'égale longueur.

d. Comparez les estimations calculées en **b** et **c** avec la valeur exacte obtenue en **a**. L'approximation est-elle meilleure avec une plus grande valeur de n?

4. Refaites les parties **b**, **c** et **d** de l'exercice 3, en choisissant cette fois les extrémités droites des intervalles partiels comme valeurs $x_1, x_2, ..., x_n$.

5. Soit $f(x) = 4 - 2x$.

a. Dessinez la région R sous la courbe de f sur l'intervalle [0, 2] et calculez-en l'aire exacte à l'aide d'une formule géométrique élémentaire.

b. Estimez l'aire de la région R à l'aide d'une somme de Riemann construite à partir de 5 intervalles partiels d'égale longueur. Choisissez les extrémités gauches des intervalles partiels comme valeurs $x_1, x_2, ..., x_n$.

c. Refaites la partie **b** avec 10 intervalles partiels d'égale longueur.

d. Comparez les estimations calculées en **b** et **c** avec la valeur exacte obtenue en **a**. L'approximation est-elle meilleure avec une plus grande valeur de n?

6. Refaites les parties **b**, **c** et **d** de l'exercice 5, en choisissant cette fois les extrémités droites des intervalles partiels comme valeurs $x_1, x_2, ..., x_n$.

7. Soit $f(x) = x^2$.

a. Calculez une somme de Riemann de f sur l'intervalle $[2, 4]$, en subdivisant l'intervalle selon le nombre indiqué n d'intervalles partiels d'égale longueur et en choisissant les points milieux des intervalles partiels comme valeurs $x_1, x_2, ..., x_n$.

i. $n = 2$
ii. $n = 5$
iii. $n = 10$

b. Selon vous, quelle est la valeur de l'aire sous la courbe de f entre 2 et 4?

8. Refaites l'exercice 7, en choisissant cette fois les extrémités gauches des intervalles partiels comme valeurs $x_1, x_2, ..., x_n$.

9. Refaites l'exercice 7, en choisissant cette fois les extrémités droites des intervalles partiels comme valeurs $x_1, x_2, ..., x_n$.

10. Soit $f(x) = x^3$.

a. Calculez une somme de Riemann de f sur l'intervalle $[0, 1]$, en subdivisant l'intervalle selon le nombre indiqué n d'intervalles partiels d'égale longueur et en choisissant les points milieux des intervalles partiels comme valeurs $x_1, x_2, ..., x_n$.

i. $n = 2$
ii. $n = 5$
iii. $n = 10$

b. Selon vous, quelle est la valeur de l'aire sous la courbe de f entre 0 et 1?

11. Refaites l'exercice 10, en choisissant cette fois les extrémités gauches des intervalles partiels comme valeurs $x_1, x_2, ..., x_n$.

12. Refaites l'exercice 10, en choisissant cette fois les extrémités droites des intervalles partiels comme valeurs $x_1, x_2, ..., x_n$.

13–15 Estimez l'aire de la région R sous la courbe de f sur l'intervalle $[a, b]$. Utilisez le nombre n indiqué d'intervalles partiels et choisissez les valeurs $x_1, x_2, ..., x_n$ indiquées.

13. $f(x) = x^2 + 1$; $[0, 2]$; $n = 5$; points milieux

14. $f(x) = \dfrac{1}{x}$; $[1, 3]$; $n = 4$; extrémités droites

15. $f(x) = e^x$; $[0, 3]$; $n = 5$; points milieux

16. IMMOBILIER La figure a) représente un terrain vague de 100 m de façade sur lequel sera construit un édifice à bureaux. Pour estimer l'aire du terrain, on place un système de coordonnées cartésiennes dont l'axe des x coïncide avec le bord de la route rectiligne qui limite inférieurement le terrain (figure b). On considère ensuite la limite supérieure du terrain comme une fonction continue f définie sur l'intervalle $[0, 100]$, de sorte que calculer l'aire du terrain revient à calculer l'aire sous la courbe de f sur l'intervalle $[0, 100]$. Pour estimer l'aire du terrain à l'aide d'une somme de Riemann, on subdivise l'intervalle $[0, 100]$ en 5 intervalles partiels de 20 m de longueur chacun. Puis, au moyen d'instruments d'arpentage, on mesure la distance séparant le point milieu de ces intervalles partiels de la limite supérieure du terrain. Ces mesures indiquent les valeurs de $f(x)$ en $x = 10, 30, 50, 70$ et 90. Estimez l'aire du terrain.

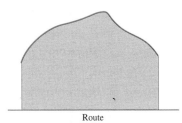

Route

a)

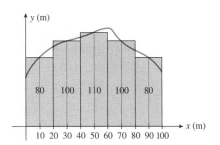

b)

◼ SOLUTION DE L'EXERCICE D'AUTOÉVALUATION **6.3**

1. La longueur de chaque intervalle partiel est $\frac{3}{4}$. Ainsi, les quatre intervalles partiels sont

$$\left[0, \frac{3}{4}\right], \quad \left[\frac{3}{4}, \frac{3}{2}\right], \quad \left[\frac{3}{2}, \frac{9}{4}\right] \quad \text{et} \quad \left[\frac{9}{4}, 3\right]$$

Les points milieux des intervalles partiels sont respectivement $\frac{3}{8}$, $\frac{9}{8}$, $\frac{15}{8}$ et $\frac{21}{8}$ et l'estimation recherchée est

$$A = \frac{3}{4} f\left(\frac{3}{8}\right) + \frac{3}{4} f\left(\frac{9}{8}\right) + \frac{3}{4} f\left(\frac{15}{8}\right) + \frac{3}{4} f\left(\frac{21}{8}\right)$$

$$= \frac{3}{4}\left[f\left(\frac{3}{8}\right) + f\left(\frac{9}{8}\right) + f\left(\frac{15}{8}\right) + f\left(\frac{21}{8}\right)\right]$$

$$= \frac{3}{4}\left\{\left[2\left(\frac{3}{8}\right)^2 + 1\right] + \left[2\left(\frac{9}{8}\right)^2 + 1\right] + \left[2\left(\frac{15}{8}\right)^2 + 1\right] + \left[2\left(\frac{21}{8}\right)^2 + 1\right]\right\}$$

$$= \frac{3}{4}\left(\frac{41}{32} + \frac{113}{32} + \frac{257}{32} + \frac{473}{32}\right) = \frac{663}{32}$$

soit environ 20,72 unités d'aire.

6.4 Théorème fondamental du calcul différentiel et intégral

◻ Théorème fondamental du calcul différentiel et intégral

À la section 6.3, nous avons présenté la définition de l'intégrale définie d'une fonction continue sur un intervalle [a, b] comme la limite à l'infini d'une somme de Riemann. Cependant, calculer une intégrale définie de cette façon est une opération fastidieuse et, la plupart du temps, impossible à réaliser. Il ne faut pas oublier que les résultats numériques auxquels nous sommes parvenus aux exemples 1 et 2 de la section 6.3 n'étaient que des estimations des aires recherchées, même si ces résultats nous ont permis d'émettre des hypothèses tout à fait plausibles sur les valeurs réelles de ces aires. Heureusement, il existe un mode de calcul beaucoup plus simple de la valeur exacte d'une intégrale définie.

Selon le théorème suivant, il suffit, pour calculer l'intégrale définie d'une fonction continue, de pouvoir trouver une primitive de cette fonction. Parce qu'il établit un lien entre le calcul différentiel et le calcul intégral, ce théorème — dont la découverte est attribuée indépendamment à Sir Isaac Newton (1642–1727) en Angleterre et à Gottfied Wilhelm Leibniz (1646–1716) en Allemagne, mais dont Issac Barrow (1630-1677), professeur de Newton, semble avoir eu l'idée première — porte à juste titre le nom de **théorème fondamental du calcul différentiel et intégral**.

THÉORÈME 2

Théorème fondamental du calcul différentiel et intégral

Soit f une fonction continue sur l'intervalle [a, b]. Alors

$$\int_a^b f(x)\,dx = F(b) - F(a) \tag{9}$$

où F est une primitive quelconque de f, c'est-à-dire une fonction telle que $F'(x) = f(x)$.

Nous démontrerons ce théorème à la fin de la section, mais voici d'abord une notation très utile lorsque nous appliquons le théorème fondamental du calcul différentiel et intégral:

$$F(x)\Big|_a^b = F(b) - F(a)$$

Par exemple, lorsqu'on utilise cette notation, l'équation (9) devient

$$\int_a^b f(x)\, dx = F(x)\Big|_a^b = F(b) - F(a)$$

EXEMPLE 1   Soit R la région sous la courbe de la fonction $f(x) = x$ entre 1 et 3. Utilisez le théorème fondamental du calcul différentiel et intégral pour calculer l'aire A de la région R. Vérifiez votre résultat au moyen d'arguments géométriques élémentaires.

Solution

La région R est représentée à la figure 6.15a. Puisque $f(x) \geq 0$ partout sur l'intervalle $[1, 3]$, l'aire de la région R correspond à l'intégrale définie de f entre 1 et 3, soit

$$A = \int_1^3 x\, dx$$

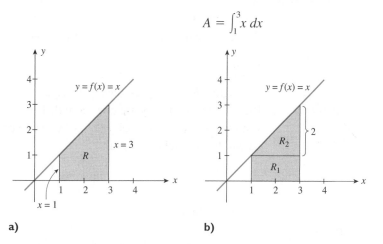

FIGURE 6.15
Calcul de l'aire de la région R de deux façons différentes.

a)   b)

Pour calculer l'intégrale définie, on trouve d'abord une primitive de $f(x) = x$, soit $F(x) = \frac{1}{2}x^2 + C$, où C est une constante arbitraire. Ainsi, en vertu du théorème fondamental du calcul différentiel et intégral, on obtient

$$A = \int_1^3 x\, dx = \frac{1}{2}x^2 + C\Big|_1^3$$

$$= \left(\frac{9}{2} + C\right) - \left(\frac{1}{2} + C\right) = 4 \text{ unités d'aire}$$

La géométrie élémentaire nous fournit un moyen simple de vérifier ce résultat, puisque l'aire A recherchée est la somme des aires du rectangle R_1 (base $\times$ hauteur) et du triangle R_2 ($\frac{1}{2}$ base $\times$ hauteur) (voir la figure 6.15b). Ainsi,

$$2(1) + \frac{1}{2}(2)(2) = 2 + 2 = 4$$

ce qui est conforme au résultat précédent.

Remarquez que lors du calcul de l'intégrale définie de l'exemple 1, la constante d'intégration est tout simplement disparue. Il en est toujours ainsi, puisque si $F(x) + C$ désigne une primitive d'une fonction f, alors

$$[F(x) + C]\Big|_a^b = [F(b) + C] - [F(a) + C]$$
$$= F(b) + C - F(a) - C$$
$$= F(b) - F(a)$$

C'est pourquoi nous omettrons dorénavant la constante d'intégration lors des calculs d'intégrales définies.

Calcul de l'aire sous une courbe

Si le théorème fondamental du calcul différentiel et intégral se révèle un outil efficace pour calculer l'aire de régions d'une grande simplicité géométrique, comme à l'exemple 1, il l'est tout autant lorsque les régions sont plus complexes.

EXEMPLE 2

À la section 6.3, nous avons émis l'hypothèse que l'aire de la région R sous la courbe de la fonction $f(x) = x^2$ entre 0 et 1 était de $\frac{1}{3}$ d'unité d'aire. Utilisez le théorème fondamental du calcul différentiel et intégral pour vérifier cette conjecture.

Solution

La région R est représentée à la figure 6.16. On remarque que $f(x) \geq 0$ sur l'intervalle [0, 1], de sorte que l'aire de la région R est $A = \int_0^1 x^2 \, dx$. On trouve une primitive de $f(x) = x^2$, soit $F(x) = \frac{1}{3}x^3$, et on applique le théorème fondamental du calcul différentiel et intégral:

$$A = \int_0^1 x^2 \, dx = \frac{1}{3} x^3 \Big|_0^1 = \frac{1}{3}(1) - \frac{1}{3}(0) = \frac{1}{3} \text{ d'unité d'aire}$$

ce qui vérifie notre hypothèse.

FIGURE 6.16

L'aire de la région R est $\int_0^1 x^2 \, dx = \frac{1}{3}$.

REMARQUE Il importe de remarquer que la valeur $\frac{1}{3}$ est, par définition, la *valeur exacte* de l'aire de la région R.

EXEMPLE 3 Calculez l'aire de la région R sous la courbe de $y = x^2 + 1$ entre $x = -1$ et $x = 2$.

Solution

La région R est représentée à la figure 6.17. Selon le théorème fondamental du calcul différentiel et intégral, l'aire recherchée est

$$\int_{-1}^2 (x^2 + 1) \, dx = \left(\frac{1}{3} x^3 + x \right)\Big|_{-1}^2$$
$$= \left[\frac{1}{3}(8) + 2 \right] - \left[\frac{1}{3}(-1)^3 + (-1) \right] = 6$$

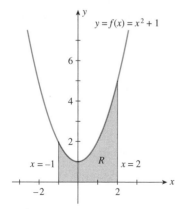

FIGURE 6.17

L'aire de la région R est $\int_{-1}^2 (x^2 + 1) \, dx$.

soit 6 unités d'aire.

Aire entre deux courbes

Les instruments que nous avons mis au point dans les dernières sections peuvent se généraliser au calcul de l'aire d'une région plane bornée supérieurement et inférieurement par des courbes de fonctions. Considérons d'abord la situation où la courbe de l'une des fonctions est entièrement située au-dessus de la courbe de l'autre fonction. Plus précisément, soit R la région du plan cartésien (figure 6.18) bornée supérieurement par la courbe d'une fonction continue f, inférieurement par la courbe d'une fonction continue g, où $f(x) \geq g(x)$ partout sur l'intervalle $[a, b]$, et à gauche et à droite par les droites verticales d'équations $x = a$ et $x = b$, respectivement. On voit sur la figure que

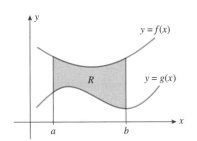

FIGURE 6.18
Aire de la région $R = \int_a^b [f(x) - g(x)]\, dx$

$$\text{Aire de la région } R = \text{Aire sous } f(x) - \text{Aire sous } g(x)$$

$$= \int_a^b f(x)\, dx - \int_a^b g(x)\, dx$$

$$= \int_a^b [f(x) - g(x)]\, dx$$

selon la propriété 3 de l'intégrale indéfinie.

Aire entre deux courbes

Soit f et g deux fonctions continues telles que $f(x) \geq g(x)$ partout sur l'intervalle $[a, b]$. Alors, l'aire de la région bornée supérieurement par $y = f(x)$ et inférieurement par $y = g(x)$ entre a et b est

$$\int_a^b [f(x) - g(x)]\, dx \tag{12}$$

Même si nous avons supposé que $f(x) \geq 0$ et $g(x) \geq 0$ dans le raisonnement qui nous a permis de justifier l'expression (12), l'expression demeure valable si f et g prennent des valeurs négatives (voir l'exercice 49, p. 395). De plus, on remarque que si $g(x) = 0$ pour tout x, c'est-à-dire lorsque la région R est bornée inférieurement par l'axe des x, on retrouve en (12) l'expression de l'aire de la région sous la courbe de $y = f(x)$ entre $x = a$ et $x = b$.

EXEMPLE 4   Calculez l'aire de la région bornée par l'axe des x, la courbe de la fonction $y = -x^2 + 4x - 8$ et les droites verticales $x = -1$ et $x = 4$.

Solution

La région R est illustrée à la figure 6.19. Nous pouvons nous représenter R comme la région bornée supérieurement par $f(x) = 0$ (c'est-à-dire l'axe des x) et inférieurement par $g(x) = -x^2 + 4x - 8$ sur l'intervalle $[-1, 4]$, de sorte que l'aire de la région est donnée par

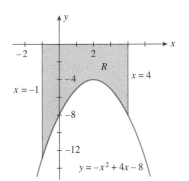

FIGURE 6.19
Aire de $R = -\int_{-1}^{4} g(x)\, dx$

$$\int_a^b [f(x) - g(x)]\, dx = \int_{-1}^4 [0 - (-x^2 + 4x - 8)]\, dx$$

$$= \int_{-1}^4 (x^2 - 4x + 8)\, dx$$

$$= \frac{1}{3} x^3 - 2x^2 + 8x \Big|_{-1}^4$$

$$= \left[\frac{1}{3}(64) - 2(16) + 8(4)\right] - \left[\frac{1}{3}(-1) - 2(1) + 8(-1)\right]$$

$$= 31\frac{2}{3}$$

soit $31\frac{2}{3}$ unités d'aire.

EXEMPLE 5

Calculez l'aire de la région R délimitée par les courbes des fonctions

$$f(x) = 2x - 1 \qquad \text{et} \qquad g(x) = x^2 - 4$$

Solution

La région R est représentée à la figure 6.20. On détermine d'abord les points d'intersection des deux courbes, en résolvant le système constitué des équations $y = 2x - 1$ et $y = x^2 - 4$. En comparant les valeurs de y, on obtient

$$x^2 - 4 = 2x - 1$$

$$x^2 - 2x - 3 = 0$$

$$(x + 1)(x - 3) = 0$$

de sorte que $x = -1$ et $x = 3$ sont les deux solutions recherchées, c'est-à-dire que les courbes se coupent aux points d'abscisses $x = -1$ et $x = 3$.

Comme $f(x) \geq g(x)$ partout sur l'intervalle $[-1, 3]$, nous pouvons calculer l'aire au moyen de l'intégrale (12) :

$$\int_a^b [f(x) - g(x)]\, dx = \int_{-1}^3 [(2x - 1) - (x^2 - 4)]\, dx$$

$$= \int_{-1}^3 (-x^2 + 2x + 3)\, dx$$

$$= -\frac{1}{3} x^3 + x^2 + 3x \Big|_{-1}^3$$

$$= (-9 + 9 + 9) - \left(\frac{1}{3} + 1 - 3\right) = \frac{32}{3}$$

$$= 10\frac{2}{3}$$

soit $10\frac{2}{3}$ unités d'aire.

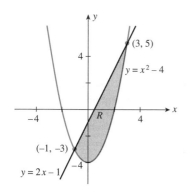

FIGURE 6.20

Aire de la région $R = \int_1^3 [f(x) - g(x)]\,dx$

Calcul d'intégrales définies

Voici deux exemples où nous utilisons les propriétés de l'intégrale indéfinie vues à la section 6.1 pour calculer des intégrales définies.

EXEMPLE 6   Calculez $\int_1^3 (3x^2 + e^x)\, dx$.

Solution

$$\int_1^3 (3x^2 + e^x)\, dx = x^3 + e^x \Big|_1^3$$

$$= (27 + e^3) - (1 + e) = 26 + e^3 - e$$

EXEMPLE 7   Calculez $\int_1^2 \left(\dfrac{1}{x} - \dfrac{1}{x^2}\right) dx$.

Solution

$$\int_1^2 \left(\frac{1}{x} - \frac{1}{x^2}\right) dx = \int_1^2 \left(\frac{1}{x} - x^{-2}\right) dx$$

$$= \ln|x| + \frac{1}{x} \Big|_1^2$$

$$= \left(\ln 2 + \frac{1}{2}\right) - (\ln 1 + 1)$$

$$= \ln 2 - \frac{1}{2} \qquad \ln 1 = 0$$

APPLICATIONS

EXEMPLE 8   **Besoins énergétiques projetés**   Les résultats d'une étude donnent à penser que la consommation en électricité d'une municipalité connaîtra un taux de croissance exponentiel au cours des prochaines années, avec une constante de croissance de $k = 0,04$. Si le taux de consommation se chiffre actuellement à 40 millions de kilowattheures (kWh) par an, quelle devra être la production totale d'électricité au cours des 3 prochaines années pour répondre à la demande ?

Solution

Si $R(t)$ désigne le taux de croissance de la consommation d'électricité prévu dans t années, alors

$$R(t) = 40e^{0,04t}$$

millions de kWh par an. Il s'ensuit que si on désigne par $C(t)$ la consommation totale prévue sur une période de t années, alors

$$C'(t) = R(t)$$

Par conséquent, il faut prévoir, au cours des 3 prochaines années, une consommation totale d'électricité de

$$\int_0^3 C'(t)\, dt = \int_0^3 40e^{0,04t}\, dt$$

$$= \frac{40}{0,04}\, e^{0,04t} \Big|_0^3$$

$$= 1000(e^{0,12} - 1)$$

$$= 127,5$$

soit 127,5 millions de kWh sur 3 ans pour répondre à la demande.

Nous ne pouvons calculer l'intégrale définie $\int_{-3}^{3} \sqrt{9 - x^2}\,dx$ au moyen du théorème fondamental du calcul différentiel et intégral, puisque les moyens dont nous disposons actuellement ne nous permettent pas de trouver une primitive de l'intégrande. Il est pourtant possible de calculer l'intégrale en l'interprétant comme l'aire d'une région plane facile à évaluer par des moyens géométriques élémentaires. Trouvez de quelle région il s'agit. Calculez la valeur de l'intégrale.

Démonstration du théorème fondamental

Pour démontrer la validité du théorème fondamental du calcul différentiel et intégral dans le cas où $f(x) \geq 0$ sur un intervalle $[a, b]$, commençons par définir une «fonction d'aire» A, comme suit : soit $A(t)$ l'aire de la région R sous la courbe de $y = f(x)$ entre $x = a$ et $x = t$, où $a \leq t \leq b$ (figure 6.21).

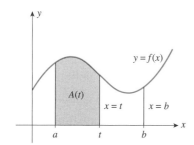

FIGURE 6.21
$A(t)$ = aire sous la courbe de f entre $x = a$ et $x = t$

Si h est un nombre positif voisin de 0, alors $A(t + h)$ est l'aire de la région sous la courbe de $y = f(x)$ entre $x = a$ et $x = t + h$. Par conséquent, la différence

$$A(t + h) - A(t)$$

désigne l'aire sous la courbe de $y = f(x)$ entre $x = t$ et $x = t + h$ (figure 6.22).

Or, l'aire de cette région peut être estimée au moyen de l'aire du rectangle de base h et de hauteur $f(t)$, c'est-à-dire par l'expression $h \cdot f(t)$ (figure 6.23). Ainsi

$$A(t + h) - A(t) \approx h \cdot f(t)$$

où les approximations sont d'autant meilleures que h est près de 0.

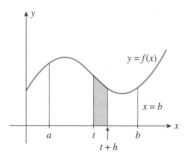

FIGURE 6.22
$A(t + h) - A(t)$ = aire sous la courbe de f entre $x = t$ et $x = t + h$

En divisant les deux membres de l'expression par h, on obtient

$$\frac{A(t + h) - A(t)}{h} \approx f(t)$$

En prenant la limite des deux membres de l'expression lorsque h tend vers 0, on retrouve à gauche la définition de la dérivée, soit

$$\lim_{h \to 0} \frac{A(t + h) - A(t)}{h} = A'(t)$$

Pour sa part, $f(t)$ ne dépend pas de h, de sorte qu'il demeure constant lorsque h tend vers 0. Comme l'approximation devient exacte lorsque h tend vers 0, on obtient

$$A'(t) = f(t)$$

Finalement, comme l'équation précédente est valable pour toute valeur de t dans l'intervalle $[a, b]$, nous avons montré que la *fonction aire A* est une primitive de la fonction $f(x)$. Selon le théorème 1 de la section 6.1, il s'ensuit que $A(x)$ doit prendre la forme

$$A(x) = F(x) + C$$

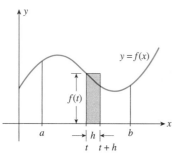

FIGURE 6.23
L'aire du rectangle est $h \cdot f(t)$.

où F est une primitive quelconque de f et C est une constante arbitraire.

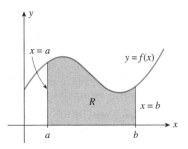

FIGURE 6.24
L'aire de la région R est $A(b)$.

Pour trouver C, il suffit d'observer que $A(a) = 0$. Il en découle que

$$A(a) = F(a) + C = 0$$

c'est-à-dire que $C = -F(a)$. De plus, puisque l'aire de la région R est $A(b)$ (figure 6.24), l'aire recherchée est

$$A(b) = F(b) + C$$
$$= F(b) - F(a)$$

Mais l'aire de la région R est également

$$\int_a^b f(x)\, dx$$

de sorte que

$$\int_a^b f(x)\, dx = F(b) - F(a)$$

ce qui démontre la validité du théorème.

■ EXERCICES D'AUTOÉVALUATION 6.4

Les solutions des exercices d'autoévaluation 6.4 se trouvent à la page 395.

1. Calculez $\int_0^2 (x + e^x)\, dx$.

2. Calculez l'aire de la région comprise entre les courbes des fonctions $f(x) = x^2 + 2$ et $g(x) = 1 - x$, et les droites verticales $x = 0$ et $x = 1$.

3. Calculez l'aire de la région délimitée par les courbes des fonctions $f(x) = -x^2 + 6x + 5$ et $g(x) = x^2 + 5$.

■ 6.4 EXERCICES

1–4 Calculez l'aire de la région sous la courbe de la fonction f sur l'intervalle $[a, b]$ à l'aide du théorème fondamental du calcul différentiel et intégral. Vérifiez votre résultat au moyen d'arguments géométriques élémentaires.

1. $f(x) = 2$; $[1, 4]$ **2.** $f(x) = 4$; $[-1, 2]$

3. $f(x) = 2x$; $[1, 3]$ **4.** $f(x) = -\dfrac{1}{4}x + 1$; $[1, 4]$

5–16 Calculez l'aire de la région sous la courbe de la fonction f sur l'intervalle $[a, b]$.

5. $f(x) = 2x + 3$; $[-1, 2]$ **6.** $f(x) = 4x - 1$; $[2, 4]$

7. $f(x) = -x^2 + 4$; $[-1, 2]$ **8.** $f(x) = 4x - x^2$; $[0, 4]$

9. $f(x) = \dfrac{1}{x}$; $[1, 2]$ **10.** $f(x) = \dfrac{1}{x^2}$; $[2, 4]$

11. $f(x) = \sqrt{x}$; $[1, 9]$ **12.** $f(x) = x^3$; $[1, 3]$

13. $f(x) = 1 - \sqrt[3]{x}$; $[-8, -1]$ **14.** $f(x) = \dfrac{1}{\sqrt{x}}$; $[1, 9]$

15. $f(x) = e^x$; $[0, 2]$ **16.** $f(x) = e^x - x$; $[1, 2]$

17–24 Calculez l'aire de la région tramée.

17.

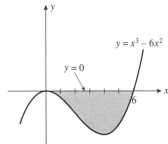

$y = x^3 - 6x^2$

$y = 0$

18.

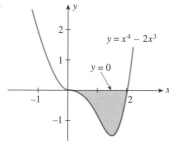

$y = x^4 - 2x^3$

$y = 0$

19.

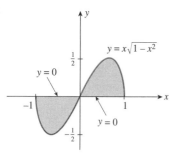

$y = x\sqrt{1 - x^2}$

$y = 0$

$y = 0$

20.

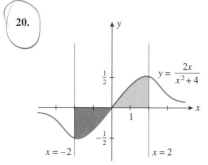

$y = \dfrac{2x}{x^2 + 4}$

$x = -2$

$x = 2$

21.

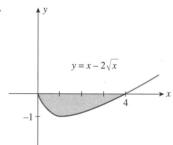

$y = x - 2\sqrt{x}$

22.

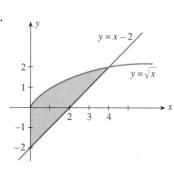

$y = x - 2$

$y = \sqrt{x}$

23.

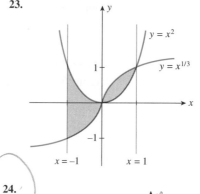

$y = x^2$

$y = x^{1/3}$

$x = -1$

$x = 1$

24.

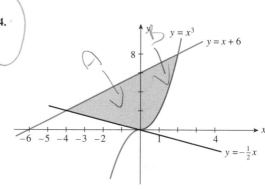

$y = x^3$

$y = x + 6$

$y = -\frac{1}{2}x$

25–48 Calculez l'intégrale définie.

25. $\displaystyle\int_2^4 3\,dx$

26. $\displaystyle\int_{-1}^2 -2\,dx$

27. $\displaystyle\int_1^3 (2x + 3)\,dx$

28. $\displaystyle\int_{-1}^0 (4 - x)\,dx$

29. $\displaystyle\int_{-1}^3 2x^2\,dx$

30. $\displaystyle\int_0^2 8x^3\,dx$

31. $\displaystyle\int_{-2}^2 (x^2 - 1)\,dx$

32. $\displaystyle\int_1^4 \sqrt{u}\,du$

33. $\displaystyle\int_1^8 4x^{1/3}\,dx$

34. $\displaystyle\int_1^4 2x^{-3/2}\,dx$

35. $\displaystyle\int_0^1 (x^3 - 2x^2 + 1)\,dx$

36. $\displaystyle\int_1^2 (t^5 - t^3 + 1)\,dt$

37. $\displaystyle\int_2^4 \frac{1}{x}\,dx$

38. $\displaystyle\int_1^3 \frac{2}{x}\,dx$

39. $\displaystyle\int_0^4 x(x^2 - 1)\,dx$

40. $\displaystyle\int_0^2 (x - 4)(x - 1)\,dx$

41. $\displaystyle\int_1^3 (t^2 - t)^2\,dt$

42. $\displaystyle\int_{-1}^1 (x^2 - 1)^2\,dx$

43. $\displaystyle\int_{-3}^{-1} \frac{1}{x^2}\,dx$

44. $\displaystyle\int_1^2 \frac{2}{x^3}\,dx$

45. $\displaystyle\int_1^4 \left(\sqrt{x} - \frac{1}{\sqrt{x}}\right)dx$

46. $\displaystyle\int_0^1 \sqrt{2x}\,(\sqrt{x} + \sqrt{2})\,dx$

47. $\displaystyle\int_1^4 \frac{3x^3 - 2x^2 + 4}{x^2}\,dx$

48. $\displaystyle\int_1^2 \left(1 + \frac{1}{u} + \frac{1}{u^2}\right)du$

49. Démontrez que l'aire d'une région R bornée supérieurement par la courbe d'une fonction f et inférieurement par la courbe d'une fonction g entre $x = a$ et $x = b$ est

$$\int_a^b [f(x) - g(x)]\, dx$$

Suggestion: Cette formule a déjà été démontrée dans le cas où $f(x) \geq 0$ et $g(x) \geq 0$. Si f et g sont deux fonctions telles que $f(x) \geq g(x)$ pour $a \leq x \leq b$, alors il existe une constante positive c telle que les courbes d'équations $y = f(x) + c$ et $y = g(x) + c$ subissent une translation verticale de manière que

les régions R' et R ont la même aire (figures ci-dessous). Il ne reste plus qu'à montrer que l'aire de la région R' est

$$\int_a^b \{[f(x) + c] - [g(x) + c]\}\, dx = \int_a^b [f(x) - g(x)]\, dx$$

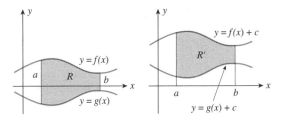

SOLUTIONS DES EXERCICES D'AUTOÉVALUATION **6.4**

1. $\int_0^2 (x + e^x)\, dx = \dfrac{1}{2}x^2 + e^x \Big|_0^2$

$$= \left[\dfrac{1}{2}(2)^2 + e^2\right] - \left[\dfrac{1}{2}(0) + e^0\right]$$

$$= 2 + e^2 - 1$$

$$= e^2 + 1$$

2. La région est représentée dans la figure ci-dessous.

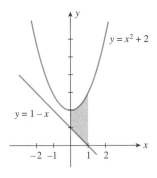

Comme $f(x) \geq g(x)$ pour $0 \leq x \leq 1$, l'aire recherchée est

$$\int_0^1 [(x^2 + 2) - (1 - x)]\, dx = \int_0^1 (x^2 + x + 1)\, dx$$

$$= \dfrac{1}{3}x^3 + \dfrac{1}{2}x^2 + x \Big|_0^1$$

$$= \dfrac{1}{3} + \dfrac{1}{2} + 1$$

$$= \dfrac{11}{6}$$

c'est-à-dire $\dfrac{11}{6}$ unités d'aire.

3. La région est représentée dans la figure ci-dessous. On détermine d'abord les points d'intersection des deux courbes, en résolvant le système d'équations

$$-x^2 + 6x + 5 = x^2 + 5$$

$$2x^2 - 6x = 0$$

$$2x(x - 3) = 0$$

d'où l'on tire $x = 0$ et $x = 3$. Ainsi, les points d'intersection sont $(0, 5)$ et $(3, 14)$.

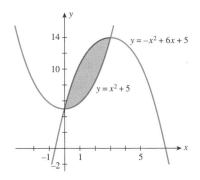

Comme $f(x) \geq g(x)$ pour $0 \leq x \leq 3$, l'aire recherchée est

$$\int_0^3 [(-x^2 + 6x + 5) - (x^2 + 5)]\, dx = \int_0^3 (-2x^2 + 6x)\, dx$$

$$= -\dfrac{2}{3}x^3 + 3x^2 \Big|_0^3$$

$$= -18 + 27$$

$$= 9$$

c'est-à-dire 9 unités d'aire.

CHAPITRE **6** Résumé des principales formules

FORMULES

1. Intégrale d'une constante

$$\int k \, du = ku + C$$

2. Intégrale d'une fonction puissance

$$\int u^n \, du = \frac{u^{n+1}}{n+1} + C \quad (n \neq -1)$$

3. Intégrale du produit d'une fonction par une constante

$$\int kf(u) \, du = k \int f(u) \, du$$
(où k est une constante)

4. Intégrale d'une somme ou d'une différence

$$\int [f(u) \pm g(u)] \, du$$
$$= \int f(u) \, du \pm \int g(u) \, du$$

5. Intégrale de e^u

$$\int e^u \, du = e^u + C$$

6. Intégrale de $f(u) = \dfrac{1}{u}$

$$\int \frac{du}{u} = \ln|u| + C$$

7. Méthode de substitution

$$\int f'(g(x))g'(x) \, dx = \int f'(u) \, du$$

8. Définition de l'intégrale définie

$$\int_a^b f(x) \, dx = \lim_{n \to \infty} S_n, \text{ où } S_n \text{ est}$$
une somme de Riemann

9. Théorème fondamental du calcul différentiel et intégral

$$\int_a^b f(x) \, dx = F(b) - F(a),$$
où $F'(x) = f(x)$

10. Aire entre deux courbes

$$\int_a^b [f(x) - g(x)] \, dx, \text{ où } f(x) \geq g(x)$$

CHAPITRE **6** EXERCICES RÉCAPITULATIFS

1–20 Calculez l'intégrale indéfinie.

1. $\int (x^3 + 2x^2 - x)\,dx$

2. $\int \left(\frac{1}{3}x^3 - 2x^2 + 8\right)dx$

3. $\int \left(x^4 - 2x^3 + \frac{1}{x^2}\right)dx$

4. $\int (x^{1/3} - \sqrt{x} + 4)\,dx$

5. $\int x(2x^2 + x^{1/2})\,dx$

6. $\int (x^2 + 1)(\sqrt{x} - 1)\,dx$

7. $\int \left(x^2 - x + \frac{2}{x} + 5\right)dx$

8. $\int \sqrt{2x + 1}\,dx$

9. $\int (3x - 1)(3x^2 - 2x + 1)^{1/3}\,dx$

10. $\int x^2(x^3 + 2)^{10}\,dx$

11. $\int \frac{x - 1}{x^2 - 2x + 5}\,dx$

12. $\int 2e^{-2x}\,dx$

13. $\int \left(x + \frac{1}{2}\right)e^{x^2 + x + 1}\,dx$

14. $\int \frac{e^{-x} - 1}{(e^{-x} + x)^2}\,dx$

15. $\int \frac{(\ln x)^5}{x}\,dx$

16. $\int \frac{\ln x^2}{x}\,dx$

17. $\int x^3(x^2 + 1)^{10}\,dx$

18. $\int x\sqrt{x + 1}\,dx$

19. $\int \frac{x}{\sqrt{x - 2}}\,dx$

20. $\int \frac{3x}{\sqrt{x + 1}}\,dx$

21–32 Calculez l'intégrale définie.

21. $\int_0^1 (2x^3 - 3x^2 + 1)\,dx$

22. $\int_0^2 (4x^3 - 9x^2 + 2x - 1)\,dx$

23. $\int_1^4 (\sqrt{x} + x^{-3/2})\,dx$

24. $\int_0^1 20x(2x^2 + 1)^4\,dx$

25. $\int_{-1}^0 12(x^2 - 2x)(x^3 - 3x^2 + 1)^3\,dx$

26. $\int_4^7 x\sqrt{x - 3}\,dx$

27. $\int_0^2 \frac{x}{x^2 + 1}\,dx$

28. $\int_0^1 \frac{dx}{(5 - 2x)^2}$

29. $\int_0^2 \frac{4x}{\sqrt{1 + 2x^2}}\,dx$

30. $\int_0^2 xe^{(-1/2)x^2}\,dx$

31. $\int_{-1}^0 \frac{e^{-x}}{(1 + e^{-x})^2}\,dx$

32. $\int_1^e \frac{\ln x}{x}\,dx$

33–36 Déterminez la fonction f telle que la pente de la tangente à la courbe de f en tout point $(x, f(x))$ soit donnée par la fonction $f'(x)$ et que la courbe de f passe par le point donné.

33. $f'(x) = 3x^2 - 4x + 1;\ (1, 1)$

34. $f'(x) = \dfrac{x}{\sqrt{x^2 + 1}};\ (0, 1)$

35. $f'(x) = 1 - e^{-x};\ (0, 2)$

36. $f'(x) = \dfrac{\ln x}{x};\ (1, -2)$

37. Soit $f(x) = -2x^2 + 1$. Calculez la somme de Riemann de f sur l'intervalle $[1, 2]$ en subdivisant l'intervalle en 5 intervalles partiels d'égale longueur et en choisissant les extrémités droites des intervalles partiels comme valeurs $x_1, x_2, \ldots, x_5$.

38. Calculez l'aire de la région sous la courbe de la fonction $y = 3x^2 + 2x + 1$ entre $x = -1$ et $x = 2$.

39. Calculez l'aire de la région sous la courbe de la fonction $y = e^{2x}$ entre $x = 0$ et $x = 2$.

40. Calculez l'aire de la région comprise entre la courbe de la fonction $y = 1/x^2$, l'axe des x et les droites verticales $x = 1$ et $x = 3$.

41. Calculez l'aire de la région comprise entre la courbe de la fonction $y = -x^2 - x + 2$ et l'axe des x.

42. Calculez l'aire de la région comprise entre les courbes des fonctions $f(x) = e^x$ et $g(x) = x$ et les droites verticales $x = 0$ et $x = 2$.

43. Calculez l'aire de la région délimitée par les courbes des fonctions $f(x) = x^4$ et $g(x) = x$.

44. Calculez l'aire de la région délimitée par la courbe de la fonction $y = x(x - 1)(x - 2)$ et l'axe des x.

RÉPONSES AUX NUMÉROS IMPAIRS

CHAPITRE 1

Exercices 1.1, page 9

1. Faux   **3.** Faux

5.
(0, 3, 6 sur l'axe x)

7.
(−1, 0, 4 sur l'axe x)

9.
(0 sur l'axe x)

11. $]-\infty, 2[$ **13.** $]-\infty, -5]$ **15.** $]-4, 6[$

17. $]-\infty, -3[\cup]3, \infty[$ **19.** $]-2, 3[$ **21.** 4

23. 2   **25.** $5\sqrt{3}$ **27.** 2

29. Faux   **31.** Faux   **33.** Vrai   **35.** Faux

37. Vrai   **39.** Faux   **41.** 9   **43.** 1   **45.** 4

47. 7   **49.** 2   **51.** 1   **53.** Vrai   **55.** Faux

57. Faux   **59.** Faux   **61.** Faux   **63.** $\dfrac{1}{(xy)^2}$

65. $\dfrac{1}{x^{5/6}}$ **67.** $\dfrac{1}{(s+t)^3}$ **69.** $x^{13/3}$ **71.** $\dfrac{1}{x^3}$

73. $\dfrac{9}{x^2 y^4}$ **75.** $\dfrac{y^8}{x^{10}}$ **77.** $2x^{11/6}$ **79.** $-2xy^2$

81. $\dfrac{3\sqrt{x}}{2x}$ **83.** $\dfrac{\sqrt[3]{x^2}}{x}$ **85.** $\dfrac{2x}{3\sqrt{x}}$ **87.** $\dfrac{2y}{\sqrt{2xy}}$

89. 32 000 $ **91. a.** $5° < F < 23°$ **b.** $17{,}2° < C < 26{,}7°$

93. Faux   **95.** Vrai

Exercices 1.2, page 21

1. $9x^2 + 3x + 1$ **3.** $4y^2 + y + 8$ **5.** $-x - 1$

7. $6\sqrt{2} + 8 + \frac{1}{2}\sqrt{x} - \frac{11}{4}\sqrt{y}$ **9.** $x^2 + 6x - 16$

11. $a^2 + 10a + 25$ **13.** $4x^2 - y^2$ **15.** $-2x$

17. $2t(2\sqrt{t} + 1)$ **19.** $2x^3(2x^2 - 6x - 3)$

21. $7a^2(a^2 + 7ab - 6b^2)$ **23.** $\frac{1}{2}x^{-5/2}(4 - 3x)$

25. $(2a + b)(3c - 2d)$ **27.** $(2a + b)(2a - b)$

29. $-2(3x + 5)(2x - 1)$ **31.** $3(x - 4)(x + 2)$

33. $2(3x - 5)(2x + 3)$ **35.** $(3x - 4y)(3x + 4y)$

37. $(x^2 + 5)(x^4 - 5x^2 + 25)$ **39.** $x^3 - xy^2$

41. $4(x - 1)(3x - 1)(2x + 2)^3$ **43.** $4(x - 1)(3x - 1)(2x + 2)^3$

45. -4 et 3 **47.** -1 et $\frac{1}{2}$ **49.** 2 et 2

51. -2 et $\frac{3}{4}$ **53.** $\frac{1}{2} + \frac{1}{4}\sqrt{10}$ et $\frac{1}{2} - \frac{1}{4}\sqrt{10}$ **55.** $\dfrac{x - 1}{x - 2}$

57. $\dfrac{3(2t + 1)}{2t - 1}$ **59.** $-\dfrac{7}{(4x - 1)^2}$ **61.** -8

63. $\dfrac{3x - 1}{2}$ **65.** $\dfrac{t + 20}{3t + 2}$ **67.** $-\dfrac{x(2x - 13)}{(2x - 1)(2x + 5)}$

69. $-\dfrac{x + 27}{(x - 3)^2(x + 3)}$ **71.** $\dfrac{x + 1}{x - 1}$ **73.** $\dfrac{4x^2 + 7}{\sqrt{2x^2 + 7}}$

75. $\dfrac{x - 1}{(2x + 1)^{3/2}}$ **77.** $\dfrac{\sqrt{3} + 1}{2}$

79. $\dfrac{\sqrt{x} + \sqrt{y}}{x - y}$ **81.** $\dfrac{(\sqrt{a} + \sqrt{b})^2}{a - b}$ **83.** $\dfrac{x}{3\sqrt{x}}$

85. $-\dfrac{2}{3(1 + \sqrt{3})}$ **87.** $-\dfrac{x + 1}{\sqrt{x + 2}(1 - \sqrt{x + 2})}$

89. Vrai   **91.** Faux

Exercices 1.3, page 27

1. $(3, 3)$; premier quadrant   **3.** $(2, -2)$; quatrième quadrant

5. $(-4, -6)$; troisième quadrant   **7.** A **9.** E, F et G

11. F **13.** 5   **15.** $(-8, -6)$ et $(8, -6)$

19. $(x - 2)^2 + (y + 3)^2 = 25$

21. $(x - 2)^2 + (y + 3)^2 = 34$

23. Non, puisque la distance n'est que de 24,4 km.

25. Le train. 2 200 $ **27.** Vrai   **29.** Vrai

Exercices 1.4, page 36

1. e   **3.** a   **5.** f   **7.** $\frac{1}{2}$ **9.** Non définie

11. $\frac{5}{6}$ **13.** $\dfrac{d - b}{c - a}$ $(a \neq c)$ **15. a.** 4   **b.** -8

17. Parallèles   **19.** Perpendiculaires

21. -5 **23.** $y = -3$ **25.** $y = 2$

27. $y = x + 1$ **29.** $y = 5$ **31.** $y = \frac{1}{2}x$; $m = \frac{1}{2}$; $b = 0$

33. $y = -\frac{1}{2}x + \frac{7}{2}$; $m = -\frac{1}{2}$; $b = \frac{7}{2}$ **35.** $y = \frac{1}{2}x + 3$

37. $y = -6$ **39.** $y = b$ **41.** $k = 8$

43.

45.

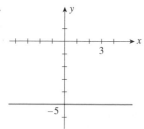

47. Non

49. a.

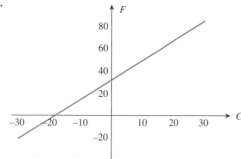

b. La pente est $\frac{9}{5}$. Elle représente la variation de la température en °F par unité de variation en °C.

c. La droite coupe l'axe OF en F = 32. C'est la température en °F qui correspond à 0°C, c'est-à-dire au point de congélation de l'eau.

51. a. et **b.**

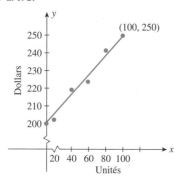

c. $y = \frac{1}{2}x + 200$ **d.** 227 $ **53.** Faux

55. Non, une droite de pente nulle est une droite horizontale, alors qu'une droite dont la pente n'est pas définie est une droite verticale.

Chapitre 1 Exercices récapitulatifs, page 40

1. $[-2, \infty[$ **2.** $[-1, 2]$ **3.** $]-\infty, -4[\cup]5, \infty[$

4. $]-\infty, -5[\cup]5, \infty[$ **5.** 4   **6.** 1

7. $\pi - 6$ **8.** $8 - 3\sqrt{3}$ **9.** $\frac{27}{8}$ **10.** 25

11. $\frac{1}{144}$ **12.** -32 **13.** $\frac{1}{4}$ **14.** $3\sqrt[3]{3}$

15. $4(x^2 + y)^2$ **16.** $\frac{a^{15}}{b^{11}}$ **17.** $\frac{2x}{3z}$

18. $-x^{1/2}$ **19.** $6xy^7$ **20.** $9x^2y^4$ **21.** $-2\pi r^2(\pi r - 50)$

22. $2vw(v^2 + w^2 + u^2)$ **23.** $(4 - x)(4 + x)$

24. $6t(2t - 3)(t + 1)$ **25.** $-\frac{3}{4}$ et $\frac{1}{2}$ **26.** -2 et $\frac{1}{3}$

27. $0, -3, 1$ **28.** $\frac{\sqrt{2}}{2}$ et $-\frac{\sqrt{2}}{2}$ **29.** $1 + \sqrt{6}, 1 - \sqrt{6}$

30. $-2 + \frac{\sqrt{2}}{2}; -2 - \frac{\sqrt{2}}{2}$ **31.** $\frac{180}{(t + 6)^2}$

32. $\frac{15x^2 + 24x + 2}{4(x + 2)(3x^2 + 2)}$ **33.** $\frac{78x^2 - 8x - 27}{3(2x^2 - 1)(3x - 1)}$

34. $\frac{2(x + 2)}{\sqrt{x + 1}}$ **35.** $\frac{1}{\sqrt{x + 1}}$ **36.** $\frac{x - \sqrt{x}}{2x}$

37. 5   **38.** 2   **39.** -2 **40.** $y = 4$

41. $y = -\frac{1}{10}x + \frac{19}{5}$ **42.** $y = -\frac{4}{5}x + \frac{12}{5}$

43. $y = \frac{5}{2}x + 9$ **44.** $y = \frac{3}{4}x + \frac{11}{2}$

45. $y = 3x + 7$ **46.** $y = -\frac{3}{2}x - 7$

47.

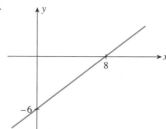

48.

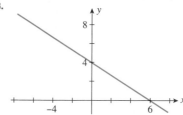

CHAPITRE 2

Exercices 2.1, page 50

1. $21, -9, 5a + 6, -5a + 6, 5a + 21$

3. $-3, 6, 3a^2 - 6a - 3, 3a^2 + 6a - 3, 3x^2 - 6,$
$3a^2 + 6ah + 3h^2 - 6a - 6h - 3, 3a^4 - 6a^2 - 3, 3a - 6\sqrt{a} - 3;$
$3a^2 - 12ah + 12h^2 - 6a + 12h - 3,$
$12a^2 - 12ah + 3h^2 - 12a + 6h - 3$

5. $\frac{8}{15}, 0, \frac{2a}{a^2 - 1}, \frac{2(2 + a)}{a^2 + 4a + 3}, \frac{2(t + 1)}{t(t + 2)}$

7. $5, 1, 1$

9. a. -2 **b.** (i) $x = 2$; (ii) $x = 1$ **c.** $[0, 6]$ **d.** $[-2, 6]$

11. Oui   **13.** $]-\infty, \infty[$ **15.** $]-\infty, 0[\cup]0, \infty[$ **17.** $]-\infty, \infty[$

19. $[-3, \infty[$ **21.** $]-\infty, -2[\cup]-2, 1]$

23. a. $]-\infty, \infty[$
  b. $6, 0, -4, -6, -\frac{25}{4}, -6, -4, 0$

c.

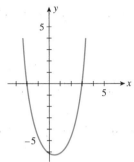

25.

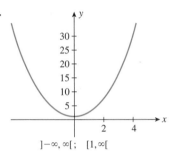

$]-\infty, \infty[; \quad [1, \infty[$

27.

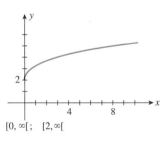

$[0, \infty[; \quad [2, \infty[$

29.

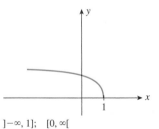

$]-\infty, 1] ; \quad [0, \infty[$

31.

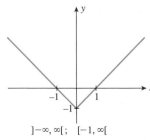

$]-\infty, \infty[; \quad [-1, \infty[$

33.

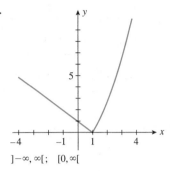

$]-\infty, \infty[; \quad [0, \infty[$

35. Oui   **37.** Non   **39.** Oui   **41.** 10π cm   **43.** 8

45. a. De 1985 à 1990   **b.** À partir de 1990
  c. 1990 ; 3,5 milliards de $

47. a. $0,15025x$ **b.** $30,05$ \$; $0,85$ \$

49. 20 ; 26

51. 4,96 % ; 70,09 %

53. Vrai   **55.** Faux

Exercices avec la calculatrice graphique 2.1, page 57

1.

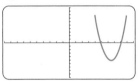

3.

5.

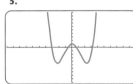

7.

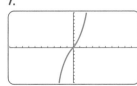

9. a.

b.

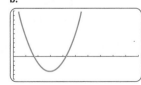

11. a.

b.

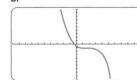

13. a.
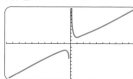
b.
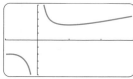

15. a.
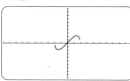
b.
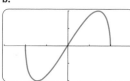

17.
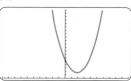
19.

21.
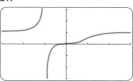

23. 18   **25.** 2   **27.** 18,5505   **29.** 4,1616

31. a.
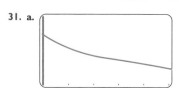

b. 13,88 % ; 11,12 %

Exercices 2.2, page 63

1. $f(x) + g(x) = x^3 + x^2 + 3$

3. $f(x)g(x) = x^5 - 2x^3 + 5x^2 - 10$

5. $\dfrac{f(x)}{g(x)} = \dfrac{x^3 + 5}{x^2 - 2}$

7. $\dfrac{f(x)g(x)}{h(x)} = \dfrac{x^5 - 2x^3 + 5x^2 - 10}{2x + 4}$

9. $f(x) + g(x) = x - 1 + \sqrt{x + 1}$

11. $f(x)g(x) = (x - 1)\sqrt{x + 1}$

13. $\dfrac{g(x)}{h(x)} = \dfrac{\sqrt{x + 1}}{2x^3 - 1}$

15. $\dfrac{f(x)g(x)}{h(x)} = \dfrac{(x - 1)\sqrt{x + 1}}{2x^3 - 1}$

17. $\dfrac{f(x) - h(x)}{g(x)} = \dfrac{x - 2x^3}{\sqrt{x + 1}}$

19. $f(x) + g(x) = x^2 + \sqrt{x} + 3$;
$f(x) - g(x) = x^2 - \sqrt{x} + 7$;

$f(x)g(x) = (x^2 + 5)(\sqrt{x} - 2)$; $\dfrac{f(x)}{g(x)} = \dfrac{x^2 + 5}{\sqrt{x} - 2}$

21. $f(x) + g(x) = \dfrac{2(x^2 - 2)}{(x - 1)(x - 2)}$;

$f(x) - g(x) = \dfrac{-2x}{(x - 1)(x - 2)}$;

$f(x)g(x) = \dfrac{(x + 1)(x + 2)}{(x - 1)(x - 2)}$; $\dfrac{f(x)}{g(x)} = \dfrac{(x + 1)(x - 2)}{(x - 1)(x + 2)}$

23. $f(g(x)) = x^4 + x^2 + 1$; $g(f(x)) = (x^2 + x + 1)^2$

25. $f(g(x)) = \sqrt{x^2 - 1} + 1$; $g(f(x)) = x + 2\sqrt{x}$

27. 49   **29.** $\dfrac{\sqrt{5}}{5}$

31. $f(x) = 2x^3 + x^2 + 1$ et $g(x) = x^5$

33. $f(x) = 2x - 3$ et $g(x) = x^{3/2}$

35. $f(x) = 3x^2 + 2$ et $g(x) = \dfrac{1}{x^{3/2}}$

37. $3h$ **39.** $-h(2a + h)$ **41.** $2a + h$

43. $3a^2 + 3ah + h^2 - 1$ **45.** $-\dfrac{1}{a(a + h)}$

47. La valeur en dollars des actions que détient Émilie avec la société IBM, au moment t.

49. a. $0{,}000001x^3 - 0{,}01x^2 + 50x + 20\,000$
b. $-0{,}000001x^3 - 0{,}01x^2 + 100x - 20\,000$
c. $132\,000\,\$$

51. a. 55 % ; 98,2 %   **b.** 444 700 \$; 1 167 600 \$

53. $\dfrac{9{,}94(t + 10)^2}{(t + 10)^2 + 2(t + 15)^2}$; 2240 emplois ; 2480 emplois

55. Faux   **57.** Faux

Exercices 2.3, page 75

1. Oui ; $y = -\frac{2}{3}x + 2$ **3.** Oui ; $y = \frac{1}{2}x + 2$

5. Non, à cause du terme en x^2

7. f est une fonction polynomiale de degré 6

9. g est une fonction polynomiale de degré 6

11. Ni l'une, ni l'autre   **13.** $m = -1$; $b = 2$

15. a. $C(x) = 8x + 40\,000$
b. $R(x) = 12x$
c. $P(x) = 4x - 40\,000$
d. Une perte de 8 000 \$; un profit de 8 000 \$

17. 28 800 \$ **19. a.** $R(x) = \dfrac{100x}{40 + x}$ **b.** 60 %

23. 4 770 \$; 6 400 \$; 7 560 \$

25. a.

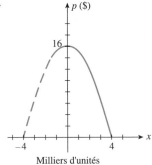

Milliers d'unités

b. 3000 unités

27. a.

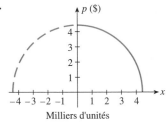

Milliers d'unités

b. 3000 unités

29. a.

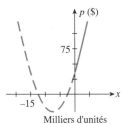

Milliers d'unités

b. 76 $

31. a.

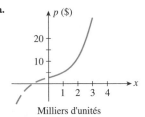

Milliers d'unités

b. 15 $

33. D_2 ; pour chaque augmentation de 1 $ du prix d'un baladeur, l'offre supplémentaire de baladeurs du modèle A est supérieure à l'offre supplémentaire de baladeurs du modèle B.

35. $a = 1$ et $b = 100$; 6614 unités

37. $a = \frac{1}{10}$ et $b = 10$; 30 $

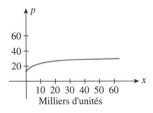

Milliers d'unités

39. 2500 ; 67,50 $

41. a.

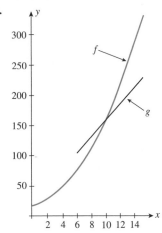

b. 9,6 km/h ; 154,4 ml/kg/min

c. La consommation d'oxygène du marcheur est supérieure à celle du coureur.

43. $f(x) = 2x + \dfrac{50}{x}$; pour $x > 0$

45. $f(x) = 5x^2 + \dfrac{4}{x}$

47. $f(x) = (22 + x)(36 - 2x)$ boisseaux/acre

49. a. $R(x) = (20 + x)(600 - 4x)$

   b. 26 400 $ **c.** 28 800 $

51. a. $r = f(V) = \sqrt[3]{\dfrac{3V}{4\pi}}$ **b.** $g(t) = \frac{1}{6}\pi t$ **c.** $\frac{1}{2}\sqrt[3]{t}$ **d.** 1 m

53. Vrai   **55.** Faux

Exercices avec la calculatrice graphique 2.3, page 82

1. $(-3,0414 ; 0,1503)$; $(3,0414 ; 7,4497)$

3. $(-1,0219 ; -6,3461)$; $(1,2414 ; -1,5931)$; $(5,7805 ; 7,9391)$

5. a.

b. 438 horloges ; 40,92 $

7. a. $f(t) = 0,158t^2 - 0,0468t + 31,0254$

b.

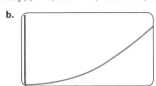

c. $f(0) = 31,025$; $f(1) = 31,137$;
$f(2) = 31,564$; $f(3) = 32,307$;
$f(4) = 33,366$

9. a. $1,2t^3 - 53t^2 + 497t + 2550$

b.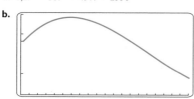

c. 2550 G $ (milliards de dollars); 3840 G $; 3420 G $; 890 G $

Exercices 2.4, page 97

1. $\lim\limits_{x\to-2} f(x) = 3$ **3.** $\lim\limits_{x\to 3} f(x) = 3$ **5.** $\lim\limits_{x\to-2} f(x) = 3$

7. La limite n'existe pas.

9.

x	1,9	1,99	1,999
$f(x)$	4,61	4,9601	4,9960

x	2,001	2,01	2,1
$f(x)$	5,004	5,0401	5,41

$\lim\limits_{x\to 2} (x^2 + 1) = 5$

11.

x	1,9	1,99	1,999
$f(x)$	-10	-100	-1000

x	2,001	2,01	2,1
$f(x)$	1000	100	10

La limite n'existe pas.

13.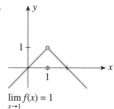

$\lim\limits_{x\to 0} f(x) = -1$

15.

$\lim\limits_{x\to 1} f(x) = 1$

17. 3   **19.** 3   **26.** -1 **23.** -4 **25.** $\frac{5}{4}$

27. 2   **29.** $\sqrt{171} = 3\sqrt{19}$ **31.** 2   **33.** -1

35. La limite n'existe pas.   **37.** $\frac{5}{3}$

39. $\frac{1}{2}$ **41.** $\lim\limits_{x\to\infty} f(x) = \infty$; $\lim\limits_{x\to-\infty} f(x) = \infty$

43. 0; 0   **45.** $\lim\limits_{x\to\infty} f(x) = -\infty$; $\lim\limits_{x\to-\infty} f(x) = -\infty$

47.

x	-100	-10	-1	
$f(x)$	0,0001	0,009901	0,5	

x	1	10	100	1000
$f(x)$	0,5	0,009901	0,0001	0,000001

$\lim\limits_{x\to\infty} f(x) = 0$ et $\lim\limits_{x\to-\infty} f(x) = 0$

49.

x	-100	-10	-1	
$f(x)$	$-3,01 \times 10^6$	-3090	6	

x	1	10	100	1000
$f(x)$	12	2910	$2,99 \times 10^6$	$2,999 \times 10^9$

$\lim\limits_{x\to\infty} f(x) = \infty$ et $\lim\limits_{x\to-\infty} f(x) = -\infty$

51. 3   **53.** 3   **55.** $\lim\limits_{x\to-\infty} f(x) = -\infty$ **57.** 0

59. a. 0,5 M $ (million de dollars); 0,75 M $;
1,17 M $; 2 M $; 4,5 M $; 9,5 M $
b. La limite n'existe pas; lorsque le pourcentage tend vers 100 %,
le coût devient astronomique.

61. 2,20 $; lorsque le nombre de boîtes de sirop produites devient grand,
le coût moyen de production tend vers 2,20 $.

63. a. 24 M $; 60 M $; 83,1 M $
b. 120 M $

65. a. 84,61 cents/km; 57,42 cents/km; 47,56 cents/km;
40,28 cents/km; 37,63 cents/km

b.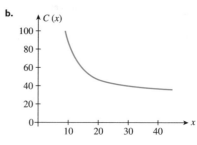

c. Elle s'approche de 34 cents/km.

67. Vrai   **69.** Faux   **71.** Faux   **73.** Non

Exercices avec la calculatrice graphique 2.4, page 102

1. 5   **3.** 3   **5.** $\frac{2}{3}$ **7.** $\frac{1}{2}$ **9.** e^2

13. a.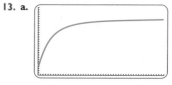

b. 25 000

Exercices 2.5, page 113

1. 3 ; 2 ; la limite n'existe pas.

3. La limite n'existe pas ; 2 ; la limite n'existe pas.

5. 0 ; 2 ; la limite n'existe pas.

7. -2 ; 2 ; la limite n'existe pas.

9. Vrai   **11.** Vrai   **13.** Faux   **15.** Vrai

17. Faux   **19.** Vrai   **21.** 6   **23.** $-\frac{1}{4}$

25. La limite n'existe pas.   **27.** -1 **29.** 0

31. -4 **33.** La limite n'existe pas.   **35.** 4

37. 0   **39.** 0 ; 0   **41.** 2 ; 3

43. $x = 0$; les conditions 2 et 3

45. La fonction est continue partout.   **47.** $x = 0$; la condition 3

49. $x = 0$; la condition 3   **51.** $]-\infty, \infty[$ **53.** $]-\infty, \infty[$

55. $]-\infty, \frac{1}{2}[\cup]\frac{1}{2}, \infty[$ **57.** $]-\infty, -2[\cup]-2, 1[\cup]1, \infty[$

59. $]-\infty, \infty[$ **61.** $]-\infty, \infty[$ **63.** $]-\infty, \infty[$

65. $]-\infty, \infty[$ **67.** -1 et 1   **69.** 1 et 2

71. f est discontinue en $x = 30, 50, 100$ et 200.

73. Laurent progresse vers la solution du problème jusqu'à $x = x_1$. Entre $x = x_1$ et $x = x_2$, il ne fait aucun progrès, mais en $x = x_2$, il parvient à comprendre le problème, de sorte qu'il en termine la solution en $x = x_3$.

75.

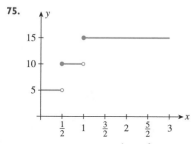

f est discontinue en $x = \frac{1}{2}, 1$ et $\frac{3}{2}$.

77. 3   **79. a.** Oui   **b.** Non

81. a. f est un polynôme de degré 3 ; elle est donc continue partout.
b. $f(0) = 14$ et $f(1) = -23$, de sorte que f admet au moins un zéro entre 0 et 1.

83. $x = 2$ **85.** 1,34 environ

87. c. 0,5 s et 3,6 s environ ; Josée voit la balle monter environ 0,5 s après qu'elle ait été lancée ; elle la voit redescendre environ 3,6 s après qu'elle ait été lancée.

89. Faux   **91.** Faux   **93.** Faux

95. Faux   **97.** Vrai   **99. c.** $\pm\dfrac{\sqrt{2}}{2}$

Exercices avec la calculatrice graphique 2.5, page 117

1. $x = 0, 1$ **3.** $x = 0, \frac{1}{2}$

5.

7.

Exercices 2.6, page 133

1. 0,68 kg/mois ; 0,27 kg/mois ; 0,55 kg/mois

3. a. La voiture A
b. Les vitesses sont les mêmes.
c. La voiture B
d. Les deux voitures ont parcouru la même distance.

5. a. P_2 **b.** P_1 **c.** Le bactéricide B ; le bactéricide A

7. 0   **9.** 2   **11.** $6x$ **13.** $-2x + 3$

15. 2 ; $y = 2x + 7$ **17.** 6 ; $y = 6x - 3$

19. $\frac{1}{9}$; $y = \frac{1}{9}x - \frac{2}{3}$

21. a. $4x$
b. $y = 4x - 1$
c.

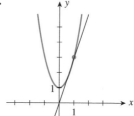

23. a. $2x - 2$
b. $(1, 0)$
c.

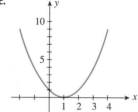

d. 0

25. a. 6; 5,5; 5,1
b. 5
c. Les résultats de **a** montrent que lorsque h tend vers 0, la vitesse moyenne s'approche de la vitesse instantanée.

27. a. 44,7 m/s; 44,07 m/s; 44,007 m/s
b. 44 m/s
c. Les résultats de **a** montrent que lorsque la vitesse moyenne est calculée sur des intervalles de temps de plus en plus courts, la valeur de la vitesse moyenne s'approche de plus en plus de la valeur de la vitesse instantanée en $t = 20$ s.

29. a. 4,95 s   **b.** 24,24 m/s   **c.** 48,5 m/s

31. a. $-\frac{2}{3}x + 7$ **b.** 333 $ par trimestre; $-13\,000$ $ par trimestre

33. Le taux de variation moyen de la population de loups marins sur l'intervalle $[a, a + h]$; le taux de variation instantané de la population de loups marins en $x = a$

35. Le taux de variation moyen du produit national brut du pays sur l'intervalle $[a, a + h]$; le taux de variation instantané du produit national brut en $x = a$

37. Le taux de variation moyen de la pression atmosphérique sur l'intervalle $[a, a + h]$; le taux de variation instantané de la pression atmosphérique en $x = a$

39. a. Oui   **b.** Non   **c.** Non

41. a. Oui   **b.** Oui   **c.** Non

43. a. Non   **b.** Non   **c.** Non

45. 9,43; 9,0817; 9,044197; 9,04042; 9,040042; 9,0400042; 9,04 m/s

47. Faux

49.

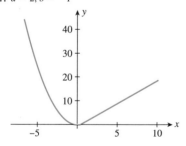

51. $a = 2, b = -1$

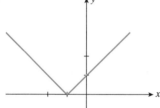

Exercices avec la calculatrice graphique 2.6, page 138

1. a. $y = 4x - 3$
b.

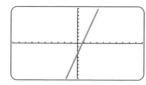

3. a. $y = -7x - 8$
b.

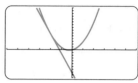

5. a. $y = 9x - 11$
b.

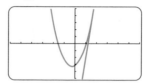

7. a. $y = 2$
b.

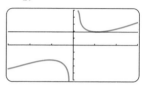

9. a. $y = \frac{1}{4}x + 1$
b.

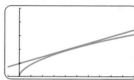

11. a. 4
b. $y = 4x - 1$
c.

13. a. 20
b. $y = 20x - 35$
c.

15. a. 0,75
b. $y = 0,75x - 1$
c.

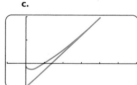

17. a. $-0,25$
b. $y = -0,25x + 0,75$
c.

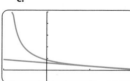

19. a. 4,02
b. $y = 4,02x - 3,57$
c.

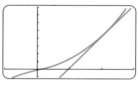

21. a.

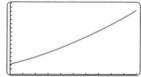

b. 25,76 cents/km   **c.** 0,7625 cents/km/année

Chapitre 2 Exercices récapitulatifs, page 141

1. a. $]-\infty, 9]$
b. $]-\infty, -1[\cup]-1, \frac{3}{2}[\cup]\frac{3}{2}, \infty[$

2. a. 0 **b.** $3a^2 + 17a + 20$
c. $12a^2 + 10a - 2$ **d.** $3a^2 + 6ah + 3h^2 + 5a + 5h - 2$

3. a.

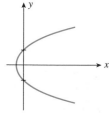

b. Non
c. Oui

4.

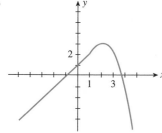

5. a. $\dfrac{2x + 3}{x}$ **b.** $\dfrac{1}{x(2x + 3)}$ **c.** $\dfrac{1}{2x + 3}$ **d.** $\dfrac{2}{x} + 3$

6. -3 **7.** 2 **8.** -21 **9.** 0

10. -1 **11.** La limite n'existe pas.

12. 7 **13.** $\dfrac{9}{2}$ **14.** 1 **15.** $\dfrac{1}{2}$

16. 1 **17.** 1 **18** $\dfrac{3}{2}$ **19.** La limite n'existe pas.

20.

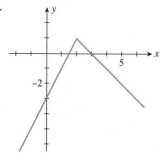

$1; 1; 1$

21.

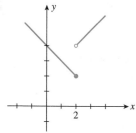

$4; 2;$ La limite n'existe pas.

22. $x = 2$ **23.** $x = -\frac{1}{2}, 1$ **24.** $x = -1$ **25.** $x = 0$

26. a. $3; 2{,}5; 2{,}1$ **b.** 2 **27.** 3

28. $\dfrac{1}{x^2}$ **29.** $\dfrac{3}{2}; y = \dfrac{3}{2}x + 5$

30. $-4; y = -4x + 4$ **31. a.** Oui **b.** Non

32. a. $S(t) = t + 2{,}4$ **b.** $5{,}4$ millions \$

33. $54\,000$

34. a. $C(x) = 6x + 30\,000$ **b.** $R(x) = 10x$
c. $P(x) = 4x - 30\,000$ **d.** $-6\,000$ \$; $2\,000$ \$; $18\,000$ \$

35. 2500 unités **36.** 6000 unités; 22 \$

37.

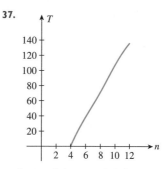

Lorsque la longueur de la liste augmente, le temps d'apprentissage s'accroît considérablement.

38. 5000 unités; 20 \$

39. 20 \$; lorsqu'on augmente la production, le coût moyen diminue de plus en plus, pour s'approcher de 20 \$.

CHAPITRE 3

Exercices 3.1, page 151

1. 0 **3.** $5x^4$ **5.** $2{,}1x^{1,1}$ **7.** $6x$ **9.** $2\pi r$

11. $\dfrac{3}{x^{2/3}}$ **13.** $\dfrac{3}{2\sqrt{x}}$ **15.** $-84x^{-13}$ **17.** $10x - 3$

19. $-3x^2 + 4x$ **21.** $0{,}06x - 0{,}4$ **23.** $2x - 4 - \dfrac{3}{x^2}$

25. $16x^3 - 7{,}5x^{3/2}$ **27.** $-\dfrac{3}{x^2} - \dfrac{8}{x^3}$ **29.** $-\dfrac{16}{t^5} + \dfrac{9}{t^4} - \dfrac{2}{t^2}$

31. $2 - \dfrac{5}{2\sqrt{x}}$ **33.** $-\dfrac{4}{x^3} + \dfrac{1}{x^{4/3}}$

35. a. 20 **b.** -4 **c.** 20 **37.** 3 **39.** 11

41. $m = 5; y = 5x - 4$ **43.** $m = -2; y = -2x + 2$

45. a. $(0, 0)$ **b.**

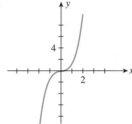

47. a. $(-2, -7)$ et $(2, 9)$
b. $y = 12x + 17$ et $y = 12x - 15$
c.

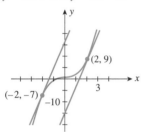

49. a. $(0, 0); (1, -\frac{13}{12})$
b. $(0, 0); (2, -\frac{8}{3}); (-1, -\frac{5}{12})$
c. $(0, 0); (4, \frac{80}{3}); (-3, \frac{81}{4})$

51. a. $\frac{16\pi}{9}$ cm³/cm **b.** $\frac{25\pi}{4}$ cm³/cm

53. $-115{,}21$; $-15{,}435$. Lorsqu'on effectue 0,25 stop/km, la vitesse moyenne diminue au taux de 115,21 km/h par stop/km environ. Lorsqu'on effectue 1 stop/km, la vitesse moyenne diminue au taux de 15,435 km/h par stop/km environ.

55. a. 15 points/an; 12,6 points/an 0 point/an **b.** 10 points/an

57. 155 habitants/mois; 200 habitants/mois

59. a. $40 - 10t$ **b.** 40 m/s **c.** 80 m

61. a. 2,495 millions **b.** 405 000 employés/an

63. a. $(0{,}0001)(\frac{5}{4})x^{1/4}$ **b.** 0,00125 \$/radio

65. Faux

Exercices avec la calculatrice graphique 3.1, page 155

1. 1 **3.** 0,4226 **5.** 0,1613

7. a.

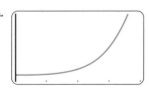

b. 3,4295 ppm; 105,4332 ppm

9. a.

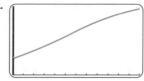

b. 42 272 cas/année

Exercices 3.2, page 163

1. $2(x^2 + 1) + 2x(2x)$, ou $6x^2 + 2$

3. $1(2t + 1) + (t - 1)^2$, ou $4t - 1$

5. $3(x^2 - 2) + (3x + 1)(2x)$, ou $9x^2 + 2x - 6$

7. $(3w^2 - 2w + 1)(w^2 + 2) + (w^3 - w^2 + w - 1)(2w)$, ou $5w^4 - 4w^3 + 9w^2 - 6w + 2$

9. $10x(2x^{1/2} - 1) + (5x^2 + 1)(x^{-1/2})$, ou $\dfrac{25x^2 - 10x\sqrt{x} + 1}{\sqrt{x}}$

11. $\dfrac{(2x - 5)(x^2 - 2)}{x} + \dfrac{(x^2 - 5x + 2)(x^2 + 2)}{x^2}$, ou $\dfrac{3x^4 - 10x^3 + 4}{x^2}$

13. $\dfrac{-1}{(x - 2)^2}$ **15.** $\dfrac{2x + 1 - (x - 1)(2)}{(2x + 1)^2}$, ou $\dfrac{3}{(2x + 1)^2}$

17. $\dfrac{s^2 + 2s + 4}{(s + 1)^2}$

19. $\dfrac{(\frac{1}{2}x^{-1/2})[(x^2 + 1) - 4x^2]}{(x^2 + 1)^2}$, ou $\dfrac{1 - 3x^2}{2\sqrt{x}(x^2 + 1)^2}$

21. $\dfrac{(3x^2 + 2x + 1)(x - 2) - (x^3 + x^2 + x + 1)}{(x - 2)^2}$, ou

$\dfrac{2x^3 - 5x^2 - 4x - 3}{(x - 2)^2}$

23. $\dfrac{(2x + 8)(x^2 - 4)(x^2 + 4) - (x^2 + 8x - 4)(4x^3)}{(x^2 - 4)^2(x^2 + 4)^2}$, ou

$\dfrac{-2x^5 - 24x^4 + 16x^3 - 32x - 128}{(x^2 - 4)^2(x^2 + 4)^2}$

25. 60; $y = 60x - 102$

27. $y = 7x - 5$ **29.** $(\frac{1}{3}, \frac{50}{27})$; $(1, 2)$

31. $y = -\frac{1}{2}x + 1$; $y = 2x - \frac{3}{2}$

33. -5000 bactéries/min; -1600 bactéries/min; 7000 bactéries; 4000 bactéries

35. Il diminue au taux de 0,0375 ppm/année; il diminue au taux de 0,006 ppm/année

37. Vrai **39.** Vrai

Exercices avec la calculatrice 3.2, page 165

1. 0,8750 **3.** 0,0774 **5.** $-0{,}5000$

7. 87 emplois/an

Exercices 3.3, page 174

1. $8(2x - 1)^3$ **3.** $10x(x^2 + 2)^4$

5. $\dfrac{-4}{(2x + 1)^3}$ **7.** $3x\sqrt{x^2 - 4}$ **9.** $\dfrac{-2x}{3(1 - x^2)^{2/3}}$

11. $-\dfrac{6}{(2x + 3)^4}$ **13.** $\dfrac{-1}{(2t - 3)^{3/2}}$

15. $-2(3x^2 + 2x + 1)^{-3}(6x + 2) = -4(3x + 1)(3x^2 + 2x + 1)^{-3}$

17. $3(x^2 + 1)^2(2x) - 2(x^3 + 1)(3x^2)$, ou $6x(2x^2 - x + 1)$

19. $3(t^{-1} - t^{-2})^2(-t^{-2} + 2t^{-3})$ **21.** $\dfrac{1}{2\sqrt{x - 1}} + \dfrac{1}{2\sqrt{x + 1}}$

23. $4x(3 - 4x)^4 + 2x^2(4)(3 - 4x)^3(-4)$, ou $(-12x)(4x - 1)(3 - 4x)^3$

25. $2(x - 1)(2x + 1)^4 + 8(x - 1)^2(2x + 1)^3$, ou
$6(x - 1)(2x - 1)(2x + 1)^3$

27. $3\left(\dfrac{x + 3}{x - 2}\right)^2\left[\dfrac{(1)(x - 2) - (x + 3)(1)}{(x - 2)^2}\right]$, ou $-\dfrac{15(x + 3)^2}{(x - 2)^4}$

29. $\dfrac{1}{2}\left(\dfrac{u + 1}{3u + 2}\right)^{-1/2}\left[\dfrac{(1)(3u + 2) - (u + 1)(3)}{(3u + 2)^2}\right]$, ou $-\dfrac{1}{2\sqrt{u + 1}(3u + 2)^{3/2}}$

31. $\dfrac{(2x)(x^2 - 1)^4 - x^2(4)(x^2 - 1)^3(2x)}{(x^2 - 1)^8}$, ou $\dfrac{(-2x)(3x^2 + 1)}{(x^2 - 1)^5}$

33. $\dfrac{(2x + 1)^{-1/2}[(x^2 - 1) - (2x + 1)(2x)]}{(x^2 - 1)^2}$, ou $-\dfrac{3x^2 + 2x + 1}{\sqrt{2x + 1}(x^2 - 1)^2}$

35. $\dfrac{(\frac{1}{2})(t + 1)^{-1/2}(1)(t^2 + 1)^{1/2} - (t + 1)^{1/2}(\frac{1}{2})(t^2 + 1)^{-1/2}(2t)}{t^2 + 1}$,
ou $-\dfrac{t^2 + 2t - 1}{2\sqrt{t + 1}(t^2 + 1)^{3/2}}$

37. $4(3x + 1)^3(3)(x^2 - x + 1)^3 + (3x + 1)^4(3)(x^2 - x + 1)^2(2x - 1)$,
ou $3(3x + 1)^3(x^2 - x + 1)^2(10x^2 - 5x + 3)$

39. $\frac{4}{3}u^{1/3}$; $6x$; $8x(3x^2 - 1)^{1/3}$

41. $-\dfrac{2}{3u^{5/3}}$; $6x^2 - 1$; $-\dfrac{2(6x^2 - 1)}{3(2x^3 - x + 1)^{5/3}}$

43. Non

47. $y = -2x + 10$

49. **a.** $0{,}027(0{,}2t^2 + 4t + 64)^{-1/3}(0{,}1t + 1)$
b. $0{,}0091$ ppm

51. $\dfrac{6{,}87775}{(5 + t)^{0{,}795}}$; $0{,}53\,\%$/an; $64{,}9\,\%$

53. $300\left[\dfrac{\frac{1}{2}(\frac{1}{2}t^2 + 2t + 25)^{-1/2}(t + 2)(t + 25) - (\frac{1}{2}t^2 + 2t + 25)^{1/2}(1)}{(t + 25)^2}\right]$, ou

$\dfrac{3450t}{(t + 25)^2\sqrt{\frac{1}{2}t^2 + 2t + 25}}$; $2{,}9$ battements/min^2, $0{,}7$ battement/min^2,

$0{,}2$ battement/min^2, 179 battements/min

55. 30π m^2/s   **57.** -42 km/h par décennie; 31 km/h

59. $(1{,}42)\left[\dfrac{(14t + 140)(3t^2 + 80t + 550) - (7t^2 + 140t + 700)(6t + 80)}{(3t^2 + 80t + 550)^2}\right]$,

ou $\dfrac{1{,}42(140t^2 + 3500t + 21\,000)}{(3t^2 + 80t + 550)^2}$; $87\,322$ emplois/an

61. -400 montres pour chaque augmentation de 1 \$

63. Vrai   **65.** Faux

Exercices avec la calculatrice graphique 3.3, page 177

1. $0{,}5774$ **3.** $-4{,}9498$

5. $10\,146\,200$ véhicules/décennie; $7\,810\,520$ véhicules/décennie

Exercices 3.4, page 190

1. **a.** $C(x)$ est partout croissante parce que lorsque le nombre x d'unités
produites augmente, le coût de production de ces unités augmente
aussi.
b. 4000

3. **a.** $1{,}80$ \$; $1{,}60$ \$ **b.** $1{,}80$ \$; $1{,}60$ \$

5. **a.** $100 + \dfrac{200\,000}{x}$ **b.** $-\dfrac{200\,000}{x^2}$

c. $\overline{C}(x)$ tend vers 100 \$ lorsque le niveau de production est très élevé.

7. $\dfrac{2000}{x} + 2 - 0{,}0001x$; $-\dfrac{2000}{x^2} - 0{,}0001$

9. **a.** $8000 - 200x$ **b.** $200, 0, -200$ **c.** 40 \$

11. **a.** $-0{,}04x^2 + 600x - 300\,000$ **b.** $-0{,}08x + 600$ **c.** $200; -40$
d. Le profit augmente au fur et à mesure que la production augmente,
atteignant un maximum en $7\,500$; lorsque la production dépasse
$7\,500$ unités, le profit diminue.

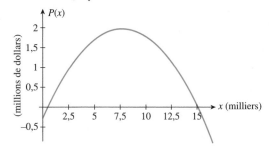

13. a. $600x - 0{,}05x^2$; $-0{,}000002x^3 - 0{,}02x^2 + 200x - 80\,000$

   b. $0{,}000006x^2 - 0{,}06x + 400$; $600 - 0{,}1x$;
      $-0{,}000006x^2 - 0{,}04x + 200$

   c. 304; 400; 96

   d.

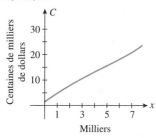

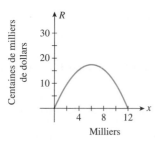

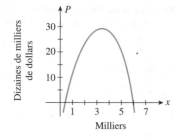

15. $0{,}000002x^2 - 0{,}03x + 400 + \dfrac{80\,000}{x}$

   a. $0{,}000004x - 0{,}03 - \dfrac{80\,000}{x^2}$

   b. $-0{,}0132$; $0{,}0092$; le coût moyen marginal est négatif (c'est-à-dire que le coût moyen décroît) lorsque la production est de 5 000 unités et il est positif (le coût moyen croît) lorsque la production est de 10 000 unités.

   c.

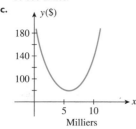

17. a. $\dfrac{50x}{0{,}01x^2 + 1}$ **b.** $\dfrac{50 - 0{,}5x^2}{(0{,}01x^2 + 1)^2}$

   c. $44\,380$ \$. Lorsqu'il y a 2000 unités produites, le revenu augmente de 44 380 \$ par tranche de 1 000 unités produites.

19. $1{,}21$ milliard \$/milliard \$

21. $0{,}288$ milliard \$/milliard \$

23. $\frac{5}{3}$; élastique   **25.** 1; unitaire   **27.** $0{,}104$; inélastique

29. a. Inélastique; élastique   **b.** Pour $p = 8{,}66$
   c. Augmenter   **d.** Augmenter

31. a. Inélastique   **b.** Augmenter

33. $\dfrac{2p^2}{9 - p^2}$; pour $p < \sqrt{3}$, la demande est inélastique; pour $p = \sqrt{3}$, la demande est unitaire; pour $p > \sqrt{3}$, la demande est élastique.

35. Vrai

Exercices 3.5, page 197

1. $8x - 2$; 8 **3.** $6x^2 - 6x$; $6(2x - 1)$

5. $10x(x^2 + 2)^4$; $10(x^2 + 2)^3(9x^2 + 2)$

7. $6t(2t^2 - 1)(6t^2 - 1)$; $6(60t^4 - 24t^2 + 1)$

9. $14x(2x^2 + 2)^{5/2}$; $28(2x^2 + 2)^{3/2}(6x^2 + 1)$

11. $\dfrac{1}{(2x + 1)^2}$; $-\dfrac{4}{(2x + 1)^3}$ **13.** $\dfrac{2}{(s + 1)^2}$; $-\dfrac{4}{(s + 1)^3}$

15. $-\dfrac{3}{2(4 - 3u)^{1/2}}$; $-\dfrac{9}{4(4 - 3u)^{3/2}}$

17. $72x - 24$ **19.** $-\dfrac{6}{x^4}$

21. $\frac{81}{8}(3s - 2)^{-5/2}$ **23.** $192(2x - 3)$

25. a et b

t	0	1	2	3	4	5	6	7
$N'(t)$	0	2,7	4,8	6,3	7,2	7,5	7,2	6,3
$N''(t)$					0,6	0	−0,6	−1,2

27. $810\,000$ personnes; $20\,380$ personnes/an; $-3\,060$ personnes/an/an. Au début de 1998, 810 000 personnes recevaient des prestations d'invalidité; le nombre de personnes augmentait de 20 380 personnes/an; cette augmentation diminuait de 3 060 /an/an.

29. $-0{,}0169$ %/an/an. En l'an 2000, l'augmentation du pourcentage de femmes travaillant hors du foyer (puisque $P'(20) > 0$) diminuait d'environ 0,02 %/an/an.

31. Vrai   **33.** Vrai

Exercices avec la calculatrice graphique 3.5, page 199

1. -18 **3.** $15{,}2762$ **5.** $-0{,}6255$ **7.** $0{,}1973$

9. $-0{,}6444$; au début de 1997, le taux de variation du chiffre d'affaires diminuait de 0,6444 milliard de dollars/an par an par an.

Exercices 3.6, page 209

1. a. $-\frac{1}{2}$ **b.** $-\frac{1}{2}$ **3. a.** $-\dfrac{1}{x^2}$ **b.** $-\dfrac{y}{x}$

5. a. $2x - 1 + \dfrac{4}{x^2}$ **b.** $3x - 2 - \dfrac{y}{x}$

7. a. $\dfrac{1 - x^2}{(1 + x^2)^2}$ **b.** $-2y^2 + \dfrac{y}{x}$

9. $-\dfrac{x}{y}$ **11.** $\dfrac{x}{2y}$ **13.** $1 - \dfrac{y}{x}$

15. $-\dfrac{\sqrt{y}}{\sqrt{x}}$ **17.** $2\sqrt{x + y} - 1$ **19.** $-\dfrac{y^3}{x^3}$

21. $\dfrac{6x - 3y - 1}{3x + 1}$ **23.** $-\dfrac{2x^2 + 2xy + y^2}{x^2 + 2xy + 2y^2}$

25. $y = 2$ **27.** $\dfrac{2y}{x^2}$ **29.** $\dfrac{2y(y - x)}{(2y - x)^3}$

31. La demande diminue au taux de 111 pneus/semaine.

33. La demande augmente au taux de 44 coffrets/semaine.

35. Le prix décroît de 0,037 \$/carton/semaine.

37. 0,37; inélastique   **39.** 5,97 cm/min   **41.** 5,17 m/s

43. 28,67 m/s   **47.** 60,65 m/s   **49.** 2,97 m/s

51. 4,13 m/s   **53.** Vrai

Exercices 3.7, page 220

1. $4x\,dx$ **3.** $\dfrac{dx}{2\sqrt{x + 1}}$ **5.** $\dfrac{x^2 - 2}{x^2}\,dx$ **7.** $\dfrac{6x - 1}{2\sqrt{3x^2 - x}}\,dx$

9. a. $2x\,dx$ **b.** 0,04   **c.** 0,0404   **11.** $\pm 8,64$ cm³

13. a.

$$dP = \dfrac{10\,000\left\{\left[1 - \left(1 + \dfrac{r}{12}\right)^{-300}\right] - 25r\left(1 + \dfrac{r}{12}\right)^{-301}\right\}}{\left[1 - \left(1 + \dfrac{r}{12}\right)^{-300}\right]^2}\,dr$$

b. 34,51 \$; 51,77 \$; 69,02 \$; 86,28 \$

15. Vrai

Exercices avec la calculatrice graphique 3.7, page 219

1. 7,5787   **3.** 0,031220185778   **5.** $-0,0198761598$

7. 51,77 \$/mois; 69,02 \$/mois; 86,28 \$/mois

9. La demande diminuera d'environ 625 montres/semaine

Chapitre 3 Exercices récapitulatifs, page 222

1. $15x^4 - 8x^3 + 6x - 2$ **2.** $24x^5 + 8x^3 + 6x$

3. $\dfrac{6}{x^4} - \dfrac{3}{x^2}$ **4.** $4t - 9t^2 + \dfrac{1}{2}t^{-3/2}$ **5.** $-\dfrac{1}{t^{3/2}} - \dfrac{6}{t^{5/2}}$

6. $2x - \dfrac{2}{x^2}$ **7.** $1 - \dfrac{2}{t^2} - \dfrac{6}{t^3}$ **8.** $4s + \dfrac{4}{s^2} - \dfrac{1}{s^{3/2}}$

9. $2x + \dfrac{3}{x^{5/2}}$ **10.** $\dfrac{(1)(2x - 1) - (x + 1)(2)}{(2x - 1)^2}$, ou $-\dfrac{3}{(2x - 1)^2}$

11. $\dfrac{(2t)(2t^2 + 1) - t^2(4t)}{(2t^2 + 1)^2}$, ou $\dfrac{2t}{(2t^2 + 1)^2}$

12. $\dfrac{\frac{1}{2}t^{-1/2}(t^{1/2} + 1) - t^{1/2}(\frac{1}{2}t^{-1/2})}{(t^{1/2} + 1)^2}$, ou $\dfrac{1}{2\sqrt{t}(\sqrt{t} + 1)^2}$

13. $\dfrac{(\frac{1}{2}x^{-1/2})(x^{1/2} + 1) - (x^{1/2} - 1)(\frac{1}{2}x^{-1/2})}{(x^{1/2} + 1)^2}$, ou $\dfrac{1}{\sqrt{x}(\sqrt{x} + 1)^2}$

14. $\dfrac{(1)(2t^2 + 1) - t(4t)}{(2t^2 + 1)^2}$, ou $\dfrac{1 - 2t^2}{(2t^2 + 1)^2}$

15. $\dfrac{(4x^3 + 2x)(x^2 - 1) - (x^4 + x^2)(2x)}{(x^2 - 1)^2}$, ou $\dfrac{2x(x^4 - 2x^2 - 1)}{(x^2 - 1)^2}$

16. $3(2x^2 + x)^2(4x + 1)$ **17.** $8(3x^3 - 2)^7(9x^2)$, ou $72x^2(3x^3 - 2)^7$

18. $5(x^{1/2} + 2)^4 \cdot \dfrac{1}{2}x^{-1/2}$, ou $\dfrac{5(\sqrt{x} + 2)^4}{2\sqrt{x}}$

19. $\dfrac{1}{2}(2t^2 + 1)^{-1/2}(4t)$, ou $\dfrac{2t}{}$

20. $\dfrac{1}{3}(1 - 2t^3)^{-2/3}(-6t^2)$, ou $-\dfrac{2t^2}{(1 - 2t^3)^{2/3}}$

21. $-4(3t^2 - 2t + 5)^{-3}(3t - 1)$, ou $-\dfrac{4(3t - 1)}{(3t^2 - 2t + 5)^3}$

22. $-\dfrac{3}{2}(2x^3 - 3x^2 + 1)^{-5/2}(6x^2 - 6x)$, ou $-\dfrac{9x(x - 1)}{(2x^3 - 3x^2 + 1)^{5/2}}$

23. $2\left(x + \dfrac{1}{x}\right)\left(1 - \dfrac{1}{x^2}\right)$, ou $\dfrac{2(x^2 + 1)(x^2 - 1)}{x^3}$

24. $\dfrac{(1)(2x^2 + 1)^2 - (1 + x)2(2x^2 + 1)(4x)}{(2x^2 + 1)^4}$, ou $-\dfrac{6x^2 + 8x - 1}{(2x^2 + 1)^3}$

25. $4(t^2 + t)^3(2t + 1)(2t^2) + (t^2 + t)^4(4t)$, ou $4t^2(5t + 3)(t^2 + t)^3$

26. $3(2x + 1)^2(2)(x^2 + x)^2 + (2x + 1)^3 \cdot 2(x^2 + x)(2x + 1)$, ou $2(2x + 1)^2(x^2 + x)(7x^2 + 7x + 1)$

27. $\dfrac{1}{2}x^{-1/2}(x^2 - 1)^3 + x^{1/2} \cdot 3(x^2 - 1)^2(2x)$, ou $\dfrac{(13x^2 - 1)(x^2 - 1)^2}{2\sqrt{x}}$

28. $\dfrac{(1)(x^3 + 2)^{1/2} - x \cdot \frac{1}{2}(x^3 + 2)^{-1/2} \cdot 3x^2}{x^3 + 2}$, ou $\dfrac{4 - x^3}{2(x^3 + 2)^{3/2}}$

29. $\dfrac{\frac{1}{2}(3x + 2)^{-1/2}(3)(4x - 3) - (3x + 2)^{1/2}(4)}{(4x - 3)^2}$, ou $-\dfrac{12x + 25}{2\sqrt{3x + 2}(4x - 3)^2}$

30. $\dfrac{\frac{1}{2}(2t + 1)^{-1/2}(2)(t + 1)^3 - (2t + 1)^{1/2} \cdot 3(t + 1)^2(1)}{(t + 1)^6}$, ou

$-\dfrac{5t + 2}{\sqrt{2t + 1}(t + 1)^4}$

31. $2(12x^2 - 9x + 2)$ **32.** $-\dfrac{1}{4x^{3/2}} + \dfrac{3}{4x^{5/2}}$

33. $\dfrac{(-2t)(t^2 + 4)^2 - (4 - t^2)2(t^2 + 4)(2t)}{(t^2 + 4)^4}$, ou $\dfrac{2t(t^2 - 12)}{(t^2 + 4)^3}$

34. $2(15x^4 + 12x^2 + 6x + 1)$

35. $2(2x^2 + 1)^{-1/2} + 2x\left(-\dfrac{1}{2}\right)(2x^2 + 1)^{-3/2}(4x)$, ou $\dfrac{2}{(2x^2 + 1)^{3/2}}$

36. $2(t^2 + 1)(2t)(7t^2 + 1) + (t^2 + 1)^2(14t)$, ou $6t(t^2 + 1)(7t^2 + 3)$

37. $\dfrac{2x}{y}$ **38.** $\dfrac{2x^2 - y}{x}$ **39.** $-\dfrac{2x}{y^2 - 1}$ **40.** $-\dfrac{x(1 + 2y^2)}{y(2x^2 + 1)}$

41. $\dfrac{x - 2y}{2x + y}$ **42.** $\dfrac{4y - 6xy - 1}{3x^2 - 4x - 2}$ **43.** $\dfrac{2(x^4 - 1)}{x^3}\,dx$

44. a. $\dfrac{2x}{\rule{1.5cm}{0.4pt}}\,dx$ **b.** $0{,}1333$

   c. $0{,}1335$; les deux réponses diffèrent de $0{,}0002$

45. a. $(2, -25)$ et $(-1, 14)$
   b. $y = -4x - 17$; $y = -4x + 10$

46. a. $\left(-2, \dfrac{25}{3}\right)$ et $\left(1, -\dfrac{13}{6}\right)$
   b. $y = -2x + \dfrac{13}{3}$; $y = -2x - \dfrac{1}{6}$

47. $y = -\dfrac{\sqrt{3}}{3}x + \dfrac{4}{3}\sqrt{3}$ **48.** $y = 112x - 80$

49. $-\dfrac{48}{(2x - 1)^4}$; $\left]-\infty; \tfrac{1}{2}\right[\cup \left]\tfrac{1}{2}, \infty\right[$

50. a. $\tfrac{1}{3}$; inélastique   **b.** 1; unitaire   **c.** 3; élastique

51. $\dfrac{25}{2(25 - \sqrt{p})}$; pour $p > 156{,}25$, la demande est élastique;
   pour $p = 156{,}25$, la demande est unitaire; pour $p < 156{,}25$,
   la demande est inélastique.

52. a. Inélastique   **b.** Augmenter

53. a. Élastique   **b.** Diminuer

54. Environ 75 ans; 0,07 an par an

CHAPITRE 4

Exercices 4.1, page 236

1. Décroissante sur $]-\infty, 0[$ et croissante sur $]0, \infty[$

3. Croissante sur $]-\infty, -1[\cup]1, \infty[$ et décroissante sur $]-1, 1[$

5. Décroissante sur $]-\infty, 0[\cup]2, \infty[$ et croissante sur $]0, 2[$

7. Décroissante sur $]-\infty, -1[\cup]1, \infty[$ et croissante sur $]-1, 1[$

9. Croissante sur $]20{,}2; 20{,}6[\cup]21{,}7; 21{,}8[$, constante sur $]19{,}6; 20{,}2[\cup]20{,}6, 21{,}1[$ et décroissante sur $]21{,}1; 21{,}7[\cup]21{,}8; 22{,}7[$

11. Croissante sur $]-\infty, \infty[$

13. Décroissante sur $]-\infty, \tfrac{3}{2}[$ et croissante sur $]\tfrac{3}{2}, \infty[$

15. Décroissante sur $]-\infty, -\sqrt{3}/3[\cup]\sqrt{3}/3, \infty[$ et croissante sur $]-\sqrt{3}/3, \sqrt{3}/3[$

17. Croissante sur $]-\infty, -2[\cup]0, \infty[$ et décroissante sur $]-2, 0[$

19. Croissante sur $]-\infty, 3[\cup]3, \infty[$

21. Décroissante sur $]-\infty, 0[\cup]0, 3)$ et croissante sur $]3, \infty[$

23. Décroissante sur $]-\infty, 2[\cup]2, \infty[$

25. Décroissante sur $]-\infty, 1[\cup]1, \infty[$

27. Croissante sur $]-\infty, 0[\cup]0, \infty[$

29. Croissante sur $]-1, \infty[$

31. Croissante sur $]-4, 0[$; décroissante sur $]0, 4[$

33. Croissante sur $]-\infty, 0[\cup]0, \infty[$

35. Croissante sur $]-\infty, 1[$; décroissante sur $]1, \infty[$

37. Maximum relatif: $f(0) = 1$; minimums relatifs: $f(-1) = 0$ et $f(1) = 0$

39. Maximum relatif: $f(-1) = 2$; minimum relatif: $f(1) = -2$

41. Maximum relatif: $f(1) = 3$; minimum relatif: $f(2) = 2$

43. Minimum relatif: $f(0) = 2$ **45.** a   **47.** d

49. Minimum relatif: $f(2) = -4$

51. Maximum relatif: $f(3) = 15$

53. Aucun

55. Maximum relatif: $g(0) = 4$; minimum relatif: $g(2) = 0$

57. Maximum relatif: $f(0) = 0$; minimums relatifs: $f(-1) = -\tfrac{1}{2}$ et $f(1) = -\tfrac{1}{2}$

59. Minimum relatif: $F(3) = -5$; maximum relatif: $F(-1) = \tfrac{17}{3}$

61. Minimum relatif: $g(3) = -19$ **63.** Aucun

65. Maximum relatif: $f(-3) = -4$; minimum relatif: $f(3) = 8$

67. Maximum relatif: $f(1) = \tfrac{1}{2}$; minimum relatif: $f(-1) = -\tfrac{1}{2}$

69. Maximum relatif: $f(0) = 0$

71. Minimum relatif: $f(1) = 0$

73.

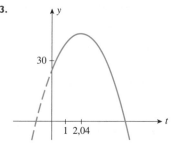

La pierre monte pendant l'intervalle $]0; 2{,}04[$ et descend pendant l'intervalle $]2{,}04; 5{,}08[$; en $t = 5{,}08$ s

75. Le pourcentage augmente avec l'âge.

77. La fonction est décroissante sur $]0, 5[$ et croissante sur $]5, 10[$. Après avoir diminué entre 1984 et 1989, l'indice a augmenté à partir de 1989.

79. a. La fonction est partout croissante sur $]0, 6[$.
   b. Le montant des transactions augmente entre 1999 et 2005.

81. a. La fonction est partout croissante sur $]0, 6[$.
   b. Le revenu augmente entre 1997 et 2003.

85. La fonction est croissante sur $]0; 4,5[$ et décroissante sur $]4,5; 11[$. La pollution augmente entre 7 h et 11 h 30 et diminue entre 11 h 30 et 18 h.

87. Si $a > 0$, la fonction f est décroissante sur $]-\infty, -b/2a[$ et croissante sur $]-b/2a, \infty[$. Si $a < 0$, la fonction f est croissante sur $]-\infty, -b/2a[$ et décroissante sur $]-b/2a, \infty[$.

89. Vrai   **91.** Vrai   **93.** Faux

95. a. -3 si $x < 0$ et 2 si $x > 0$ **b.** Non

97. a. $-\frac{2}{x^3}$ si $x > 0$ et $2x$ si $x < 0$ **b.** Non

Exercices avec la calculatrice graphique 4.1, page 241

1. a. f est décroissante sur $]-\infty; -0,2934[$ et croissante sur $]-0,2934; \infty[$.
   b. Minimum relatif: $f(-0,2934) = -2,5435$

3. a. f est croissante sur $]-\infty; -1,6144[\cup]0,2390; \infty[$ et décroissante sur $]-1,6144; 0,2390[$.
   b. Maximum relatif: $f(-1,6144) = 26,7991$; minimum relatif: $f(0,2390) = 1,6733$

5. a. f est décroissante sur $]-\infty, -1[\cup]0,33; \infty[$ et croissante sur $]-1; 0,33[$.
   b. Maximum relatif: $f(0,33) = 1,11$; minimum relatif: $f(-1) = -0,63$

7. a. f est décroissante sur $]-1; -0,71[$ et croissante sur $]-0,71; 1[$.
   b. Minimum relatif: $f(-0,71) = -1,41$

9. a.

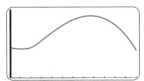

   b. f est décroissante sur $]0; 0,8343[\cup]7,6726; 12[$ et croissante sur $]0,8343; 7,6726[$.

11. f est décroissante sur $]0, 1[$ et croissante sur $]1, 4[$; minimum relatif: 51. La vitesse de la circulation diminue entre 6 h et 7 h, pour atteindre un minimum de 51 km/h. Elle augmente ensuite jusqu'à 10 h.

Exercices 4.2, page 254

1. Concave vers le bas sur $]-\infty, 0[$ et concave vers le haut sur $]0, \infty[$; point d'inflexion $(0, 0)$

3. Concave vers le bas sur $]-\infty, 0[\cup]0, \infty[$

5. Concave vers le haut sur $]-\infty, 0[\cup]1, \infty[$ et concave vers le bas sur $]0, 1[$; points d'inflexion: $(0, 0)$ et $(1, -1)$

7. Concave vers le bas sur $]-\infty, -2[\cup]-2, 2[\cup]2, \infty[$

9. a   **11.** b

13. a. Le nombre de téléphones assemblés augmente entre 8 h et 10 h, puis diminue entre 10 h et midi.
   b. À 10 h, puisque c'est en $t = 2$ que la pente de la tangente à la courbe est la plus élevée.

15. Le taux de propagation de la rumeur est d'abord croissant. Ce taux atteint un maximum au point P de la courbe. Il va ensuite en diminuant.

23. Concave vers le bas sur $]-\infty, \infty[$

25. Concave vers le bas sur $]-\infty, 0[$; concave vers le haut sur $]0, \infty[$

27. Concave vers le haut sur $]-\infty, 0[\cup]1, \infty[$; concave vers le bas sur $]0, 1[$

29. Concave vers le haut sur $]-\infty, 0[$; concave vers le bas sur $]0, \infty[$

31. Concave vers le bas sur $]2, \infty[$

33. Concave vers le haut sur $]-\infty, -1[$; concave vers le bas sur $]-1, \infty[$

35. Concave vers le bas sur $]-\infty, -\sqrt{3}[\cup]0, \sqrt{3}[$; concave vers le haut sur $]-\sqrt{3}, 0[\cup]\sqrt{3}, \infty[$

37. Concave vers le bas sur $]-\infty, 2[\cup]2, \infty[$

39. Concave vers le bas sur $]-\infty, 2[\cup]2, \infty[$

41. $(0, 0)$ **43.** $(0, 6)$ et $(1, 5)$

45. $(0, 0)$ **47.** Aucun   **49.** Aucun

51. Minimum relatif: $f(-\frac{3}{4}) = \frac{47}{8}$

53. Maximum relatif: $f(-\sqrt{2}) = 4\sqrt{2}$; minimum relatif: $f(\sqrt{2}) = -4\sqrt{2}$

55. Maximum relatif: $f(-2) = 16$; minimum relatif: $f(1) = -11$

57. Maximum relatif: $f(-\sqrt{3/2}) = -2\sqrt{3/2} - 3\sqrt{2/3}$; minimum relatif: $f(\sqrt{3/2}) = 2\sqrt{3/2} + 3\sqrt{2/3}$

59. Minimum relatif: $f(-1) = -1$; maximum relatif: $f(1) = 1$

61. Minimum relatif: $g(1) = 3$

63. Maximum relatif: $g(0) = 1$

65. Maximum relatif: $f(0) = -4$

67. a. $N_1(t)$ et $N_2(t)$ sont croissantes sur $]0, 12[$
   b. $N_1''(t) < 0$ et $N_2''(t) > 0$ sur $]0, 12[$
   c. Même s'il est prévu que la criminalité continuera à augmenter dans les deux cas, les coupures budgétaires résulteront en une augmentation de la hausse de criminalité, alors que le maintien du budget actuel devrait occasionner une baisse de la hausse de criminalité.

69. Le comportement de $f(t)$ est l'opposé de celui de la fonction du n° 68. Le taux d'augmentation de la fonction est décroissant jusqu'à ce que le niveau de l'eau atteigne le milieu du bocal, ce qui correspond au point d'inflexion de f, après quoi le taux d'augmentation de la fonction est croissant jusqu'à ce que le bocal soit rempli.

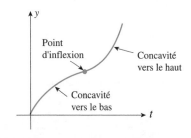

71. Oui puisque, après avoir diminué au cours des trois premières années, le taux de croissance de $P(x)$ se remet à augmenter.

73. a. $R'(t) = 74,925t^2 - 99,62t + 41,25$
$R''(t) = 149,85t - 99,62$
c. $(0,66; 12,91)$

75. Vrai   **77.** Vrai

81. $\left(-\dfrac{b}{3a}, f\left(-\dfrac{b}{3a}\right)\right)$

Exercices avec la calculatrice graphique 4.2, page 259

1. a. f est concave vers le haut sur $]-\infty, 0[\cup]1,1667; \infty[$ et concave vers le bas sur $]0; 1,1667[$.
b. $(1,1667; 1,1153)$; $(0, 2)$

3. a. f est concave vers le bas sur $]-\infty, 0[$ et concave vers le haut sur $]0, \infty[$.
b. $(0, 2)$

5. a. f est concave vers le bas sur $]-\infty, 0[$ et concave vers le haut sur $]0, \infty[$.
b. $(0, 0)$

7. a. f est concave vers le bas sur $]-\infty; -2,4495[\cup]0; 2,4495[$ et concave vers le haut sur $]-2,4495; 0[\cup]2,4495; \infty[$.
b. $(2,4495; 0,3402)$; $(-2,4495; -0,3402)$

9. a.
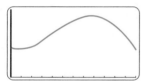
b. $(3,9024; 77,0919)$

11. a.
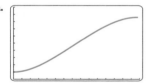
b. Avril 1993 ($t = 7,36$)

Exercices 4.3, page 270

1. Asymptote horizontale : $y = 0$

3. Asymptote horizontale : $y = 0$; asymptote verticale : $x = 0$

5. Asymptote horizontale : $y = 0$;
asymptotes verticales : $x = -1$ et $x = 1$

7. Asymptote horizontale : $y = 3$; asymptote verticale : $x = 0$

9. Asymptote horizontale : $y = 1$;
asymptotes verticales : $x = -1$ et $x = 1$

11. Asymptote horizontale : $y = 0$; asymptote verticale : $x = -2$

13. Asymptote horizontale : $y = 0$; aucune asymptote verticale

15. Asymptote horizontale : $y = \frac{1}{2}$; asymptote verticale : $t = \frac{1}{2}$

17. Aucune asymptote

19. Pas d'asymptote horizontale;
asymptotes verticales : $x = -2$ et $x = 2$

21. Asymptote horizontale : $y = 2$; asymptote verticale : $t = 2$

23. Asymptote horizontale : $y = 1$;
asymptotes verticales : $x = -2$ et $x = 2$

25. Pas d'asymptote horizontale ou verticale

27. f est la dérivée de la fonction g.

29. a.
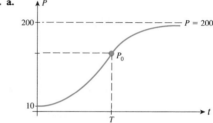

b. P est croissante sur $]0, \infty[$.

c. Oui, $P = 200$.

d. P est concave vers le haut sur $]0, T[$ et concave vers le bas sur $]T, \infty[$.

e. Oui, au point P_0. La croissance de $P(t)$ est maximale en $t = T$.

31.
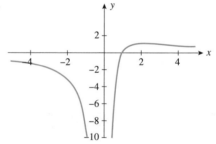

33.
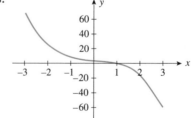

35.

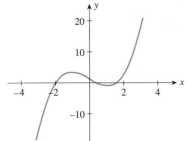

37.

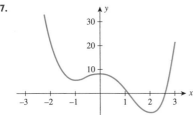

39.

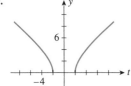

41.

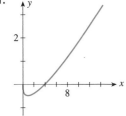

43.

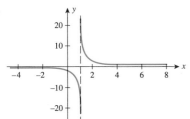

45.

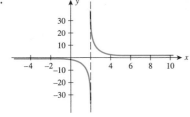

47.

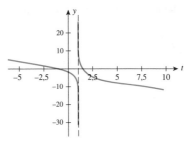

49.

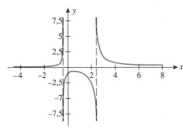

51.

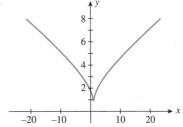

53. a. $x = 100$ **b.** Non

55.

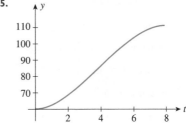

57.

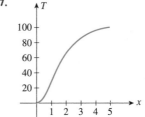

Exercices avec la calculatrice graphique 4.3, page 273

1.

3.

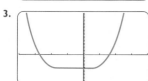

5. −0,9733; 2,3165, 4,6569   **7.** −1,1301; 2,9267

9. 1,5142

Exercices 4.4, page 283

1. La fonction n'admet aucune extremum absolu.

3. Minimum absolu de f: 0

5. La fonction n'admet aucun extremum absolu.

7. Minimum absolu de f: $-\frac{41}{8}$

9. La fonction n'admet aucun extremum absolu.

11. Maximum absolu de f: 1

13. Maximum absolu de f: 5; minimum absolu de f: −4

15. Maximum absolu de f: 10; minimum absolu de f: 1

17. Maximum absolu de f: 19; minimum absolu de f: −1

19. Maximum absolu de g: 16; minimum absolu de g: −1

21. Maximum absolu de f: 3; minimum absolu de f: $\frac{5}{3}$

23. Maximum absolu de f: $\frac{37}{3}$; minimum absolu de f: 5

25. Maximum absolu de $f \approx 1,04$; minimum absolu de f: −1,5

27. La fonction n'admet aucun extremum absolu.

29. Maximum absolu de f: 1; minimum absolu de f: 0

31. Maximum absolu de f: 0; minimum absolu de f: −3

33. Maximum absolu de f: $\sqrt{2}/4 \approx 0,35$; minimum absolu de f: $-\frac{1}{3}$

35. Maximum absolu de f: $\sqrt{2}/2$; minimum absolu de f: $-\sqrt{2}/2$

37. 45,4 m

39. $f(2,43) = 64,57$ et $f(5) = 43,33$. Le nombre d'emplois autonomes détenus par des Québécois âgés de 15 à 29 ans a atteint son maximum, soit 64 750, en 1988 ($t = 2,43$). Par la suite, ce nombre n'a cessé de décroître pour atteindre un minimum absolu de 43 300 en 2001.

41. 3333

43. a. $0,0025x + 80 + \dfrac{10\,000}{x}$ **b.** 2000

c. 2000   **d.** Ils sont identiques.

45. 533

47. a. 2 jours après le versement des déchets organiques
b. 3,5 jours après le versement des déchets organiques

51. Faux   **53.** Faux

57. c.

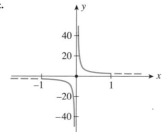

Exercices avec la calculatrice graphique 4.4, page 286

1. Maximum absolu de f: 145,8985; minimum absolu de f: −4,3834

3. Maximum absolu de f: 16; minimum absolu de f: −0,1257

5. Maximum absolu de f: 2,8889; minimum absolu de f: 0

7. a.

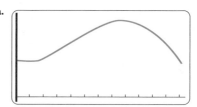

b. Maximum absolu de f: 108,8756; minimum absolu de f: 49,7773

Exercices 4.5, page 295

1. 750 m × 1500 m; 1 125 000 m²

3. $2\sqrt{5}$ m × $8\sqrt{5}$ m

5. $\frac{40}{3}$ cm × $\frac{40}{3}$ cm × $\frac{10}{3}$ cm

7. 10,08 cm × 10,08 cm × 10,08 cm

9. 45 cm × 45 cm × 90 cm; 182 250 cm³

11. $r = \dfrac{5}{\sqrt[3]{\pi}}$ cm; $h = \dfrac{10}{\sqrt[3]{\pi}}$ cm

13. La hauteur de la portion rectangulaire doit mesurer $9/(4 + \pi)$ m et la largeur $\dfrac{18}{4 + \pi}$ m.

15. 20 pommiers/acre

17. $l \approx 34,64$ cm; $h \approx 48,99$ cm

19. $x = 2004$ m

Chapitre 4 Exercices récapitulatifs, page 298

1. **a.** f est croissante sur $]-\infty, 1[\cup]1, \infty[$.
   b. La fonction n'admet aucun extremum relatif.
   c. f est concave vers le bas sur $]-\infty, 1[$ et concave vers le haut sur $]1, \infty[$.
   d. $(1, -\frac{17}{3})$

2. **a.** f est croissante sur $]-\infty, 2[\cup]2, \infty[$.
   b. La fonction n'admet aucun extremum relatif.
   c. f est concave vers le bas sur $]-\infty, 2[$ et concave vers le haut sur $]2, \infty[$.
   d. $(2, 0)$

3. **a.** f est croissante sur $]-1, 0[\cup]1, \infty[$ et décroissante sur $]-\infty, -1[\cup]0, 1[$.
   b. Maximum relatif de f: 0; minimum relatif de f: -1
   c. f est concave vers le haut sur $\left]-\infty, -\frac{\sqrt{3}}{3}\right[\cup \left]\frac{\sqrt{3}}{3}, \infty\right[$ et concave vers le bas sur $\left]-\frac{\sqrt{3}}{3}, \frac{\sqrt{3}}{3}\right[$.
   d. $\left(-\frac{\sqrt{3}}{3}, -\frac{5}{9}\right); \left(\frac{\sqrt{3}}{3}, -\frac{5}{9}\right)$

4. **a.** f est croissante sur $]-\infty, -2[\cup]2, \infty[$ et décroissante sur $]-2, 0[\cup]0, 2[$.
   b. Maximum relatif de f: -4; minimum relatif de f: 4
   c. f est concave vers le bas sur $]-\infty, 0[$ et concave vers le haut sur $]0, \infty[$.
   d. La fonction n'admet aucun point d'inflexion.

5. **a.** f est croissante sur $]-\infty, 0[\cup]2, \infty[$ et décroissante sur $]0, 1[\cup]1, 2[$.
   b. Maximum relatif de f: 0; minimum relatif de f: 4
   c. f est concave vers le haut sur $]1, \infty[$ et concave vers le bas sur $]-\infty, 1[$.
   d. La fonction n'admet aucun point d'inflexion.

6. **a.** f est croissante sur $]1, \infty[$.
   b. La fonction n'admet aucun extremum relatif.
   c. f est concave vers le bas sur $]1, \infty[$.
   d. La fonction n'admet aucun point d'inflexion.

7. **a.** f est décroissante sur $]-\infty, 1[\cup]1, \infty[$.
   b. La fonction n'admet aucun extremum relatif.
   c. f est concave vers le bas sur $]-\infty, 1[$ et concave vers le haut sur $]1, \infty[$.
   d. $(1, 0)$

8. **a.** f est croissante sur $]1, \infty[$.
   b. La fonction n'admet aucun extremum relatif.
   c. f est concave vers le bas sur $\left]1, \frac{4}{3}\right[$ et concave vers le haut sur $\left]\frac{4}{3}, \infty\right[$.
   d. $\left(\frac{4}{3}, \frac{4\sqrt{3}}{9}\right)$

9. **a.** f est croissante sur $]-\infty, -1[\cup]-1, \infty[$.
   b. La fonction n'admet aucun extremum relatif.
   c. f est concave vers le bas sur $]-1, \infty[$ et concave vers le haut sur $]-\infty, -1[$.
   d. La fonction n'admet aucun point d'inflexion.

10. **a.** f est décroissante sur $]-\infty, 0[$ et croissante sur $]0, \infty[$.
    b. Minimum relatif de f: -1
    c. f est concave vers le bas sur $\left]-\infty, -\frac{1}{\sqrt{3}}\right[\cup \left]\frac{1}{\sqrt{3}}, \infty\right[$ et concave vers le haut sur $\left]-\frac{1}{\sqrt{3}}, \frac{1}{\sqrt{3}}\right[$.
    d. $\left(-\frac{1}{\sqrt{3}}, -\frac{3}{4}\right); \left(\frac{1}{\sqrt{3}}, -\frac{3}{4}\right)$

11.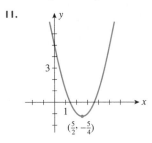
$\left(\frac{5}{2}, -\frac{5}{4}\right)$

12.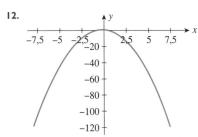

13.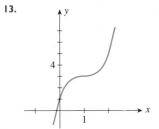

14.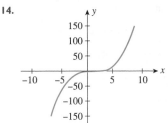

15.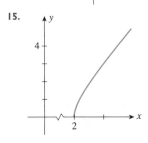

16.

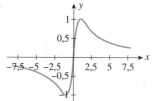

17.

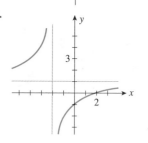

18.

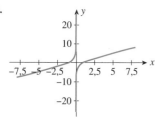

19. Asymptote verticale : $x = -\frac{3}{2}$; asymptote horizontale : $y = 0$

20. Asymptote horizontale : $y = 2$; asymptote verticale : $x = -1$

21. Asymptotes verticales $x = -2$ et $x = 4$, asymptote horizontale : $y = 0$

22. Asymptote horizontale : $y = 1$; asymptote verticale : $x = 1$

23. Minimum absolu de f : $-\frac{25}{8}$

24. Minimum absolu de g : 0

25. Maximum absolu de g : 5; minimum absolu de g : 0

26. Maximum absolu de f : $\frac{5}{3}$; minimum absolu de f : 1

27. Maximum absolu de h : -16; minimum absolu de h : -32

28. Maximum absolu de g : $\frac{1}{2}$; minimum absolu de g : 0

29. Maximum absolu de f : $\frac{8}{3}$; minimum absolu de f : 0

30. Maximum absolu de h : $\frac{215}{9}$; minimum absolu de h : 7

31. Maximum absolu de f : $\frac{1}{2}$; minimum absolu de f : $-\frac{1}{2}$

32. La fonction n'admet aucun extremum absolu.

33. 4000 $

34. a. $I'(t) = -\dfrac{200t}{(t^2 + 10)^2}$

b. $I''(t) = \dfrac{-200(10 - 3t^2)}{(t^2 + 10)^3}$; $I(t)$ est concave vers le haut sur $]\sqrt{10/3}, \infty[$ et concave vers le bas sur $]0, \sqrt{10/3}[$.

c.

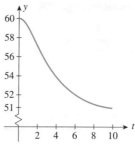

d. Les réserves fauniques diminuaient de plus en plus rapidement au cours de la première période de 1,8 an. Par la suite, elles se sont mises à diminuer de plus en plus lentement.

35. 168   **36. a.** $0,001x + 100 + \dfrac{4000}{x}$ **b.** 2000

38. À 10 h   **39.** 1157 cm^3

40. rayon : 58 cm; hauteur : 2,34 m

41. a. $f'(x) = 3x^2$ si $x \neq 0$ **b.** Non

CHAPITRE 5

Exercices 5.1, page 306

1.

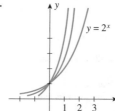

3.

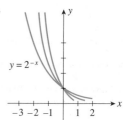

5.

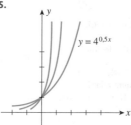

7.

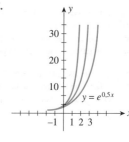

9.

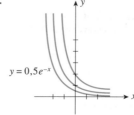

11. a.

Année	0	1	2	3	4	5
Nombre de sites Web (en milliards)	0,45	0,80	1,41	2,49	4,39	7,76

b.

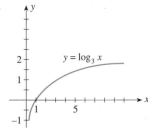

13. Vrai

Exercices avec la calculatrice graphique 5.1, page 307

1.

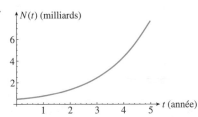

3. a. 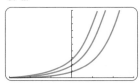   **b.**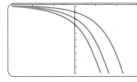

Exercices 5.2, page 314

1. $\log_2 64 = 6$ **3.** $\log_3 \frac{1}{9} = -2$ **5.** $\log_{1/3} \frac{1}{3} = 1$

7. $\log_{32} 8 = \frac{3}{5}$ **9.** $\log_{10} 0{,}001 = -3$ **11.** $\log x + 4\log(x + 1)$

13. $\frac{1}{2}\log(x + 1) - \log(x^2 + 1)$ **15.** $\ln x - x^2$

17. $-\frac{3}{2}\ln x - \frac{1}{2}\ln(1 + x^2)$ **19.** $x \ln x$

21.

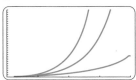

23.

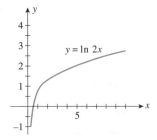

25.

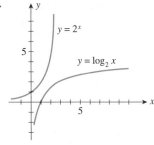

27. 5,1986   **29.** $-0{,}0912$ **31.** $-8{,}0472$

33. $-4{,}9041$ **35.** $-2\ln\left(\dfrac{A}{B}\right)$

37. a. $I = 10^5 I_0$ **b.** 1000 fois   **c.** 10 000 fois

39. a. 77°C   **b.** Environ 15,54 min

41. À 1 h du matin l'avant-veille

43. Faux   **45.** Vrai

Exercices 5.3, page 327

1. 4 974,47 $ **3.** 223 403,11 $

5. a. 10,25 %/an   **b.** 9,31 %/an

7. a. 29 227,61 $ **b.** 29 137,83 $ **9.** 6 885,64 $

11. a. 13,59 %/an   **b.** 13,75 %/an

13. 19,21 %/an   **15.** 22,17 %/an

17. 2,8 ans   **19.** 6,08 %/an   **21.** 2,06 ans

23. 169 389,79 $ **25.** 23 329,48 $

27. 5,13 %   **29.** 40 000 $

31. a. 54 847,74 $ **b.** 54 789,32 $

33. a. 16 262,79 $ **b.** 12 047,77 $ **c.** 6 611,96 $

35. a. 10,38 %   **b.** 10,47 %   **c.** 10,52 %   **37.** 9,57 %

39. nR ; si le taux d'intérêt est nul, la valeur future d'une annuité de n versements de R dollars chacun est en effet nR.

Exercices 5.4, page 335

1. $3e^{3x}$ **3.** $-e^{-t}$ **5.** $e^x + 1$ **7.** $x^2e^x(3 + x)$

9. $\dfrac{2e^x(x - 1)}{x^2}$ **11.** $3(e^x - e^{-x})$ **13.** $-\dfrac{1}{e^w}$

15. $-2xe^{-x^2}$ **17.** $25e^x(e^x + 1)^{24}$ **19.** $e^{3x+2}(3x - 2)$

21. $2(8e^{-4x} + 9e^{3x})$ **23.** $6e^{3x}(3x + 2)$ **25.** $y = 2x - 2$

27. f est croissante sur $]-\infty, 0[$ et décroissante sur $]0, \infty[$.

29. f est concave vers le bas sur $]-\infty, 0[$ et concave vers le haut sur $]0, \infty[$.

31. $(1, e^{-2})$

33. Maximum absolu de f: 1; minimum absolu de f: e^{-1}

35. Minimum absolu de g: -1; maximum absolu de g: $2e^{-3/2}$

37. **39.**

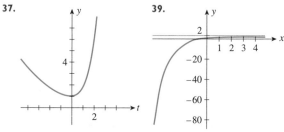

41. $-0,1694$; $-0,1549$; $-0,1415$; le pourcentage de la population qui a déménagé a diminué de 0,17 % par an en 1970, de 0,15 % par an en 1980 et de 0,14 % par an en 1990.

43. a. 1986 kWh/an **45.** 10 000; 367 879 $

47. a. 3 **b.** $N'(x) = \dfrac{29\,700e^{-x}}{(1 + 99e^{-x})^2} > 0$

c.

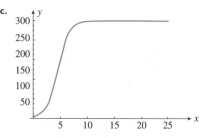

49. 1,8; $-0,11$; $-0,23$; $-0,13$; la quantité de pétrole utilisée augmentait de 1,8 baril/tranche de 1 000 $ par décennie en 1965; elle diminuait de 0,11 baril/tranche de 1 000 $ par décennie en 1975, et ainsi de suite.

51. a. $t = \dfrac{\ln a - \ln b}{a - b}$ **b.** $t = \dfrac{2(\ln a - \ln b)}{a - b}$

53. Faux **55.** Vrai

Exercices avec la calculatrice graphique 5.4, page 337

1. 5,4366 **3.** 12,3929 **5.** 0,1861

7. a. 50

c.

9. a.

b. 4,2720 milliards/tranche de 50 ans

Exercices 5.5, page 344

1. $\dfrac{5}{x}$ **3.** $\dfrac{1}{x + 1}$ **5.** $\dfrac{8}{x}$ **7.** $\dfrac{1}{2x}$ **9.** $\dfrac{-2}{x}$

11. $\dfrac{1}{x(x + 1)}$ **13.** $x(2 \ln x + 1)$

15. $\dfrac{2(1 - \ln x)}{x^2}$ **17.** $\dfrac{3}{u - 2}$ **19.** $\dfrac{1}{2x\sqrt{\ln x}}$

21. $\dfrac{3(\ln x)^2}{x}$ **23.** $\dfrac{3x^2}{x^3 + 1}$ **25.** $\dfrac{(x \ln x + 1)e^x}{x}$

27. $\dfrac{e^{2t}[2(t + 1)\ln(t + 1) + 1]}{t + 1}$ **29.** $\dfrac{1 - \ln x}{x^2}$ **31.** $-\dfrac{1}{x^2}$

33. $\dfrac{2(2 - x^2)}{(x^2 + 2)^2}$ **35.** $2(3x + 2)^3(5x - 1)(45x + 4)$

37. $\dfrac{(2x - 3)^3 (54x + 71)}{2\sqrt{3x + 5}}$

39. $3^x \ln 3$

41. $(x^2 + 1)^{x-1}[2x^2 + (x^2 + 1)\ln(x^2 + 1)]$

43. $y = x - 1$

45. f est décroissante sur $]-\infty, 0[$ et croissante sur $]0, \infty[$.

47. f est concave vers le haut sur $]-\infty, -1[\cup]1, \infty[$ et concave vers le bas sur $]-1, 0[\cup]0, 1[$.

49. $(-1, \ln 2)$ et $(1, \ln 2)$

51. Minimum absolu de f: 1; maximum absolu de f: $3 - \ln 3$

53. a. 78,82 millions **b.** 3,95 millions

57.

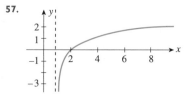

59. Vrai

Exercices 5.6, page 352

1. a. 0,05
b. 400
c.

t	0	10	20	100	1000
Q	400	660	1087	59 365	$2,07 \times 10^{24}$

3. a. $Q_0 = 5,3$; $k = \ln 1,02 \approx 0,0198$
b.

Année	1990	1995	2000	2005
Population mondiale	5,3	5,9	6,5	7,1

Année	2010	2015	2020	2025
Population mondiale	7,9	8,7	9,6	10,6

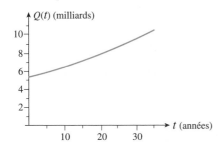

c. 128 millions par an

5. 176 198 $

7.

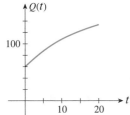

a. 60 mots/min
b. 107 mots/min
c. 136 mots/min

9. a. 10 mouches   **b.** 400 mouches   **c.** 154 mouches
d. 15 mouches/jour

11. c. 6
d.

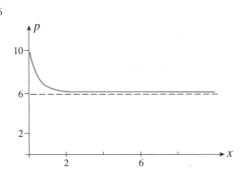

Exercice avec la calculatrice graphique 5.6, page 354

1. a.

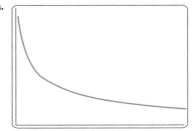

b. 35 038,78 $
c. ∞ ; si Christine reçoit une rente de 25 000 $ par an, elle ne retirera que le montant des intérêts et ne touchera pas à son capital.
d. 0 ; si Christine vide son compte dès la première année, elle n'aura plus de rente !

Chapitre 5 Exercices récapitulatifs, page 356

1. a et b.

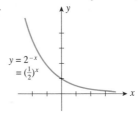

$y = 2^{-x} = \left(\frac{1}{2}\right)^x$

2.

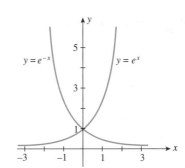

$y = e^{-x}$ $y = e^x$

3. $(2x + 1)e^{2x}$ **4.** $\dfrac{e^t}{2\sqrt{t}} + \sqrt{t}e^t + 1$ **5.** $\dfrac{1 - 4t}{2\sqrt{t}e^{2t}}$

6. $\dfrac{e^x(x^2 + x + 1)}{\sqrt{1 + x^2}}$ **7.** $\dfrac{2(e^{2x} + 2)}{(1 + e^{-2x})^2}$ **8.** $4xe^{2x^2 - 1}$

9. $(1 - 2x^2)e^{-x^2}$ **10.** $3e^{2x}(1 + e^{2x})^{1/2}$ **11.** $(x + 1)^2e^x$

12. $\ln t + 1$ **13.** $\dfrac{2xe^{x^2}}{e^{x^2} + 1}$ **14.** $\dfrac{\ln x - 1}{(\ln x)^2}$

15. $\dfrac{x - x\ln x + 1}{x(x + 1)^2}$ **16.** $(x + 2)e^x$ **17.** $\dfrac{4e^{4x}}{e^{4x} + 3}$

18. $\dfrac{(r^3 - r^2 + r + 1)e^r}{(1 + r^2)^2}$ **19.** $\dfrac{1 + e^x(1 - x\ln x)}{x(1 + e^x)^2}$

20. $\dfrac{(2x^2 + 2x^2 \cdot \ln x - 1)e^{x^2}}{x(1 + \ln x)^2}$ **21.** $-\dfrac{9}{(3x + 1)^2}$

22. $\dfrac{1}{x}$ **23.** $6x(x^2 + 2)^2(3x^3 + 2x + 1)$

24. $\dfrac{(4x^3 - 5x^2 + 2)(x^2 - 2)}{(x - 1)^2}$ **25.** $y = -(2x - 3)e^{-2}$

26. $y = 1/e$

27.

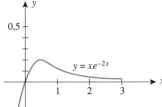

28.

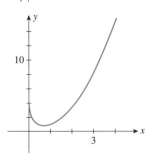

29. Maximum absolu de f: $\dfrac{1}{e}$

30. Maximum absolu de g: $\dfrac{\ln 2}{2}$; minimum absolu de g: 0

31. 12 %/an   **32.** 80 000 $

33.

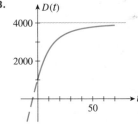

a. 1175 lecteurs, 2540 lecteurs, 3289 lecteurs
b. 4000 lecteurs

CHAPITRE 6

Exercices 6.1, page 367

5. b. $y = 2x + C$

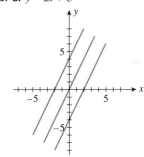

7. b. $y = \frac{1}{3}x^3 + C$

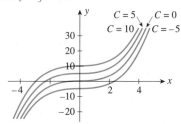

9. $6x + C$ **11.** $\frac{1}{4}x^4 + C$ **13.** $-\dfrac{1}{3x^3} + C$

15. $\frac{3}{5}x^{5/3} + C$ **17.** $-\dfrac{4}{x^{1/4}} + C$ **19.** $-\dfrac{2}{x} + C$

21. $8t^{3/2} + C$ **23.** $3x - x^2 + C$

25. $\dfrac{1}{3}x^3 + \dfrac{1}{2}x^2 - \dfrac{1}{2x^2} + C$ **27.** $4e^x + C$

29. $x^4 + \dfrac{2}{x} - x + C$ **31.** $\frac{2}{3}x^{3/2} + 6\sqrt{x} + C$

33. $\frac{1}{9}u^3 + \frac{1}{3}u^2 - \frac{1}{3}u + C$ **35.** $\frac{2}{3}t^3 - \frac{3}{2}t^2 - 2t + C$

37. $\frac{2}{7}t^{7/2} + \frac{2}{5}t^{5/2} - \frac{2}{3}t^{3/2} + C$

39. $e^t + \dfrac{t^{e+1}}{e + 1} + C$ **41.** $\dfrac{1}{2}x^2 + x - \ln|x| - \dfrac{1}{x} + C$

43. $\ln|x| + \dfrac{4}{\sqrt{x}} - \dfrac{1}{x} + C$ **45.** $x^3 + 2x^2 - x - 5$

47. $x - \dfrac{1}{x} + 2$ **49.** $x + \ln|x|$

51. $\sqrt{x}$ **53.** $e^x + \frac{1}{2}x^2 + 2$

55. a. $-t^3 + 6t^2 + 45t$ **b.** 212

57. a. $-0,011t^3 + 0,1714t^2 + 0,07t + 2,9$ **b.** 7,11 %

59. 1,225 m/s²   **61.** 10,8 m/s²

63. L'automobile A devance l'automobile B.

65. Faux   **67.** Faux

Exercices 6.2, page 374

1. $\frac{1}{5}(4x + 3)^5 + C$ **3.** $\frac{1}{3}(x^3 - 2x)^3 + C$

5. $-\dfrac{1}{2(2x^2 + 3)^2} + C$ **7.** $\frac{1}{20}(x^2 - 1)^{10} + C$ **9.** $-\frac{1}{5}\ln|1 - x^5| + C$

11. $\ln(x - 2)^2 + C$ **13.** $\frac{1}{6}\ln|3x^2 - 1| + C$

15. $-\frac{1}{2}e^{-2x} + C$ **17.** $-e^{2-x} + C$ **19.** $-\frac{1}{2}e^{-x^2} + C$

21. $e^x + e^{-x} + C$ **23.** $\ln(1 + e^x) + C$ **25.** $2e^{\sqrt{x}} + C$

27. $-\dfrac{1}{6(e^{3x} + x^3)^2} + C$ **29.** $\frac{1}{2}(\ln 5x)^2 + C$ **31.** $\ln|\ln x| + C$

33. $\frac{2}{3}(\ln x)^{3/2} + C$ **35.** $\frac{1}{2}e^{x^2} - \frac{1}{2}\ln(x^2 + 2) + C$

37. $\frac{2}{3}(\sqrt{x} - 1)^3 + 3(\sqrt{x} - 1)^2 + 8(\sqrt{x} - 1) + 4\ln|\sqrt{x} - 1| + C$

39. $\dfrac{(6x+1)(x-1)^6}{42} + C$

41. $5 + 4\sqrt{x} - x - 4\ln(1+\sqrt{x}) + C$

43. $-\dfrac{1}{252}(1-v)^7(28v^2 + 7v + 1) + C$

45. $\dfrac{1}{2}[(2x-1)^5 + 5]$ **47.** $e^{-x^2+1} - 1$

49. $21\,000 - \dfrac{20\,000}{\sqrt{1+0{,}2t}}$; 6858   **51.** 62 286

Exercices 6.3, page 384

1. 4,27 unités d'aire

3. a. 6 unités d'aire

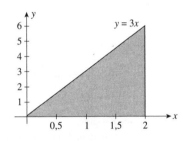

b. 4,5 unités d'aire   **c.** 5,25 unités d'aire   **d.** Oui

5. a. 4 unités d'aire

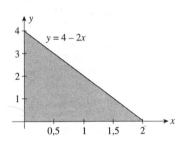

b. 4,8 unités d'aire   **c.** 4,4 unités d'aire   **d.** Oui

7. a. i. 18,5 unités d'aire   **ii.** 18,64 unités d'aire
iii. 18,66 unités d'aire   **b.** $18\frac{2}{3}$ unités d'aire

9. a. i. 25 unités d'aire   **ii.** 21,12 unités d'aire
iii. 19,88 unités d'aire   **b.** 19,9 unités d'aire

11. a. i. 0,0625 unité d'aire   **ii.** 0,16 unité d'aire
iii. 0,2 unité d'aire   **b.** 0,2 unité d'aire

13. 4,64 unités d'aire   **15.** 18,8 unités d'aire

Exercices 6.4, page 393

1. 6 unités d'aire   **3.** 8 unités d'aire   **5.** 12 unités d'aire

7. 9 unités d'aire   **9.** ln 2 unité d'aire   **11.** $17\frac{1}{3}$ unités d'aire

13. $18\frac{1}{4}$ unités d'aire   **15.** $(e^2 - 1)$ unités d'aire

17. 108 unités d'aire   **19.** $\frac{2}{3}$ unité d'aire   **21.** $2\frac{2}{3}$ unités d'aire

23. $1\frac{1}{2}$ unité d'aire   **25.** 6   **27.** 14   **29.** $18\frac{2}{3}$ **31.** $\frac{4}{3}$

33. 45   **35.** $\frac{7}{12}$ **37.** ln 2   **39.** 56   **41.** $\frac{256}{15}$ **43.** $\frac{2}{3}$

45. $2\frac{2}{3}$ **47.** $19\frac{1}{2}$

Chapitre 6 Exercices récapitulatifs, page 397

1. $\frac{1}{4}x^4 + \frac{2}{3}x^3 - \frac{1}{2}x^2 + C$ **2.** $\frac{1}{12}x^4 - \frac{2}{3}x^3 + 8x + C$

3. $\frac{1}{5}x^5 - \frac{1}{2}x^4 - \frac{1}{x} + C$ **4.** $\frac{3}{4}x^{4/3} - \frac{2}{3}x^{3/2} + 4x + C$

5. $\frac{1}{2}x^4 + \frac{2}{5}x^{5/2} + C$ **6.** $\frac{2}{7}x^{7/2} - \frac{1}{3}x^3 + \frac{2}{3}x^{3/2} - x + C$

7. $\frac{1}{3}x^3 - \frac{1}{2}x^2 + 2\ln|x| + 5x + C$

8. $\frac{1}{3}(2x+1)^{3/2} + C$ **9.** $\frac{3}{8}(3x^2 - 2x + 1)^{4/3} + C$

10. $\dfrac{(x^3+2)^{11}}{33} + C$ **11.** $\frac{1}{2}\ln(x^2 - 2x + 5) + C$

12. $-e^{-2x} + C$ **13.** $\frac{1}{2}e^{x^2+x+1} + C$ **14.** $\dfrac{1}{e^{-x}+x} + C$

15. $\frac{1}{6}(\ln x)^6 + C$ **16.** $(\ln x)^2 + C$ **17.** $\dfrac{(11x^2-1)(x^2+1)^{11}}{264} + C$

18. $\frac{2}{15}(3x-2)(x+1)^{3/2} + C$ **19.** $\frac{2}{3}(x+4)\sqrt{x-2} + C$

20. $2(x-2)\sqrt{x+1} + C$ **21.** $\frac{1}{2}$ **22.** -6 **23.** $5\frac{2}{3}$

24. 242   **25.** -80 **26.** $\frac{132}{5}$ **27.** $\frac{1}{2}\ln 5$ **28.** $\frac{1}{15}$ **29.** 4

30. $1 - \dfrac{1}{e^2}$ **31.** $\dfrac{e-1}{2(1+e)}$ **32.** $\frac{1}{2}$

33. $f(x) = x^3 - 2x^2 + x + 1$ **34.** $f(x) = \sqrt{x^2 + 1}$

35. $f(x) = x + e^{-x} + 1$ **36.** $f(x) = \frac{1}{2}(\ln x)^2 - 2$ **37.** $-4{,}28$

38. 15 unités d'aire   **39.** $\frac{1}{2}(e^4 - 1)$ unités d'aire

40. $\frac{2}{3}$ unité d'aire   **41.** $\frac{9}{2}$ unités d'aire   **42.** $(e^2 - 3)$ unités d'aire

43. $\frac{3}{10}$ unité d'aire   **44.** $\frac{1}{2}$ unité d'aire

Index

À L'UTILISATEUR DE CE LIVRE

Nous espérons que *Calcul différentiel* vous a été utile. Afin d'améliorer le contenu dans la prochaine édition, prendriez-vous le temps de répondre aux questions suivantes ? Vous pouvez compléter ce même formulaire sur le Compagnon Web à l'adresse www.goulet.ca. Merci.

Établissement : _____

Département : _____

Titre et numéro du cours : _____

Nom de l'enseignant(e) : _____

1. Ce que j'aime le plus de ce livre : _____

_____

_____

2. Ce que j'aime le moins de ce livre : _____

_____

_____

3. Mon appréciation générale de ce livre se résume à : _____

_____

_____

_____

4. Votre enseignant vous a-t-il demandé de lire tous les chapitres ? Sinon, lesquels n'étaient pas à lire ?

_____

5. Écrivez vos suggestions qui permettraient d'améliorer ce livre ou tout autre commentaire que vous aimeriez nous faire partager quant à l'utilisation de ce livre.

_____

_____

_____

_____

_____

_____

ALGÈBRE

OPÉRATIONS ÉLÉMENTAIRES

$$a(b + c) = ab + ac \qquad \frac{a}{b} \times \frac{c}{d} = \frac{ac}{bd}$$

$$\frac{a + c}{b} = \frac{a}{b} + \frac{c}{b} \qquad \frac{\dfrac{a}{b}}{\dfrac{c}{d}} = \frac{a}{b} \times \frac{d}{c} = \frac{ad}{bc}$$

$$\frac{a}{b} + \frac{c}{d} = \frac{ad + bc}{bd}$$

EXPOSANTS ET RADICAUX

$$a^m a^n = a^{m+n} \qquad \frac{a^m}{a^n} = a^{m-n}$$

$$(a^m)^n = a^{mn} \qquad a^{-n} = \frac{1}{a^n}$$

$$(ab)^n = a^n b^n \qquad a^0 = 1$$

$$\left(\frac{a}{b}\right)^n = \frac{a^n}{b^n} \qquad a^{1/n} = \sqrt[n]{a}$$

$$\sqrt[n]{ab} = \sqrt[n]{a}\,\sqrt[n]{b} \qquad a^{m/n} = \sqrt[n]{a^m} = \left(\sqrt[n]{a}\right)^m$$

$$\sqrt[m]{\sqrt[n]{a}} = \sqrt[n]{\sqrt[m]{a}} = \sqrt[mn]{a} \qquad \sqrt[n]{\frac{a}{b}} = \frac{\sqrt[n]{a}}{\sqrt[n]{b}}$$

LOGARITHMES

$$\log_b mn = \log_b m + \log_b n$$

$$\log_b \frac{m}{n} = \log_b m - \log_b n$$

$$\log_b m^n = n \log_b m$$

$$\log_b 1 = 0$$

$$\log_b b = 1$$

$$\log_b m = \frac{\log_a m}{\log_a b}$$

FORMULE QUADRATIQUE

Si $ax^2 + bx + c = 0$, où $a \neq 0$, alors

$$x = \frac{-b \pm \sqrt{b^2 - 4ac}}{2a}$$

PROPRIÉTÉS DES INÉGALITÉS

Si $a < b$ et $b < c$, alors $a < c$.

Si $a < b$, alors $a + c < b + c$.

Si $a < b$ et $c > 0$, alors $ac < bc$.

Si $a < b$ et $c < 0$, alors $ac > bc$.

VALEUR ABSOLUE

Si $a > 0$, alors

$|x| = a$ signifie $x = a$ ou $x = -a$

$|x| < a$ signifie $-a < x < a$

$|x| > a$ signifie $x > a$ ou $x < -a$

FORMULES BINOMIALES

$$(a + b)^2 = a^2 + 2ab + b^2$$

$$(a - b)^2 = a^2 + 2ab + b^2$$

$$(a + b)^3 = a^3 + 3a^2b + 3ab^2 + b^3$$

$$(a - b)^3 = a^3 - 3a^2b + 3ab^2 - b^3$$

FORMULES DE FACTORISATION

$$a^2 - b^2 = (a + b)(a - b)$$

$$a^3 + b^3 = (a + b)(a^2 - ab + b^2)$$

$$a^3 - b^3 = (a - b)(a^2 + ab + b^2)$$

THÉORÈME DE FACTORISATION

Si $f(a) = 0$, alors $(x - a)$ est un facteur de $f(x)$.

GÉOMÉTRIE

FORMULES DE GÉOMÉTRIE

Aire A, circonférence C et volume V :

Rectangle

$A = bh$

Triangle

$A = \frac{1}{2}bh$

Cercle

$A = \pi r^2$

$C = 2\pi r$

 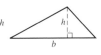

Parallélépipède rectangle

$V = abc$

Sphère

$V = \frac{4}{3}\pi r^3$

$A = 4\pi r^2$

Cylindre

$V = \pi r^2 h$

DISTANCE ET POINT MILIEU

Distance entre $P_1(x_1, y_1)$ et $P_2(x_2, y_2)$:

$$d = \sqrt{(x_2 - x_1)^2 + (y_2 - y_1)^2}$$

Point milieu de $\overline{P_1 P_2}$: $\left(\dfrac{x_1 + x_2}{2}, \dfrac{y_1 + y_2}{2}\right)$

CERCLES

Équation du cercle de rayon r centré en (h, k) :

$$(x - h)^2 + (y - k)^2 = r^2$$

TAN : Calcul différentiel   © 2005 Editions Reynald Goulet inc.

DROITES

Pente de la droite qui passe par $P_1(x_1, y_1)$ et $P_2(x_2, y_2)$:

$$m = \frac{\Delta y}{\Delta x} = \frac{y_2 - y_1}{x_2 - x_1}$$

Équation point-pente de la droite de pente m qui passe par $P_1(x_1, y_1)$:

$$y - y_1 = m(x - x_1)$$

Équation pente-ordonnée à l'origine de la droite de pente m et d'ordonnée à l'origine b:

$$y = mx + b$$

THÉORÈME DE PYTAGORE

$$c^2 = a^2 + b^2$$

FORMULES DE DÉRIVATION

DÉRIVÉE D'UNE CONSTANTE

$$\frac{d}{dx}(c) = 0$$

DÉRIVÉE D'UNE PUISSANCE

$$\frac{d}{dx}(x^n) = nx^{n-1}$$

DÉRIVÉE DU PRODUIT PAR UNE CONSTANTE

$$\frac{d}{dx}[cf(x)] = cf'(x)$$

DÉRIVÉE D'UNE SOMME ET D'UNE DIFFÉRENCE

$$\frac{d}{dx}[f(x) \pm g(x)] = f'(x) \pm g'(x)$$

DÉRIVÉE D'UN PRODUIT

$$\frac{d}{dx}[f(x)g(x)] = f'(x)g(x) + f(x)g'(x)$$

DÉRIVÉE D'UN QUOTIENT

$$\frac{d}{dx}\left[\frac{f(x)}{g(x)}\right] = \frac{f'(x)g(x) - f(x)g'(x)}{[g(x)]^2}$$

DÉRIVÉE DES FONCTIONS COMPOSÉS

$$\frac{d}{dx}g(f(x)) = g'(f(x))f'(x)$$

GÉNÉRALISATION DE LA DÉRIVÉE D'UNE PUISSANCE

$$\frac{d}{dx}[f(x)]^n = n[f(x)]^{n-1}f'(x)$$

DÉRIVÉE DE e^x

$$\frac{d}{dx}e^x = e^x$$

DÉRIVÉE DE ln x

$$\frac{d}{dx}\ln|x| = \frac{1}{x}$$

FORMULES D'INTÉGRATION

INTÉGRALE D'UNE CONSTANTE

$$\int k\,dx = kx + C$$

INTÉGRALE D'UNE PUISSANCE

$$\int x^n\,dx = \frac{1}{n+1}x^{n+1} + C, \text{ où } n \neq -1$$

$$\int x^{-1}\,dx = \int \frac{1}{x}dx = \ln|x| + C$$

INTÉGRALE DU PRODUIT PAR UNE CONSTANTE

$$\int cf(x)dx = c\int f(x)dx$$

INTÉGRALE D'UNE SOMME OU D'UNE DIFFÉRENCE

$$\int [f(x) + g(x)]dx = \int f(x)dx \pm \int g(x)dx$$

INTÉGRALE DE e^x

$$\int e^x dx = e^x + C$$

DIFFÉRENTIELLE

$$dy = f'(x)dx$$

APPLICATIONS À L'ÉCONOMIE

FONCTION DE COÛT MOYEN

$$\overline{C}(x) = \frac{C(x)}{x}$$

FONCTION DE REVENU

$$R(x) = px$$

FONCTION DE PROFIT

$$P(x) = R(x) - C(x)$$

ÉLASTICITÉ DE LA DEMANDE

$$E(p) = -\frac{pf'(p)}{f(p)}$$

INTÉRÊT COMPOSÉ

$$A = P\left(1 + \frac{r}{m}\right)^{mt}$$

TAUX D'INTÉRÊT EFFECTIF

$$r_{eff} = \left(1 + \frac{r}{m}\right)^m - 1$$

CAPITALISATION CONTINUE

$$A = Pe^{rt}$$

TAN : Calcul différentiel